L'Univers du Vin

Titre original : *Wein – Die neue große Schule*

Composition : Jouve

Création et réalisation de la couverture : François Huertas

Jens
Priewe

L'Univers du Vin

Traduction de
Jeanne Étoré et Dominique Taffin-Jouhaud

Hachette

LA VIGNE ET SA CULTURE

L'art du vin

Des vins pour toutes les occasions

LES VINS DU MONDE

De la cave à la table

Soif de vin et de savoir

L'auteur d'une histoire du vin au cours des cent dernières années ne saurait considérer la fin du XXe siècle autrement que comme un âge d'or. Une amélioration très sensible de la qualité, des producteurs qui rivalisent d'ambition, des marchés apparemment capables d'accueillir à l'infini de nouveaux vins de qualité supérieure, un enthousiasme jusqu'à présent inconnu dans de nombreuses régions de la planète pour cette boisson qui, après l'eau et le lait, est la plus ancienne du monde, tels sont les traits caractéristiques de ces deux dernières décennies. L'extension du vignoble à d'autres aires de culture, le développement de nouvelles méthodes de vinification, la mise en application des découvertes de l'œnologie moderne, autant de progrès qui demandent à être commentés pour découvrir l'âme du vin d'aujourd'hui et prendre conscience des efforts entrepris pour nous procurer des plaisirs autrefois inconnus. Ce livre a été écrit pour apaiser la soif de savoir qu'éprouve immanquablement l'amateur de vins fins lorsqu'il ouvre une bonne bouteille.

PETRU

Vins cultes et autres bons crus

Ce livre n'est pas uniquement destiné aux amateurs de vins français, allemands, italiens ou autres. Il s'adresse à tous ceux qui boivent aujourd'hui tel vin, demain tel autre, mais recherchent toujours la meilleure qualité. C'est le goût de ces amateurs éclectiques qui décide de cette qualité. Hier, ils buvaient un simple vin de pays, rapporté de vacances. Aujourd'hui, ils ouvrent une bouteille d'un des grands crus qui font l'objet d'un véritable culte et imposent le respect. Demain, ce sera peut-être un vin totalement inconnu provenant d'un de ces pays apparus il y a quelques années à peine sur la carte des nations productrices de vin. Tous ces vins ont leurs qualités. Chez le caviste, ils sont rangés les uns à côté des autres. C'est le prix qui les différencie. Ce livre permettra de comprendre pourquoi les uns coûtent quelques dizaines de francs, les autres quelques centaines. Il s'attachera à décoder pour le lecteur le langage complexe des œnologues. Il voudrait en outre rendre plus évidentes la nature du vin et son élaboration, sans pour autant en détruire le mythe.

Révolution dans le vignoble

Boire du vin est un plaisir. Un livre sur le vin ne saurait donc être austère. Qu'est-ce que le vin, où pousse la vigne, comment tirer la quintessence du raisin et faire naître le précieux liquide ? C'est à ces questions et à bien d'autres encore que les pages suivantes tenteront de répondre. Le lecteur sera guidé d'une étape à l'autre de la vinification, suivant par exemple le déroulement du pressurage et apprenant le sens du mot « bâtonnage ». Il trouvera l'explication du goût du vin et découvrira ce qui fait l'originalité de l'illustre romanée-conti. Pourquoi un vin arrive-t-il à maturité plus vite dans un petit fût que dans un grand ? Pourquoi faut-il parfois décanter un vin qui n'a pas encore vieilli ? Dans cet ouvrage, aucun des thèmes ayant trait au vin n'est oublié, tant il est vrai qu'on ne peut saisir la spécificité du vin dégusté sans prendre en compte les facteurs naturels et techniques qui président à son élaboration. En effet, c'est une somme de détails qui distingue un grand vin d'un bon vin. Et, pour qui souhaite comprendre les techniques de production, il est indispensable de suivre les transformations révolutionnaires que connaît actuellement cet univers.

Triomphe d'une plante grimpante

La vigne sauvage, portant des fruits analogues à ceux que nous connaissons, existait avant même l'apparition de l'homme. En témoignent des pépins de raisin fossiles, vieux de soixante millions d'années. Cette plante poussait dans les immenses forêts qui couvraient alors les zones tempérées de la planète. Parce qu'elle devait lutter pour accéder à la lumière, elle développa des vrilles lui permettant de grimper le long des arbres. Les spécialistes l'appelle *Vitis silvestris.* Il semble que son aire d'extension ait dépassé de loin les limites des zones viticoles actuelles. On la trouvait, par exemple, en Afghanistan et en Égypte, le long du fleuve Amour et dans le Middle West américain, aux Caraïbes et au Mexique. Le climat était du reste plus chaud qu'aujourd'hui. Lors des périodes glaciaires, la vigne se replia dans les zones tempérées : dans le Bassin méditerranéen et au Proche-Orient. Cependant, à peine la terre se réchauffa-t-elle de quelques degrés que la vigne reprit son essor vers le nord. Contrairement à la plante cultivée actuelle, la vigne sauvage était sexuée : il existait des plants uniquement mâles et des plants uniquement femelles. Sa propagation était assurée par le vent, qui transportait le pollen, ou par les oiseaux et les mammifères qui se nourrissaient des baies.

Le temps du plaisir retrouvé

Quant au moment où l'on commença à cultiver la vigne et au lieu où l'on élabora pour la première fois du vin à partir du raisin, on ne peut faire que des suppositions. La seule certitude est que l'on ne produisait pas de vin dans toutes les régions où poussait la vigne sauvage.

C'est en Géorgie que l'on découvrit les plus anciens vestiges témoignant de l'art de la vinification : des restes de cruches en terre cuite décorées de relief de grappes et datant de six mille ans av. J.-C. De même, entre l'Euphrate et le Tigre, dans le sud de la région du Caucase, dans la vallée du Nil, et en Palestine à une époque plus tardive, un certain nombre d'indices prouvent que les hommes savent faire du vin depuis les temps les plus reculés. Que ce vin ait été savoureux, on peut en douter. En effet, pourquoi aurait-il donc fallu l'additionner de miel ou d'herbes aromatiques comme l'absinthe ? Sans doute l'appréciait-on davantage pour les effets enivrants de l'alcool.

Le vin stimulant et signe de statut social : Jean-Marc Nattier, Les Amants.

L'énigme américaine

En Amérique du Nord, où des végétaux du genre *Vitis* étaient également très répandus, rien ne semble indiquer la consommation de vin avant l'ère chrétienne. De fait, les vignes américaines ne se prêtaient guère à la production vinicole. Le raisin ne contenait souvent pas assez de sucre, présentait trop peu ou trop d'acidité. Par ailleurs, les levures sauvages n'étaient parfois pas assez efficaces pour transformer le sucre en alcool. Il est également possible que les quelques tentatives de vinification n'aient pas donné de résultats gustatifs probants. Quoi qu'il en soit, le vin n'apparaît que très tard dans l'histoire du continent américain. Aujourd'hui encore, les vins issus de vignes américaines se distinguent par un goût très âpre, « foxé » selon l'expression consacrée, c'est-à-dire évocateur de fourrure de renard.

L'apparition du *Vitis vinifera*

Sans doute la découverte du vin fut-elle l'effet du hasard. Les habitants de l'Asie Mineure conservaient le jus de raisin dans des récipients en terre et dans des outres en peau de chèvre ou de chameau. Sous l'effet de la chaleur, le jus se mettait bientôt à fermenter. Nul ne sait s'il arrivait à fermentation complète, restait sucré, s'oxydait ou tournait au vinaigre. Mais les raisins devaient être très sucrés pour produire après fermentation une boisson enivrante. Plus tard, les botanistes donnèrent à la vigne d'Europe et du Proche-Orient le nom de *Vitis vinifera :* vigne propre à l'élaboration de vin.

Le vin chez les Grecs

Avec l'essor de la civilisation grecque, à partir de 1600 av. J.-C., la vigne fut implantée dans tout le pourtour méditerranéen. Les grands centres vinicoles étaient sans doute Mycènes et Sparte. C'est ce que semblent montrer les nombreux décors de vases qui y ont été découverts. Le vin était alors une boisson cultuelle qui servait à honorer les dieux, à célébrer les victoires et les fêtes. Les méthodes de vinification étaient déjà très élaborées, même si l'on ajoutait encore fréquemment au vin en cours de fermentation de l'eau de mer, prétendument pour le rendre plus souple. Les colons grecs apportèrent le vin et la vigne en Syrie, en Égypte, à Cadix et à Marseille (600 av. J.-C.), puis en Sicile (500 av. J.-C.). Pourtant, aux yeux des Grecs, le dieu du Vin, Dionysos, n'était pas seulement une puissance bienfaisante qui enseignait aux paysans les secrets du vin, mais aussi une divinité menaçante, accompagnée d'un cortège de Ménades, qui faisait sombrer les hommes dans l'ivresse et dans la folie.

L'épopée romaine

Après le déclin de la Grèce, le culte du vin ne tarda pas à se répandre au sein de l'Empire romain. Le vin était à la fois signe de statut social, monnaie d'échange, médicament et boisson mythique : on en buvait notamment pour sceller les traités. Le vin blanc le plus renommé de l'Antiquité, le falerne, était issu des vignes cultivées au nord de Naples, conduites le long des troncs d'ormes ou de mûriers. Pline indique qu'il pouvait être doux ou sec, mais toujours fort en alcool. On expérimentait déjà divers modes de conduite de la vigne, et l'on commençait à distinguer les différents cépages. Selon Virgile, il y en avait autant que de grains de sable sur une plage.
De Rome, la culture de la vigne gagna le sud de la France, la vallée de la Moselle et la vallée du Rhin, ainsi que les diverses régions de l'Espagne. Dans la péninsule Ibérique comme en France, certaines populations locales isolées auraient pratiqué la culture de la vigne bien avant la conquête romaine. En Italie centrale, dans l'actuelle Toscane, le vin était même connu dès le IIIe siècle av. J.-C. Les Étrusques considéraient cette boisson enivrante comme un signe de richesse et d'opulence. On ignore encore si ce peuple cultivait

la vigne ou s'il se contentait de récolter les fruits de souches sauvages pour élaborer du vin, mais il est évident que le commerce de cette denrée était une activité économique clé.

Le Moyen Âge et l'époque moderne

Au cours des premiers siècles de notre ère, la culture de la vigne s'étendit largement en Europe. Au Moyen Âge, les moines firent œuvre de pionniers. Ce furent surtout les Bénédictins, bons vivants, qui portèrent à un haut niveau la viticulture et l'art de la vinification, puis les Cisterciens qui, à l'écart du monde, travaillaient les vignobles. Sous l'égide des monastères de Cluny et de Cîteaux, la Bourgogne devint ainsi une grande région viticole.

À la Renaissance, les monarques mécènes et les riches bourgeois, en particulier les familles italiennes Antinori et Frescobaldi encore réputées de nos jours, firent progresser la viticulture. L'aire de culture de la vigne atteignit en Europe son extension maximale au XVIe siècle. Elle était près de quatre fois supérieure à aujourd'hui, et la consommation de vin devait s'élever annuellement à 200 litres par personne. Cet âge d'or fut cependant bientôt révolu. Les guerres, les épidémies et le refroidissement du climat entraînèrent le repli de la vigne sur les quelques régions principales correspondant, *grosso modo*, aux zones viticoles actuelles.

Le temps des fléaux

L'histoire récente de la viticulture fut marquée par deux fléaux : le mildiou et le phylloxéra, parasites importés en Europe par l'intermédiaire de plants américains. Le premier fut introduit en France en 1847, détruisant des récoltes entières. L'année 1854, où les vignerons français récoltèrent à peine un dixième de la vendange habituelle, resta gravée dans les mémoires. Le phylloxéra eut des effets encore plus dévastateurs, qui se firent d'abord sentir dans l'Hexagone ; à partir de 1863, il se répandit à travers toutes les régions viticoles d'Europe et détruisit pour des décennies des vignobles entiers. Lorsqu'en 1910 on lui trouva enfin un remède, en greffant les cépages européens sur des pieds américains résistants au phylloxéra, d'innombrables cépages, parfois de grande valeur, avaient à tout jamais disparu. La variété des plants actuels n'est qu'un pâle reflet de leur diversité d'alors.

Vitis Linné
sarments non ramifiés
sarments ramifiés
Vitis labrusca
Vitis candicans
Vitis aestivalis
Vitis riparica
Vitis cinerascentes
Viniferae
Rupestris
Vitis cinerea
Vitis cordifolia
Vitis berlanderi
Vitis monticola
Vitis rupestris
Vitis arizonica
Vitis vinifera silvestris *vigne sauvage d'Europe*
Vitis vinifera caucasia *vigne sauvage du Caucase*
Vitis vinifera sativa
chardonnay
pinot noir
cabernet-sauvignon
riesling
sylvaner
syrah

À gauche : la vigne dans la classification botanique de Linné (1707-1778).
À droite : vase attique du IVe siècle av. J.-C. Dès l'Antiquité, le vin était célébré par les grandes civilisations. On en remplissait les cratères pour sceller les traités, célébrer les victoires et les fêtes.

L'essor du vignoble mondial

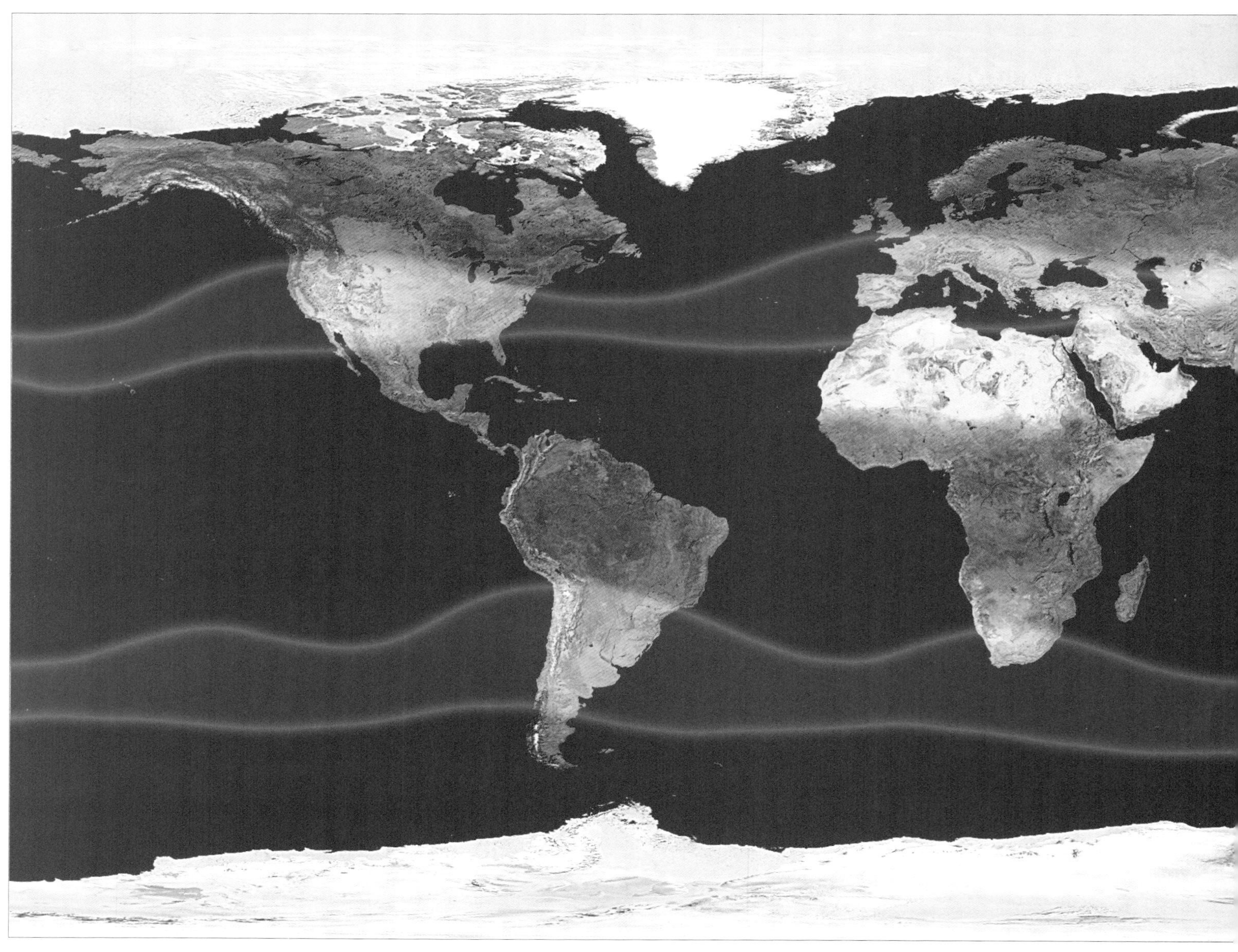

Le vignoble se concentre dans les zones tempérées de la planète, soit, en Europe, entre les 40e et 50e parallèles, en Amérique et dans l'hémisphère Sud entre les 30e et 40e parallèles.

Le raisin a certes besoin de chaleur pour mûrir, mais la production de vins fins exige des températures assez fraîches pour retarder la formation des sucres dans les baies et éviter, pendant la période de maturation, une trop forte décomposition des acides. En effet, l'acidité est l'un des éléments qui confèrent leur élégance aux vins blancs et rouges. Une vendange échauffée peut être à l'origine de vins lourds et alcooleux.

Soleil, chaleur et précipitations

Selon les scientifiques allemands, pour se prêter à la culture de la vigne, une région doit bénéficier d'au moins 1 600 heures d'ensoleillement par an. Les Américains parlent d'au moins 2 500 heures par an, avec une température minimale de 10 °C. Évidemment, il ne s'agit pas de conditions *sine qua non*. La pente du vignoble, par exemple, optimise considérablement l'exposition au soleil. Dans les zones de culture les plus chaudes, le problème réside moins dans l'insolation que dans les précipitations. Ces dernières doivent atteindre au moins 600 mm par an. Mais ce critère n'est pas non plus universellement valable ; 300 mm peuvent suffire, pourvu qu'une partie des pluies tombe au printemps, pendant la période de végétation, une autre en été pour interrompre la période de sécheresse, qui peut s'étaler sur trois ou quatre mois. L'irrigation est, dans certains cas, nécessaire.

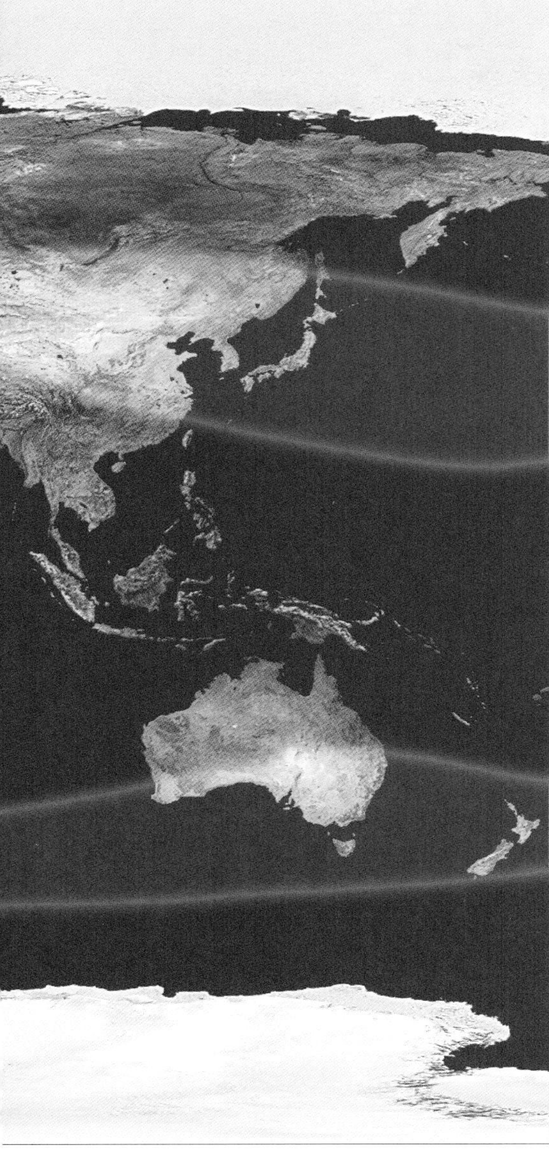

La vigne est cultivée aussi bien dans l'hémisphère Nord que dans l'hémisphère Sud. Toutefois, les aires viticoles se concentrent essentiellement dans deux bandes étroites, sous un climat modérément chaud.

Les limites de la culture de la vigne

Certains vignobles sont situés dans des régions septentrionales qui constituent la limite nord de la viticulture. Les vallées de la Moselle et du Rhin se trouvent en partie autour du 51e parallèle, de même que les vignes de Cornouailles, dans le sud de l'Angleterre. Inversement, un grand nombre d'aires viticoles d'Europe méridionale et d'Afrique du Nord sont implantées dans des régions arides, autour du 36e parallèle. Elles produisent essentiellement des vins de liqueur, forts en alcool (xérès, marsala, samos, « xérès de Chypre ») et des vins rouges robustes destinés au coupage. En Afrique du Sud et en Australie, les aires les plus chaudes produisent elles aussi des vins de liqueur, analogues au porto.

Vers des aires plus fraîches

Au cours des vingt dernières années, la viticulture s'est déplacée dans le monde entier vers des zones plus fraîches. Cette évolution est surtout sensible en Australie, en Afrique du Sud et au Chili, mais elle se vérifie aussi en Grèce. En Californie et dans l'Oregon, elle est déjà en cours depuis longtemps. Pour la production de vins blancs notamment, les vignerons recherchent spécifiquement des aires qui se trouvent dans la zone d'influence du climat frais du Pacifique.

Cépages les plus fréquents
(Répartition en pourcentage des surfaces viticoles entre les différents cépages de l'espèce *Vitis vinifera*)

	Cépage	Couleur	%
1.	Airén	blanc	5,47 %
2.	Grenache	rouge	4,34 %
3.	Sultana	blanc	4,02 %
4.	Ugni blanc	blanc	3,44 %
5.	Carignan	rouge	3,21 %
6.	Rkatsiteli	blanc	3,21 %
7.	Merlot	rouge	1,66 %
8.	País	rouge	1,64 %
9.	Cabernet-sauvignon	rouge	1,61 %
10.	Mourvèdre	rouge	1,39 %
11.	Muscat blanc	blanc	1,26 %
12.	Bobal	rouge	1,04 %
13.	Muscat d'Alexandrie	blanc	1,03 %
14.	Tempranillo	rouge	0,98 %
15.	Cinsaut	rouge	0,92 %
16.	Sémillon	blanc	0,86 %
17.	Kadarka	rouge	0,85 %
18.	Malbec	rouge	0,82 %
19.	Chenin	blanc	0,80 %
20.	Riesling	blanc	0,77 %
21.	Aramon	rouge	0,75 %
22.	Welschriesling	blanc	0,74 %
23.	Verdicchio	blanc	0,73 %
24.	Palomino	blanc	0,69 %
25.	Macabeu	blanc	0,68 %
26.	Pedro ximénez	blanc	0,65 %
27.	Müller-thurgau	blanc	0,57 %
28.	Pamid	rouge	0,54 %
29.	Chasselas	blanc	0,52 %
30.	Cereza	rouge	0,51 %
31.	Xarel-lo	blanc	0,49 %
32.	Pinot noir	rouge	0,48 %
33.	Grenache blanc	blanc	0,47 %
34.	Colombard	blanc	0,46 %
35.	Bonarda	rouge	0,45 %
36.	Gamay	rouge	0,42 %
37.	Grüner veltliner	blanc	0,41 %
38.	Syrah	rouge	0,40 %
39.	Cabernet franc	rouge	0,39 %
40.	Chardonnay	blanc	0,38 %
41.	Alicante-bouschet	rouge	0,37 %
42.	Merseguera	blanc	0,36 %
43.	Tinto Madrid	rouge	0,35 %
44.	Dimiat	blanc	0,34 %
45.	Cardinal	rouge	0,29 %
46.	Pardina	blanc	0,28 %
47.	Barbera	rouge	0,28 %
48.	Muscat de Hambourg	blanc	0,27 %
49.	Sylvaner	blanc	0,26 %
50.	Zalema	blanc	0,23 %

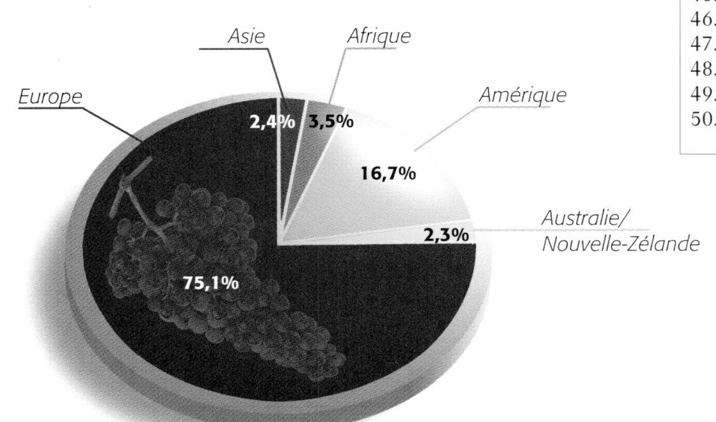

Répartition de la production mondiale de vin par continent

La concentration des sucres

La vigne a la capacité de produire d'extraordinaires quantités de sucre qui se concentrent dans ses fruits. Le saccharose se décompose en fructose et en glucose. Le jus des grains de raisin contient une proportion de 15 % à 25 % de ces deux sucres. À titre de comparaison, le jus de fruits à pépins comme la pomme et la poire ne contient que 12 % de sucre.

La vigne est, au monde, la plante dont les fruits renferment le plus fort taux de sucre. Le jus de raisin contient de 15 % à 25 % de sucres fermentescibles. Pour cette raison, ce fruit se prête mieux que tout autre à la vinification.

La vigne est l'une des plantes les plus résistantes, les moins exigeantes et les plus adaptables. Elle peut se développer sur des sols pauvres et arides, dans des conditions thermiques rudes. Dans les zones de culture septentrionales et froides, comme la Champagne ou certains secteurs des vallées du Rhin et de la Moselle, les ceps sont devenus résistants au gel. Leur bois dur supporte même des températures hivernales inférieures à -20 °C. Dans les régions les plus chaudes du centre de l'Espagne, la vigne résiste au contraire à des périodes de sécheresse de quatre-vingt-dix jours et plus.

Le système racinaire

La vigne possède un système racinaire très développé. Les racines ancrent solidement la plante au sol et constituent des réserves de substances nutritives. Dans les régions sèches comme la vallée du Douro du côté espagnol, les racines pivotantes s'enfoncent jusqu'à 6 m de profondeur pour atteindre l'humidité. Ainsi la vigne donne-t-elle des fruits dans ces régions où d'autres plantes cultivées périssent sous l'effet de la sécheresse.

Le feuillage et la lumière

La vigne porte un feuillage abondant. Ses feuilles lui procurent une grande partie de l'énergie dont elle a besoin pour sa croissance. C'est la photosynthèse, processus qui se déroule chez tous les végétaux. La chlorophylle des feuilles transforme en sucre le gaz carbonique de l'air (mêlé à l'eau). L'agent de cette réaction est la lumière. Pour parvenir à la lumière, le cep grimpe en s'accrochant grâce à ses vrilles. De fait, ce n'est pas par hasard si de nombreuses régions viticoles se trouvent à proximité de lacs ou de cours d'eau. La surface de l'eau réfracte et intensifie la lumière. Les conditions idéales pour une bonne réalisation de la photosynthèse sont des températures de 25 °C à 28 °C et une intensité lumineuse de 20 000 lux. C'est ainsi que se forment les plus grandes quantités de sucre. La vigne supporte sans difficulté un léger manque d'eau. Toutefois, la photosynthèse peut être compromise par un stress hydrique prolongé. Lorsque la sécheresse est trop forte, la feuille referme ses pores afin de mieux retenir l'eau, mais la plante est alors incapable de respirer et ne forme plus de sucre.

Les points faibles de la vigne

La plus grande faiblesse de la vigne est sa vulnérabilité aux parasites et aux maladies, au moins en ce qui concerne les variétés européennes nobles de *Vitis vinifera*. Oïdium et mildiou, anthracnose, araignées rouges et nématodes l'attaquent violemment. Les cépages de *Vitis* américain étaient à l'origine beaucoup plus robustes. La fragilité de la vigne s'accroît sensiblement avec les forts apports d'engrais et l'augmentation des rendements.

1 *Bourgeon à partir duquel se développe la feuille ou la grappe.*
2 *Inflorescence : la fleur de vigne est hermaphrodite, elle possède à la fois des organes mâles et des organes femelles. Les grappes se développent sur les rameaux non aoûtés (lignifiés).*
3 *Ébauche de grappe, premier stade de la formation des baies après la fleur : nouaison.*
4 *Grappe verte, encore chargée de chlorophylle : stade intermédiaire dans le développement du fruit.*
5 *Véraison : passage du vert à la couleur définitive du raisin. Ce phénomène débute le plus souvent en juillet, dès lors qu'un certain taux de sucre est atteint dans la baie.*
6 *Raisin mûr : stade terminal du processus de maturation de la vigne.*
7 *Entre-cœur : pousses réduites indésirables qui se développent le plus souvent sur le vieux bois, portant parfois de petits fruits (grappillons) qui demeurent acides et ne peuvent être vendangés. On supprime généralement les entre-cœurs lors de la taille d'été.*
8 *Vrille : organe permettant à la plante de grimper ; son développement est antérieur à celui des fleurs. Les vrilles s'enroulent autour de n'importe quel support. Elles se lignifient après les vendanges.*
9 *Feuille : organe respiratoire de la vigne qui sert aussi à son alimentation. La forme du limbe, la denture de la feuille et le sinus pétiolaire diffèrent selon les cépages.*
10 *Le cep, appelé aussi vieux bois, constitue la partie la plus faible de la plante, compensée par des racines puissantes.*
11 *Bras, ou bois de deux ans, sur lequel se développent les rameaux fructifères.*
12 *Sarments, ou bois d'un an, sur lesquels se forment les yeux, dont sont issues les feuilles et les grappes.*
13 *Racines superficielles qui absorbent les précipitations en surface. Elles sont endommagées lors du labourage des cavaillons mais se reconstituent rapidement.*
14 *Pivot souterrain qui ancre le cep dans le sol.*
15 *Racines profondes captant l'humidité et les substances nutritives. Avant le repos hivernal de la végétation (dormance), elles emmagasinent encore de grandes quantités d'hydrates de carbone pour l'alimentation du cep.*

L'origine du goût

Un grain de raisin est composé à 90 % d'eau. Ce sont les 10 % restants qui permettent d'en extraire une noble boisson : le vin.

Le raisin est le fruit de la vigne. À l'automne, une grappe porte en moyenne entre 80 et 150 baies selon la grosseur du fruit qui, elle-même, varie selon les cépages. Le riesling et le pinot noir possèdent de petites grappes compactes. La grappe de picolit, cépage du Frioul italien qui sert à l'élaboration de précieux vins de dessert, ne développe généralement qu'une cinquantaine de petites baies espacées et réparties irrégulièrement à l'extrémité de la rafle. Ce plant est sujet à la coulure : seule une petite partie des fleurs est fécondée. L'ugni blanc, à l'origine du vin de base distillé en cognac, est au contraire un cépage très fructifère, pouvant porter jusqu'à 150 grains de raisin par grappe.

L'égrappage

Le vigneron récolte des grappes de raisin entières, mais il n'a besoin que des baies pour la vinification. Aussi, le raisin rouge, à peine la vendange rentrée au cuvier, est-il égrappé : on sépare les grains du pédoncule. La rafle elle-même est rarement utilisée dans les vinifications. Elle contient des tanins âpres et désagréables. Le raisin blanc est le plus souvent pressé avec les rafles, mais le moût qui en est extrait fermente sans elles.

Du vin blanc issu de raisins rouges : le blanc de noirs

La nature et la qualité du vin dépendent de la composition des baies. La pulpe renferme le jus sucré que l'on fait fermenter. Celui-ci est d'une couleur gris-vert, pour le raisin rouge comme pour le raisin blanc (seuls les cépages hybrides dits « teinturiers » présentent une pulpe colorée). Le vin n'acquiert une coloration rouge que lorsque les pellicules sont pressées en même temps que le moût. Ce sont elles qui contiennent les pigments colorés. En faisant fermenter le moût de raisins rouges sans les pellicules, on obtient un vin blanc appelé « blanc de noirs ». La production de blanc de noirs est fréquente en Champagne, à partir du pinot noir et du pinot meunier. Le champagne blanc de blanc est, pour sa part, issu de seul chardonnay.

Rouge ou blanc, le raisin produit un moût blanc. Ainsi peut-on obtenir du vin blanc à partir de raisins rouges à condition de ne pas faire fermenter les pellicules ; le vin rouge résulte de la fermentation simultanée de la pellicule et du moût.

Coupe schématique d'un grain de raisin, avec répartition des sucres, acides et polyphénols.
(Les pourcentages sont indicatifs, les proportions étant variables d'un cépage à l'autre et même d'un grain de raisin à l'autre.)

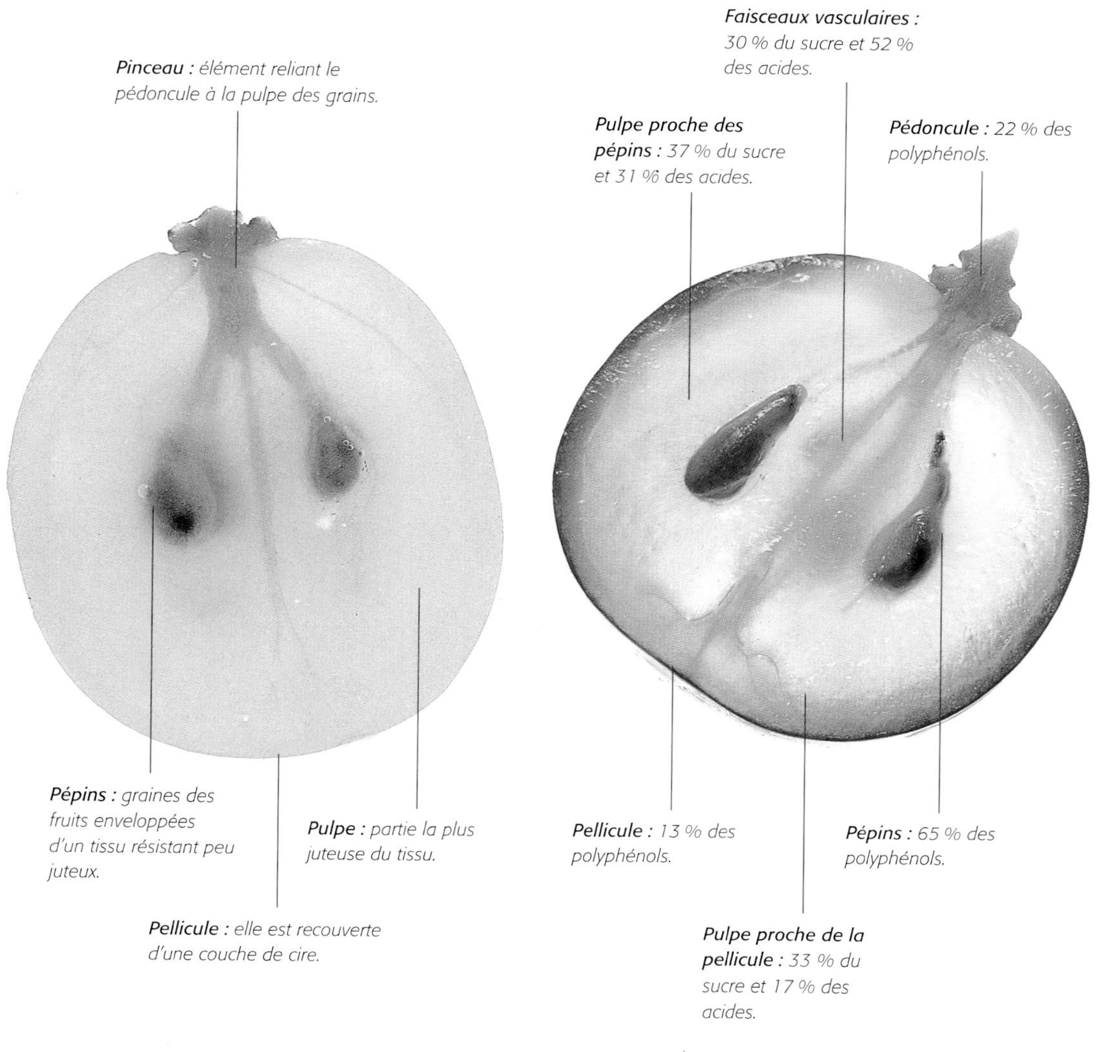

Les anthocyanes

Les pigments bleus des raisins rouges sont appelés anthocyanes. Contenus essentiellement dans la peau, ils sont solubles dans l'alcool et, plus difficilement, dans l'eau. En conséquence, il suffit que le moût de raisin, avant fermentation, c'est-à-dire avant transformation du sucre en alcool, soit en contact quelques heures avec les pellicules pour obtenir la coloration rouge clair du vin rosé. Les anthocyanes n'apparaissent pas dans la pellicule des raisins blancs. On trouve en revanche des flavones, ou pigments jaunes. Les vins blancs qui sont restés quelques heures en contact avec les peaux tendent à prendre une coloration jaune citron ou jaune doré.

Les tanins

Les tanins sont des composés phénoliques inodores qui présentent un léger goût amer et provoquent une constriction des muqueuses de la bouche (goût astringent). Ils sont contenus dans la pellicule, les pépins et les rafles. La présence de tanins n'est pas souhaitable dans les vins blancs, où ils sont réduits à un taux insignifiant. Au contraire, ils sont recherchés dans les vins rouges, auxquels ils confèrent leur complexité et leur capacité au vieillissement. Pendant la garde en bouteille, le vin connaît une polymérisation des tanins qui perdent leur caractère rugueux initial pour s'assouplir et se fondre à l'ensemble.

Les agents de sapidité

Il existe des composés volatils et non volatils. Parmi les substances volatiles, dégageant un parfum, il faut citer la méthoxypyrazine, à l'origine de l'arôme épicé et poivré du cabernet-sauvignon ; le nérol, responsable de l'arôme fleuri et musqué du riesling ; la mégastigmatriérone, qui produit la note de tabac et de cuir d'un Brunello di Montalcino. Les agents non volatils confèrent son goût au vin. Quelques agents de sapidité s'allient par exemple aux molécules de sucre et ne se développent qu'au cours du vieillissement du vin.

La qualité est dans la pellicule

La taille des baies importe plus que celle des grappes. Les raisins de table présentent de gros grains ronds et juteux pouvant peser chacun jusqu'à 15 g. C'est ainsi qu'ils sont les meilleurs. Certains cépages utilisés pour la vinification possèdent eux aussi de grosses baies ; la quantité de vin que l'on en extrait est certes plus importante, mais la qualité est inférieure. Tous les cépages de grande valeur portent au contraire de petites baies ne pesant jamais plus de 1 à 2 g ; la quantité de moût obtenue est réduite, et les composants d'autant plus concentrés. Plus important encore, leurs grains ont une peau épaisse. Or, la pellicule renferme les substances qui font la qualité du vin, à savoir – mis à part le sucre – les composés phénoliques, ou polyphénols.

Le rôle des polyphénols

Les composés phénoliques comprennent les pigments, les tanins et une partie des agents de sapidité, d'où la désignation globale de polyphénols. Les polyphénols sont des molécules d'oxygène hydrogéné qui, par polymérisation, forment de nouveaux composés. Le jus d'un grain de raisin contient d'innombrables composés phénoliques. En principe, le taux de polyphénols est plus élevé dans les raisins rouges que dans les blancs. Les producteurs de vin rouge cherchent ainsi à obtenir la plus forte teneur en composés phénoliques afin que leurs vins aient une couleur et une saveur plus riches, avec davantage de tanins. La majeure partie des polyphénols est concentrée dans les pépins, mais les plus précieux pour l'élaboration des vins rouges sont ceux de la pellicule.

L'alternance bénéfique de journées chaudes et

On dit souvent que les grands crus naissent près des grands fleuves. En réalité, la proximité de l'eau n'est pas le seul facteur de qualité ; des versants ensoleillés, des sols secs et une lumière abondante participent à la définition d'un terroir viticole.

La vigne a besoin avant tout de chaleur et de lumière pour se développer. La lumière favorise la photosynthèse, la chaleur accélère le cycle végétatif et, par conséquent, la maturation du raisin. D'après les chercheurs de l'Institut de Geisenheim, en Allemagne, la température optimale pour la croissance de la vigne se situe entre 25 °C et 28 °C. Dans la plupart des régions viticoles, ces conditions ne sont remplies que quelques semaines par an. C'est la raison pour laquelle les grands vins sont rares. Ils ne proviennent que de zones favorisées, très circonscrites, ou de petites niches écologiques. Les caractéristiques géographiques du vignoble jouent en l'occurrence un rôle décisif. Ce sont parfois d'infimes détails qui déterminent la production d'un bon vin ou d'un grand vin.

L'altitude

L'altitude des vignobles exerce une influence prépondérante sur la température. Les températures baissent de 0,6 °C tous les 100 m. Dans les régions viticoles chaudes, comme la Bekaa, au Liban, les vignes sont plantées à 1 000 m d'altitude. Les vignobles de Ribera del Duero, en Espagne, s'élèvent jusqu'à 800 m. Quelques-uns des meilleurs vins siciliens sont produits à 600 m d'altitude. Même en Australie, en Afrique du Sud, au Chili et en Californie, la culture de la vigne tend de plus en plus à se déplacer vers les

Schéma des échanges thermiques dans un paysage viticole
Jaune : les rayons du soleil ont un angle d'incidence de 90° avec le versant, ce qui permet de capter un maximum de chaleur.
Bleu : du plateau descend pendant la nuit, vers la vallée, un air froid qu'emporte le cours d'eau.
Rouge : l'eau refroidit plus lentement que l'air. En automne, les vignobles profitent de la chaleur irradiée par la rivière.

de nuits fraîches

zones plus élevées et plus fraîches. Au contraire, dans beaucoup de régions viticoles d'Europe au climat continental, il importe de ne pas perdre un degré de température. Les vignobles sont donc cultivés entre 50 et 450 m au-dessus du niveau de la mer.

Les versants et coteaux

L'idéal pour la culture de la vigne est un terrain en pente. Les sols y sont généralement minces et arides. L'angle d'incidence des rayons du soleil est favorable. Les coteaux garantissent en outre un apport de chaleur continu. Les courants d'air froid descendent la nuit des versants dans la vallée, où ils se réchauffent au cours de la journée. L'air réchauffé au fond de la vallée remonte ensuite le long du versant. Cette circulation d'air importe surtout pour les cépages blancs. Le riesling, en Alsace, dans les vallées de la Moselle et du Rhin comme dans la Wachau en Autriche, a besoin de cette alternance de chaleur diurne et de fraîcheur nocturne pour conserver une bonne acidité. Cependant, dans les régions viticoles plus froides, ces courants d'air froid constituent un risque. Non seulement en Allemagne, en Autriche et en Alsace, mais aussi en Champagne et parfois en Bourgogne, les sommets des hauteurs sont plantés de bois pour freiner l'afflux d'air froid.

L'ensoleillement

Un terroir en pente offre encore d'autres avantages – du moins dans les zones tempérées. L'ensoleillement y est nettement plus important qu'en plaine, et la moindre calorie supplémentaire peut jouer un rôle décisif. L'apport maximal de chaleur est obtenu sous un angle d'incidence de 90°. Cette valeur n'est atteinte que sur de rares coteaux très abrupts, mais plus l'inclinaison de la pente permet d'approcher de cette incidence, plus celle-ci est ensoleillée. Le soleil réchauffe le sol, et la chaleur du sol irradie le raisin – notamment sur les terrains caillouteux.

La proximité de l'eau

La proximité d'une rivière ou d'un fleuve, d'un lac ou de la mer importe surtout parce que la surface de l'eau reflète la lumière, qui est d'une importance capitale pour la photosynthèse et les fonctions d'assimilation des feuilles. Elle exerce un effet optimal à 20 000 lux. Cet éclairement est obtenu même sous un ciel légèrement couvert. Toutefois, lorsque le ciel est très nuageux, l'éclairement reste plus ou moins nettement inférieur à ce niveau. Dans les régions viticoles de climat atlantique ou continental frais, l'effet focalisant des cours d'eau est donc d'une importance majeure – même lorsqu'il y a une distance de plusieurs kilomètres entre l'étendue d'eau et les vignobles. Lorsque les vignobles se situent immédiatement en bordure de l'eau, celle-ci joue en outre un rôle d'accumulateur de chaleur – pendant les saisons chaudes. Autrement dit, le soir et la nuit, lorsque l'air se rafraîchit, l'eau dégage de la chaleur directement dans les vignobles. En revanche, en hiver, lorsque l'eau est plus froide que l'air, la proximité d'eau augmente les risques de gelée.

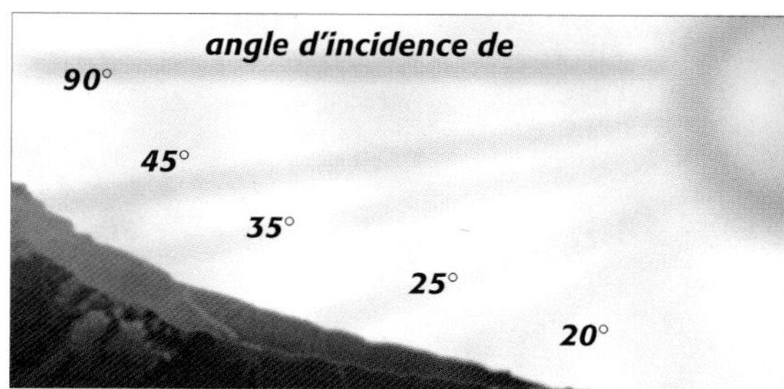

Plus la pente est abrupte, plus le vignoble capte les rayons du soleil.

Morphologie du vignoble

terrain plat (pente de 0 à 20 %)

faible pente (21 à 30 %)

pente moyenne (31 à 40 %)

pente forte (41 à 50 %)

pente abrupte (51 % et plus)

Les différents types de climats

Climat océanique dégradé
Les régions viticoles du nord de l'Europe connaissent un climat frais sous influence atlantique, avec un ensoleillement le plus souvent inférieur à 1 300 heures par an. Les étés sont courts et chauds, les hivers froids se prolongent jusqu'à une date avancée du printemps, comme en Allemagne et en Champagne.

Climat continental
Il règne essentiellement sur les régions intérieures d'Europe centrale et se caractérise par de fortes amplitudes thermiques saisonnières.

Climat océanique
Climat doux régulier avec de faibles variations de température entre été et hiver. Il se rencontre surtout dans les régions viticoles proches de la mer et dans de nombreuses aires viticoles de l'hémisphère Sud.

Climat méditerranéen
Climat prédominant dans l'ensemble du Bassin méditerranéen, caractérisé par des étés chauds et secs, des hivers humides. C'est un climat idéal pour la culture de la vigne.

Climat aride tropical
Climat très chaud avec de rares précipitations. La culture de la vigne est impossible sans un minimum de pluies régulières ou sans irrigation. C'est le climat caractéristique de certaines régions du sud de l'Australie, d'Afrique du Sud, du Chili et de la Central Valley en Californie.

Ensoleillement moyen d'avril à septembre (en heures)

Jerez (Espagne)	1 930
Alicante (Espagne)	1 847
Oran (Algérie)	1 784
Patras (Grèce)	1 778
Montpellier (France)	1 771
Florence (Italie)	1 697
Mendoza (Argentine)	1 688
Palerme (Italie)	1 619
Perpignan (France)	1 619
Adélaïde (Australie)	1 544
Dijon (France)	1 433
Bordeaux (France)	1 252
Reims (France)	1 226

L'influence du sol sur la qualité

Les graves du Médoc
Les sols caillouteux et perméables du Médoc se composent de graves de rivière calcaires. Ils renferment peu de substances nutritives, de sorte que le cep doit enfoncer ses racines en profondeur pour trouver de l'humidité et s'alimenter. Sous les galets s'étend une mince couche de marne, recouvrant à son tour une épaisse strate de calcaire. La vigne doit enfoncer ses racines jusqu'à cette strate pour puiser sa nourriture.

Le sol calcaire de Champagne
Le calcaire est considéré comme le sol idéal pour la production de pinot noir et de chardonnay. La couche calcaire commence 50 cm au-dessous de la couche superficielle d'humus. Elle se compose pour une part de craie à bélemnitelles friable, pour une part de calcaire dur riche en carbonate. La couche de calcaire remonte à 65 millions d'années. Les racines de la vigne s'enfoncent profondément dans ce calcaire, qui atteint par endroits 20 m d'épaisseur.

En France, la notion de terroir est le pivot de la production vinicole de qualité. Pourtant, elle n'est pas aisée à définir et aucun spécialiste n'a encore précisé quel sol produisait le meilleur vin.

Indéniablement, la nature du sol sur lequel pousse la vigne est d'une importance capitale pour la qualité du vin. Toutefois, œnologues et scientifiques ne s'accordent pas sur la façon dont le sol exerce son influence. Les Français et les Allemands partent du principe que c'est la composition du sol, en particulier sa composition minérale, qui fait le style et le caractère d'un vin, lesquels varient selon que le raisin a été récolté sur du lœss ou du granite, du grès ou du calcaire. En revanche, les Américains et les Australiens mettent l'accent sur la topographie et la structure du sol, plutôt que sur sa composition minérale et organique, lorsqu'il s'agit de relever les effets de la géologie sur le profil organoleptique du vin.

Le sol influence-t-il le goût du vin ?

Nombre d'arguments parlent en faveur de la thèse européenne. Les meilleurs pinots noirs du monde sont produits en Bourgogne, sur les sols calcaires de la Côte d'Or. Les vins de Pouilly doivent leur spécificité au silex qui se mêle aux sols calcaires des coteaux de la Loire. Quelques grands crus d'Alsace doivent leur bouquet minéral au gneiss déposé par l'érosion au pied des Vosges. On prétend même que les riesling allemands du cours moyen de la Moselle, où prédominent les schistes bleus du Dévonien, dévoilent d'inimitables notes d'ardoise.

Les vignerons du Nouveau Monde ont toutefois de bonnes raisons de remettre en cause l'influence de la composition du sol. Riesling, sauvignon blanc et pinot noir poussent en effet sur de tout autres sols et donnent de bons, voire d'excellents vins non dénués de caractère. Sans parler du cabernet-

Le sol schisteux de la vallée de la Moselle
Les meilleurs coteaux du cours moyen de la Moselle sont des terrains schisteux. Le schiste remontant au paléolithique s'est érodé pendant des millions d'années. Il se réchauffe rapidement et irradie pendant la nuit la chaleur emmagasinée dans la journée. Les rieslings de tout premier ordre qui poussent sur ces sols dévoilent dans leur bouquet des nuances très nettement minérales – « notes ardoisées », disent les vignerons de la Moselle.

La terra rossa du Coonawarra
Le Coonawarra est considéré comme l'un des meilleurs, sinon le meilleur, terroirs de cabernet-sauvignon et de shiraz (syrah) d'Australie. C'est une étroite bande de terre rouge-brun d'environ 15 km de longueur. Cette terre repose sur une couche calcaire qui retient l'eau. Le Coonawarra produit des vins rouges sombres aux tanins suaves avec un soupçon de menthe au nez.

sauvignon et du chardonnay : les vins californiens issus de ces cépages ont battu plus d'une fois leurs pendants français lors de dégustations à l'aveugle. Ils leur ressemblaient parfois à s'y méprendre, alors que les sols acides de Napa Valley sont fort différents, pour ne pas dire à l'opposé, des calcaires de la Côte de Beaune.

À chaque cépage son sol de prédilection

En fait, les deux conceptions ne s'excluent pas. La production de vins de qualité exige qu'un certain nombre de conditions soient remplies : il faut des sols légers, chauds, secs, renfermant une proportion ni trop forte ni trop faible de matière organique, qui permettent un développement végétatif sain. En outre, un certain type de sol, d'une composition minérale particulière, peut être plus favorable à tel ou tel cépage et expliquer la finesse d'un vin : par exemple, le silex dans la vallée de la Loire, la roche ancienne dans la Wachau, le schiste dans la vallée de la Moselle.

La notion de terroir

La définition européenne de la « qualité » émane de la France et se résume par la notion de terroir. Le terroir ne se limite pas au sol. Bruno Prats, propriétaire du château Cos d'Estournel à Saint-Estèphe, a formulé sa conception de la qualité de la façon suivante : « Une foule de facteurs influencent le vin : les températures diurnes et nocturnes, la répartition des précipitations pendant le cycle végétatif annuel, le nombre d'heures d'ensoleillement, la structure profonde du sol, son pH, sa perméabilité, sa composition minérale, la topographie superficielle du paysage, l'orientation par rapport au soleil – pour n'en citer que quelques-uns. C'est l'effet conjugué de l'ensemble de ces facteurs que l'on appelle le "terroir". »

Les travaux de la vigne

On ne saurait élaborer de bon vin sans une matière première saine et concentrée. Si, au cours des années soixante-dix et quatre-vingt, de nombreux viticulteurs ont orienté leurs investissements dans l'installation d'élégantes caves dotées d'une technologie de pointe, ils reviennent désormais au principe premier de la qualité : le travail de la vigne. C'est en effet pendant le cycle végétatif que le vigneron peut exploiter le potentiel du terroir. L'entretien du sol, la conduite et la taille de la vigne, la lutte contre les parasites sont autant d'étapes nécessaires pour la production de raisins sains et de vin de qualité. Les vendanges constituent le couronnement du cycle végétatif annuel. C'est à ce moment que le vigneron juge de la destination de sa matière première. Le travail peu mécanisé est plus favorable à la production d'un vin fin : les soins apportés à la vigne font tout le prix du vin (en illustration, le château Magdelaine à Saint-Émilion).

La vigne, une monoculture

L'ordre règne dans le vignoble moderne. Les rangées sont comme tirées au cordeau, le nombre de feuilles calculé à l'unité près. Cet ordonnancement ne sert pas uniquement la qualité : le vignoble doit aussi être planté de telle sorte que son entretien ne revienne pas trop cher. Sans quoi le vin atteindrait des prix faramineux.

Aujourd'hui, dans toutes les régions viticoles du monde, la vigne est exploitée en monoculture : aucune autre plante cultivée n'est tolérée dans le vignoble. Cette culture intensive n'est pas sans poser quelques problèmes. Le vignoble, extrêmement sensible aux maladies et aux parasites, doit bénéficier d'une large protection. Cette monoculture est relativement récente. Dans le Médoc, par exemple, jusqu'à une date avancée du XIXe siècle, les champs de céréales voisinaient avec les vignes. Dans les vallées du Rhône, du Rhin et de l'Etsch, on plantait des arbres fruitiers entre les rangées de ceps. En Styrie et dans le Frioul, les poules et les chèvres vagabondaient entre les vignes. En Italie centrale, plus particulièrement en Toscane, jusqu'en 1960 on pratiquait encore une culture mixte : on semait entre les rangées de l'avoine ou du froment et on plantait un olivier tous les cinq ceps. Les vignes grimpaient parfois le long des mûriers ou des ormes.

Le vignoble moderne

Depuis que la main-d'œuvre est devenue rare et chère, les cultures mixtes ont disparu des zones viticoles. Les vignobles nouveaux ont été plantés de façon à faciliter la mécanisation ; la distance entre les rangées est calculée par rapport à l'écartement des roues du tracteur. Les rangées elles-mêmes suivent le plus souvent la pente pour bénéficier de la chaleur montante, ou sont perpendiculaires au vent dominant, afin de ne pas en souffrir. Le nombre de fils de fer installés correspond à la hauteur de la surface foliaire souhaitée. De cette surface dépend le nombre maximal de grappes. La hauteur à laquelle les grappes se développeront est aussi très exactement prévue : celles-ci devront être assez basses pour que le feuillage ne leur fasse pas d'ombre, assez hautes pour que l'humidité du sol ne favorise pas la pourriture. Le système de conduite, l'apport d'engrais, le choix des clones sont déterminés très précisément en fonction des objectifs quantitatifs et qualitatifs.

La densité des plants

La question primordiale pour un vignoble de qualité est la définition du rendement. Les spécialistes s'accordent à penser que ce n'est pas un faible rendement à l'hectare qui fait la qualité d'un vin, mais un faible rendement par pied. Sur les terroirs des grands crus de Bordeaux, de Bourgogne et de Champagne, les ceps portent à peine plus d'une livre de fruits. C'est le poids d'une seule grappe. Le faible rendement par pied est compensé par le nombre de pieds, qui atteint souvent le chiffre de 10 000 à l'hectare, parfois même davantage. L'exploitation d'un vignoble de ce type coûte cher. Les rangées sont trop rapprochées pour permettre le passage des tracteurs traditionnels. Une grande partie du travail doit donc s'effectuer à la main. Ces

1 100 pieds à l'hectare
Nombre de vignobles espagnols présentent encore des plantations traditionnelles, espacées. La distance entre les ceps est de 2,50 m, l'intervalle entre les rangées de 3,50 m. Le nombre de pieds à l'hectare est donc faible, mais chaque cep porte beaucoup de raisins. Cette solution est peut-être adaptée à la production de vins de table et de vins de pays, mais il y a peu de chance qu'un grand vin naisse de ces vignes.

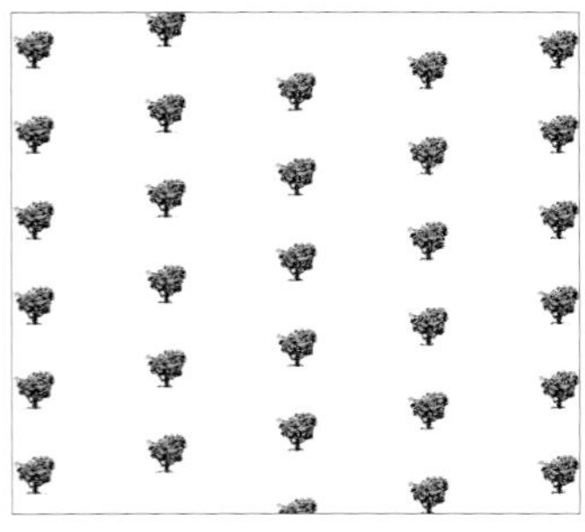

3 500 pieds à l'hectare
Dans un grand nombre de régions viticoles de qualité (ci-contre : Alexander Valley, en Californie), les vignobles sont plantés de façon à être travaillés à l'aide de machines courantes. Le nombre de pieds à l'hectare varie entre 2 300 et 3 500. En d'autres termes, la distance entre les ceps est de 1,50 m, la distance entre les rangées de 1,90 m. Ce type de vignoble produit de bons, voire d'excellents vins.

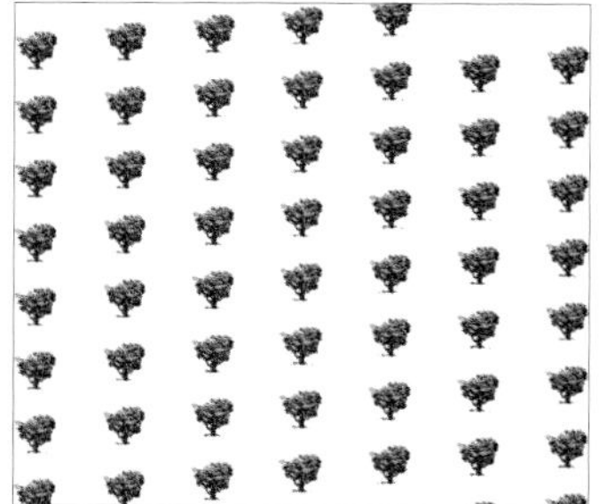

coûts importants sont du reste compensés par les prix plus élevés que permet d'obtenir une qualité supérieure.

Non seulement en France, mais aussi dans certains vignobles réputés d'autres régions du monde, la plantation est plus dense que par le passé. Dans les zones les plus chaudes du Bassin méditerranéen, on ne plante pas moins de 4 500 à 6 000 pieds à l'hectare pour obtenir un raisin de meilleure qualité, tandis que certains vieux vignobles de la vallée de la Moselle ou de la Sarre, antérieurs à la mécanisation, comptent encore 8 000, voire 12 000 pieds à l'hectare. La plantation dense a une longue tradition. Au siècle dernier, lorsque l'on travaillait la vigne avec un cheval ou un mulet, on comptait souvent 20 000 pieds à l'hectare. Dans l'Antiquité, les Romains cultivaient même jusqu'à 35 000 pieds.

10 000 pieds à l'hectare
Plantation dense typique de la Champagne. Seulement 1 m d'intervalle sépare les ceps les uns des autres et les rangées entre elles. La concurrence est d'autant plus forte pour accéder aux substances nutritives. La vigne doit développer des racines profondes et forme ses grappes près du tronc de manière à limiter la circulation interne des substances nutritives. C'est pour ce type de vignoble qu'ont été inventés en France les tracteurs étroits, à roues hautes, appelés « enjambeurs ».

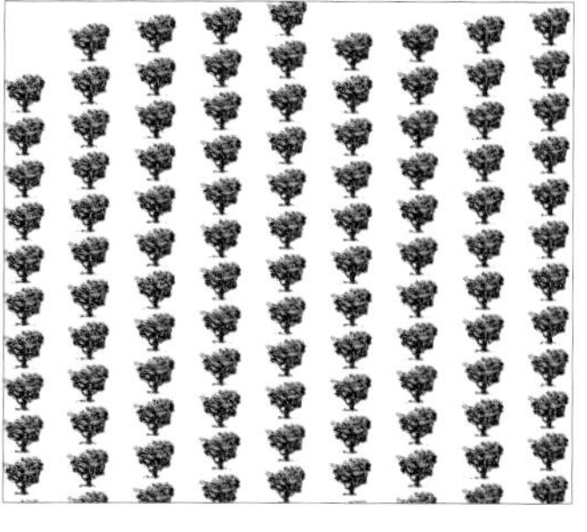

Une croissance maîtrisée

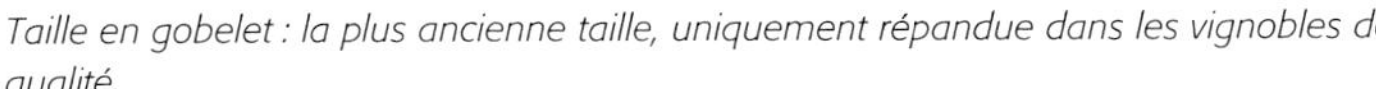

Taille en gobelet : la plus ancienne taille, uniquement répandue dans les vignobles de qualité.

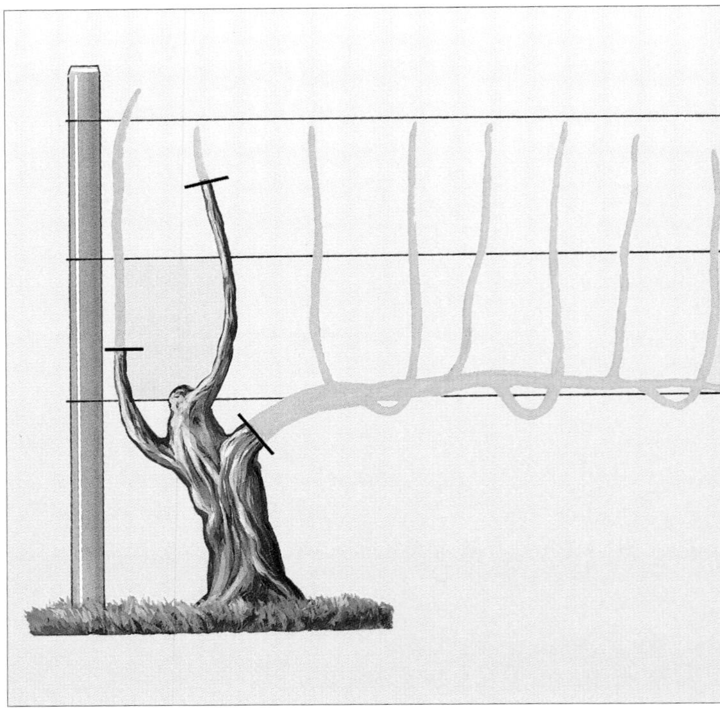

Taille Guyot : conduite classique sur espaliers, limitant la croissance du cep.

La vigne est une plante grimpante. Elle a besoin de supports pour se développer : piquets, fils de fer tendus, treillis en bois. C'est le type de taille qui détermine la quantité de grappes que portera le cep.

Il existe des dizaines de modes de conduite du vignoble. Leur conception dépend des conditions climatiques, de la nature du sol et du mode de travail, manuel ou mécanique. Chaque région viticole a en outre ses traditions en la matière. Mais, en vérité, la plupart des systèmes adoptés ne sont que les variantes de trois types de taille fondamentaux.

La taille en gobelet

C'est le système de taille le plus ancien qui se pratique encore de nos jours : sans doute inventé par les Grecs, il a été adopté par les Romains. Il est encore largement répandu dans le Bassin méditerranéen. Il se pratique dans le sud de la France, dans la vallée du Rhône jusqu'au Beaujolais, de même qu'en Espagne et pour une part en Italie du Sud (Pouilles, Sicile). Le tronc est maintenu très court : il mesure de 30 à 65 cm. Le cep est taillé de façon à conserver trois bras qui se dirigent vers le haut et ploient à l'automne sous le poids des grappes.

Autres désignations : *goblet, Bäumchen, alberello, en vaso, bush vines.*

Palissage : piquets isolés ou absence de piquets.

Courson : court, ne laissant qu'un à deux yeux.

Appréciation : ce système qui donne des rendements faibles est, par conséquent, impropre à la production de masse ; il est de nouveau en usage dans les vignobles de qualité des régions chaudes.

La taille Guyot

C'est le mode de conduite le plus fréquemment adopté dans les vignobles européens de qualité. Il est employé dans le Bordelais, comme dans de grandes parties de la Bourgogne, en Côte-Rôtie, dans les pays de Loire et en Alsace, mais aussi dans les principales régions viticoles d'Italie (Toscane, Piémont), d'Espagne et, dans certaines aires, en Allemagne et en Autriche. Les sarments sont accolés aux fils de fer. Lors de la taille d'hiver, on laisse subsister un sarment fructifère (celui qui vient immédiatement après le plus proche du tronc) que l'on taille à entre six et quinze yeux, que l'on courbe et que l'on fixe au fil inférieur. Il portera les grappes. Le sarment fructifère le plus proche du tronc est taillé à deux yeux. Il portera les fruits l'année suivante. Le tronc peut ne mesurer que 30 cm, mais il peut aussi atteindre 80 cm.

Palissage : fils de fer.

Courson : de six à quinze yeux.

Appréciation : rendements faibles à moyens selon la taille des coursons. De hauts rendements peuvent aussi être obtenus par la taille Guyot double laissant subsister deux sarments fructifères.

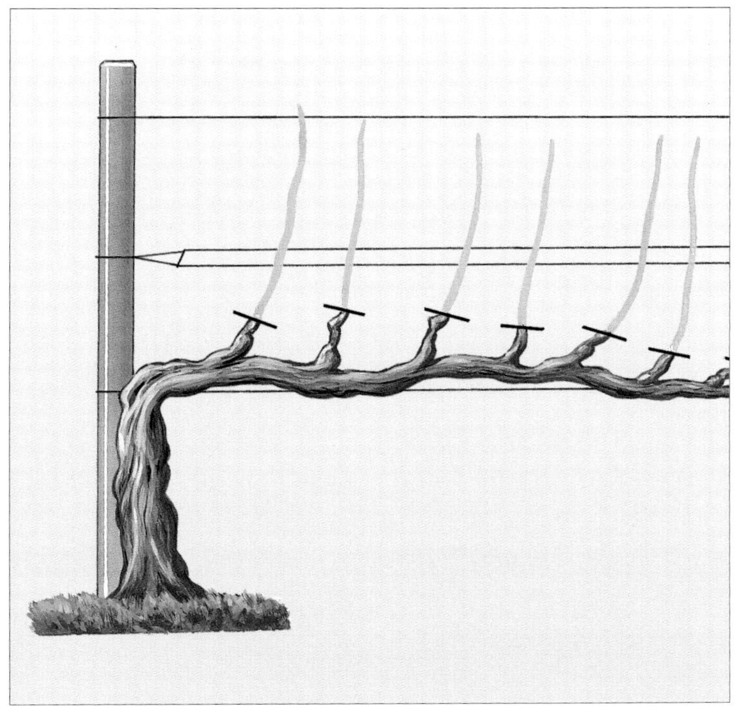

Taille en cordon : conduite rationalisée, qui se prête également à la mécanisation.

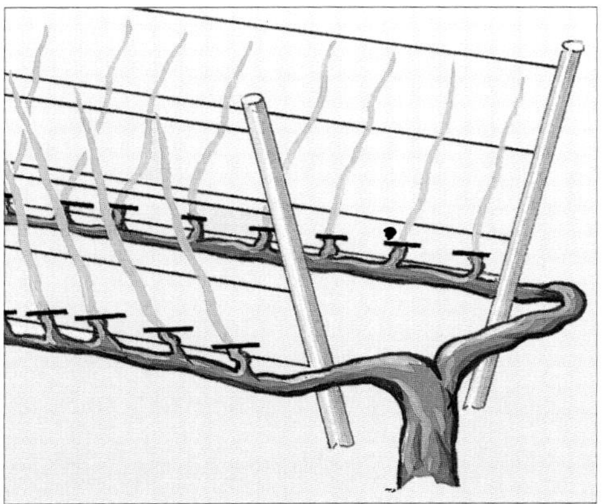

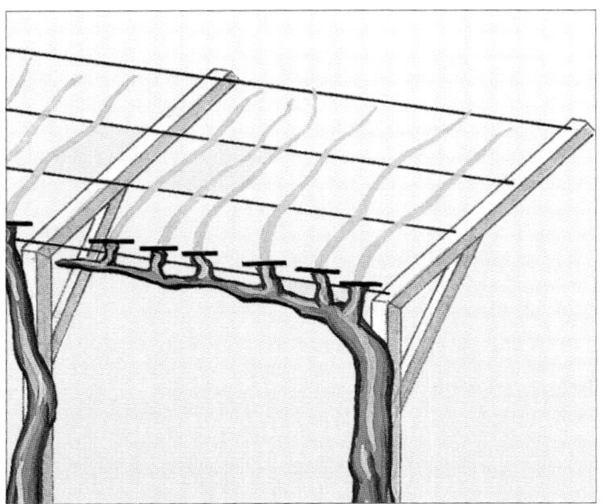

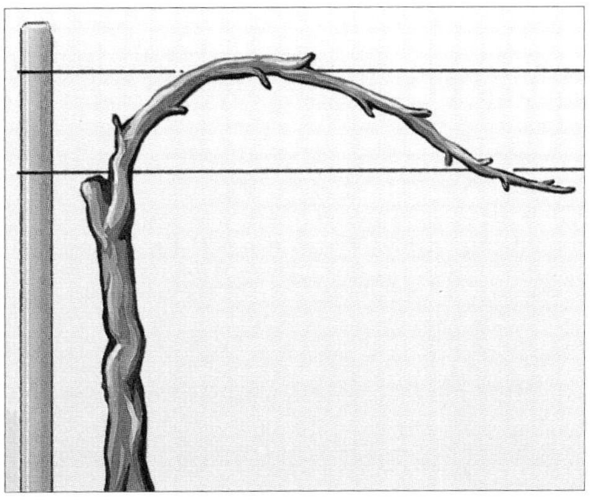

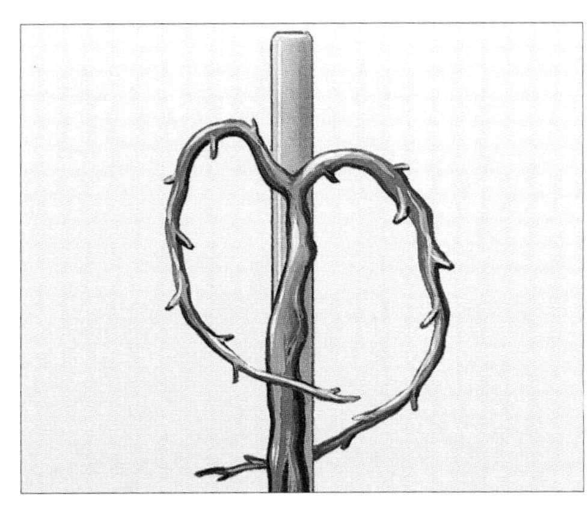

La taille en cordon

C'est le mode de conduite le plus répandu au monde. La taille et l'accolage sont relativement facilités et n'exigent pas de haute spécialisation technique – aspect important à une époque où la main-d'œuvre spécialisée dans le travail de la vigne ne cesse de se raréfier. La taille en cordon peut en outre aisément être réalisée à la machine et autorise les vendanges mécaniques. Un ou deux bras subsistent en permanence et restent attachés au fil. La conduite en cordon est largement répandue en Amérique du Nord et en Amérique du Sud, en Australie et en Nouvelle-Zélande. Mais elle se pratique aussi en Europe, en particulier dans certaines aires viticoles de Bourgogne (AOC chassagne-montrachet, par exemple).
Palissage : fils de fer.
Courson : de deux à cinq yeux, selon le rendement souhaité.
Appréciation : ce mode de conduite est aussi valable pour la production de masse.

Autres modes de conduite de la vigne

Lyre : mode récent et productif de conduite de la vigne, en forme de Y, inventé dans le Bordelais.
Avantage : double étalement du feuillage, les grappes reçoivent deux fois plus de soleil.

Pergola : mode ancien de conduite de la vigne ; les sarments s'enroulent autour de supports en bois comme autour d'un arbre. Cette méthode se pratique surtout dans les vallées des Alpes (Haut-Adige, Trentin, Valpolicella).
Inconvénient : trop de grappes par pied.

Arcure : mode de conduite largement répandu, surtout en Allemagne, avec une courbure en arc aplati, en demi-cercle ou en arcure retombante.
Avantage : facile à travailler malgré un risque de cassure du bois lors de l'accolage.

Arcure complète : mode de conduite traditionnel sur piquet, pratiqué dans la vallée de la Moselle, de la Sarre et de la Ruwer.
Avantage : les grappes sont près du sol, elles reçoivent beaucoup de chaleur et de soleil.

La recherche d'un équilibre

La sélection des cépages

Depuis la crise phylloxérique, les vignobles sont complantés de plants greffés, constitués d'un porte-greffe sur lequel est greffé un greffon de cépage noble. Le greffon présente les dispositions génétiques du cépage choisi, tandis que le porte-greffe offre un système racinaire parfaitement adapté à la composition du sol. Ce dernier peut être de n'importe quel autre cépage. Il doit être résistant au phylloxéra et ne pas être infecté par un virus. On pratique, à la machine, une entaille en biseau dans le porte-greffe, afin que l'extrémité du greffon puisse s'y insérer. Ce travail est généralement réalisé par les pépiniéristes. Pour la protéger des infections, la greffe est recouverte de paraffine. Au printemps, lorsque le plant bourgeonne, la feuille transperce la couche de paraffine. Les meilleurs producteurs, désireux de préserver le potentiel génétique de leurs cépages, prélèvent les

greffons dans leurs propres vignes et les greffent sur des porte-greffes spécialement sélectionnés (ci-dessous, à la Romanée-Conti). En Californie, de nombreux plants de cabernet-sauvignon sont remplacés par du merlot grâce au surgreffage. Il en va de même dans le Chianti, où le sangiovese

est subsitué aux cépages blancs. Les nouveaux ceps produisent leur première vendange trois ans après le greffage (c'est-à-dire « à la troisième feuille » selon l'expression des viticulteurs).

La bouillie bordelaise, seule substance autorisée en agrobiologie : depuis cent ans, on traite la vigne au sulfate de cuivre pour lutter contre les champignons.

La viticulture moderne est une culture intensive. Sans intervention extérieure régulatrice, le système biologique et écologique ne saurait se maintenir en équilibre. Le principal domaine d'intervention est le sol.

Au printemps ou en été, on laboure entre les rangées de ceps, ce qui permet d'aérer le sol et de désherber. Surtout dans les périodes de sécheresse, les mauvaises herbes disputent l'eau aux ceps et absorbent l'humidité superficielle. Le désherbage se fait à l'aide d'un cultivateur ou d'une charrue ; jadis tirée par des chevaux, des mulets ou des bœufs, la charrue l'est aujourd'hui par des tracteurs. Seuls les coteaux très escarpés de la Moselle ou de la Côte-Rôtie exigent l'installation de treuils. Les sols sont en partie encore travaillés à la houe.

Le désherbage

Le labourage détruit les racines superficielles du cep. Mais la plante n'est pas pour autant endommagée, car cela entraîne un plus fort développement des racines du pied. En outre, lorsque l'automne est pluvieux, la réduction des racines superficielles empêche la plante d'absorber trop d'humidité, ce qui, dans la période de maturation, ferait gonfler excessivement les baies. Le désherbage constitue en même temps une sorte d'enrichissement écologique du sol, favorisant la formation d'humus. Dans les régions de production massive, on renonce toutefois au désherbage. Les viticulteurs emploient des désherbants chimiques (herbicides).

L'apport de compensation

Comme toute autre plante, la vigne puise dans le sol des substances nutritives. Un apport d'engrais régulier est donc nécessaire. Certains viticulteurs épandent tous les ans ou tous les trois ans – selon la composition du sol – du fumier, du compost, des sarments broyés ou de la paille dans leurs vignes. D'autres utilisent du compost provenant du traitement des déchets urbains. On évite le plus souvent l'utilisation d'engrais minéraux dans les vignobles de qualité ; leur apport peut toutefois être nécessaire dans certains sols pour reconstituer l'azote, le potassium et le phosphate.

Les risques d'un amendement non maîtrisé

Dans les vignobles de qualité, l'apport d'engrais sert toujours à assurer la croissance saine du cep, et non à augmenter le rendement. L'amendement excessif des sols, tel qu'il se pratiquait du temps de la production de masse dans les années soixante et soixante-dix, et tel qu'il se pratique encore couramment dans certaines régions, assure certes une augmentation du volume de la vendange, mais a des conséquences néfastes : la densité du moût reste faible ; les raisins mûrissent trop tard ou imparfaitement ; le taux d'acidité peut être réduit. Mais surtout la vigne devient plus vulnérable. En outre, il faut souligner les graves conséquences écologiques de ces traitements, notamment par l'infiltration de nitrates jusqu'à la nappe phréatique.

L'érosion

Dans les vignobles plantés à flanc de coteaux, la croûte superficielle du sol est constamment érodée par la pluie et le vent, qui l'emportent dans la vallée. Autrefois, en Bourgogne, les vignerons récupéraient la terre et la remontaient dans des paniers. Encore aujourd'hui, sur les pentes les plus escarpées de la vallée de la Moselle, sur la façade rhénane près de Nierstein et en Côte-Rôtie, on ramasse la terre qui a été emportée par les pluies et on la remonte sur la pente. Pour arrêter l'érosion, on plante parfois entre les rangs de vignes des cultures de couverture. Ces végétaux doivent avoir des racines courtes pour ne pas priver le cep de trop d'humidité. La moutarde (cultivée dans les vignobles californiens de la Napa Valley), le colza, la rave et le trèfle sont fréquemment utilisés pour freiner l'érosion. Le seigle d'hiver permet de contrer l'érosion éolienne.

La lutte contre les parasites

La vigne est particulièrement sensible aux attaques des champignons et des insectes. Ces deux calamités peuvent entraîner une baisse spectaculaire, voire la destruction totale, de la vendange. Insecticides et fongicides permettent de les combattre avec succès. Toutefois, ces traitements reviennent cher, surtout lorsqu'ils sont pratiqués à fortes doses pour éradiquer une épidémie. On a pu constater en outre que les insectes devenaient vite résistants à certaines substances, ce qui pouvait entraîner l'année suivante une propagation de la maladie.
Enfin, on porte aujourd'hui un grand intérêt à la préservation de la nature et de son équilibre. Aussi de nombreux viticulteurs optent-ils pour une culture écologique qui passe par l'abandon de la monoculture. La lutte raisonnée s'efforce, en outre, en étudiant le vol des insectes et en tenant compte des conditions météorologiques à moyen terme, de prévoir les éventuelles attaques de parasites pour pouvoir appliquer les traitements préventifs.
Depuis 1885, une solution de sulfate de cuivre, connue dans le monde entier sous le nom de « bouillie bordelaise », est employée pour lutter contre les maladies cryptogamiques, dont le mildiou. Elle est l'une des rares substances à être autorisées en agrobiologie dans les cas graves.

Les précipitations

Dans les zones viticoles où les précipitations se concentrent en hiver, les vignes doivent être irriguées. On utilise le plus souvent un système de goutte-à-goutte. D'un tuyau installé à poste fixe dans les rangées s'écoule, toutes les 10 à 20 secondes, une goutte d'eau. L'irrigation, qui peut être indispensable pendant les mois d'été, secs, n'est pas destinée à augmenter le rendement, mais assure la survie du cep. Les nouvelles plantations qui ne produisent pas encore ont également besoin d'un apport d'eau complémentaire. Le système par goutte-à-goutte est fort différent des canons-arroseurs qui aspergent de grandes surfaces de vignoble pour produire des rendements de 200 quintaux à l'hectare et même davantage. Il est en usage dans la Central Valley, en Californie, dans les Riverlands australiens, dans le nord du Chili et dans la Robertson Valley, en Afrique du Sud.

En haut, à gauche : si la lutte chimique contre les parasites est simple et efficace à court terme, elle a des conséquences désastreuses sur l'environnement et engendre des coûts de production élevés.

En haut, à droite : le sol du vignoble doit être régulièrement aéré. Sur les coteaux abrupts de la Moselle, les viticulteurs ont recours à des charrues hissées par des treuils.

En bas, à gauche : l'apport d'engrais minéraux permet d'obtenir de forts rendements à l'hectare. Les vignobles de qualité se contentent généralement d'un apport compensatoire d'engrais organiques.

En bas, à droite : le labourage superficiel n'entame que la couche supérieure du sol de manière à ne pas endommager les racines profondes.

Qualité contre quantité

Le calcul du rendement maximal à l'hectare
La France fait figure de pionnier dans la production moderne de vins de qualité. Les indications de rendement maximal à l'hectare sont données en hectolitre de moût à l'hectare (1 hl = 100 l). La réglementation italienne fixe les rendements en termes de quintaux de raisin à l'hectare. La production de moût est en moyenne égale à 70 % de ce poids de raisin.

Rendements maximaux à l'hectare

France*	
Bordeaux sec	55 hl
Pauillac	45 hl
Margaux/saint-julien/ saint-estèphe	45 hl
Saint-émilion	45 hl
Saint-émilion grand cru	40 hl
Pomerol	40 hl
Chambertin grand cru	35 hl
Pommard 1er cru	40 hl
Montrachet 1er cru	40 hl
Meursault	45 hl
Beaujolais	50 hl
Coteaux-du-languedoc	50 hl
Côtes-du-rhône	50 hl
Champagne	60 hl
Alsace	100 hl
Alsace grand cru	70 hl
Italie	
Chianti	100 hl
Chianti Classico	75 hl
Brunello di Montalcino	80 hl
Barolo-Barbaresco	80 hl
Collio (Frioul)	110 hl
Soave	140 hl
Teroldego (Trentin)	170 hl
Espagne	
Ribera del Duero	60 hl
Rioja	60 hl
Allemagne	
Rheingau	84 hl
Moselle-Sarre-Ruwer	110 hl
Autriche	
Toutes aires viticoles	67,50 hl
Suisse	
Lac Léman	90 hl
Valais	80 hl
Californie, Afrique du Sud, Australie	
Pas de limitation des rendements	

* Le rendement de base peut être dépassé de 20 % sur autorisation spéciale.

Taille d'été après la véraison. Lorsque le cep porte trop de raisins, le viticulteur éclaircit les grappes au mois d'août. Pendant la période de maturation, la vigne concentre les sucres et les acides dans les grappes restantes, ce qui permettra d'obtenir un vin de meilleure qualité.

En viticulture, les spécialistes opposent toujours la notion de qualité à celle de quantité : moins la charge de la vigne est importante, meilleure est la qualité du raisin et donc du vin. Lorsque les rendements ne sont pas naturellement limités, l'homme doit intervenir.

Partout dans le monde, la production de vin de qualité repose sur une limitation plus ou moins rigoureuse des rendements. Les vignes ne doivent pas porter plus d'une certaine charge de raisin à l'hectare, sous peine d'un déclassement du vin qui en est issu à la catégorie vin de table. Ce sont les organisations nationales de viticulteurs qui fixent les rendements maximaux. Leur niveau varie d'un terroir à l'autre : de 35 hl pour les appellations grands crus de Bourgogne, ils peuvent atteindre 200 hl dans les régions d'Australie et de Californie où l'on pratique l'irrigation. Toutefois, les vins produits dans ces régions du Nouveau Monde ne sont pas des vins de qualité au sens européen du terme. Il est naturellement permis de se tenir en dessous du rendement maximal fixé, mais à partir d'un certain seuil, la réduction des rendements n'entraîne plus d'augmentation proportionnelle de la qualité.

Pour une bonne composition du moût

Le rapport quantité/qualité repose sur un phénomène biologique : une plante ne peut amener à maturité qu'un nombre limité de fruits. Plus les grappes sont nombreuses sur un cep, moins elles mûrissent vite. Dans les zones de culture de climat froid, l'abondance de grappes sur un cep augmente le risque d'une mauvaise maturité du raisin au moment des vendanges. Dans les zones chaudes, les grappes renferment certes suffisamment de sucre, mais manquent d'autres composants. Le moût contient en outre une trop forte proportion d'eau. L'augmentation quantitative entraîne une perte de qualité, de concentration et de densité. Cependant, parce que des volumes importants assurent un revenu financier confortable, beaucoup de viticulteurs s'en accommodent.

Comment limiter les rendements

La plupart des plantes – y compris la vigne – tendent à produire beaucoup de fruits, pour autant que le climat et le sol le permettent. C'est donc au vigneron

Le carignan, cépage très productif du sud de la France.

La taille d'hiver : le vigneron élimine le vieux bois.

de limiter, s'il le souhaite, la productivité naturelle du cep. Différents moyens sont à sa disposition.

La conduite de la vigne

La conduite de la vigne exerce une influence considérable sur la productivité. Ainsi la conduite en arcure simple limite plus efficacement la fructification que la conduite en double arcure. Le système en pergola offre à la plante des possibilités de croissance plus étendues que le palissage sur espaliers.

La densité de plantation

La densité de plantation influe également sur les rendements. Lorsqu'un plus grand nombre de pieds sont plantés sur une certaine surface de vignoble, chacun porte une moindre proportion de grappes. Ils se disputent les substances nutritives (voir p. 30).

Le choix du clone

Les pépiniéristes proposent de nombreux clones pour tous les cépages ; ceux-ci se différencient par leur productivité, leur résistance aux maladies et aux aléas climatiques, leur adaptation à un type de sol, etc. Par exemple, pour un même cépage, certains clones ont été sélectionnés en vue d'une fructification plus abondante, c'est-à-dire la production de nombreuses grappes portant beaucoup de baies. Inversement, il existe des clones caractérisés par des grappes plus aérées et comptant moins de baies.

La taille d'hiver

Le viticulteur taille la vigne pendant le repos hivernal de la végétation. Il élimine alors la majeure partie du vieux bois. Moins il laisse subsister de sarments fructifères (un ou deux) et d'yeux (six à vingt), plus il réduit le nombre de grappes qui se développeront au printemps.

La taille d'été

Lorsque la nouaison a été trop importante, le viticulteur a encore la possibilité d'examiner son vignoble en juillet ou en août et d'éliminer une partie des raisins encore verts. Les maladies, la grêle, le gel ou d'autres aléas compromettant la floraison réduisent naturellement la production de raisin, rendant inutile la taille d'été.

La limitation naturelle du rendement

Le rendement dépend de nombreux facteurs naturels. Sur les sols secs et pierreux (sols « chauds »), la vigne ne peut pas être très productive. En revanche, sur les sols humides, azotés (sols « froids »), elle porte beaucoup plus de grappes. Le climat joue également un rôle capital. Lorsque le printemps est humide et froid, toutes les fleurs ne sont pas fécondées. C'est le phénomène de « coulure ». Les gelées tardives du mois de mai peuvent même détruire la totalité des fleurs. En été, le vignoble est par ailleurs menacé par la grêle. À ces aléas climatiques, s'ajoutent les maladies de la vigne. Elles déciment parfois entièrement les récoltes. La capacité d'un terroir à produire des vins de qualité dépend donc beaucoup des facteurs naturels.

Deux célèbres vins issus de vieilles vignes : le pouilly-fumé « Silex » de Didier Dagueneau et le riesling « Vieux Ceps » de Willi Bründlmayer, produit dans la vallée du Kamp en Autriche.

L'âge de la vigne

L'âge des ceps influe beaucoup sur le rendement. C'est entre sa douzième et sa vingt-cinquième année que la vigne produit le plus. Ensuite, son rendement ne cesse de baisser. C'est la raison pour laquelle de nombreux viticulteurs arrachent les plants âgés de plus de vingt-cinq ans et replantent. Le château Margaux n'utilise au contraire pour son grand vin que le fruit des ceps d'au moins quarante ans, et pour son deuxième vin, Pavillon Rouge, le raisin des ceps d'au moins vingt-cinq ans. En effet, plus la vigne est âgée, plus la qualité du raisin augmente. D'autres crus renommés de France ou d'ailleurs portent sur leur étiquette la mention « Vieilles Vignes », bien que cette spécification soit quelque peu fantaisiste et ne réponde à aucune réglementation.

Rendement de la vigne : la vigne atteint sa productivité maximale à quinze ans. Au-delà de vingt-cinq ans, le rendement baisse lentement, mais la qualité du raisin augmente.

Un long chemin jusqu'à la maturité

Les maladies de la vigne

Oïdium. Une poussière de champignons gris-blanc recouvre les feuilles et les baies, détruisant la pellicule du raisin. Si cette grave maladie cryptogamique, venue d'Amérique du Nord, n'est pas combattue, toute la récolte peut être perdue.

Mildiou. La plus dangereuse de toutes les maladies de la vigne. Une couche de champignon blanc se forme sur la face inférieure des feuilles, qui tombent. La grappe est également atteinte ; les baies se dessèchent et prennent une coloration brune.

Pourriture grise (*Botrytis cinerea*). Les fortes pluies favorisent le développement de champignons. Les antibotrycides ne doivent plus être pulvérisés

dans les quatre dernières semaines avant la récolte afin d'éviter que des résidus ne restent sur les baies.

Phylloxéra. Ce redoutable puceron fit la perte des vignobles européens à la fin du XIXe siècle. Radicole, il détruit les racines des cépages

européens et entraîne la morte de la plante. Gallicole, il attaque les vignes américaines (qui sont en revanche résistantes à la forme radicole, d'où leur utilisation en tant que porte-greffes). Il se nourrit des jeunes feuilles et sécrète une substance qui provoque la formation de cloques.

Le débourrement

On appelle débourrement l'éclosion des bourgeons (yeux) qui subsistent après la taille d'hiver. Ils s'ouvrent pour faire apparaître de petites feuilles vert tendre, qui poussent et se développent rapidement. Cette phase du cycle végétatif se déclare lorsque la température ambiante a atteint entre 8 et 10 °C. Certains cépages débourrent précocement (par exemple le chardonnay), d'autres tardivement (par exemple le cabernet-sauvignon). Jusqu'à un certain stade, la vigne se nourrit des réserves d'hydrates de carbone constituées en automne. Une fois que le feuillage s'est développé, il prend en charge l'alimentation de la plante par le processus de la photosynthèse. Le vigneron peut prévoir quelques jours à l'avance le débourrement. Il voit apparaître sur les plaies de taille récente de petites gouttes de liquide incolore, les pleurs, signe que le sommeil hivernal est terminé et que la sève commence à monter. Les bourgeons se mettent ensuite à enfler.

La floraison

La floraison se produit de quarante-cinq à quatre-vingt-dix jours après le débourrement – autrement dit de la mi-mai à la fin juin (du début novembre à la mi-décembre dans l'hémisphère Sud). À cette époque, les bourgeons de l'année ont éclos et développé des pousses qui portent les fleurs. Celles-ci sont recouvertes d'un capuchon brun refermé vers le haut, qui s'ouvre ensuite pour laisser apparaître le stigmate et les étamines (presque toutes les variétés de *Vitis vinifera* sont bisexuées, et se fécondent donc elles-mêmes). La floraison est un phénomène à peine visible à l'œil nu. La fécondation s'effectue par fixation du pollen mâle sur l'ovaire femelle humide. La pluie ou un vent trop violent peuvent empêcher la fécondation de certaines grappes, ce qui entraîne une réduction plus ou moins importante de la récolte. C'est le phénomène de « coulure ».

Le cycle végétatif annuel de la vigne

La qualité du millésime ne se joue pas uniquement en automne. Le printemps et l'été comportent eux aussi de nombreux risques pour le développement des grappes, et détermineront le volume de la future vendange. La vigne a, comme toute autre plante, son propre cycle végétatif ; celui-ci se divise en phases de croissance, de maturation et de repos. La phase de sommeil végétatif (dormance de la vigne) débute en automne après les vendanges, lorsque le cep a emmagasiné dans le tronc et les racines assez d'hydrates de carbone. Les feuilles se colorent et tombent. La dormance dure tout l'hiver. C'est seulement au mois de mars (septembre dans l'hémisphère Sud) que débute avec le débourrement le nouveau cycle végétatif.

La nouaison

Les fleurs fécondées donnent immédiatement des baies, alors que les autres se dessèchent et tombent. La rafle présente alors des vides plus ou moins importants. Les grains, d'abord tout petits, verts et durs, grossissent assez vite. C'est la période où le cep est le plus menacé par les parasites (tordeuses de la grappe) ou les maladies cryptogamiques (oïdium, mildiou). Sous les climats humides et chauds, les champignons se développent rapidement et doivent être combattus. Sous certains climats, l'eudémis, qui est la forme antérieure de la tordeuse de la grappe, pond également ses œufs sur le cep même. La maturation commence au mois d'août (en janvier dans l'hémisphère Sud), et c'est seulement à ce moment que les baies prennent une coloration brunâtre.

La véraison

La maturation commence par la coloration des baies. Sur les cépages blancs, le raisin prend lentement une teinte jaune, tandis que sur les cépages rouges, il se colore en bleu violacé. Ce processus est très vraisemblablement déclenché lorsqu'un certain taux de sucre s'est accumulé dans le fruit. Toutefois, les grappes ne se colorent pas toutes en même temps ; les premières sont celles qui reçoivent le plus de soleil et de chaleur, tandis que les baies ombragées restent vertes. Le terme « véraison » a été internationalement adopté pour désigner ce processus. Ce dernier débute plus tôt dans les années chaudes que dans les années plus fraîches, plus tard sur les ceps très chargés que sur ceux qui le sont moins. La véraison marque le début de la dernière phase du cycle végétatif, laquelle sera déterminante pour la qualité du millésime.

Eudémis ou ver de la grappe
Ce papillon dépose ses œufs dans les capuchons floraux. Il en sort, en juin, un ver de la première génération, qui dévore les pousses, suivi, fin juillet, d'un ver de la seconde génération, qui vide les baies de l'intérieur. Ce dangereux parasite, une fois identifié, doit être combattu énergiquement.

Flavescence dorée : nouvelle maladie virale de la vigne qui se répand en France, en Italie et en Allemagne. Elle se manifeste par l'enroulement et la chute des feuilles.

Les accidents de la vigne

Coulure : des températures trop basses, un temps humide et un ensoleillement insuffisant pendant la floraison peuvent compromettre la fécondation ;

seul un petit nombre de fleurs est fécondé, et la grappe ne portera, à l'automne, que peu de baies. Cet accident peut être à l'origine d'une perte financière sensible pour le vigneron.

Chlorose : trouble nutritif réduisant la formation de chlorophylle, de sorte que les feuilles jaunissent. Les chloroses sont dues à un manque d'azote, de magnésium ou d'autres substances nutritives, surtout sur les sols calcaires.

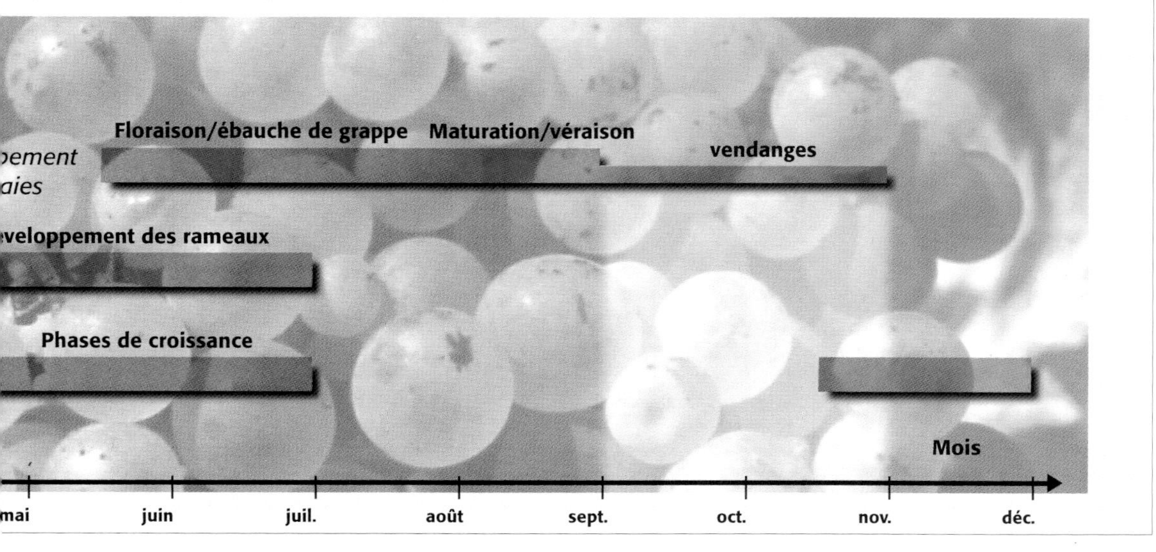

Le brûlage du vieux bois

Après les vendanges, les rameaux se lignifient et se transforment en sarments. Dès janvier, le viticulteur élimine les bois morts et les brûle, le plus souvent directement dans le vignoble. Dans les grandes régions viticoles, on voit s'élever tout l'hiver des panaches de fumée. En Californie, c'est l'époque où fleurit la moutarde sauvage (ci-contre). Dans certaines aires de qualité, on broye les sarments pour en faire un compost que l'on épandra entre les rangs. C'est le moyen de conserver les populations bactériennes propres au vignoble.

L'accolage

Une fois que le vieux bois a été éliminé, les sarments qui subsistent doivent être accolés, c'est-à-dire attachés. Ils sont fixés sur fil de fer, verticalement ou horizontalement, avec des liens élastiques. Au printemps, ils donneront naissance aux nouvelles pousses. L'accolage demande beaucoup d'adresse et de patience. C'est un travail que le vigneron effectue volontiers, mais, sur les grandes propriétés, il est de plus en plus souvent assuré par des équipes de travailleurs saisonniers.

La taille d'hiver

En hiver, la vigne est certes en dormance, mais les vignerons restent très actifs. Des équipes d'ouvriers viticoles parcourent les rangées et éliminent 90 % des vieux sarments. Ils portent à la taille un étui dans lequel est placé le sécateur. Les nouveaux sécateurs sont assistés d'un système pneumatique. Dans certains vignobles, la taille d'hiver débute dès le mois de novembre ; dans d'autres, elle ne commence qu'en janvier ou en février, lorsque les rameaux, encore verts au moment des vendanges, sont complètement lignifiés.

Les vendanges

Les vendanges constituent le couronnement des travaux de la vigne. Toutes les forces sont mobilisées une dernière fois pour porter les grappes mûres et saines au cuvier. Ainsi le cycle annuel des travaux viticoles se termine-t-il en même temps que le cycle végétatif de la plante. Les feuilles ne produisent plus de chlorophylle, elles prennent différentes couleurs et tombent. Les rameaux encore verts se lignifient et brunissent. La majeure partie des hydrates de carbone qu'ils contenaient reflue dans le tronc. La vigne entre en dormance… mais pas pour longtemps.

La taille d'été ou vendange en vert

Au mois d'août, après la véraison, et parfois même avant, les viticulteurs procèdent à la taille d'été. Cette opération consiste à éliminer un certain nombre de grappes vertes pour réduire le rendement, d'où son autre nom de vendange en vert. Dans les vignobles de qualité, on élimine jusqu'à 50 % des grappes. On ne renonce à la taille d'été que lorsque des gelées tardives ou une floraison imparfaite ont déjà réduit la future récolte.

La protection contre le gel

Certaines régions viticoles septentrionales, comme le Chablisien ou la Champagne, sont particulièrement sujettes au gel. Lorsque, après le débourrement, le thermomètre menace de chuter au-dessous de zéro, les viticulteurs passent la nuit dans leur vignoble à allumer des chaufferettes pour réchauffer l'atmosphère. En Californie, ils mettent en marche des ventilateurs géants installés au milieu du vignoble pour faire circuler l'air froid des fonds de vallées. En Allemagne, ils arrosent parfois les vignobles afin que se forme autour des bourgeons une couche de givre qui produit de la chaleur en les figeant. Les gelées tardives les plus redoutables sont celles du mois de mai, pendant les saints de glace.

La densité du moût

Vendanges précoces en Australie : dans les régions viticoles chaudes, la date des vendanges des raisins blancs est le plus souvent avancée.

On appelle densité du moût la quantité de sucre contenu dans le jus de raisin. La densité du moût est un indice clé de la qualité, mais elle n'est en aucun cas le plus important, comme voudraient le faire croire certains viticulteurs.

La période de maturation du raisin débute par la véraison au mois d'août et se termine par les vendanges. C'est la phase essentielle de la courte existence d'une grappe de raisin. En fait, ce sont les feuilles qui commencent à produire du sucre et à l'emmagasiner dans les baies. Plus il y a de chaleur et de lumière, plus elles produisent de sucre. Plus il y a de sucre, plus le titre alcoométrique du vin sera élevé, sachant que 16 g de sucre par litre donnent 1 % vol. d'alcool.

Les transformations liées à la maturation

Pendant la maturation, les baies doublent de volume. Leur coloration devient plus intense. La pellicule s'amincit, la pulpe se ramollit. La durée de ce processus dépend des conditions atmosphériques, surtout en septembre ; ce mois est le plus important du cycle végétatif de la vigne. Mis à part la production de sucres, la plante décompose la forte proportion d'acides encore contenue dans le raisin vert, immature. Le raisin est mûr lorsque les taux de sucres et d'acides sont équilibrés. Toutefois, maturité et date des vendanges ne correspondent pas forcément. Certains raisins sont récoltés avant maturité complète, d'autres tout à fait mûrs, voire surmûris.

Vendanges précoces dans la chaleur du Midi

Les vendanges sont plus précoces dans les régions chaudes que dans les régions fraîches. À Chypre, elles commencent en juillet. En Sardaigne et dans certaines parties de la Sicile, les machines à vendanger font leur apparition dès la mi-août. Dans la région espagnole du Penedès, les premiers raisins blancs sont récoltés, pour une part, début septembre. Dans ces contrées, il fait si chaud que le taux de sucre désiré – et par conséquent la densité du moût souhaitée – est atteint sans problème. On vendange tôt pour préserver l'acidité.

La mesure du taux de sucre

La plupart des vins titrent entre 11 et 13 % vol. Le viticulteur peut donc calculer le taux de sucre que doit présenter son raisin, pour parvenir à ce degré alcoolique après fermentation. Le taux de sucre se reflète dans la densité du moût. Il se mesure à l'aide d'un réfractomètre ou d'un aréomètre différemment gradué selon l'échelle utilisée. Les Français et les Australiens ont pris pour référence les degrés Baumé, les Américains les degrés Brix ou Balling, les Allemands les degrés Oechsle, les Italiens les degrés Babo. L'Autriche emploie l'échelle de Klosterneuburg. Le procédé de mesure le plus simple est indiscutablement l'échelle Baumé, qui donne la teneur potentielle d'un moût en alcool après fermentation de tout le sucre qu'il contient. Un moût de 12 degrés Baumé donnerait donc un vin titrant 12 % vol.

La densité du moût : un indice parmi d'autres

La densité du moût est indubitablement un facteur important pour la détermination de la date des vendanges. C'est pour cette raison que dans la réglementation allemande et autrichienne, la hiérarchie des vins de qualité repose sur cette notion. Un riesling vendanges tardives (*Spätlese* en allemand) de la vallée de Moselle doit présenter au moins 76 degrés Oechsle, une sélection de grains nobles (*Auslese*) 85 degrés Oechsle. Toutefois, suivant ce critère, un simple vin de pays français serait déjà une cuvée spéciale, un Amarone italien de Valpolicella une sélection de grains nobles. Dans les aires viticoles méditerranéennes et autres régions chaudes, la densité du moût ne signifie donc pas grand-chose. L'acidité, le pH et la maturité physiologique importent davantage (voir ci-dessous). Même en Allemagne et en Autriche, on tend désormais à penser que la densité du moût n'est qu'un des multiples facteurs indicatifs de la qualité d'un vin. La teneur en acides et autres composants (phénols, pectines, protéines et minéraux qui forment l'extrait sec du

vin – voir p. 45) mérite tout autant d'intérêt.

Réfractomètre

Instrument de mesure de la densité du moût. Une goutte de jus est déposée sur le prisme de mesure, et l'instrument orienté vers la lumière. Plus la solution de sucre est concentrée, plus la lumière est réfractée.

L'équilibre sucre-acidité

Il n'existe pas de calendrier établi qui fixerait la meilleure date des vendanges. La plupart des viticulteurs analysent régulièrement le jus du raisin. En effet, à partir de la véraison, au mois d'août, le degré de concentration de sucre ne cesse d'augmenter, alors que le taux d'acidité baisse. Dans les aires de culture froides, les vignerons se fondent surtout sur la concentration de sucre. Dans les régions chaudes ou très chaudes, on veille à ce que le taux global d'acidité ne baisse pas trop. Les acides doivent théoriquement se maintenir entre 7 et 10 g/l – sauf styles de vins spéciaux. Certains vignerons s'appuient non pas sur le taux global d'acidité, mais sur le pH des baies, lequel doit se situer entre 2,7 et 3,7.

Comment définir la maturité ?

C'est le vigneron qui définit la maturité. Les Allemands parlent de « surmaturité » lorsque la proportion de sucre décomposé pendant la nuit est supérieure à celle qui est emmagasinée par assimilation pendant la journée. Le bilan de sucre devient alors négatif. Les raisins parvenus à ce stade ne peuvent être vinifiés qu'en vendanges tardives. La plupart des baies sont récoltées avant ce stade de surmaturité – simplement à maturité. Est « mûr » le raisin dont la teneur en sucre augmente moins que ne diminue le taux d'acidité. Dans d'autres pays, les viticulteurs ont défini leur propre norme du rapport sucre/acides. Dans les aires de production de masse, le critère de maturité correspond souvent au taux minimal d'alcool ou au taux minimal d'acide légalement prescrit pour le futur vin.

Tableau des densités du moût

Degré Baumé	Degré Oechsle	Échelle de Klosterneuburg (KMW)	Degré Brix/ Balling	Degré en puissance (% vol.)
8,1	60	12	14,7	8,1
8,8	65	13	15,9	8,8
9,4	70	14	17,1	9,4
10,1	75	15	18,2	10,1
10,7	80	16	19,2	10,7
11,3	85	17	20,3	11,3
11,9	90	18	21,4	11,9
12,5	95	19	22,4	12,5
13,1	100	20	23,6	13,1
13,7	105	21	24,7	13,7
14,3	110	22	25,7	14,3
14,9	115	23	26,8	14,9
15,5	120	24	27,8	15,5
16,9	125	25	28,9	16,9

La maturité physiologique

La notion de maturité physiologique est née en Amérique et s'oppose aux critères traditionnels européens comme la mesure de la concentration en sucre de la baie ou de sa teneur en acides. Elle fait intervenir le degré de coloration de la pellicule (aussi bien pour les raisins blancs que pour les raisins rouges), l'élasticité de la pulpe, le degré de maturité des pépins, sans oublier le goût des baies. Les vignerons européens se sont mis à parler à leur tour de maturité physiologique. Mais, il n'y a rien de bien nouveau dans cette démarche : les viticulteurs et les œnologues expérimentés ont de tout temps jugé du degré de maturité en goûtant les fruits. L'appréciation du goût sucré et de l'épaisseur de la peau fait partie des examens indispensables auxquels se livre presque quotidiennement, à l'époque de la maturation, tout propriétaire de château dans le Bordelais ou de domaine en Bourgogne.

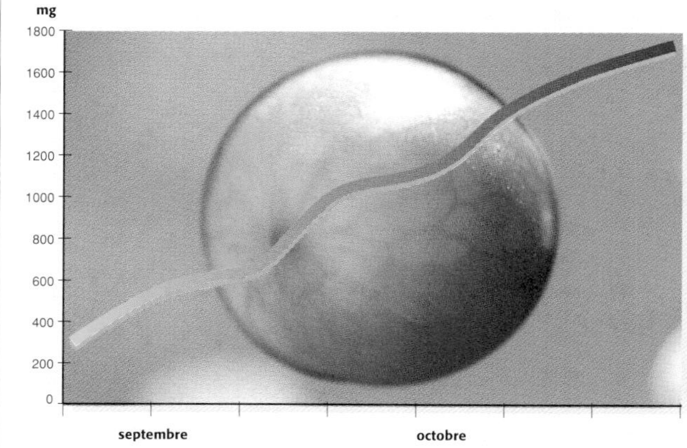

Évolution des pigments colorés (anthocyanes) dans les baies pendant la maturation.

L'acidité du raisin

Dans les régions viticoles chaudes, les viticulteurs luttent moins pour augmenter la densité du moût que pour conserver l'acidité qui confère aux vins blancs fraîcheur et élégance.

Dans les régions viticoles chaudes surtout, on tend de plus en plus à considérer l'acidité comme une composante précieuse et importante du vin, en particulier du vin blanc. Dans ces vignobles, la date des vendanges est déterminée en fonction des taux d'acidité plutôt que de la densité du moût.

Pendant la phase de maturation, le cep ne produit pas uniquement du sucre, mais aussi des acides, constituants nécessaires du vin, sans lesquels il serait imbuvable. Il ne faut pas que ces acides se décomposent trop, car ils confèrent au vin – surtout aux vins blancs – sa fraîcheur et son élégance. Dans les régions méditerranéennes et les aires viticoles du Nouveau Monde de climat comparable, on veille à ce que le taux global d'acides ne baisse pas trop. Il doit se situer entre 7 et 10 g/l (pour être de 5 à 7 g après fermentation). Dans les régions viticoles du Nouveau Monde, il est permis d'augmenter artificiellement le taux d'acidité du vin (acidification), pratique interdite en Europe.

Comment conserver l'acidité ?

Concentration de sucre et décomposition des acides se produisent parallèlement au cours de la maturation. Plus il fait chaud, plus le taux de sucre augmente, plus la déperdition respiratoire d'acide est forte. Toutefois, l'acidité ne baisse pas toujours de façon inversement proportionnelle à la concentration du sucre. Des nuits fraîches retardent la déperdition d'acides – retard ardemment souhaité dans les régions viticoles au climat chaud : Haut-Adige, Frioul, Mâconnais, Penedès. En Californie, les producteurs de vins blancs sont de plus en plus nombreux à abandonner la Napa Valley, où il fait trop chaud, pour s'installer dans les régions de Carneros, Russian River et Alexander Valley, qui sont sous l'influence du climat pacifique frais.

Acide tartrique et acide malique

Dans le vin, on trouve surtout deux acides : l'acide tartrique et l'acide malique. Ils constituent à eux deux environ 90 % de l'acidité totale. L'acide tartrique est un acide doux, de saveur agréable, et par conséquent, bienvenu (le raisin est du reste le seul fruit où l'on trouve cet acide). L'acide malique est au contraire agressif. Sa présence en quantité excessive rend le vin rugueux et âpre. Les producteurs de vin blanc le tolèrent en quantité extrêmement limitée, juste pour donner au vin de la fraîcheur et du mordant. Les vins de riesling, de grüner veltliner, les sancerre ou les vins blancs d'Italie du Nord comportent toujours un taux plus ou moins important d'acide malique. Au contraire, dans un vin rouge, l'acide malique doit être éliminé ou, plus précisément, être transformé en acide lactique, souple. C'est pourquoi, après la fermentation alcoolique, les vins rouges sont en principe soumis à une fermentation malolactique (voir p. 76). La quantité d'acide malique dépend de plusieurs facteurs : le cépage (certaines variétés, tels le pinot noir et le malbec, en contiennent généralement beaucoup) ; les conditions climatiques

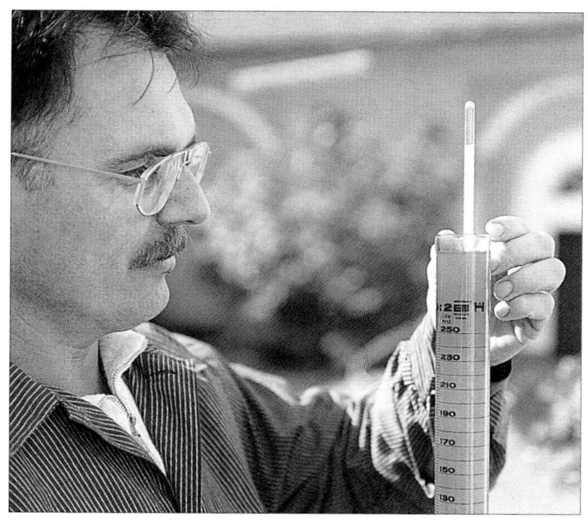

Mesure de la densité du moût à l'aide d'un aréomètre : cet appareil en verre est constitué d'une tige graduée plongée dans le moût.

(le taux d'acide malique est plus important les années fraîches que les années de fort ensoleillement ; en effet, à des températures élevées, la respiration consomme plus d'acide malique que d'acide tartrique). Le taux d'acide malique fournit donc un bon indice pour déterminer la qualité du millésime.

Acidité ou pH ?

La valeur du pH indique la concentration des acides actifs dans le jus de raisin. Elle se mesure en laboratoire en fonction des ions d'hydrogène libres. Une valeur élevée indique une faible acidité, une valeur basse une acidité élevée. Pourtant, taux d'acidité et pH n'expriment pas la même chose. Le pH est, en définitive, plus significatif. Il ne mesure que les acides sapides, non volatils, alors que l'acidité totale inclut l'ensemble des acides titrables, c'est-à-dire les acides mesurables par analyse chimique, y compris les acides volatils.

Baisse des taux d'acide tartrique et d'acide malique

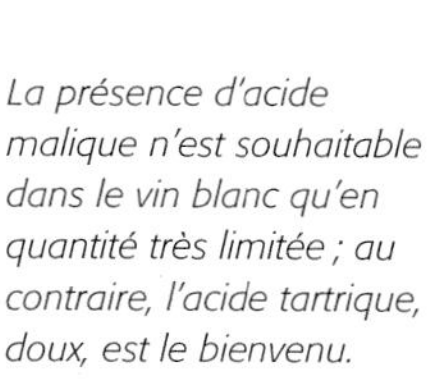

La présence d'acide malique n'est souhaitable dans le vin blanc qu'en quantité très limitée ; au contraire, l'acide tartrique, doux, est le bienvenu.

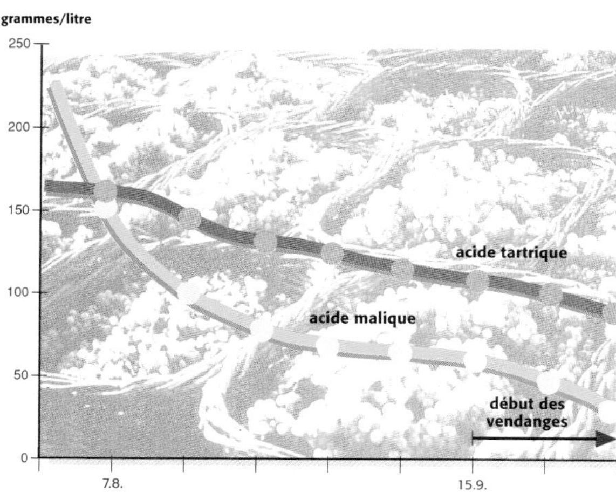

Qu'est-ce que l'extrait sec ?

On appelle extrait sec la somme des substances non volatiles contenues dans un vin, autrement dit le sucre, les acides, la glycérine, ainsi que les phénols, les pectines, les protéines et les matières minérales qui ne sont présentes qu'en petites quantités. C'est ce qui resterait si l'on faisait chauffer et évaporer le vin. L'extrait sec est un facteur de qualité. La réduction du nombre de grappes par cep et de la proportion d'eau augmente automatiquement la teneur en extrait sec. Les vins issus de vendanges tardives montrent souvent un extrait sec supérieur à 30 g/l, même lorsque la teneur en alcool est faible. Les vins récoltés tôt dépassent rarement 19 g/l d'extrait sec, en dépit de leur richesse en alcool.

Diagramme sucres-acides

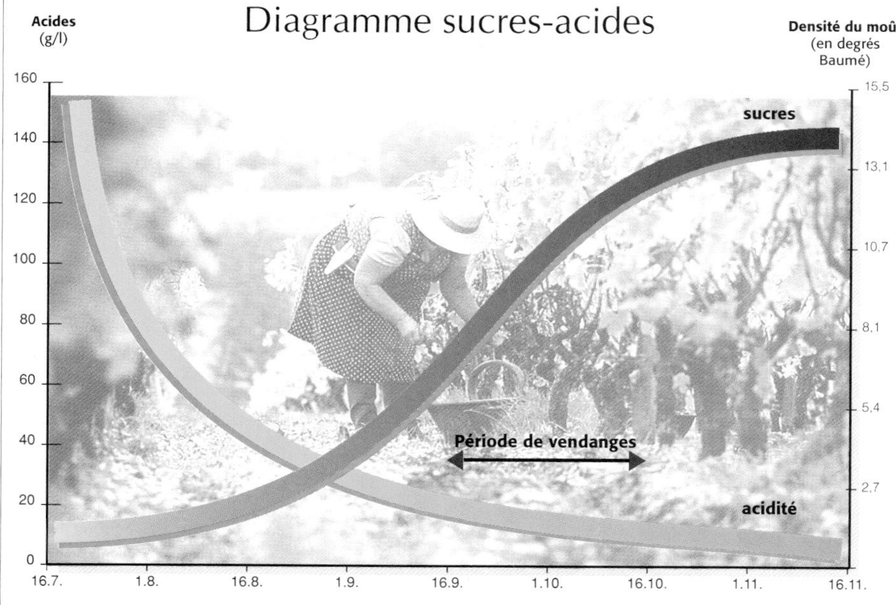

Maturation du raisin : tandis que le raisin concentre de plus en plus de sucre dans ses baies, l'acidité baisse constamment. Un taux d'acidité trop élevé donne des vins agressifs, un taux excessif de sucre des vins trop lourds, sirupeux, brûlants.

La surmaturation

Le sauternes : la pourriture noble est favorisée par la présence du Ciron.

Rare vin liquoreux italien de vendanges tardives : dans les régions chaudes, la pourriture noble a du mal à se développer sur les baies de raisin.

Le tokay, grand vin de hongrie, apte à une garde exceptionnelle.

Vendanges tardives d'Alsace : vin caractéristique obtenu à partir des meilleurs raisins atteints par la pourriture noble – le plus souvent doux, sec dans de rares cas.

Spätlese sec du Rheingau : vin sec non dénué d'une pointe d'acidité, issu de raisins sains récoltés à parfaite maturité.

Le raisin mûr peut attendre quelques semaines avant d'être vendangé. Tant que brille le soleil automnal, il continuera de mûrir jusqu'à surmaturité. À la faveur du climat, le vigneron obtiendra ainsi de somptueux vins liquoreux, incroyablement riches et concentrés

Les vendanges surmûries permettent d'obtenir des vins pleins et généreux. La densité du moût continue d'augmenter, le taux d'acidité de baisser. Cela vaut aussi bien pour les raisins blancs que rouges. Dans les régions de climat continental froid, les viticulteurs s'efforcent de retarder les vendanges de manière à obtenir des vins plus ronds en bouche, plus nobles. C'est du reste souvent pure nécessité, car les raisins mûrissent plus tard sous des températures basses. Dans certaines régions d'Allemagne, d'Autriche et même de France, il leur faut par exemple quatre semaines de plus pour parvenir à la même densité de moût que dans les régions viticoles chaudes.

Une meilleure concentration des composants...

Les températures diurnes encore relativement élevées à l'automne permettent aux fonctions d'assimilation de la vigne de se poursuivre au-delà du stade de maturation. La plante continue ainsi de concentrer du sucre dans ses baies. La densité du moût augmente. Les grappes atteignent le stade de surmaturité. Les vins riches qui en sont issus développent des arômes complexes. Toutefois, à l'automne, les nuits sont déjà assez fraîches, et une partie du sucre produit dans la journée est donc évacuée la nuit par la respiration. En d'autres termes, l'augmentation du sucre se ralentit avec le temps ; à partir d'un certain moment, elle est égale à la déperdition. Cette situation se présente parfois dès le début octobre, parfois uniquement à la fin du mois. Le producteur n'attend alors plus longtemps pour envoyer ses vendangeurs dans le vignoble.

Pour une plus grande complexité des vins

Un retard délibéré de la vendange permet aux baies de concentrer une plus grande quantité de substances formant l'extrait sec, de polyphénols et d'anthocyanes (dans les cépages rouges). Le raisin surmûri donnera des vins charnus, concentrés et, surtout, au titre alcoométrique élevé dans la mesure où le cep aura eu davantage de temps pour produire du sucre. Pris isolément, l'alcool ne constitue certes pas un critère de qualité : un vin fin doit, pour être harmonieux, présenter un taux d'extrait sec adapté à son degré alcoolique. Or, la quantité d'extrait continue d'augmenter tant que la maturation se poursuit.

Premier stade de maturation
Grappe mûre saine, dont la densité de moût oscille entre 9,45 et 10,7 degrés Baumé. Les baies sont molles, la pellicule lisse et encore verte. La teneur en sucre n'a toutefois pas encore atteint son maximum.

***Deuxième stade de maturation :* surmaturation**
Raisin en début de surmaturation, encore sain, dont la densité du moût dépasse 10,7 degrés Baumé. Les baies deviennent molles, la pellicule se ride parfois légèrement. Elles prennent une coloration vert-jaune. Le raisin parvient au stade où il élimine pendant la nuit autant de sucre qu'il en a produit pendant la journée. Il en résulte des vins moelleux.

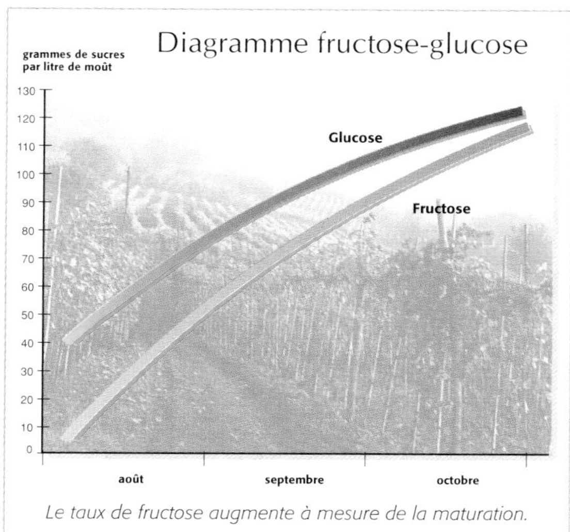

Le taux de fructose augmente à mesure de la maturation.

Surmaturation et *Botrytis cinerea*

Dans certaines régions viticoles, notamment en Alsace et en Allemagne mais aussi de part et d'autre de la Garonne, en Bordelais, les vignerons laissent une partie des grappes surmûries sur souche pendant une longue période. Se développe alors le *Botrytis cinerea*, un champignon qui, sous sa forme bénéfique, donne naissance à la pourriture noble. Pendant la surmaturation, les baies éliminent par respiration nocturne davantage de sucres qu'elles n'en constituent au cours de la journée. Néanmoins, comme simultanément la proportion d'eau dans le jus de raisin baisse par évaporation et sous l'effet du champignon, la concentration de sucre se renforce automatiquement. C'est ainsi que sont produits les vins liquoreux du Bordelais, ainsi que les vendanges tardives et sélection de grains nobles en Alsace et en Allemagne. Leur moût est si sucré qu'il ne peut fermenter complètement. Un taux plus ou moins important de sucre subsiste dans le vin. Il arrive aussi souvent que le vinificateur interrompe délibérément le processus avant fermentation complète du sucre.

Glucose et fructose

Le raisin contient deux sortes de sucres : le fructose, à la saveur marquée, et le glucose. La douceur d'un vin issu de raisins surmûris s'explique notamment par la forte proportion de fructose. Alors qu'au début de la période de maturation, le glucose constitue encore 80 % du sucre contenu dans le jus de raisin, la proportion de fructose augmente tout au long de la maturation, au terme de laquelle le jus de raisin contient presque autant de fructose que de glucose. Dans les baies ayant dépassé la pleine maturation, le fructose l'emporte. En outre, le champignon *Botrytis cinerea* décompose davantage de glucose que de fructose.

La découverte de la pourriture noble : un heureux hasard

Il existe plusieurs versions de la découverte du *Borytis cinerea*. Les Allemands situent cet événement historique en 1775. Le prince-abbé de Fulda, à qui appartenait alors le château de Johannisberg, dans le Rheingau, devait chaque année donner l'autorisation écrite de commencer les vendanges. Le document en question était apporté par un cavalier. Une année, un concours de circonstances voulut que ce messager de l'automne s'attardât. À son arrivée, une partie des raisins étaient déjà pourris. Les moines pressèrent ces grains à part. Du vin qui en fut tiré, l'un d'eux dit plus tard à l'abbé : « De vin pareil, je n'avais jamais eu à la bouche ». Une statue du cavalier se trouve aujourd'hui dans la cour du château. En Hongrie, dans la région de Tokay, on élaborait du vin à partir de baies botrytisées depuis 1650 déjà. Le gouverneur de la citadelle de Tokay avait retardé la récolte dans la crainte d'une attaque des Turcs. Une fois le danger passé, la pourriture s'était répandue. La légende veut que le premier vin doux tiré de raisins atteints par la pourriture noble ait été produit ainsi. En France, la pourriture noble est mentionnée pour la première fois en 1847 au château d'Yquem. Le marquis Bertrand de Lur-Saluces étant revenu avec quelque retard d'un voyage en Russie, les raisins de son vignoble avaient commencé à se couvrir de pourriture. On procéda néanmoins à la récolte et l'année 1847 se révéla le meilleur millésime du XIXᵉ siècle. Dès lors, le château d'Yquem et tout le Sauternais allaient se spécialiser dans la production de vins liquoreux de tout premier plan. Les vins des années 1911 et 1925 sont restés légendaires.

***Troisième stade de maturation :* développement de la pourriture noble**

Grappe composée essentiellement de baies atteintes de pourriture noble. La densité du moût s'élève à plus de 16,8 degrés Baumé. Le raisin est récolté par tries succesives dans le vignoble. Il en résulte des vins liquoreux, comme le sauternes ou les vendanges tardives et sélections de grains nobles d'Alsace.

***Quatrième stade de maturation :* grains « rôtis »**

Grappe entièrement atteinte par la pourriture noble. La densité du moût atteint 21,6 degrés Baumé. Les grains se sont déjà réduits à la taille de raisins secs et ne contiennent que très peu de jus, lequel est d'autant plus riche en sucre et en acides. On est souvent obligé de récolter ces baies directement avec les doigts ou à la pince sur la grappe.

Le couronnement de l'année viticole

Vendanges au château Haut-Brion, dans l'aire d'appellation bordelaise pessac-léognan. Plus le vignoble est proche des caves, plus vite le raisin est rentré et mieux il est protégé de l'oxydation.

Les vendanges constituent un moment de fête et de communion dans le vignoble. Mais c'est aussi la période la plus critique de l'année. Seule une organisation rigoureuse permet d'amener au pressoir des raisins de qualité optimale.

Vendanger est en apparence une opération simple. Les grappes sont coupées à l'aide d'un sécateur, recueillies dans des paniers ou des récipients en plastique puis versées dans des hottes de bois ou de métal qui seront vidées à leur tour dans un tombereau. Celui-ci transporte le raisin jusqu'au pressoir où il va être traité. Ce processus se déroule à peu près de la même manière dans toutes les régions viticoles du monde. Quant à savoir si on tirera un vin de qualité égale à celle du raisin, cela dépend d'une multitude de détails, par exemple de la propreté du matériel utilisé pour les vendanges. Les hottes, les paniers ou les seaux ne doivent pas être d'une trop grande capacité, ni être remplis à ras bord, sinon les raisins du fond risquent d'être écrasés sous le poids de ceux qui s'accumulent au-dessus ; la pellicule des baies mûres est extrêmement fragile.

Prévenir l'oxydation

Le raisin doit rester intact et arriver le plus rapidement possible au pressoir. Exposé à l'oxygène, le jus de raisin – surtout de raisin blanc – s'oxyde vite. Pour éviter cet accident, il faut soufrer les grappes. En outre, parce que les températures sont encore élevées au moment des vendanges, le jus de raisin qui s'écoule risque d'amorcer une fermentation. Sous l'effet d'une fermentation incontrôlée, le moût prend souvent un goût vinaigré désagréable. Enfin, le jus de raisin peut absorber les phénols durs et âpres des rafles, ce qui n'est souhaitable ni pour le raisin blanc ni pour le raisin rouge.

Encaver sans tarder

Plus le vignoble est proche du cuvier, plus les risques sont limités. Dans les domaines viticoles les plus prestigieux de Bourgogne et du Bordelais, comme la Romanée-Conti ou le château Mouton-Rothschild, le raisin est en cave au maximum deux heures après sa récolte. En revanche, les coopératives et les grands chais s'estiment heureux lorsqu'ils réussissent à presser le raisin au moins dans la journée où il a été vendangé.

Lutter contre les aléas climatiques

Lorsque l'automne est particulièrement pluvieux, quelques châteaux de la région bordelaise recourent à des techniques radicalement nouvelles pour limiter autant que possible les conséquences désastreuses de la pluie : gonflement des baies et dilution de la vendange. Ainsi, dans certains domaines viticoles, le sol est-il recouvert de film plastique afin d'empêcher l'eau d'y pénétrer. D'autres châteaux essaient de concentrer le moût en réduisant artificiellement la proportion d'eau (c'est le procédé d'« osmose inverse »). D'autres encore, avant le pressurage, font passer les raisins par un sas d'air chaud où ils sèchent au moins extérieurement. À Petrus, dans l'aire de Pomerol, on est même allé jusqu'à faire tourner pendant deux heures un hélicoptère très bas au-dessus des vignes pour sécher le raisin mouillé par la pluie. Toutes ces mesures n'ont pas toujours été couronnées de succès ; beaucoup de tentatives ont été seulement onéreuses, mais il est certain qu'on arrive aujourd'hui à atténuer considérablement les effets des mauvais millésimes.

1

2

3

4

5

6

Le raisin doit arriver intact au cuvier, dans les plus brefs délais. Des récipients de petite capacité assurent un transport dans de bonnes conditions.

1 *Bac de plastique non ajouré.*
2 *Panier d'osier laissant passer l'air.*
3 *Petit bac ajouré.*
4 *Comporte en bois traditionnelle.*
5 *Bacs métalliques de taille moyenne, superposables.*
6 *Panier en bois ancien.*

Vendanger la nuit

Pour éviter l'oxydation ou une fermentation incontrôlée, beaucoup de domaines viticoles des régions chaudes d'Australie, où les températures diurnes se situent entre 35 °C et 45 °C, choisissent de vendanger de nuit. Il fait alors plus frais, et l'on peut renoncer au soufrage du raisin, indispensable pendant la journée. Les vendanges ne peuvent toutefois s'effectuer de nuit que lorsqu'elles se font à la machine. Les vendangeuses sont équipées de phares halogènes qui éclairent bien les ceps.

Vendanges manuelles ou mécaniques ?

Les régions viticoles sont aujourd'hui nombreuses à avoir adopté les vendanges mécaniques. Il ne s'agit pas uniquement d'aires de production de masse ; des domaines renommés et de grands crus classés du Bordelais sortent à l'automne leurs machines à vendanger ; celles-ci se déplacent sur de hautes roues au-dessus des rangées de ceps et détachent le raisin en secouant les rameaux à l'aide de batteurs. Le plus grand avantage de la machine à vendanger est sa rapidité ; elle récolte en une heure le volume vendangé dans le même temps par trente personnes. Elle permet donc généralement de récolter tout le raisin à la date idéale. Les années pluvieuses, l'utilisation de la machine se révèle efficace puisqu'elle permet de rentrer une grande partie de la récolte pendant les moments d'accalmie. Toutefois, les vendanges mécaniques ont aussi leurs inconvénients : le feuillage des ceps souffre au passage de la machine, et les baies peuvent être endommagées par les batteurs. En outre, dans le cas de raisins atteints de pourriture noble, rien ne remplace l'œil avisé de l'homme pour procéder aux tries.

Pourriture noble et passerillage

Vendanges des raisins pourris noble dans le Sauternais. Seuls les grains botrytisés sont récoltés par tries successives.

Les raisins surmûris sont à l'origine de vins liquoreux étonnamment concentrés et complexes. Vendangés au mois de novembre, ils sont alors fort peu appétissants : bruns, ratatinés, pourris. La récolte est un travail tout en filigrane. Les grains rôtis doivent être prélevés avec les doigts ou avec une pince.

Lorsque les raisins restent sur souche au-delà du stade de maturité, ils commencent à se dessécher et à se déshydater. Sucres et acides se concentrent alors dans les baies. C'est la condition nécessaire pour l'élaboration de vins liquoreux à partir de grains pourris nobles. Deux processus déclenchent la réduction de la teneur en eau : le lent amincissement de la pellicule, qui finit par n'être plus étanche, par dessiccation naturelle, et l'apparition du champignon *Botrytis cinerea,* dont les spores transpercent la pellicule et laissent des trous extrêmement fins. Dans le premier cas, les baies prennent l'aspect de raisins secs : c'est le passerillage. Dans le second, les grappes se couvrent de pourriture. Dans un cas comme dans l'autre, la proportion d'eau contenue dans le jus de raisin (qui s'élève à environ 90 %) disparaît à travers la pellicule devenue poreuse, de sorte que la proportion d'autres composants s'élève. Les plus célèbres vins issus de la pourriture noble sont le sauternes, les alsace vendanges tardives et sélection de grains nobles, le tokay hongrois et les *Trockenbeerenauslesen* (sélections de grains nobles pourris-rôtis) allemands ou autrichiens. Ils ne sont produits que sous des climats chauds et humides et font partie des vins les plus rares, les plus chers et les plus recherchés du monde. Mais comment peut-on encore parler de vin ? Nectar, disent les connaisseurs.

Les sauternes allient un fort taux de sucre à un titre alcoométrique élevé (14-15 % vol.). Les vins botrytisés allemands se distinguent au contraire par la combinaison d'un fort taux de sucre avec une haute teneur en acidité. Le degré alcoolique est faible (environ 7 % vol.).

Des conditions climatiques particulières

Le champignon *Botrytis cinerea* ne se développe que dans les régions de climat tempéré et dans des conditions particulières : lorsque les brumes matinales sont dissipées par un air automnal doux et chaud, de telle sorte que les raisins sèchent dans le courant de la journée. Ces conditions se trouvent rarement réunies. À Sauternes, le Ciron apporte l'humidité nécessaire, et le soleil du Bordelais la chaleur. En Allemagne, c'est au-dessus du Rhin et de la Moselle, de la Sarre et de la Ruwer que se forment les brumes matinales. L'intensité du soleil automnal et la réverbération par le sol et par les cours d'eau font monter les températures. En Autriche, l'humidité du lac Neusiedl alliée à la chaleur de l'Europe centrale permet de produire des vins aussi extraordinaires ; en Hongrie, dans la région de Tokay, ce sont les brumes montant de la Tisza et du Bodrog et l'accumulation de chaleur dans l'arc des Carpates.

Avec ou sans *Botrytis cinerea*

La pourriture noble n'apparaît pas chaque année. En 1985 et en 1990, par exemple, à Sauternes, elle n'a affecté qu'un petit nombre de grappes. La concentration et la douceur des sauternes de ces millésimes sont dues à l'évaporation normale de l'eau des baies ; ces vins sont un peu moins sucrés et présentent un taux d'acidité légèrement plus élevé que ceux produits avec des grains affectés par la pourriture noble.

Passerillage sur claies de paille des grappes des cépages blancs trebbiano et malvasia, en Toscane, pour l'élaboration du vin santo.

Une plus grande complexité

Les amateurs de vins liquoreux savent reconnaître la saveur complexe d'un cru issu de baies botrytisées. En effet, le jus des raisins atteints de *Botrytis cinerea* contient davantage de glycérine, de l'acide acétique (volatil) et plusieurs enzymes qui lui sont propres. En outre, la pourriture noble décompose davantage d'acide que de sucre. En conséquence, les vins botrytisés sont plus sucrés que les vins de raisins passerillés sur souche. Dans ces derniers, la décomposition de sucre et d'acide s'effectue dans les mêmes proportions.

La pourriture grise indésirable

De nombreuses régions du monde bénéficient d'un climat chaud et humide. Mais lorsque l'humidité est permanente, le champignon *Botrytis cinerea* se propage rapidement sous sa forme néfaste. Les grappes pourrissent alors sur souche. Cette redoutable variante du *Botrytis cinerea* est appelée pourriture grise. Elle fait éclater la pellicule des baies, et rend la pulpe aqueuse. Ce risque est particulièrement important dans les pays méditerranéens chauds ; c'est pourquoi, pour l'élaboration des vins de dessert, on y récolte le raisin tôt, afin de le faire sécher ensuite sur des claies de paille. Il ne sera pressé que deux mois plus tard. La densité du moût de tels vins est importante, mais leur complexité n'atteint pas celle des vins botrytisés.

Le vin de glace

Le vin de glace est un liquoreux d'une exceptionnelle rareté. Le raisin est récolté et pressuré gelé, lorsque le thermomètre a chuté au-dessous de zéro. L'eau contenue dans le jus de raisin est alors transformée en glace, de sorte que le sucre, les acides et autres composants présents dans le peu de moût qui s'écoule du pressoir se concentrent. Plus la température est basse, plus le grain gèle et plus le moût est concentré. Le raisin doit être récolté par une température d'au moins 7 °C au-dessous de zéro. Or, ces basses températures ne sont souvent pas atteintes avant la période de Noël ou du nouvel an. Le vin de glace, qui n'est de qualité acceptable qu'en Allemagne, en Autriche (*Eiswein*) et au Canada (*ice-wine*), présente un taux d'acidité plus élevé que les vins issus de pourriture noble. Fruit du hasard découvert au XIXe siècle, les premiers vins de glace ont été produits au niveau commercial en 1949 dans la Sarre, puis, à partir de 1961, dans toute l'Allemagne. Les tentatives de production de vin de glace par cryoextraction (les raisins surmûris sont placés dans un grand congélateur) n'ont pas donné de résultats satisfaisants. Cette méthode est aujourd'hui interdite en Allemagne.

Grappe de raisin gelée sur souche.

Vendanges des baies gelées sur souche en Hesse rhénane. Lorsque le thermomètre affiche -7 °C, les vendangeurs récoltent le raisin surmûri et concentré qui donnera le fameux vin de glace allemand, ou Eiswein.

Les cépages : un patrimoine mondial

Les ampélographies répertorient une dizaine de milliers de cépages différents, mais seul un petit nombre d'entre eux ont une importance économique. Les cinquante cépages le plus fréquemment plantés représentent environ 95 % de la production mondiale de vin. Aux temps préhistoriques, il en existait certainement un nombre infiniment plus important. Toutefois, les maladies, la sécheresse et le froid les ont décimés ; seuls ont survécu ceux qui ont pu s'adapter aux conditions climatiques et aux sols locaux. L'adaptation a atteint un tel degré que les baies de certains plants se sont colorées de rouge pour se protéger du soleil dans les régions chaudes. Les cépages ont connu au fil des millénaires d'innombrables mutations. À ce phénomène sont venus s'ajouter les croisements fortuits entre différentes variétés, car les vignes sauvages sont sexuées ; elles portent soit des fleurs uniquement mâles, soit des fleurs uniquement femelles. Plus tard, l'homme a sélectionné, cultivé et multiplié les cépages en fonction de leur aptitude à la vinification. C'est ainsi que s'est créée la palette ampélographique que nous connaissons aujourd'hui. La plupart des cépages sont originaires d'Europe ou du Proche-Orient. Dans la nomenclature botanique, ils appartiennent au genre *Vitis vinifera*.

Le cabernet-sauvignon

Conduit à faibles rendements, ce cépage rouge très ancien, à la forte teneur en tanins, est cultivé dans de nombreuses régions du monde. Il donne naissance à de grands vins de garde sombres et profonds, au nez de cassis, de bois de cèdre et de poivre noir. Récolté à maturité optimale, il s'exprime dans un vin fortement tannique dévoilant une palette olfactive complexe. Insuffisamment mûr, il marque le vin de ses notes végétales caractéristiques de poivron vert. Les grappes sont de taille moyenne, couvertes de petites baies serrées, à la peau sombre et épaisse. L'origine de ce cépage est longtemps restée mystérieuse. Des chercheurs de l'université de Bordeaux ont découvert qu'il était le produit d'une hybridation spontanée entre un cabernet franc et un sauvignon blanc. Il a été planté à grande échelle dans le Bordelais vers le fin du XVIIIe siècle. Comme il était appelé bidure ou vidure, les ampélographes tendent à penser qu'il serait identique au *biturica* que Pline décrit au Ier siècle de notre ère dans son *Histoire naturelle*. La dénomination provient des Bituriges, qui peuplaient alors la bordure nord des Pyrénées. De nos jours, le Bordelais, et plus particulièrement le Médoc avec son sol de graves perméable, est considéré comme la patrie du cabernet-sauvignon. Toutefois, depuis ces dernières années, ce cépage se répand dans le Sud et le Sud-Ouest. Il devient aussi à la mode en Italie et en Espagne. Les plus grandes aires d'implantation au Nouveau Monde se trouvent en Californie, au Chili, en Afrique du Sud, en Australie et en Nouvelle-Zélande. Le cabernet-sauvignon est presque toujours assemblé à d'autres cépages.

Aglianico
Cépage originaire de Grèce, aujourd'hui dominant dans certaines régions d'Italie du Sud, telles la Campanie et la Basilicate. Il donne d'excellents vins rouges à la robe sombre, fortement tanniques et charpentés, de longue garde. Le plus célèbre est le Taurasi.

Alicante-bouschet
Cépage hybride teinturier français (petit bouschet x grenache) surtout implanté dans le sud de la France, où il entre principalement en assemblage pour rehausser des vins trop peu colorés.

Aramon
Cépage productif sans valeur qualitative implanté surtout dans le Languedoc et le Roussillon, en particulier dans l'Hérault. On en tire des océans de vins sans couleur ni saveur.

Portugais bleu
Cépage de qualité médiocre mais productif, dont sont issus des vins de consommation courante, faiblement tanniques. Nul ne sait exactement s'il est originaire du Portugal. Sa présence est en revanche attestée au XVIIIe siècle en Autriche, d'où il gagna la Hongrie, les territoires de l'ex-Yougoslavie et l'Allemagne.

Blauer wildbacher
Cépage très ancien, originaire de Styrie occidentale, qui est presque la seule région à le cultiver encore aujourd'hui. On en tire, sous le nom de Schilcher, un vin léger, couleur pelure d'oignon, qui se caractérise par une forte acidité.

Blaufränkisch
Avec ses baies sombres, âpres et épicées, le blaufränkisch est aujourd'hui le principal cépage rouge d'Autriche. Il est surtout cultivé dans le Burgenland et dans l'aire viticole du Carnuntum. Il produit des vins très aromatiques et complexes, et est utilisé depuis peu pour la production de cuvées spéciales en assemblage avec du cabernet-sauvignon ou d'autres cépages. En Allemagne, il est appelé lemberger et est implanté au Wurtemberg, où il donne souvent de meilleurs vins que le spätburgunder. Il est connu en Hongrie sous le nom de kékfrankos.

Brachetto
Cépage du Piémont devenu rare, utilisé essentiellement pour la production d'un vin rouge *frizzante* et de vins doux de dessert. Il donnait à l'origine des vins rouges secs au caractère très marqué. Il est connu en France sous le nom de braquet.

La syrah
L'un des cépages les plus nobles du monde, implanté surtout dans la vallée du Rhône. Le majestueux hermitage et l'élégant côte-rôtie, le saint-joseph et le condrieu, plus légers, de même que le crozes-hermitage rouge sont issus en majorité de la syrah. Celle-ci est aussi présente dans le châteauneuf-du-pape et d'autres vins du sud de la vallée du Rhône. Ce sont tous des vins à la robe sombre, tanniques, avec un bouquet épicé, doux-amer, de baies sauvages. On ne sait pas exactement si la syrah est originaire de la vallée du Rhône ou si elle y a été importée par des marchands de la ville perse de Shiraz. En Australie, elle est appelée shiraz et représente, avec le cabernet-sauvignon, le cépage rouge le plus fréquent.

Le cabernet franc
Sans doute le produit d'une mutation du cabernet-sauvignon, ce cépage est loin d'atteindre le même rang. C'est probablement pour cette raison qu'il entre essentiellement en assemblage avec le cabernet-sauvignon et le merlot. Cinq à quinze pour cent de cabernet franc confèrent aux vins du Bordelais leur savoureuse pointe d'épice. Ce cépage atteint sa meilleure expression en AOC saint-émilion, mais il produit aussi de bons vins dans la basse vallée de la Loire (bourgueil, chinon, anjou-villages, champigny). Il est également très répandu dans le Haut-Adige, en Vénétie et dans le Frioul, où, vinifié seul, il est à l'origine de vins relativement simples, au nez végétal. Dans les régions viticoles du Nouveau Monde, il est presque exclusivement employé en cépage complémentaire.

Le gamay noir à jus blanc
Cépage rouge traditionnel du Beaujolais, il offre souvent des vins légers, aux arômes fruités, mais aussi quelques vins plus complexes dans les crus du Beaujolais : brouilly, morgon, chiroubles, fleurie ou moulin-à-vent. Ces derniers peuvent vieillir quelques années, tandis que les vins d'appellation régionale, moins acides et peu tanniques, doivent être bus jeunes. Le gamay est également cultivé dans les pays de Loire, où il est principalement destiné à la production de vins de pays du Jardin de la France et de vins de table. (À noter cependant les vins rouges de primeur d'appellation touraine.) Il existe par ailleurs de grandes aires de culture du gamay en Suisse. En revanche, ce cépage n'a pas réussi à s'imposer en Californie.

Le grenache
Cépage rouge le plus fréquent en Espagne (sous le nom de garnacha), aussi bien dans le nord (Navarre, Rioja) que dans le sud (Castille-La Manche). Souvent exploité à tort pour une production de masse, il peut donner sur des sols arides des vins très fins. Les meilleurs proviennent du Priorato, où le garnacha, autrefois très répandu, a été en partie supplanté par le cariñena. Sans doute originaire de l'Aragon, ce plant a été importé dans le sud de la France, où il est cultivé sous le nom de grenache. Le grenache est le cépage premier du châteauneuf-du-pape ; il est également à la base des vins rosés d'appellation lirac et tavel. En Sardaigne, il est appelé cannonau.

Brunello
Désignation usuelle de la variété locale de sangiovese grosso qui, dans la région de Montalcino, dans le sud de la Toscane, sert à l'élaboration du Brunello di Montalcino.

Canaiolo
Cépage productif, quelque peu rustique, originaire d'Italie centrale. Deuxième cépage entrant dans la composition du Chianti ; sa proportion est toutefois plus élevée dans le Torgiano, produit en Ombrie.

Corvina
Cépage italien très foncé servant de base au Valpolicella et à l'Amarone. Il est le plus souvent assemblé à la rondinella et au molinara, mais il est aussi vinifié seul en vin de table.

Cot ou côt
Synonyme de malbec. Ce cépage est cultivé dans le sud-ouest de la France, en particulier dans la région de Cahors ; il est toutefois sur le déclin.

Counoise
Cépage de bonne qualité à maturation tardive qui entre, pour une faible proportion, dans les vins méridionaux comme le châteauneuf-du-pape.

Dolcetto
Cépage piémontais autochtone dont on tire des vins rouge violacé, charnus, secs, de consommation courante ; ces vins sont très populaires dans la région de Monferrat et des collines de Langhe.

Dornfelder
Cépage allemand hybride (helfensteiner x heroldrebe) présent de façon croissante ces dernières années dans l'encépagement du Palatinat et du Wurtemberg. Il produit des vins de couleur profonde, au nez fruité, et assure souvent de meilleurs résultats que le spätburgunder.

Durif
Nom usuel de la petite sirah en Californie.

Feteasca neagra
Cépage le plus cultivé de Roumanie, de qualité assez médiocre. Il est plus connu sous le nom de schwarze mädchentraube.

Freisa
Cépage ancien, devenu rare, de la région de Monferrat, dans le Piémont ; il offre le plus souvent des vins rouges doux et effervescents, mais aussi des vins secs au caractère très marqué.

Le merlot

Étonnant merlot ! Ce cépage à haut rendement peut certes donner des vins simples et rustiques, si l'homme n'intervient pas pour limiter sa vigueur, mais il est également à l'origine de quelques-uns des plus grands vins rouges du monde, ceux de Saint-Émilion et surtout de Pomerol, comme en témoignent les légendaires Petrus et Château Le Pin. Sur les terrains argileux et sablonneux de cette partie du Bordelais, le merlot offre des vins rouges rubis, charnus, de la plus haute distinction. S'ils présentent moins de tanins, moins d'acidité et une moindre longévité que les vins issus de cabernet-sauvignon, ces crus enregistrent en revanche un titre alcoométrique plus élevé. Dans leur jeunesse, leur bouquet s'apparente à celui des vins de cabernet, en plus suave. D'après les témoignages les plus anciens, le merlot pourrait être originaire de la région de Saint-Émilion et de Pomerol. Il y était déjà cultivé à grande échelle au début du XVIIIe siècle. Plus tard, il se développa dans le Médoc, où il occupe aujourd'hui encore la deuxième place dans l'encépagement après le cabernet-sauvignon. Il est désormais implanté dans le monde entier, et son aire de culture s'accroît plus vite que celle du cabernet-sauvignon. Au moins quatre raisons peuvent expliquer un tel succès : le merlot arrive à maturité une semaine à dix jours plus tôt – encourant donc moins de risques ; il s'associe sans difficulté à d'autres cépages ; il n'est pas aussi exigeant que d'autres plants quant à l'exposition et prospère même sous des microclimats assez frais ; il offre enfin un meilleur rendement. Le merlot connaît un accroissement de sa popularité en Italie, en Europe de l'Est et en Australie. Dans le Tessin, il est cultivé depuis des décennies. En Californie, il est devenu un cépage à la mode depuis les années quatre-vingt-dix.

Gaglioppo
Meilleur cépage rouge calabrais, donnant des vins charnus, au bouquet finement épicé, très tanniques. Originaire de Grèce, il a été importé en Italie il y a plus de deux mille ans. Le plus célèbre vin issu du gaglioppo est le Cirò.

Jurançon noir
Cépage rouge ancien qui n'est utilisé aujourd'hui qu'en assemblage, dans des régions viticoles comme Gaillac, plus rarement Cahors. On le trouve aussi dans le Jurançon en très faibles proportions.

Lambrusco
Cépage très productif et répandu en Italie, de la Vénétie jusqu'en Sicile, dont les coopératives et les grandes caves commerciales tirent souvent des vins doux et *frizzante* de qualité moyenne. En revanche, le lambrusco classique est un vin tranquille et sec tout à fait agréable.

Marzemino
Cépage d'une petite aire du Trentin, à l'origine de vins rouges simples mais savoureux, qui déclinent des arômes de cerise.

Montepulciano
Cépage répandu en Italie centrale. Le montepulciano, malgré son nom, n'est pas cultivé autour de la ville de Montepulciano, mais essentiellement dans les Marches et les Abruzzes. Il donne des vins un peu âpres, souvent très alcooliques. Toutefois, dans les meilleures années, il est capable de produire des vins fins au nez épicé (il est souvent assemblé au sangiovese ou à la uva di Troia). Il entre principalement dans la composition du Rosso Conero et du Rosso Piceno.

Morellino
Désignation d'une variété locale du sangiovese grosso cultivée dans le sud de la Toscane, autour de la localité de Scansano.

Mourvèdre
Cépage d'origine espagnole, qui connaît aujourd'hui une renaissance en Provence, en particulier à Bandol. Ses petites baies à la peau épaisse produisent des vins de couleur sombre, tanniques, dont la palette fruitée se prête bien à l'assemblage. En Espagne, où il est appelé monastrell, il domine les aires viticoles d'Alicante, de Valence, de Jumilla et d'Almansa.

Petit verdot
Précieux cépage à maturation tardive essentiellement cultivé dans le Bordelais, où sa présence est plus ancienne que celle du cabernet-

Le cinsaut ou cinsault

Ce cépage très répandu dans tout le sud de la France a été redécouvert ces dernières décennies dans les départements de l'Aude et de l'Hérault par les viticulteurs soucieux de qualité. Bien exposé et soumis à une taille rigoureuse, il produit un vin sombre et fruité qui se prête parfaitement à l'assemblage avec le mourvèdre, le grenache et même le cabernet-sauvignon, auxquels il confère souplesse et élégance. De fait, il n'est pratiquement jamais vinifié seul. Le cinsaut est aussi très répandu en Algérie, au Maroc et au Liban.

Le carignan

Cépage à fort rendement cultivé essentiellement dans le sud de la France, le carignan est responsable, pour une bonne part, des excédents européens. Il est également largement répandu dans le nord-est de l'Espagne, sous le nom de cariñena. On l'apprécie pour sa productivité dans le sud de la Californie, au Mexique et en Amérique latine, où il est vinifié en simples vins de consommation courante. Toutefois, les viticulteurs du Languedoc et du Roussillon, comme ceux d'Espagne (par exemple dans le Priorato), ont prouvé que le carignan, bien cultivé et conduit à petits rendements, pouvait donner naissance à des vins fins de caractère.

Le barbera

Cépage rouge original du Piémont, le barbera est généralement vinifié seul. Il est à l'origine de célèbres vins rouges italiens, tels le Barbera d'Asti et le Barbera d'Alba. Mentionné pour la première fois en 1799 sous le nom de *Vitis vinifera monferratensis,* il est cultivé aujourd'hui dans presque toutes les régions d'Italie, par exemple dans l'Oltrepò Pavese, la Franciacorta, le Valpolicella, le Trentin, l'Émilie-Romagne et dans le sud du pays. Même en Californie, des plants de barbera ont été identifiés. Ce cépage donne des vins tanniques et d'une bonne acidité. Toutefois, si la taille n'est pas assez sévère, il tend à être excessivement productif et se traduit par des vins simples, dénués de toute sève.

Le nebbiolo

Cépage piémontais exigeant et à maturité tardive, le nebbiolo offre des vins de couleur relativement claire mais tanniques et de bonne garde. Sa présence est attestée dans le nord-est de l'Italie depuis 1303. Cependant, il est sans doute beaucoup plus ancien. Les plus grands vins issus du nebbiolo sont le Barolo et le Barbaresco ; l'un et l'autre sont des vins de cépage. Le Gattinara et le Ghemme peuvent provenir d'un assemblage de nebbiolo avec une faible proportion de bonarda ou de vespolina. Le Roero et le Nebbiolo d'Alba sont également des vins de pur nebbiolo.

sauvignon. Ses vins rouges presque noirs, fortement tanniques, présentent un taux d'acidité élevé et expriment un nez fin et épicé. Toutefois, le petit verdot n'est plus guère cultivé : il ne représente dans la plupart des margaux qu'une proportion de 5 %.

Petite sirah

Cépage médiocre, d'origine mal connue, autrement appelé durif en Californie. La petite sirah n'a aucun lien de parenté avec la véritable syrah. Elle est cultivée dans la chaude San Joaquin Valley, mais aussi dans le district plus frais de Monterey. Elle se prête à l'assemblage avec le zinfandel et le pinot noir.

Picpoul noir

Vieux cépage d'origine languedocienne qui pousse sur les côtes sablonneuses du littoral méditerranéen. C'est, par ailleurs, l'un des treize cépages autorisés dans l'élaboration du châteauneuf-du-pape.

Pinotage

Cépage né, en 1925, du croisement entre le pinot noir et le cinsaut ; il est largement répandu en Afrique du Sud, où, bien que de nombreux vins insignifiants en soient également issus, il a donné les meilleurs résultats. On en tire des vins de couleur relativement sombre qui, dans leur jeunesse, dégagent un nez terreux et épicé, mais qui développent vite un arôme fruité très expressif.

Pinot madeleine

Cépage à peau épaisse et maturation précoce considéré comme une mutation du spätburgunder. On le trouve en proportion restreinte en Allemagne (sous le nom de frühburgunder) dans les régions productrices de vin rouge. En dépit de sa faible couleur, il peut être d'une qualité exceptionnelle.

Pinot meunier

Cépage résistant au gel, le plus fréquemment cultivé en Champagne. Allié au pinot noir et au chardonnay, il entre en faible proportion dans la composition du champagne. S'il passe pour être rustique et âprement fruité, il est traditionnellement présent dans tout bon champagne. Cette mutation du pinot noir est aussi cultivée dans le Wurtemberg, sous le nom de schwarzriesling ou müllerrebe. Le pinot meunier doit sa dénomination à l'aspect de ses feuilles, comme saupoudrées de farine.

Plavac mali

Meilleur cépage rouge de Slovénie et de Croatie ; il donne des vins corpulents, ronds en bouche, dotés d'une excellente aptitude au vieillissement.

Le pinot noir

De ce cépage, l'un des plus anciens du monde, peuvent naître des vins d'une noble élégance, mais aussi des vins d'une lourde simplicité. Ils se distinguent par leur robe aux nuances pourpre moyen et par leurs arômes doux et fruités. Les grappes de pinot noir, remarquablement petites, portent un grand nombre de baies à pellicule fine ; le vin ne sera donc que faiblement tannique. On comprend dès lors que nombre de vignerons récoltent le pinot noir avec la rafle de manière à obtenir des vins plus riches en tanins. Ce cépage est originaire de Bourgogne, où sa présence est attestée dans des documents dès le XIVe siècle ; mais sans doute y existait-il déjà depuis plus de mille ans. Aujourd'hui, il est pratiquement le seul cépage rouge de la Côte d'Or, où il a éclipsé le gamay noir à jus blanc. Il suffit de citer quelques-uns des illustres vins de la région pour saisir son importance : chambertin, musigny, pommard, volnay. Le vignoble le plus célèbre est celui de la romanée-conti. Toutefois, l'aire de production du pinot noir n'est pas circonscrite à la Bourgogne : en Alsace, il est vinifié en rouge et rosé ; en Champagne, il s'allie au pinot meunier et au chardonnay pour l'élaboration du fameux vin effervescent. En Allemagne, où il est appelé spätburgunder ou blauburgunder, le pinot noir est cultivé dans le sud du Palatinat, dans le pays de Bade, à Assmannshausen sur le Rhin, dans la vallée de l'Ahr et sur le cours moyen du Main autour de Klingenberg ; on le rencontre parfois, de façon sporadique, dans le Burgenland autrichien, dans le Haut-Adige et en Toscane. Les vins récoltés sous des climats chauds ne sont pas aussi réussis. Pour cette raison, le pinot noir n'est pas planté en Californie, mais dans l'Oregon, au climat plus frais ; en Afrique du Sud et en Australie, il reste marginal. Il fait partie des rares cépages rouges à être presque toujours vinifiés seuls.

Prugnolo gentile
Variante locale du sangiovese cultivée dans la région de Montepulciano, en Toscane.

Sagrantino
Meilleur cépage rouge de l'Ombrie, où il se concentre autour de la ville de Montefalco. Il offre des vins puissants, rouge sombre, au nez nettement épicé et légèrement sucré. Personne ne s'étant intéressé à ce cépage au-delà de cette région, le sagrantino a longtemps servi exclusivement à l'élaboration de vins de dessert. Actuellement, on élabore de plus en plus des vins secs de premier ordre et d'une grande complexité.

Samtrot
Mutation du meunier qui s'étend de nouveau dans le Wurtemberg. On en tire des vins de cépages d'une plus ou moins grande finesse.

Schiava
Dénomination italienne du vernatsch du Haut-Adige.

Schwarzriesling
Désignation usuelle du pinot meunier dans le Wurtemberg.

Shiraz
Désignation usuelle de la syrah en Australie, d'après la ville perse de Shiraz.

Saint-laurent
Vraisemblablement originaire d'Alsace, de nos jours encore cultivé en Autriche, ce cépage est peu exigeant en matière pédologique et garantit de bons rendements. Il produit un vin rouge, souvent fade et terne ; délicat, fruité mais âpre, dans le meilleur des cas.

Tannat
Cépage exigeant du sud-ouest de la France, à l'origine de vins rouge sombre fortement tanniques. Il est le plus souvent assemblé à d'autres cépages. On le trouve surtout dans les vins des contreforts pyrénéens comme le madiran, l'irouléguy, le tursan rouge et le béarn, mais aussi dans le cahors.

Teinturier
Nom donné à tous les cépages hybrides à la pulpe colorée, cultivés pour renforcer la teinte des vins rouges trop pâles. Le parent de la plupart des cépages teinturiers est le teinturier du Cher, qui a donné le petit bouschet par hybridation avec l'aramon. Ce dernier, encore largement cultivé en France, a été par la suite croisé avec d'autres variétés pour améliorer sa qualité de teinturier.

Le sangiovese

Principal cépage rouge italien dont la première région est la Toscane ; il est à la base des Chianti et du Vino Nobile di Montepulciano. Il est aussi largement présent en Émilie-Romagne, en Ombrie, dans le Latium et dans les Marches. Il admet de multiples variantes, dont les plus importantes sont le sangiovese grosso et le sangiovese piccolo. Le sangiovese arrive à maturité assez tardivement et donne des vins fruités, relativement tanniques, acides, qui demandent à vieillir. Le sangiovese est mentionné pour la première fois en Toscane en 1722, mais tout semble indiquer que deux mille ans auparavant, il était déjà connu en Italie et cultivé par les Étrusques.

Le tempranillo

Le plus important cépage espagnol, dont est issue une grande partie des vins de Ribera del Duero et de La Rioja. Encore appelé, notamment à Ribera del Duero, tinto fino ou tinto del país, il donne des vins de couleur sombre, tanniques et acides, prédestinés à la garde. On ignore si ce cépage est véritablement originaire d'Espagne ou s'il a été importé de France au Moyen Âge. Aujourd'hui, il a totalement disparu de l'Hexagone.

Le malbec

Cépage jadis très populaire, aujourd'hui en régression du fait de ses rendements aléatoires (il est sujet à la coulure). Le malbec produit un vin de couleur sombre très tannique. Le plus célèbre est le cahors. Dans la région de Cahors, il est appelé cot et assemblé à d'autres variétés pour donner le « vin noir de Cahors ». Il était autrefois répandu dans le Bordelais, mais il n'entre plus aujourd'hui que dans la composition de quelques vins, en proportions très faibles – il est encore présent, par exemple, dans quelques vignobles des Graves.

Le zinfandel

Cépage rouge dont sont issus des vins de styles très différents : rouges (les plus typés), rosés, blancs (lorsqu'il est vinifié sans les pellicules). Le zinfandel est cultivé presque exclusivement en Californie, où il donne des vins rouges de très grande classe pour certains, mais aussi des vins de consommation courante que les Américains boivent avec des glaçons. Le White Zinfandel est un vin blanc doux. Sans doute ce cépage est-il issu du primitivo italien, très répandu dans les Pouilles, qui fournit aussi bien de simples vins d'assemblage pour la production de vins de table que des vins doux et capiteux.

Teroldego
Ancien cépage rouge du Trentin planté dans les régions basses inondables et dans les environs de Mezzocorona. C'est un cépage à fort rendement dont sont issus des vins pauvres en tanins et en acidité, qui manquent de complexité. Les meilleurs ont toutefois un certain caractère et un arôme profond.

Trollinger
Cépage originaire du Wurtemberg qui n'est autre que le vernatsch du Haut-Adige. Il donne le plus souvent des vins rouge pâle, simples, mais parfois aussi des vins délicats qui jouissent d'une grande popularité locale.

Touriga
Cépage rouge portugais qui fournit la base de tous les bons portos. Les grappes à petites baies sont d'un rendement faible, ce qui explique la régression de la culture de ce cépage. Il constitue souvent l'un des composants principaux des bons Dão.

Tsimlyansky cherny
Principal cépage de vin effervescent de la CÉI surtout cultivé dans la région du Don, mais aussi en Crimée, où il fournit la base du vin rouge mousseux de Crimée ; ce vin, trop alcoolique et insuffisamment acide, doit être assemblé.

Vernatsch
Principal cépage du Haut-Adige dont il existe au moins une dizaine de variantes. S'il est généralement responsable de vins sans grand caractère, il sait aussi proposer des vins légers, veloutés, qui dévoilent un nez délicat de fruits et d'amande. Les vins de vernatsch les plus connus sont le St Magdalener et le Kalterersee.

Xynomavro
Meilleur cépage rouge de Grèce qui entre dans la composition des vins macédoniens Náoussa et Amynteon.

Zweigelt
Cépage hybride (blaufränkisch x saint-laurent) qui connaît un grand succès en Autriche. Ses vins se distinguent par un nez fruité, aux notes de cerise prononcées, et une bouche veloutée. Il est présent en Autriche dans presque toutes les aires productrices de vin rouge.

Le chardonnay

Ce cépage noble, très certainement originaire de Bourgogne (dans le sud de la Bourgogne un village est même dénommé Chardonnay), est aujourd'hui répandu dans le monde entier. Il donne aussi bien naissance à des vins fins qu'à des vins ordinaires – selon l'emplacement du vignoble, le clone, la conduite de la vigne. De tous les cépages blancs, c'est celui qui a enregistré la plus forte diffusion au cours des vingt dernières années. Les plus célèbres crus de chardonnay poussent sur les sols calcaires de Puligny-Montrachet, Meursault, Corton-Charlemagne et Chablis. Les vins sont monocépages ; ils se caractérisent par des arômes aériens de beurre et de tilleul et prennent au vieillissement un très léger arôme grillé. Dans la composition du champagne, le chardonnay entre, en règle générale, pour une proportion de 50 à 70 % (atteignant 100 % dans le champagne blanc de blancs). Le Mâconnais et la Côte chalonnaise sont aussi de grandes aires de production du chardonnay. En Italie, ce cépage est cultivé surtout dans le Trentin, le Haut-Adige, la Franciacorta et le Frioul. Depuis une date récente, il est implanté avec succès en Autriche, où il est également appelé morillon (Styrie du Sud) ou feinburgunder (Wachau). Hors d'Europe, il est largement présent en Californie (Carneros ou comté de Sonoma), au Chili (Maípo), en Afrique du Sud, en Nouvelle-Zélande. En Australie, il est généralement élevé dans des fûts de chêne de petite capacité qui lui donnent un léger goût caramélisé. Le succès du chardonnay – qui est un cépage particulier et non pas une mutation du pinot blanc comme on le lit encore aujourd'hui dans de nombreux ouvrages – s'explique par les résultats satisfaisants qu'il offre sur presque n'importe quel type de sol. Cependant, il débourre tôt et ne doit pas être vendangé trop tard afin que son taux d'acidité ne baisse pas excessivement.

Airén
Cépage blanc le plus répandu en Espagne, essentiellement cultivé dans la région de Castille-La Manche, grâce à sa résistance à la sécheresse. Il donnait autrefois des vins lourds, alcooliques. On parvient aujourd'hui à élaborer des vins légers, fruités mais neutres.

Albana
Cépage d'origine italienne, planté aujourd'hui essentiellement en Romagne. Il y donne un vin léger, moyennement fruité et de faible garde qui porte le nom du cépage.

Albariño
Cépage intéressant, légèrement aromatique, cultivé dans la région de Rias Baixas, en Galice, où il produit des vins blancs secs au caractère marqué. Au Portugal, il entre dans la composition du vinho verde blanc et est appelé alvarinho.

Aligoté
Cépage original de Bourgogne, qui a été supplanté par le chardonnay ; on en tire des vins riches et charnus, à boire jeunes. Le meilleur provient du village de Bouzeron, qui bénéficie aujourd'hui d'une appellation à part entière. Hors de France, on le trouve en Bulgarie, en Roumanie et dans d'autres pays d'Europe de l'Est.

Assyrtiko
Cépage typique de l'île de Santorin, à l'origine de vins secs, puissants. Les célèbres liastos, vins liquoreux, sont issus de l'assyrtiko botrytisé.

Auxerrois
Ce nom recouvre une grande variété de cépages. Toutefois, il ne désignait à l'origine qu'un seul plant qui a été exporté de France en Allemagne. Il est désormais cultivé en petites quantités en Alsace et dans le Palatinat. Il est distinct du chardonnay et du pinot blanc. Dans la région de Cahors, le malbec est appelé auxerrois.

Bacchus
Croisement de silvaner x riesling et de müller-thurgau, cultivé dans de nombreuses régions viticoles d'Allemagne. Il est à l'origine de vins simples, gouleyants, parfois marqués par un arrière-goût sucré.

Bouvier
Hybride autrichien surtout implanté dans le Burgenland et en Styrie. Connu pour ses rendements généreux et sa concentration en

Le chasselas

Cépage suisse classique, déjà présent il y a quatre siècles dans le Valais (où il est aussi appelé dorin), le chasselas couvre aujourd'hui presque la moitié des aires de culture viticole du pays. Il produit des vins blancs simples, légers, un peu ternes, qui souffrent souvent d'un manque d'acidité, mais il est capable d'offrir une meilleure qualité. Les vins les plus connus issus du chasselas sont le Fendant, l'Yvorne, l'Aigle, le Saint-Saphorin et le Dézaley. En Allemagne, où il est appelé gutedel, il était le cépage le plus fréquemment planté au début du XXe siècle ; il n'est aujourd'hui cultivé à grande échelle que dans le sud du pays de Bade (Markgräflerland).

Le chenin blanc

Cépage d'origine française, apprécié pour ses hauts rendements (Anjou et Touraine), dont sont issus notamment le vouvray et le saumur. Le chenin est aussi à l'origine de vins mousseux. Bien exposé, il produit des vins blancs concentrés, secs ou moelleux, d'une extrême longévité, qui révèlent une acidité caractéristique (savennières-coulée-de-serrant). Ses grappes se prêtent parfaitement à la pourriture noble et donc à l'élaboration de vins liquoreux (coteaux-du-layon). Hors de France, le chenin blanc n'est guère cultivé qu'en Afrique du Sud, où il est parfois appelé steen.

Le gewurztraminer

Précieux cépage aux baies légèrement colorées de rose, le gewurztraminer est cultivé à petite échelle en raison de la faiblesse et de l'incertitude de ses rendements. C'est sans doute une variante du traminer, cépage aux baies jaunes, moins aromatique. Il serait originaire du Haut-Adige. Récolté tard, le gewurztraminer peut s'exprimer dans des vins de grande qualité : jaune doré, corpulents, virils, dépassant souvent les 13 % vol., qui varient entre secs, demi-secs, doux et liquoreux. Ce sont des vins de garde en dépit de leur faible acidité. On trouve en Alsace et en Allemagne de grands gewurztraminers qui exhalent un arôme très caractéristique de rose et de litchi.

Le pinot gris

Cépage populaire dont sont issus beaucoup de vins simples, mais aussi des vins d'une belle finesse. Ses principales aires de culture sont la France (en particulier l'Alsace, où il est appelé tokay-pinot gris), l'Allemagne et l'Autriche (où il est parfois appelé ruländer) et le nord de l'Italie (Haut-Adige et Frioul). En Vénétie et dans le Trentin, il fournit des vins de consommation courante peu typés, mais qui connaissent un grand succès commercial. Les baies prennent parfois une nuance rouge violacée, preuve que ce cépage est une mutation du pinot noir.

sucre, il est cultivé, le plus souvent, comme raisin de table, mais aussi pour l'élaboration de vins de qualité.

Clairette
Cépage du midi de la France qui connaît un certain déclin. La clairette donne son nom à trois appellations d'origine : dans le Languedoc, ce sont la clairette-de-bellegarde et la clairette-du-languedoc ; dans la vallée du Rhône (Drôme), la clairette-de-die, vin effervescent caractérisé par un fruité savoureux. On lui reproche souvent son caractère assez mou et alcoolique, ainsi que sa tendance à la madérisation.

Cortese
Cépage du Piémont, simple, à haut rendement, surtout connu grâce au Gavi, qui en est issu à 100 %.

Feteasca
Cépage blanc le plus répandu de Roumanie, à l'origine de vins aromatiques, dont les meilleurs ont beaucoup de corps et se prêtent bien au vieillissement. Il est par ailleurs fréquent en Bulgarie, en Hongrie et en Russie.

Folle blanche
Cépage autrefois largement répandu en France, qui n'est pratiquement plus cultivé aujourd'hui que dans les régions de Nantes et de Cognac (il entre dans la composition du fameux cognac).

Furmint
Cépage planté dans toute l'Europe de l'Est, mais surtout en Hongrie, à l'origine de vins flamboyants, riches en alcool. Le furmint peut être vinifié en sec ou en doux. Sa plus célèbre illustration est le tokay, l'un des meilleurs vins liquoreux du monde, d'un étonnant potentiel de vieillissement.

Grechetto
Cépage classique de l'Ombrie qui entre traditionnellement dans la composition de l'Orvieto et des vins blancs de Torgiano.

Greco di Tufo
De ce cépage originaire de Grèce, cultivé dans le sud de l'Italie, on obtient des vins corpulents et parfois des vins fins, comme le Greco di Tufo de Campanie, le Cirò Bianco de Calabre et le Greco di Bianco doux.

Gutedel
Non donné en Allemagne au chasselas. Aujourd'hui, il se concentre dans le Markgräflerland (sud du pays de Bade).

Le riesling

Cépage noble à maturation tardive, le riesling propose dans les aires viticoles de climat frais des vins particulièrement fins. Il est cultivé surtout en Allemagne et en Alsace, mais on le trouve aussi en Autriche, en Russie et – à petite échelle – en Australie et en Californie. Il serait difficile de dire si sa patrie d'origine est la vallée du Rhin, celle de la Moselle ou le Palatinat. Il était déjà répandu dans la vallée du Rhin au XVe siècle et dans celle de la Moselle au XVIe siècle. Sans doute a-t-il été implanté sur ordre du roi Louis le Germanique dans la vallée du Rhin vers l'an 800. D'autres théories laissent à penser qu'il s'y serait développé spontanément à partir de *Vitis vinifera*. Quoi qu'il en soit, c'est un cépage noble et exigeant qui, du moins en Allemagne, en Alsace et en Autriche, ne produit de vins intéressants que sur les coteaux abrupts et ensoleillés. Le riesling, même botrytisé, conserve toujours une acidité marquée ; il est riche en extrait et d'une remarquable longévité. Grâce à ses grappes compactes et à ses baies de petite taille, il se prête bien à l'action de la pourriture noble, ce qui permet l'élaboration de vendanges tardives et de sélections de grains nobles. En com paraison avec d'autres cépages, l'augmentation de son rendement n'entraîne pas de perte sensible en qualité. La production de masse est néanmoins responsable de vins très rustres, surtout en Allemagne, où le riesling peut entrer dans l'élaboration du liebfrauenmilch. En Amérique, il est appelé Johannisberger riesling, white riesling ou Rhine riesling.

Kerner
Croisement de trollinger x riesling surtout répandu en Allemagne. Ce cépage résistant au gel peut offrir de très bons vins bouquetés à l'acidité marquée.

Macabeu
Cépage traditionnel de La Rioja, de la Navarre et d'autres régions du nord de l'Espagne. Il est aussi cultivé pour la production de cava.

Malvoisie
Désignation recouvrant une dizaine de variétés de cépages blancs qui donnent, en règle générale, des vins simples et alcooliques. La malvoisie est cultivée essentiellement en Italie (Frioul, Piémont, Toscane, Latium, Sicile, Sardaigne), mais aussi au Portugal, où elle entre dans la composition du porto et du madère (malmsey).

Manseng
Cépage originaire du Pays basque français dont la variété noble, le petit manseng, a été redécouverte ces dernières années et connaît un certain engouement ; elle fournit la base du jurançon dans la région de Pau (jurançon sec et sa variante moelleuse, pour laquelle on fait passeriller le raisin avant vinification). C'est un cépage très apprécié dans le Béarn et en Gascogne, surtout pour l'élaboration du pacherenc-du-vic-bilh. Le gros manseng, moins raffiné, est essentiellement utilisé pour des vins d'assemblage.

Marsanne
Cépage blanc à fort rendement cultivé dans la vallée du Rhône septentrionale. Alliée à la roussanne, la marsanne est à la base du saint-joseph, du crozes-hermitage et de l'hermitage. Ces vins fins et floraux sont à boire jeunes, mais peuvent bénéficier d'un vieillissement dans les beaux millésimes (hermitage notamment).

Melon de Bourgogne
Cépage peu exigeant originaire de Bourgogne, presque exclusivement cultivé dans l'estuaire de la Loire. Il s'illustre dans les vins secs des quatre AOC du Muscadet (muscadet, muscadet de sèvre-et-maine, muscadet-côtes-de-grand-lieu, muscadet-des-coteaux-de-la-loire).

Morio-muscat
Ce cépage issu d'un croisement (silvaner x pinot blanc) était autrefois surtout implanté en Allemagne et

Le grüner veltliner

Cépage populaire de haut rendement répandu surtout en Autriche (il couvre à peu près un tiers de la surface viticole du pays). Il débourre tôt et se récolte relativement tard, donne des vins légers, pétillants, qui dévoilent un léger arôme poivré et se boivent jeunes, souvent coupés d'un peu d'eau. Toutefois cultivé sur des terrains bien exposés, il produit aussi des vins liquoreux très alcooliques et riches en extrait, par exemple dans les vallées du Krems et du Kamp, et surtout dans la Wachau, où il est planté depuis à peine un siècle. Dans sa version la plus parfaite, le Smaragd, il donne des vins très fins d'une plus longue garde que les vins de riesling.

Le müller-thurgau

Cépage le plus cultivé d'Allemagne. Il était connu comme un croisement de riesling x sylvaner, mais les recherches récentes ont montré qu'il s'agirait plutôt d'un croisement riesling x chasselas. Il a été créé en 1882 à l'Institut de recherche viticole de Geisenheim, sur le Rhin, par le professeur Müller, originaire du canton suisse de Thurgovie. Il offre le plus souvent des vins simples, aromatiques, qui révèlent une pointe de muscade, et fournit la base du liebfrauenmilch. Sous le nom de rivaner sont également produits des vins secs flatteurs et élégants. Enfin, grâce à sa maturité précoce, on obtient aussi de ce cépage des vins botrytisés, liquoreux. Synonymes : riesling x sylvaner, rizlingszilvani (Hongrie).

Le muscat blanc à petits grains

Cépage aromatique très ancien qui existait très vraisemblablement déjà dans l'Antiquité grecque *(anathelicon moschaton)* et romaine *(uva apiana)*. Il est aujourd'hui répandu dans le monde entier sous de multiples noms. Le muscat blanc à petits grains est le cépage le plus noble parmi les muscats. Il ne doit pas être confondu avec le muscat d'Alexandrie, aux grains plus gros. Il est le seul cépage autorisé dans les vins doux naturels muscat-de-beaumes-de-venise, muscat-de-frontignan, muscat-de-lunel, muscat-de-mireval et muscat-de-saint-jean-de-minervois. Le muscat à petits grains est également à l'origine du Moscato d'Asti du Piémont, du Muskateller sec de Styrie, du Samos grec. En Espagne, il est appelé moscatel de grano menudo.

Le scheurebe

Croisement de sylvaner x riesling créé en 1916 par le professeur Georg Scheu, directeur de l'Institut de greffage de la ville de Pfeddersheim bei Worms, dans la Hesse. C'est un des rares nouveaux hybrides à avoir connu un certain succès. Bien exposé, il produit des vins délicats, au nez caractéristique de cassis. Toutefois, ces sites privilégiés lui sont rarement accessibles, car ils sont réservés au riesling. Ses vins fleuris, au bouquet riche, sont souvent assouplis par chaptalisation.

donnait des vins blancs au riche bouquet. Il est désormais en forte régression.

Mtsvane
Cépage de Géorgie et de Crimée à l'origine de vins blancs de bonne qualité, frais et fruités. Le meilleur cépage de la CÉI.

Muscadelle
Cépage à maturité précoce tendant aux forts rendements. Il entre en faible proportion dans la composition de la plupart des bordeaux blancs. La muscadelle dévoile un arôme fruité allié à une note assez rustique. Elle n'est pratiquement plus implantée aujourd'hui. Ce cépage n'a aucun lien avec le muscat.

Muscat d'Alexandrie
Variété mineure de muscat, cultivée surtout en Espagne, au Portugal et en Sicile (où elle est appelée zibibbo) ainsi qu'en Afrique du Sud et au Chili pour l'élaboration de vins de liqueur ou d'eaux-de-vie de vin. C'est par ailleurs un des cépages utilisé pour l'obtention de raisins secs.

Muscat de Hambourg
Raisin aux grains bleu foncé de la famille des muscats. Il n'est plus guère vinifié aujourd'hui et est vendu comme raisin de table.

Muscat ottonel
Variété de muscat (sans doute un croisement de chasselas et de muscat de Saumur) de moindre qualité que le muscat blanc à petits grains. Le muscat ottonel est encore très répandu en Alsace, en Autriche et en Hongrie, mais il enregistre une certaine régression.

Pedro ximénez ou PX
Autrefois cultivé en grande quantité à Jerez pour l'élaboration du xérès, il est actuellement en forte régression. Les plus vastes plantations de pedro ximénez se trouvent aujourd'hui en Australie, où il est utilisé pour la production d'eaux-de-vie de vin et de vins de liqueur.

Picolit
Cépage blanc du Frioul dont on obtient un vin de dessert très onéreux. Le picolit tend à la coulure, de sorte que son rendement est faible et irrégulier.

Picpoul blanc ou piquepoul
Cépage du Languedoc peu typé aromatiquement. Il entre principalement dans l'élaboration du coteaux-du-languedoc-Picpoul-de-Pinet.

Le sauvignon

Cépage blanc classique, universellement répandu, dont la culture a fortement progressé ces dernières années. Le chardonnay débourre tardivement, mais peut être vendangé relativement tôt. Il est très certainement originaire de la région de Bordeaux, où il est aujourd'hui le cépage blanc le plus courant. Il s'allie à la perfection au sémillon (et parfois aussi à la muscadelle) dans les vins blancs des appellations d'origine graves, pessac-léognan, entre-deux-mers, de même que dans les bordeaux d'AOC régionale et les vins de Sauternes. Aujourd'hui, son aire de production la plus importante est toutefois le cours moyen de la Loire et les pôles viticoles de Sancerre et de Pouilly-Fumé. C'est sur ces terroirs de silex que s'exprime le mieux son puissant arôme, évoquant les groseilles à maquereau. Les autres plantations importantes se situent en Styrie, dans le Burgenland (en Autriche, il est encore connu sous le nom de muscat-sylvaner), en Slovénie et dans le Frioul. Hors d'Europe, il existe une véritable mode du sauvignon en Californie (où il est élevé en fût et vendu sous le nom de fumé blanc), au Chili, en Australie et surtout en Afrique du Sud. Les sauvignons de Nouvelle-Zélande se caractérisent par leur note herbacée. Au Nouveau Monde, la plupart des vins de sauvignon sont lourds, leur titre alcoométrique dépassant souvent les 13 % vol. Contrairement aux vins de chardonnay, les sauvignons révèlent leur finesse très jeunes et peuvent être dégustés assez tôt.

Plavac
Principal cépage blanc de Slovénie dont sont issus des vins simples, fruités mais neutres, souvent ronds en bouche.

Prosecco
Cépage de Vénétie à maturation relativement tardive, qui produit des vins quelque peu agressifs. Il est moins connu pour ses vins tranquilles que pour ses *frizzante* ou *spumante*.

Rkatsiteli
De loin le plant le plus répandu de Russie, le rkatsiteli est aussi l'un des cépages blancs les plus fréquents en Europe de l'Est. Il peut donner des vins blancs puissants, corpulents et acides, mais aussi des vins de liqueur comparables au xérès.

Rotgipfler
Cépage entrant traditionnellement dans la composition du Gumpoldskirchen autrichien. Il offre des vins de garde, charnus et au caractère marqué.

Roussanne
Cépage blanc de qualité cultivé dans la vallée du Rhône, souvent assemblé à la marsanne dans les saint-joseph, crozes-hermitage et hermitage.

Ruländer
Synonyme de pinot gris. Il est souvent utilisé en Allemagne pour produire des vins corpulents contenant une quantité non négligeable de sucres résiduels.

Savagnin
Cépage noble cultivé dans le Jura, le savagnin s'illustre dans le célèbre vin jaune, vin élevé sous voile pendant cinq ou six ans, dans des fûts laissés en vidange.

Savatiano
Cépage blanc le plus répandu de Grèce. Il fournit la base des vins résinés, qui ont une forte teneur en alcool.

Steen
Désignation usuelle du chenin blanc en Afrique du Sud.

Tocai
Cépage autochtone qui occupe la majeure partie du vignoble du Frioul. La plupart des vins de tocai sont fruités, frais, de consommation courante. Les meilleurs ont un caractère indéniable.

Traminer
Également appelé traminer noir, ce cépage est à l'origine du gewurztraminer. Il se caractérise par des vins légèrement aromatiques, de bonne qualité, mais rarement exceptionnels.

Le sémillon

Cépage bordelais, le sémillon est à l'origine des grands vins liquoreux de Cadillac, Loupiac, Sainte-Croix-du-Mont, Sauternes et Barsac. Sa pellicule très mince est partculièrement vulnérable aux attaques de la pourriture noble. Le plus célèbre vin botrytisé de Sauternes est le Château d'Yquem, composé à 80 % de sémillon. Ce cépage donne généralement des vins corsés, gras, assez neutres dans leur jeunesse. Pour cette raison, les vinificateurs l'assemblent à d'autres cépages, comme le sauvignon. S'il n'est pas maîtrisé, le sémillon produit de forts rendements. Il est cultivé essentiellement dans le Bordelais, de part et d'autre de la Garonne, mais aussi au Chili (Maípo) et en Australie (Hunter Valley et Barossa Valley).

Le sylvaner

Cépage ancien, autochtone, le plus répandu de tous en Allemagne (sous l'orthographe silvaner). Parce qu'il est réputé très productif, on en tire souvent des vins simples, insignifiants. Cependant, lorsque le rendement est limité, il s'incarne dans des vins ronds, au délicat arôme fruité. De telles réussites sont obtenues en Franconie, en Alsace et en Autriche. En Hesse rhénane, il n'est utilisé que pour l'élaboration de vins simples de consommation courante. En Suisse, il est appelé johannisberg ou gros rhin et peut produire des vins très typés.

Le viognier

Cépage ancien de faible rendement, qui donne ses meilleurs résultats sous le climat sec et chaud de la vallée du Rhône. Il s'illustre principalement dans le condrieu et le rare château-grillet, deux vins charpentés, alcooliques, qui montrent un beau potentiel de garde. Les vins rouges de la Côte-Rôtie peuvent contenir 20 % de viognier. En Languedoc-Roussillon, le viognier est vinifié avec d'autres cépages blancs. Depuis la fin des années quatre-vingt, non seulement dans ces régions, mais aussi en Italie et en Californie, on s'efforce d'élaborer des vins blancs de pur viognier.

Le pinot blanc

Vieux cépage dont sont issus de très bons vins non dénués de cachet. Autrement appelé weißburgunder en Allemagne, il est surtout cultivé dans le pays de Bade et le Palatinat, mais il a aussi été implanté avec succès en Autriche, dans le Haut-Adige, en Hongrie, en Slovénie et en Croatie. En France, sous le nom de klevner, il n'est pratiquement cultivé qu'en Alsace, où il donne d'ailleurs de bons résultats. Le pinot blanc a longtemps été appelé à tort pinot-chardonnay ; en réalité, il s'agit d'une mutation du pinot noir. Il se définit par son arôme discrètement épicé et son acidité typique.

Trebbiano ou ugni blanc
Appelé trebbiano en Italie et ugni blanc en France, ce cépage entre dans la composition de la plupart des vins blancs du monde. Simple et assez terne, son vin est décliné en Italie sous différentes dénominations : Frascati, Soave, Lugana, Procanico, Bianco di Val di Chiana. En France, l'ugni blanc domine les vignobles du Cognaçais, où il constitue la base du célèbre cognac.

Verdejo
Ancien cépage noble cultivé à Rueda, première aire viticole productrice de vin blanc en Espagne. Le verdejo sert de base à l'élaboration de tous les vins blancs de la région.

Verdelho
Vieux cépage caractéristique de l'île de Madère, malheureusement en voie de disparition.

Verdicchio
Cépage essentiellement cultivé en Italie, dans les Marches, où il est connu depuis le XIVe siècle et donne le plus souvent des vins blancs fruités neutres.

Vermentino
Cépage blanc très caractéristique qui n'est plus cultivé en grandes quantités qu'en Corse et en Sardaigne. Il subsiste en moindres quantités en Ligurie et dans le nord de la Toscane, en particulier dans la Maremme.

Vernaccia
Cépage ancien sans grande valeur. Sur les collines de la petite localité de San Gimignano, en Toscane, il produit des vins blancs secs. Il n'est pas apparenté au vernaccia di Oristano de Sardaigne.

Welschriesling
Deuxième cépage autrichien, implanté autour du lac de Neusiedl, en Styrie, et dans le Weinviertel (littéralement « quartier du vin »). Il donne des vins blancs, légers ou puissants, plutôt épais et neutres, mais dont les meilleures versions sont finement épicées et typées. Le welschriesling n'a rien de commun avec le riesling. Il est appelé en Hongrie welsch rizling et en Italie riesling italico.

Zierfandler
Cépage blanc de qualité qui donne des vins blancs vifs et corpulents. C'est le principal cépage du Gumpoldskirchener autrichien.

Le facteur humain

Le vin est un produit naturel, et non le résultat d'un travail scientifique. Dans l'Antiquité, les Grecs le qualifiaient à juste titre de « présent des dieux », les divinités faisant pousser les ceps et mûrir le raisin. Le jus des baies fermentait ainsi sans intervention humaine, et lorsque tout le sucre contenu dans le moût s'était transformé en alcool, la fermentation s'arrêtait d'elle-même. Depuis ces temps anciens, rien ou presque n'a changé. Théoriquement, il n'est donc pas besoin d'un vinificateur pour produire du vin, sans parler des techniques complexes de vinification. Pourtant, une foule de facteurs influent sur le processus de fermentation et l'élevage du vin. L'homme a pour rôle de contrôler ces facteurs ; il ne fait pas le vin, mais il crée les conditions requises pour l'obtention de vins de qualité : il veille, par exemple, à ce que le moût soit refroidi au cours de sa fermentation. Aujourd'hui, notamment au Nouveau Monde, les domaines viticoles ressemblent parfois à de véritables raffineries de pétrole, mais c'est ainsi que l'on parvient à élaborer de bons vins, même dans des régions viticoles chaudes comme celle de Marlborough, en Nouvelle-Zélande.

Du raisin au vin

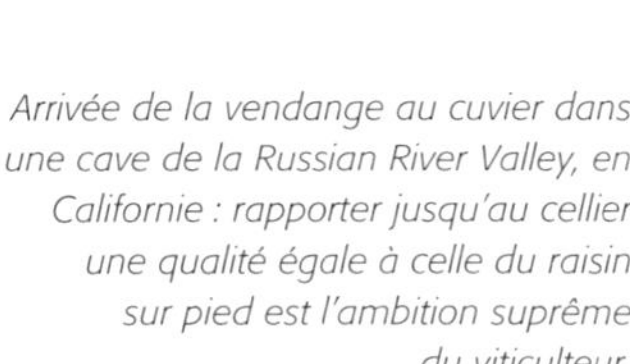

Arrivée de la vendange au cuvier dans une cave de la Russian River Valley, en Californie : rapporter jusqu'au cellier une qualité égale à celle du raisin sur pied est l'ambition suprême du viticulteur.

Foulage traditionnel aux pieds dans la région de Porto : cette méthode délicate de traitement du raisin demande beaucoup de main-d'œuvre. Dans la vallée du Douro, elle fait désormais partie du folklore.

Le vin ne peut jamais être meilleur que le raisin dont il est issu. En revanche, un vinificateur peu attentif peut obtenir un vin de médiocre qualité à partir d'une belle vendange.

Le terme de vinification désigne le traitement du raisin en vue de sa transformation en vin. Ce processus commence par l'entrée en cave de la vendange et se termine par l'écoulage de la cuve. Il s'étend sur une période pouvant aller d'une semaine à trois mois – selon le type de vin et le mode de fermentation. La plupart des vins fermentent en dix ou quinze jours, mais certains vins rouges simples achèvent leur fermentation en quatre jours. Les vins blancs peuvent au contraire fermenter pendant trois à cinq semaines, les sélections de grains nobles pendant trois mois. Le rythme de fermentation dépend de la température du cellier ; celle-ci est fixée, en principe, par le maître de chai. Plus la température est élevée, plus la fermentation est rapide.

Un processus complexe

La fermentation alcoolique est un processus chimique complexe qui se déroule en plusieurs étapes et génère non seulement de l'alcool, mais aussi de nombreux produits secondaires et indésirables. Le principal de ces produits secondaires est le gaz carbonique (CO_2). Ce gaz inodore se dégage du vin en cours de fermentation en formant des bulles. C'est la raison pour laquelle la plupart des

Station de vinification à Montalcino : la vendange qui donnera le fameux Brunello est acheminée par une vis sans fin jusqu'au fouloir.

cuves de fermentation sont ouvertes dans leur partie supérieure. Le bouillonnement du vin dans la cuve est le signe que la fermentation a commencé (ou qu'elle dure encore).

Les vinifications en rouge et en blanc

Il n'existe pas de différences fondamentales entre les vinifications en blanc et en rouge, si ce n'est que, pour le vin rouge, on fait fermenter en même temps les pellicules des baies, alors que, pour le vin blanc, seul le jus de raisin fermente. En d'autres termes, le raisin blanc est pressuré dès son arrivée en cave, puis le jus est recueilli et mis en fermentation. En revanche, le raisin rouge est foulé de sorte que la pellicule éclate. Le jus, la pulpe, la pellicule et les pépins constituent le moût. On fait fermenter ce mélange ; le moût ne sera pressuré qu'après fermentation. Le vin qui s'écoule de la cuve sans que soit exercée de pression est le produit le plus précieux, le « vin de goutte ». Le vin de presse est de moindre qualité ; il contient une forte proportion de tanins astringents et n'est généralement pas mélangé au vin principal. Il peut toutefois arriver que, dans les mauvaises années, on ajoute une faible quantité de vin de presse au vin de goutte (c'est par exemple une pratique courante dans le Bordelais).

Le marc, un résidu bien utile

Les pellicules une fois pressurées étaient autrefois séchées, compressées en briquettes et utilisées comme combustible pour réchauffer les maisons pendant l'hiver. Du marc, on extrayait également du tartre (bitartrate de potassium), matière première importante pour l'industrie pharmaceutique (sel de Seignette) et alimentaire (levures). Par la suite, les industriels purent obtenir du bitartrate de potassium synthétiquement ; pour le viticulteur, cette source de revenu annexe se trouva donc tarie. De nos jours, le marc est le plus souvent mis au compost et utilisé comme engrais organique dans le vignoble. Certains viticulteurs le vendent à des distilleries, qui élaborent de l'eau-de-vie (appelée *grappa* en Italie, marc en France). Les pellicules de raisin blanc, qui contiennent toujours un reste de sucre, sont souvent couvertes de moût. Fermentées, elles donnent un vin qui sera distillé pour produire des eaux-de-vie de cépages blancs.

Produits principaux et produits secondaires de la fermentation alcoolique

Alcool éthylique	47-48 %
Gaz carbonique	46-47 %
Glycol	2,5-3 %
Acide succinique	0,2-0,5 %
Butylèneglycol	0,05-0,1 %
Acide acétique	0-0,25 %
Acide lactique	0-0,2 %
Acétaldéhyde	0-0,1 %
Méthanol	0,05-0,3 %

La formule chimique de la transformation du sucre en alcool et gaz carbonique est la suivante : $C_6H_{12}O_6$ (sucre) -> $2C_2H_5OH$ (alcool) + $2CO_2$ (gaz carbonique, celui-ci peut aussi être dissous sous forme d'acide carbonique). Les produits secondaires représentent au total 4 à 5 % de la composition du vin. Seuls quelques-uns sont indésirables : par exemple, l'acétaldéhyde, parce qu'il oxyde le vin, et les fusels, esters forts, nocifs et de goût désagréable comme le méthanol (substance toxique que produit inévitablement toute fermentation alcoolique et qui peut être mortelle à partir de 25 g/l ; toutefois, le méthanol n'est présent qu'en quantité infime dans le vin, au maximum 0,30 g/l). De même, le vinificateur s'efforce de maintenir le taux d'acide acétique à un niveau très bas, car cet acide volatil risque d'altérer les arômes.

Presque partout dans le monde, les raisins rouges sont égrappés avant le foulage et la fermentation. Autrefois, seuls quelques grands domaines pouvaient se permettre d'érafler le raisin.

Les levures : agents de la fermentation

Le vin a besoin de levures pour fermenter ; en leur absence, il reste à l'état de jus de raisin. Il existe de nombreuses souches de levures, qui possèdent chacune leurs propriétés – elles n'ont d'ailleurs pas toutes un effet bénéfique. La qualité du vin dépend donc aussi de celle des levures.

La transformation du sucre en alcool est opérée par des levures. Ces levures sont des champignons ; elles font partie, comme les algues et les bactéries, des végétaux unicellulaires, c'est-à-dire des micro-organismes les plus simples du règne végétal. Elles se reproduisent par partition de cellules ayant formé des pseudopodes. L'énergie dont elles ont besoin pour se reproduire leur est fournie par le sucre contenu dans le jus de raisin sous forme de glucose et de lactose ; le sucre nourrit en quelque sorte les levures, tandis que l'alcool obtenu au terme du processus n'est qu'un produit secondaire de leur reproduction. L'action des levures est toutefois liée à un certain nombre de conditions : à une température élevée, elles agissent vite et provoquent une fermentation accélérée ; à basse température, elles restent presque inertes, et la fermentation s'opère lentement. À une température inférieure à 12 °C, la plupart des levures interrompent leur activité. La fermentation s'arrête – cauchemar de tous les vinificateurs.

La fermentation

À une température d'environ 15 °C, les levures se multiplient de façon continue, jusqu'à ce que la totalité du sucre ait été transformée et que le vin soit pur. Alors, elles meurent et tombent au fond du récipient vinaire. Ce dépôt de levures est appelé « lies ». Autrement dit, sans intervention du vigneron, le moût parvient automatiquement à une fermentation complète, mais il peut arriver, lorsque le moût est extrêmement sucré, que la fermentation s'interrompe d'elle-même avant que tout le sucre ait été transformé. La raison de ce phénomène est simple : les levures ne supportent pas l'excès d'alcool ; en règle générale, elles tolèrent un titre alcoométrique de 15 % vol. L'interruption de la fermentation se produit régulièrement dans les vins liquoreux, mais parfois aussi accidentellement dans les moûts d'un degré élevé qui, en principe, devraient fermenter complètement. L'un des exemples les plus spectaculaires est le montrachet 1992 du célèbre domaine de la Romanée-Conti ; ce millésime n'a jamais pu être mis sur le marché, parce que le vin n'a pas entièrement fermenté et a conservé un taux de sucres résiduels élevé.

Les différentes souches de levures

Le nom botanique des levures de vin est *Saccharomyces ellipsoideus* (ou *Saccharomyces cerevisiae*). Des agents analogues interviennent dans les levains de la bière et du pain. Toutefois, chaque catégorie de levures – y compris bien sûr celles du vin – comporte de multiples souches. Chacune réagit différemment aux composants du moût et influe à sa façon sur la nature du vin – de la même manière que le sol ou l'exposition du vignoble. Ainsi existe-t-il des levures très sensibles à l'alcool qui n'agissent que jusqu'à environ 5 % vol. (la fermentation se poursuit grâce à d'autres agents) ; d'autres le sont à la chaleur ou produisent beaucoup d'hydrogène sulfuré, avec le risque que le vin en porte ensuite la trace olfactive. Il existe des levures qui ont un effet aromatique sur les vins blancs jeunes, par exemple celles spécialement sélectionnées pour le sauvignon et qui lui donnent tantôt un arôme harmonieux, tantôt un arôme plus agressif. Les

Moût rouge en cours de fermentation : les levures transforment le sucre en alcool.

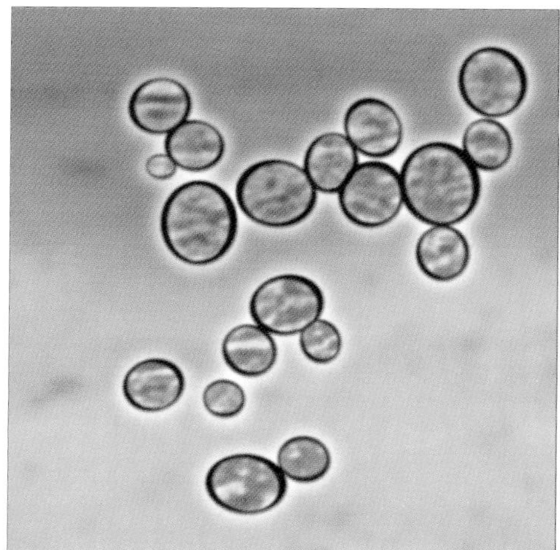

Saccharomyces chevalieri : *levure de forme ellipsoïdale utilisée surtout pour la fermentation de vin rouge.*

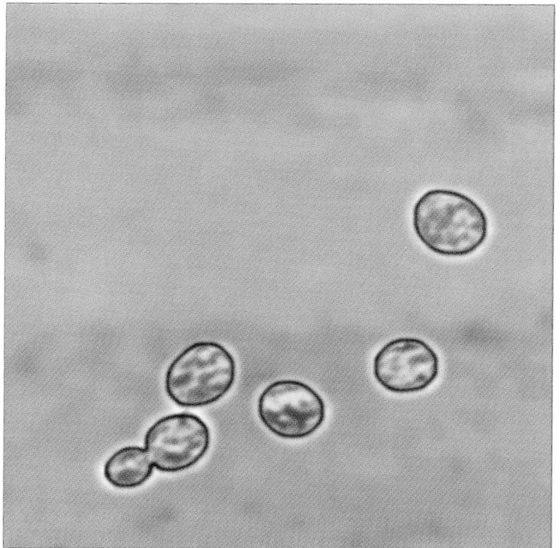

Saccharomyces oviformis : *levure de forme ovoïde qui résiste à une plus forte teneur en alcool.*

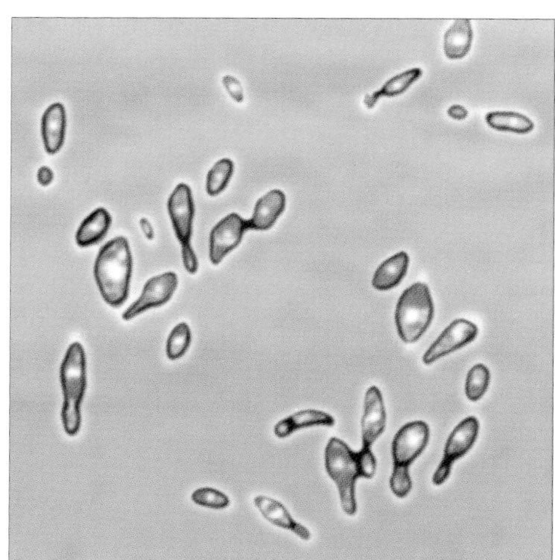

Torulopsis stellata : *petite levure de forme allongée appropriée au levurage de moût de raisin pourri noble.*

levures du champagne se caractérisent par le fait qu'elles floculent après leur extinction.

L'origine des levures

Les levures se développent dans la nature ou sont cultivées en laboratoire. Il s'agit dans le premier cas de levures naturelles, sauvages, dans le second cas de levures sélectionnées. Chaque vignoble ou presque chaque parcelle de vigne possède ses propres cultures de levures naturelles. Normalement, celles-ci sont rapportées avec la vendange au cuvier ou y sont déjà implantées, lorsque le cuvier est établi dans une région viticole (dans certains pays, les centres de vinification sont éloignés des aires de culture de la vigne). Toutefois, les années froides et pluvieuses, il se forme peu de levures ; les traitements intensifs de fongicides et d'insecticides nuisent également aux cultures de levures ; les spores des champignons de levure sont emportées non seulement par le vent, mais aussi par les insectes, en particulier les trypétidés (mouches de fruits). Aussi, certaines années, le maître de chai doit-il avoir recours à des levures sélectionnées. Ce sont des levures naturelles multipliées dans des laboratoires spécialisés et commercialisées sous forme déshydratée ; elles sont inoculées au moût.

Pour ou contre les levures sélectionnées

La majorité des vignerons utilise aujourd'hui des levures sélectionnées pour la fermentation du vin. Leur action est plus prévisible et réduit les risques : blocage ou interruption de la fermentation, défauts organoleptiques du vin fini après une fermentation mal maîtrisée. Les vinificateurs du Nouveau Monde recourent presque exclusivement à des levures sélectionnées (dans certaines aires viticoles de Californie dénuées de levures sauvages, ils n'ont pas d'autre solution). En Europe, nombre de producteurs, après des expériences douloureuses, se sont eux aussi convertis aux levures sélectionnées, et il ne s'agit pas uniquement des grandes caves et des coopératives. Toutefois, cette sécurité a une contrepartie : les vins de régions entières deviennent uniformes et perdent toute typicité, notamment lorsque les vignerons utilisent les mêmes levures du commerce.

Préserver les levures sauvages

Les vignerons du Bordelais, de Bourgogne et de nombreuses régions d'Allemagne affirment qu'une telle uniformisation est impossible lorsqu'on emploie des levures naturelles. Celles-ci donnent des vins de caractère, complexes, parce qu'elles ne proviennent pas toutes de la même souche, mais de différentes sources indigènes qui contribuent à la qualité du vin. Cette conviction fait sourire les œnologues australiens et américains, mais les Européens restent imperturbables. Quoi qu'il en soit, les viticulteurs soucieux de qualité prennent grand soin de leurs cultures de levures, mettant au compost les sarments hachés, les restes de marc et les lies pour les utiliser ensuite comme engrais organique dans le vignoble et contribuer ainsi à la préservation des levures sauvages.

Louis Pasteur (1822-1895)

La découverte des levures du vin

C'est à Louis Pasteur que l'on doit la première description précise et exhaustive de la fermentation alcoolique. Certes, les vignerons ne l'ont pas attendu pour produire du vin, et ils savaient déjà que c'était le sucre contenu dans le moût qui se transformait en alcool, mais nul n'avait conscience du rôle des levures. La découverte de ces levures qui sont les agents de fermentation est du reste liée à l'invention d'un instrument révolutionnaire: le microscope.

La multiplication des levures

Les levures ne sont pas visibles à l'œil nu, mais il est possible de les étudier à l'aide d'un microscope qui grossit six cents fois. Pendant la fermentation, elles se multiplient à toute allure. Au cours du processus fermentaire, 1 cm^3 de moût contient de 80 à 120 millions de cellules de levures ; on en comptait 260 000 dans le même volume de jus de raisin au début de la fermentation et seulement 120 000 dans le vignoble.

Le contrôle de la fermentation

Émile Peynaud, célèbre œnologue bordelais, a su parfaitement résumer la difficulté de la vinification en rouge : « Une année médiocre se vinifie tout autrement qu'une grande année ». Il n'existe en effet aucune recette infaillible pour élaborer un vin rouge de qualité. Chaque année, le vigneron doit recréer des conditions favorables.

Les grappes de raisin rouge sont égrappées et foulées. Le moût ainsi obtenu fermente ensuite dans des cuves en acier inoxydable ou des récipients en bois ouverts. Lorsque tout le sucre est fermenté, on soutire le vin et on pressure le marc. La vinification est alors terminée. En pratique, la fermentation du moût est beaucoup plus compliquée. Elle implique l'extraction de la couleur et des tanins des pellicules de raisin. Autrefois, le vigneron ne se tracassait guère pour cette partie de la fermentation et ne prenait pas de mesure particulière pour s'assurer que la couleur et les tanins passaient bien dans le vin. Il est vrai que l'extraction se déroule pratiquement en parallèle avec la fermentation alcoolique. Cependant, on observe désormais très attentivement le mécanisme de l'extraction et son déroulement. Lors des petits millésimes, les pellicules renferment peu de pigments et de tanins de qualité ; aussi le vin ne doit-il pas rester trop longtemps au contact du marc, au risque d'absorber des tanins âpres et immatures.

L'aération du moût

En règle générale, les vins rouges fermentent plus vite que les vins blancs. Au bout de quelques heures à peine, les premières bulles se forment ; au bout de douze heures, le moût « bouillonne » ; un jour plus tard, il est en pleine fermentation. La rapidité de déclenchement du processus s'explique par le fait que les cuves de fermentation sont ouvertes : le moût est donc au contact de l'air, et l'apport d'oxygène accélère la multiplication des levures. L'ouverture des cuves permet par ailleurs au gaz carbonique qui se dégage au cours de la fermentation de remonter à la surface, entraînant avec lui les pellicules qui flottent dans le liquide. Ces pellicules forment

Principe de la vinification en rouge : le raisin est égrappé puis foulé. Deux rouleaux en caoutchouc tournant en sens inverse font éclater la pellicule de manière que le jus s'écoule. Le jus, la pulpe et les pellicules constituent le moût, qui est conduit par une pompe dans les cuves où il va fermenter.

vite, dans la partie supérieure de la cuve, une masse compacte appelée chapeau, qu'il faut régulièrement immerger afin de la remettre en contact avec le vin. Cette opération se faisait autrefois à la main, les ouvriers montant sur le bord des cuves pour repousser vers le bas le chapeau à l'aide de longs bâtons, de pilons ou même avec les pieds ; le pigeage se pratique encore aujourd'hui en Bourgogne. Une autre solution consiste à tirer le vin par le bas de la cuve, où il est pompé par un tuyau puis versé dans la cuve par le haut, sur le chapeau de marc : c'est le remontage. Dans les cuves en acier inoxydable, l'opération manuelle a été remplacée par un circuit fermé de pompage.

La durée de la fermentation

La durée de la fermentation du moût de raisin rouge dépend de la température. Plus celle-ci est basse, plus la fermentation est lente, et inversement. Étant donné que presque tous les vins rouges fermentent désormais à température contrôlée, le vinificateur peut très exactement déterminer la durée de la fermentation. Les cuves en acier inoxydable thermorégulées permettent de rafraîchir aisément le moût. Les anciennes cuves traditionnelles en bois (encore en usage dans de nombreux châteaux du Bordelais, par exemple) sont équipées intérieurement de circuits de refroidissement. Il arrive aussi que l'on place des plaques de refroidissement ou de simples sacs en plastique contenant de la glace dans les cuves de fermentation pour éviter que la température ne s'élève excessivement. Les vins simples comme le Valpolicella ou le beaujolais fermentent environ quatre jours avec les parties solides. Les vins plus complexes comme le pinot noir d'Alsace, le Badischer spätburgunder ou le blaufränkisch du Burgenland autrichien restent une huitaine de jours en contact avec les pellicules. Les vins rouges charpentés fermentent quinze jours avec les parties solides, les Barolo ou cabernets-sauvignons traditionnels quatre semaines.

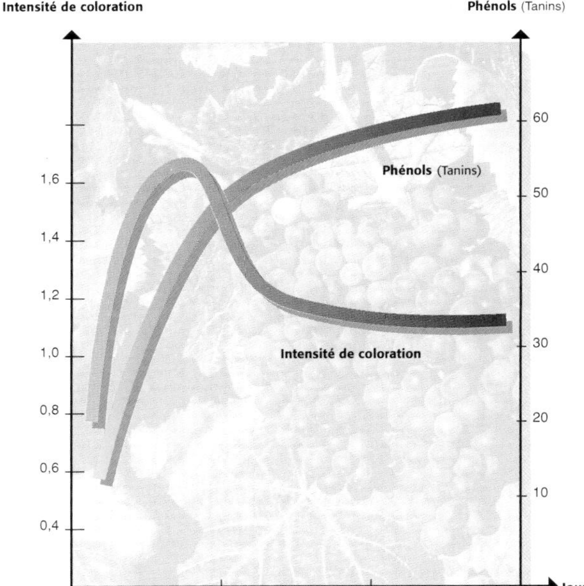

Pigments colorants et tanins

On appelle extraction le processus par lequel le vin capte les pigments colorants et les tanins contenus dans les pellicules de raisin. L'extraction des pigments est plus rapide que celle des tanins.

L'extraction

La plus grande partie des pigments est extraite des pellicules au bout de quelques jours à peine. Le vin est alors rouge sombre, les pellicules violet clair. Les pigments sont dissous par l'alcool produit par la transformation du sucre. Le processus d'extraction est favorisé par la température de fermentation. Les tanins mettent un peu plus longtemps à s'extraire (voir graphique). Lorsque le vigneron estime que le vin a suffisamment de structure, il le soutire du marc. Les pellicules retombent au fond du récipient, parce que la fermentation s'est ralentie et qu'il n'y a plus de production de gaz carbonique. Le vinificateur ouvre alors une vanne de la cuve et fait s'écouler le moût. Les pellicules, les levures mortes et les particules de pulpe accumulées au fond de la cuve sont recueillies et pressurées. Si le liquide ainsi obtenu contient encore du sucre, on poursuit la fermentation sans les pellicules ; sinon, la fermentation est terminée.

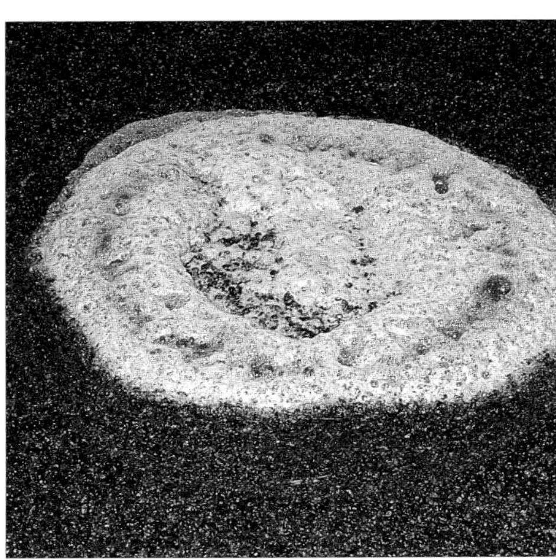

Le moût commence à fermenter au bout de trois heures à peine. Le gaz carbonique forme un cercle d'écume.

Au bout de cinq heures, les levures se multiplient à un rythme accru ; presque tout le moût bouillonne.

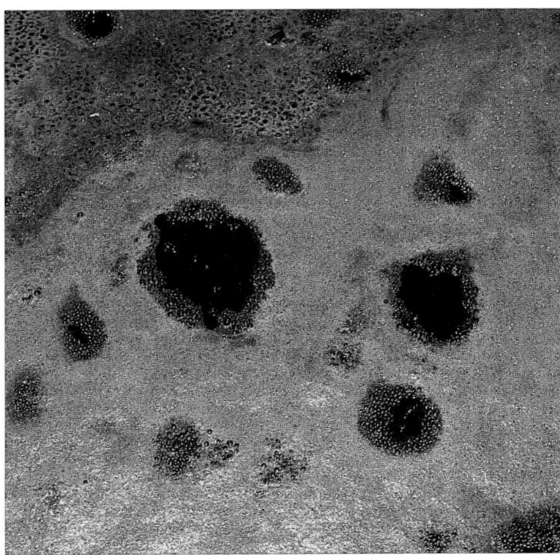

Le deuxième jour, le moût est en pleine fermentation. La température s'élève rapidement.

Les tanins

La qualité du grain tannique est l'une des caractéristiques des grands vins rouges. Les tanins font l'âme du vin, disait le baron Philippe de Rothschild. C'est pour cette raison que les vinificateurs cherchent à extraire les meilleurs composés phénoliques.

Les tanins sont présents dans trois éléments constitutifs du marc de raisin rouge : les pellicules, les fragments de rafle qui n'ont pas été éliminés lors de l'égrappage et les pépins. Le tissu cellulaire le plus tendre et le moins lignifié est celui des pellicules. Les tanins issus des peaux de raisin sont particulièrement fins, surtout lorsque les baies sont très mûres. Les tanins verts des fragments de rafle sont plus rugueux, les plus âpres étant ceux des pépins. En conséquence, le vinificateur évite généralement d'extraire les tanins des rafles et considère ceux des pépins comme franchement indésirables. Il concentre toute son attention sur l'extraction des tanins raffinés des pellicules, qui constituent entre 20 et 30 % de l'ensemble des matières tanniques.

Le remontage

Les tanins se libèrent relativement facilement des pellicules. De petites quantités d'alcool suffisent à déclencher l'extraction. Les pellicules doivent toutefois rester longuement en contact avec le liquide ; c'est pourquoi le remontage du moût – appelé en Italie *rimontaggio, Umwälzen* en Allemagne et *pumping over* dans les pays anglophones – constitue l'une des opérations principales au cours de la fermentation. Il doit être pratiqué quotidiennement et à plusieurs reprises, surtout dans les premiers jours de la fermentation. C'est le moment où les pigments et les tanins sont absorbés par le vin. Par la suite, il suffit de répéter l'opération une fois par jour. Lorsque les pellicules sont complètement délavées, il n'est plus besoin de remonter le moût ; il passerait alors dans le vin trop de tanins durs issus des restes de rafles ou des pépins, ce qui n'est pas souhaitable. Le contrôle de l'extraction demande beaucoup d'expérience et de doigté. La fréquence des opérations de remontage varie selon les années (elles sont répétées moins souvent les petites années, où les pellicules contiennent peu de substances phénoliques) et selon les cépages : les cépages fortement pigmentés comme la syrah et le cabernet-sauvignon doivent être brassés plus souvent qu'un moût de vernatsch du Haut-Adige, de faible coloration.

Une fermentation brève mais intensive

La durée de la fermentation n'influe qu'indirectement sur la teneur en tanins. La température importe davantage. Nombre d'œnologues plaident en faveur d'une fermentation brève pour les moûts riches en tanins (quelques jours, trente-six heures seulement dans les cas extrêmes). Mais la fermen-

La macération carbonique

Louis Pasteur découvrit en 1872 que les baies de raisin intactes, non foulées, entraient en fermentation même en l'absence d'oxygène – sans participation de levures. Les vignerons français mirent vite cette découverte à profit en faisant fermenter au moins une partie de leur raisin rouge de cette façon. C'est la macération carbonique, qui donne des vins extrêmement fruités et aromatiques. Elle se pratique généralement dans des cuves en acier inoxydable où l'on injecte du gaz carbonique de manière à éliminer totalement l'oxygène. La fermentation se déroule alors dans la pulpe des fruits. Cette fermentation intracellulaire ne permet toutefois d'atteindre que 2 % vol. d'alcool. Il faut ensuite que le raisin soit foulé et fermente normalement.

Une technique qui fait des adeptes

La macération carbonique est une méthode typique du Beaujolais. Une grande partie de la vendange est encore transformée en beaujolais nouveau, qui arrive sur le marché quelques semaines après les vendanges, sans fermentation malolactique. D'autres régions de France et d'Italie se sont lancées avec succès dans la production de vin de primeur, ou vin nouveau. Par ailleurs, certains producteurs de vins rouges classiques ajoutent au moût une petite proportion de grappes entières afin de renforcer l'arôme fruité de leurs vins.

Remontage traditionnel du moût en cours de fermentation. Le vin déjà rouge est soutiré de la cuve.

Cuve rotative de fermentation : en tournant à intervalles réguliers, la cuve en acier inoxydable remue le moût.

Cuvier du château Margaux : d'illustres producteurs du Bordelais font fermenter le raisin dans des cuves en bois ouvertes.

En brassant le moût avec un bâton, le vinificateur évite la formation d'un chapeau trop épais.

Pigeage au domaine Chapoutier, dans la vallée du Rhône septentrionale : le chapeau est immergé avec les pieds.

Cuves de fermentation au domaine chilien de Santa Rita : le remontage du moût se fait automatiquement.

tation doit alors se dérouler à de hautes températures : supérieures à 30 °C, parfois même 35 °C. Dans ce bref laps de temps, seuls sont extraits les tanins les plus souples, les plus solubles. Ensuite, le vin fermenté est soutiré des pellicules et termine lentement sa fermentation dans un autre récipient, sans les pellicules. Beaucoup de vins rouges de Bourgogne sont vinifiés de cette façon, de même que la nouvelle génération des Barolo italiens. Leurs tanins, aimables et ronds, sont souvent présents en plus grande quantité qu'après une fermentation à basse température. La durée de la fermentation du moût ne dit donc rien sur la teneur d'un vin en tanins.

Les cuves rotatives

Pour que l'extraction se déroule dans des conditions optimales, ingénieurs et œnologues inventent constamment de nouvelles cuves. En Australie, on utilise souvent pour la fermentation des vins rouges des cuves rotatives horizontales qui tournent automatiquement à intervalles réguliers et remontent ainsi le moût. Les cuves rotatives permettent surtout une économie de travail : elles dispensent du remontage à la main. En Allemagne ont été mises au point des cuves rotatives à l'intérieur desquelles des pales remuent le moût ; les pépins tombent dans une rigole au fond de la cuve et ne sont pas brassés en même temps. Cette technique permet de donner plus de structure aux vins rouges allemands, pauvres en pigments colorants et en tanins. En Italie, certaines caves sont équipées de cuves dans lesquelles deux pistons immergent alternativement le moût sous le liquide. Tous ces appareils sont destinés à effectuer mécaniquement les opérations traditionnelles de pigeage ou de remuage.

Faut-il érafler ?

Autrefois, les égrappoirs n'existaient pas et la plupart des vins rouges fermentaient avec les rafles. Seuls quelques châteaux, dont la production atteignait des prix très élevés sur le marché, pouvaient se permettre de faire égrapper le raisin à la main. Certains domaines poursuivent aujourd'hui encore l'ancienne pratique de fermentation des grappes entières, non par négligence mais pour conserver les tanins contenus dans les rafles. Cette méthode vaut pour les vins de pinot noir, naturellement pauvres en tanins. En Bourgogne, une partie de la vendange est régulièrement mise en fermentation sans égrappage, car les vignerons sont persuadés que lorsque le raisin est mûr, les tanins de la rafle le sont également. L'un des autres avantages de cette philosophie est que les rafles contenues dans le chapeau ménagent de petits canaux par lesquels le vin pompé et versé de nouveau sur le chapeau qui se forme à la surface de la cuve pénètre ; il ramollit ainsi plus vite la masse compacte du marc.

La thermovinification

En Allemagne et en Suisse, on a recours à la thermovinification pour renforcer la couleur du moût de cépages peu colorés (lemberger, trollinger, spätburgunder, gamay) : le moût est porté brièvement à des températures pouvant atteindre 80 °C afin d'en extraire davantage de pigments ; les vins prennent alors une teinte plus sombre, mais ne sont pas plus riches en tanins. Les vins ayant subi ce traitement peuvent être tout à fait agréables les deux premières années, mais ils se détériorent plus vite que ceux issus d'une fermentation classique.

La vinification en rosé

Les vrais vins rosés sont issus de raisin rouges. Ils prennent leur couleur caractéristique en restant en contact avec le marc pendant un certain temps (de quatre à douze heures) avant la fermentation ; le marc est ensuite pressuré et le moût fermente seul. L'industrie produit depuis longtemps du rosé à partir d'un assemblage de vins rouges et blancs. Dans certains pays comme la France, cette pratique est interdite, sauf pour l'élaboration de champagne rosé. En Allemagne, seul le Schillerwein du Wurtemberg peut être issu d'un tel assemblage.

Composition du vin rouge

70-85 %	eau
11-13 %	alcool
17-19 %	extrait

L'extrait se compose de :

10-12 g/l	glycol
3-3,5 g/l	cendres (salpêtre, calcium, fer, etc.)
2-3,5 g/l	tanins
2-2,5 g/l	acide tartrique
2-2,5 g/l	acide lactique
1-1,8 g/l	anthocyanes
0,5-1 g/l	sucres résiduels non fermentés
0,5-1 g/l	acide malique
0,4-1 g/l	acides volatils
0,6-0,8 g/l	butylèneglycol
0,4-0,5 g/l	composés oxygénés
0,2-0,3 g/l	gaz carbonique dissous
0,1-0,3 g/l	acide citrique
0,005-0,03 g/l	acides sulfuriques libres

La fermentation malolactique

Tous les vins rouges sont soumis après achèvement de la fermentation alcoolique à une seconde fermentation appelée fermentation malolactique. « Malo » vient du latin *malum,* « pomme » ; le vin contient, en effet, un acide qui a été identifié pour la première fois dans ce fruit : l'acide malique. C'est lui qui se transforme lors de la fermentation malolactique.

Les vins rouges de toutes les aires viticoles tempérées présentent un excès plus ou moins important d'acide malique. Des températures élevées et une récolte tardive ne suffisent pas à le décomposer totalement (voir p. 44). L'acide malique, âpre, parfois astringent, se retrouve même dans le vin fermenté – en proportion plus importante les années froides. À un moment donné, cet acide est attaqué par les bactéries lactiques, qui divisent la molécule d'acide malique et le transforment en acide lactique, plus doux. Ce phénomène fait baisser le taux d'acidité du vin, qui s'assouplit et gagne en rondeur.

Un processus naturel

La fermentation malolactique n'est pas due à des levures, mais à des bactéries ; on définit souvent ce processus naturel comme la décomposition biologique d'un acide. Elle se déclenche spontanément dans les aires viticoles au printemps. La tâche du vinificateur se limite alors à ouvrir le cellier afin que la chaleur printanière y pénètre. Dès que le mercure monte et que la cave se réchauffe, le vin fermenté redevient actif ; il commence à pétiller, puis bouillonne. Cette réaction chimique est restée longtemps inexpliquée ; ce n'est que peu avant la Seconde Guerre mondiale que la formule exacte a été découverte à l'Institut d'œnologie de l'université de Bordeaux ; on a observé au microscope des bactéries qui se multiplient même en milieu acide et qui n'ont pas besoin de sucre.

Au cours de la fermentation malolactique, du gaz carbonique se dégage du tonneau de vin rouge : on observe un bouillonnement dans le siphon.

Une condition de la stabilisation

Il s'agit en fait de trois bactéries de l'acide lactique : *Pediococcus, Leuconostoc* et *Lactobacillus.* On les trouve déjà présentes dans le vignoble, mêlées aux levures, mais aussi dans la cave et les récipients de fermentation (un tonneau vide contient, imbibant le bois, environ 5 l de liquide mêlé à des levures et à des bactéries). Ces bactéries ne deviennent actives qu'à partir d'une température de 20 °C. *Pediococcus* et *Leuconostoc* attaquent exclusivement l'acide malique, laissant intacts la glycérine et l'acide tartrique. Le vin ne se stabilisant pas avant achèvement de la fermentation malolactique, dans les entreprises viticoles modernes, après la fermentation alcoolique, on chauffe les celliers pour stimuler la fermentation malolactique, qui durera de deux à trois semaines, au terme desquelles le vin ne contiendra plus d'acide malique.

L'inoculation de bactéries

Dans de nombreuses régions viticoles du Nouveau Monde, surtout en Californie, en Afrique du Sud et en Australie, les caves sont bien souvent dénuées de bactéries. Pour que se déclenche la fermentation malolactique, il faut que soient inoculées au vin des bactéries d'acide lactique cultivées. Certaines régions d'Europe ont elles aussi recours à l'inoculation. Le vinificateur doit s'assurer, avant la mise en bouteilles, que l'acide malique a été éliminé ; sans quoi, la fermentation risque de se poursuivre en bouteille. L'indice typique de ce phénomène est le soulèvement du bouchon sous la pression du gaz carbonique qui se dégage.

La fermentation malolactique des vins blancs

Les vins blancs contiennent eux aussi de l'acide malique – en quantité plus importante dans les vins produits dans les régions froides que dans ceux issus des régions chaudes. Pourtant, la plupart des producteurs de vin blanc évitent la fermentation malolactique. Ils se félicitent du moindre gramme d'acide, car c'est ce qui rend le vin blanc vif, raffiné, rafraîchissant. Surtout dans les vins blancs jeunes, l'acidité est indispensable. Outre l'acide tartrique, qui en constitue la majeure partie, quelques grammes d'acide malique sont tout à fait supportables. Même les vins d'Alsace et les rieslings allemands ou autrichiens, qui en dépit de leur maturité tardive conservent un taux d'acidité élevé, ne font pratiquement jamais leur « malo ». Pour d'autres vins blancs, cette fermentation est au contraire de règle. Il en était ainsi autrefois des bourgognes issus du chardonnay et des bordeaux blancs issus des sémillon et sauvignon ; c'est aujourd'hui le cas de pratiquement tous les vins de chardonnay fermentés en barrique, qu'ils proviennent d'Italie, d'Australie, de Californie ou du Chili. Parfois, seule la moitié du vin est soumise à la fermentation malolactique, de manière à ne pas trop réduire le taux d'acidité.

Un château

Les étapes de l'élaboration du vin

Nulle part les différentes étapes de la production vinicole ne s'illustrent mieux que dans les châteaux du Bordelais. Des vendanges au décuvage, chaque activité a sa place bien définie dans l'organisation du château.

1. À l'arrivée de la vendange, mesure de la densité du moût.

2. Fouloir-égrappoir mécanique : les raisins rouges sont éraflés, foulés et acheminés par pompage dans des conduites souterraines jusqu'aux cuves de fermentation.

3. Cuvier : dans les cuves en acier inoxydable, le raisin est vinifié par cépage. Pendant la première phase de la fermentation, le moût est remonté automatiquement au moins deux fois par jour pour permettre une extraction optimale des tanins.

4. Tableau informatique : la température de fermentation est contrôlée automatiquement. Le dispositif de refroidissement se met en marche dès qu'elle dépasse 30 °C.

5. Micro-vinification : dans de petites cuves en acier inoxydable, le vinificateur procède à des essais sur des échantillons, par exemple pour parvenir à une meilleure extraction.

6. Cave de fermentation du vin blanc : de nombreux châteaux du Bordelais produisent en dehors du vin rouge une petite proportion de vin blanc. Le moût de raisin blanc fermente après pressurage dans de petits fûts en chêne.

7. Pressoirs : après la fermentation, le marc est pressuré. Le vin qui s'écoule naturellement de la cuve (vin de goutte) peut être mélangé ou non au vin extrait par pressurage (vin de presse).

8. Cuvier en bois : autrefois, le moût ne fermentait pas dans des cuves en acier inoxydable, mais dans de grandes cuves en bois ouvertes. Aujourd'hui encore, quelques-uns des meilleurs châteaux n'utilisent que ces récipients traditionnels. D'autres ont fait de la cuve en bois un objet de collection.

9. Maison des vendangeurs : une salle à manger est prévue pour recevoir les équipes d'ouvriers agricoles.

10. Chai de première année : après le pressurage, le jeune vin est soutiré dans des barriques où il subit la fermentation malolactique. Il mûrit ensuite entre huit et dix mois dans de petits fûts en chêne d'une capacité de 225 l.

11. Chai de deuxième année : au terme de la première année, le vin est acheminé par des conduites souterraines dans un second chai ; il y sera élevé pendant un an. C'est aussi la période de sa clarification.

12. Habitation du propriétaire du château et jardin.

13. Salle d'embouteillage : au bout d'un an et demi à deux ans, le vin est mis en bouteilles, après avoir été légèrement sulfité et généralement filtré. Ainsi est-on sûr de sa limpidité.

14. Stockage des bouteilles : les bouteilles pleines non étiquetées sont rangées sur des palettes. Le maître de chai contrôle l'étanchéité des bouchons et vérifie que la fermentation ne se poursuit pas.

15. Entrepôt et expédition : selon la politique commerciale du château, entre 50 et 80 % de la production de l'année sont vendus immédiatement après autorisation officielle. Le reste demeure dans la réserve du château. Avant d'être emballées dans des caisses en bois, les bouteilles sont étiquetées.

16. Dépôt du marc : le marc est transformé en compost ou vendu à une distillerie.

17. Salle de dégustation : tous les grands châteaux bordelais possèdent un local où les visiteurs peuvent goûter le vin du nouveau millésime.

12 Château
8 Cuvier en bois
9 Maison des vendangeurs

La chaptalisation

Amélioration ou abus ? En ajoutant du sucre au moût en cours de fermentation, le vinificateur rectifie le titre alcoométrique.

S'il y avait un climat idéal pour la viticulture, le vigneron vendangerait chaque année des raisins bien mûrs et obtiendrait des vins équilibrés, corpulents et d'une bonne teneur en alcool. Malheureusement, la nature connaît des défaillances que l'homme doit compenser.

Lorsque la période de maturation a été peu ensoleillée, le raisin ne contient pas assez de sucre. Les vins du millésime présentent en conséquence un titre alcoométrique très faible ; ils sont légers et frêles. Aussi le vinificateur peut-il être amené à ajouter du sucre au moût ou au vin en cours de fermentation. Les levures traitent ce sucre comme le glucose ou le fructose naturels et le transforment en alcool : à la fin de la fermentation, le vin est sec. Pour que 100 l de vin acquièrent 1 % vol. d'alcool supplémentaire, il faut ajouter 2,40 kg de sucre dans la cuve.

Du soleil en sac

L'enrichissement du vin en sucre pour parvenir à un titre alcoométrique plus élevé est appelé chaptalisation, du nom du savant et homme politique français Jean-Antoine Chaptal (1756-1832). Ministre de l'Intérieur sous Napoléon, celui-ci était très inquiet de la baisse de qualité du vin dans la période post-révolutionnaire. Aussi proposa-t-il d'enrichir le vin par ajout de moût concentré ou de sucre de canne. Le processus a été décrit pour la première fois par le chimiste de Trèves Ludwig Gall vers le milieu du XIXe siècle, à une époque où de nombreux viticulteurs de la Moselle, à la suite de plusieurs mauvaises années, ne récoltaient plus de raisin et se voyaient contraints de renoncer à la culture de la vigne et parfois même d'émigrer. La chaptalisation leur permit de produire des vins harmonieux, même dans les petites années. « Du soleil en sac », jubilaient les vignerons mosellans.

Les abus de la chaptalisation

La chaptalisation se pratique dans presque toutes les régions viticoles du monde (elle n'est interdite que dans les aires chaudes de Californie, en Afrique du Sud, au Chili et en Australie – elle n'y serait du reste pas nécessaire). La législation européenne en fixe toutefois très précisément les limites. Dans les régions de climat froid de la zone A (Angleterre, Luxembourg, Moselle-Sarre-Ruwer, Wurtemberg), les vins peuvent, en règle générale, être enrichis de 3,5 % vol. (4 % vol. pour les vins rouges) ; dans la zone B (Champagne, Alsace, pays de Bade), de 2,5 % vol. ; dans la zone C (Bordelais, Bourgogne), de 2 % vol. Il arrive néanmoins que dans les bonnes années, et même sans nécessité, on chaptalise les vins de la zone C pour en augmenter le degré. Les viticulteurs bourguignons et suisses ont parfois manié généreusement le sucre, tentant ainsi de donner à de petits vins un titre alcoométrique supérieur à celui qu'ils ne pourraient jamais atteindre naturellement. En Italie, il est interdit de chaptaliser le moût avec du sucre. La réglementation exige l'emploi de moût concentré, exigence contre laquelle les vignerons s'insurgent (l'apport d'un concentré de raisins étrangers au vignoble peut fausser le goût du vin). Les représentants politiques de l'Union européenne soulignent toujours un autre danger de la chaptalisation : certains viticulteurs forcent délibérément les rendements pour compenser ensuite par chaptalisation le faible taux d'alcool ainsi obtenu.

Une alternative : l'osmose inverse

En 1989 a été découvert, en France, un nouveau procédé de concentration du moût qui peut remplacer l'enrichissement en sucre : l'osmose inverse. Il s'agit d'éliminer du vin fermenté une certaine quantité d'eau afin que l'alcool et les autres composants se concentrent. Une cuve est divisée en deux par une membrane semi-poreuse ; une partie contient de l'eau, l'autre le vin. Lorsqu'on augmente la pression par pompage dans la partie contenant le vin, les molécules d'eau du vin passent à travers la membrane du côté de l'eau. Ce procédé osmotique est utilisé surtout à Saint-Émilion et à Pomerol, où il a permis de produire, même dans les années pluvieuses, des vins denses, extrêmement concentrés. Il est toutefois si compliqué et onéreux que seuls quelques rares châteaux bordelais peuvent l'appliquer.

Sacs de sucre destinés à la chaptalisation.

du Bordelais

15 Entrepôt
16 Dépôt du marc
CHÂTEAU GAZIN
POMEROL
CHATEAU DOISY VEDRINES
CHATEAU MARGAUX
PREMIER GRAND CRU CLASSÉ
CHATEAU MARQUIS DE TERME
MARGAUX
Château Cos Labory
GRAND CRU CLASSÉ
SAINT-ESTÈPHE
CHATEAU TALBOT
1988

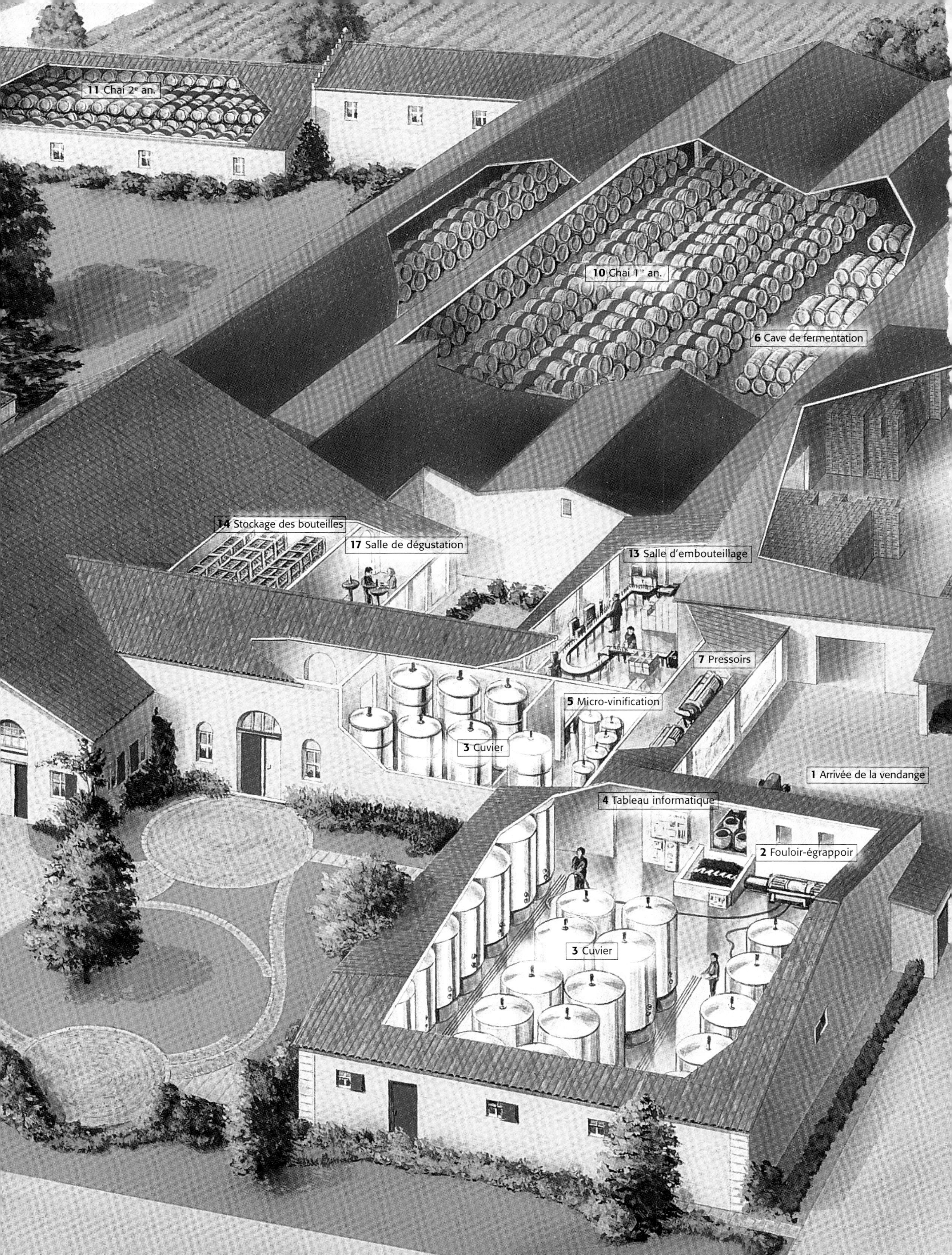
11 Chai 2e an.
10 Chai 1er an.
6 Cave de fermentation
14 Stockage des bouteilles
17 Salle de dégustation
13 Salle d'embouteillage
7 Pressoirs
5 Micro-vinification
3 Cuvier
1 Arrivée de la vendange
4 Tableau informatique
2 Fouloir-égrappoir
3 Cuvier

Un art délicat

Même s'il dispose d'une vendange de qualité, le vinificateur se doit de traiter le raisin blanc avec la plus grande précaution afin de le protéger de l'oxydation et de lui permettre d'exprimer tout son potentiel. Un exercice à haut risque.

Traditionnellement, dès qu'il est vendangé, le raisin blanc est égrappé et foulé. On entend par foulage une légère pression exercée sur les baies pour rompre la pellicule : on les fait passer entre deux rouleaux de caoutchouc tournant en sens inverse, les cellules de la pulpe éclatent et une partie du jus, environ 30 %, s'écoule. Ce pur jus de foulage obtenu lors de l'égouttage donnera le meilleur vin. Mais aucun producteur ne peut se permettre de se contenter de cette quantité.

Le pressurage

Le foulage n'est qu'une étape préalable du pressurage. Le marc, c'est-à-dire le mélange de pellicules, de pulpe et de pépins restants, est acheminé jusqu'au pressoir. Les caves modernes utilisent des pressoirs à vis ou des pressoirs pneumatiques ; ces appareils exercent au départ une pression modérée sur le marc, dont on extrait le jus plus qu'on ne le pressure véritablement. C'est la première pressée. Une pression de 1 bar fait déjà éclater la moitié des cellules de la pulpe. On obtient ainsi de 30 à 40 % de moût supplémentaire. C'est seulement ensuite qu'on augmente progressivement la pression. Les dernières cellules de la pulpe éclatent, laissant alors s'écouler leur suc. On obtient le jus de presse, qui représente encore entre 10 et 15 % du moût. Les producteurs de qualité s'accordent toutefois à penser que le jus de presse ne doit pas représenter plus de 70 % de la quantité totale de moût, et qu'il vaut même mieux se contenter d'une quantité inférieure. Car le jus de deuxième presse est de qualité nettement inférieure au premier.

L'égrappage

Depuis l'invention de l'égrappoir, dans presque toutes les régions viticoles du monde, le raisin blanc est foulé sans les rafles. Les baies

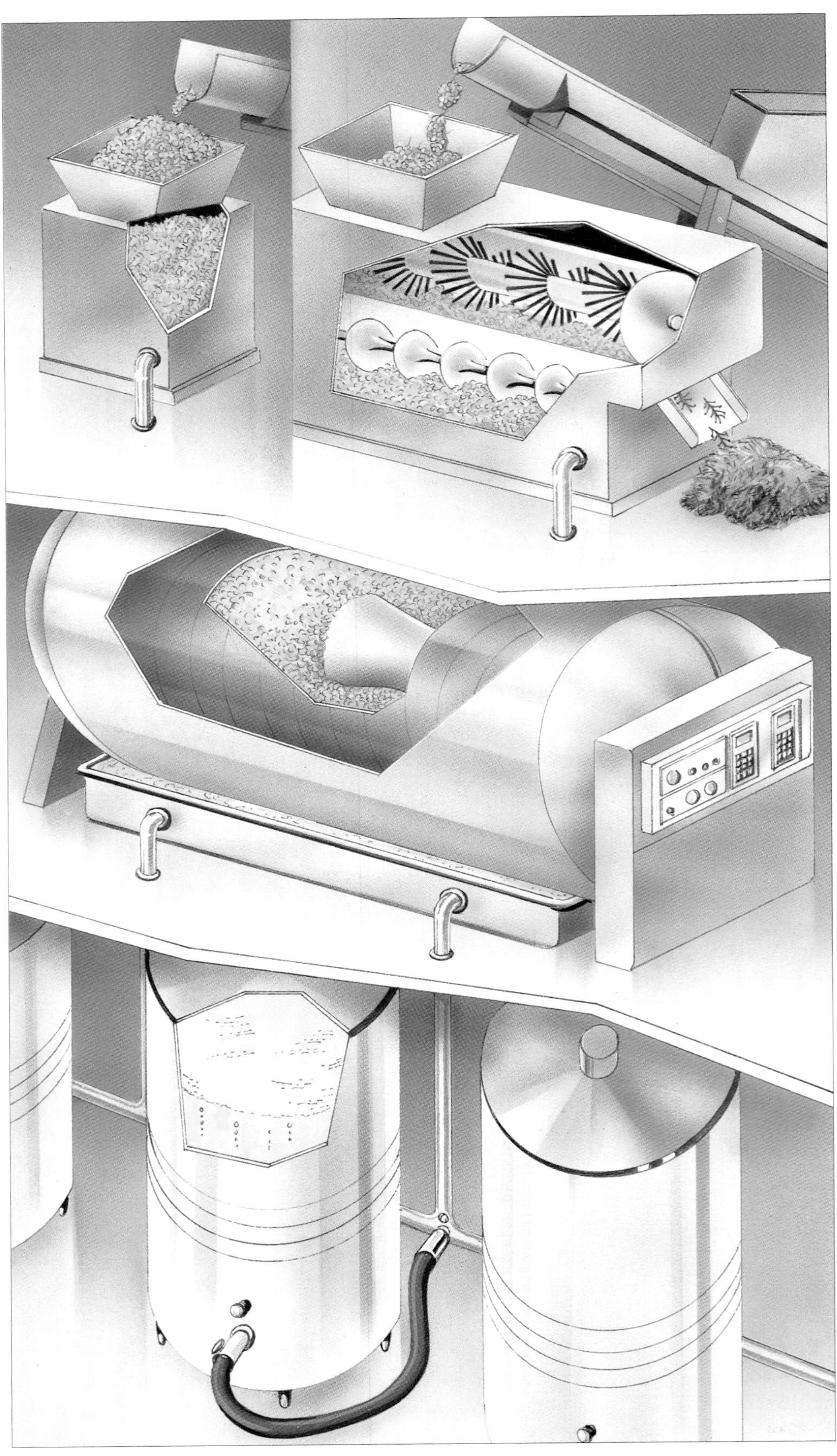

Les raisins blancs sont vinifiés de deux façons : habituellement, la vendange est égrappée à la machine, pressurée, puis le moût fermente dans une cuve en acier inoxydable. Parfois, le raisin est pressuré sans égrappage préalable.

sont d'abord égrappées afin que le moût ne soit à aucun moment en contact avec les rafles. L'égrappage, ou éraflage, assure la production de vins plus nets, mais il présente aussi d'autres avantages : le vinificateur peut se dispenser du foulage, car la machine à égrapper fait déjà éclater les pellicules de telle sorte qu'on obtient directement un marc de vin blanc qui – au moins pour les grands vins – est soumis pendant quelques heures à une macération préfermentaire. Si les raisins n'étaient pas égrappés, le moût s'imprégnerait de substances phénoliques et d'arômes herbacés. Il prendrait une saveur plus amère, plus âpre et un goût tannique plus rude.

Le pressurage des grappes entières est courant pour les vins effervescents et les vins blancs tranquilles.

Le pressurage des grappes entières

Dans certaines régions viticoles, on renonce délibérément à l'égrappage du raisin blanc : c'est le cas, par exemple, en Champagne et dans quelques aires productrices de vins liquoreux. Dans ces conditions, le raisin ne doit pas être foulé. Il est pressuré dès son arrivée au cuvier afin que les substances phénoliques ne passent pas dans le moût. Le pressurage des grappes entières se pratique de plus en plus pour la production de vins blancs secs tranquilles, parce que le raisin est moins malmené et que les rafles ménagent à travers le marc des canaux par lesquels le moût s'écoule rapidement. Reste que l'on ne traite généralement ainsi qu'une petite partie de la récolte, et ce, uniquement les bonnes années.

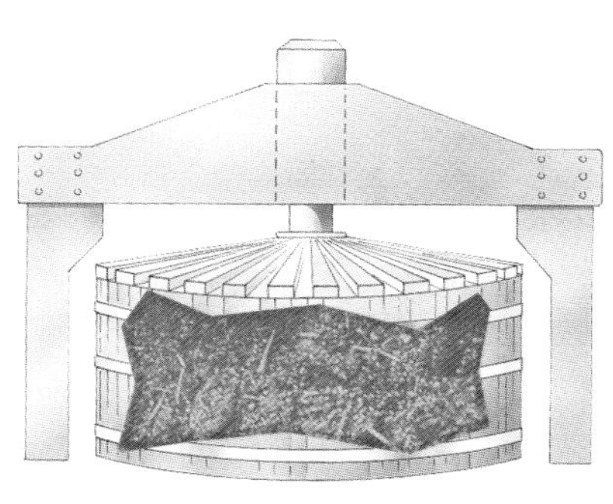

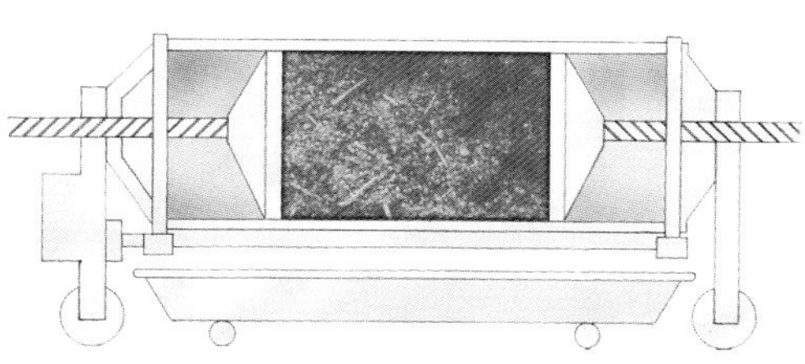

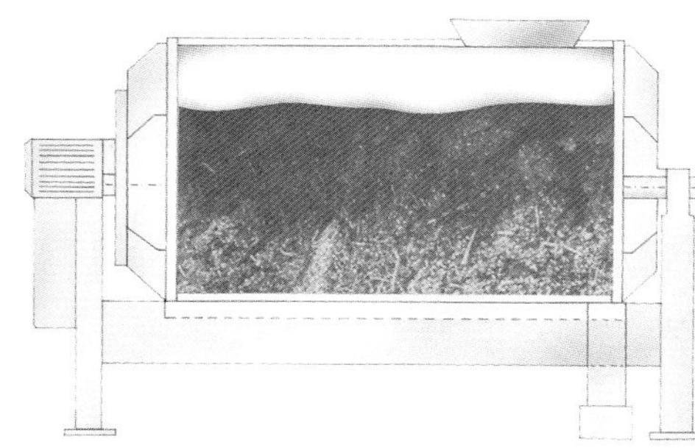

Le pressoir vertical à vis

Il est construit suivant le principe des pressoirs des siècles passés. Il a pour inconvénient une capacité généralement restreinte ; il n'est donc guère approprié aux grandes caves modernes. Néanmoins, depuis un certain temps, il jouit auprès des producteurs de vin de qualité supérieure d'un regain d'intérêt. En Champagne, les énormes pressoirs Marmonnier, d'une capacité de 4 000 kg, sont toujours utilisés par certains producteurs de grande renommée. Les 250 premiers litres donnent la « cuvée », la meilleure partie du moût, soit la contenance de dix fûts (pièces de 205 l) ; la deuxième presse (la « taille ») donne 615 l (trois fûts).

Le pressoir horizontal à vis

Il est composé de deux plateaux montés sur une vis qui écrasent le raisin en se rapprochant l'un de l'autre à l'intérieur d'un cylindre perforé. Le moût s'écoule par la paroi filtrante du cylindre, lequel est fermé, de telle sorte que le pressurage s'effectue à l'abri de l'air. La surface des plateaux étant assez restreinte par rapport à la quantité de marc qui se trouve dans le cylindre, la pression exercée doit être relativement importante pour extraire le jus. Le pressoir horizontal à vis est rarement utilisé pour la vinification en blanc. Il peut opérer par lot ou de manière continue, mais reste quelque peu brutal avec la vendange.

Le pressoir pneumatique

Dans les pressoirs modernes pneumatiques, une baudruche, placée à l'intérieur du cylindre, écrase, lorsqu'elle se gonfle, le raisin contre la paroi perforée du cylindre ; les baies éclatent, et le moût s'écoule par les trous. Les pressoirs pneumatiques opèrent une pression moindre que les pressoirs horizontaux à vis. En outre, la paroi filtrante du cylindre est conçue de telle sorte qu'elle retient l'essentiel des débris de pellicule, dont la présence serait indésirable dans le vin blanc. Les pressoirs pneumatiques sont particulièrement appropriés au pressurage des raisins blancs. Ils sont utilisés aujourd'hui dans presque toutes les exploitations.

Le débourbage

Le moût obtenu après pressurage est relativement épais, d'un jaune verdâtre un peu trouble. Il doit être débourbé avant d'être mis en fermentation afin d'obtenir un vin clair.

Composition du moût de vin blanc

70-85 %	eau
15-27 %	sucre
0,3-1,8 %	acide tartrique et acide malique, acide succinique et acide lactique
0,3-0,6 %	potassium, sodium, phosphate et autres matières minérales
0,01-0,2 %	tanins
0,03-0,5 %	acides aminés, protéines
moins de 0,01 %	vitamines, aldéhyde, esters

Avant de fermenter, le moût de raisin blanc doit être clarifié. Cette opération, dénommée « débourbage », demande beaucoup de doigté. En effet, si le moût est trop clarifié, le vin fini risque d'être plat, fruste, dénué de corps.

Le moût qui s'écoule du pressoir est jaune verdâtre, épais et trouble. Il contient en suspension des particules de pulpe et de pellicules, des restes de rafles, des débris terreux et quelques autres impuretés. La qualité du futur vin pourrait en souffrir. Le vinificateur doit donc débourber le moût, par exemple, en lui ajoutant des enzymes qui dissolvent les pectines. Cette molécule qui épaissit le liquide est présente dans tous les moûts, en quantité d'autant plus importante que la vendange a été tardive. La forte viscosité du moût ralentit la chute des particules solides ; débarrassé des pectines, le moût est plus liquide. Il sera clarifié plus vite et mis immédiatement en fermentation. Dans les grands domaines viticoles, il importe que le débourbage soit rapide, ne serait-ce que pour des raisons pratiques : de grandes quantités de raisin doivent être traitées en peu de temps. Toutefois, même les petits vignerons s'attachent à ce que la fermentation débute vite, car le moût de cépages blancs s'oxyde. Du fait de sa faible teneur en composés phénoliques, il réagit facilement à l'oxygène de l'air, brunit et perd de sa fraîcheur. Une mise en fermentation rapide réduit le risque d'oxydation.

Faut-il débourber le moût ?

Le débourbage – ou plus exactement la méthode de débourbage – du moût est controversé. Autrefois, tous les vins blancs étaient mis en fermentation sans débourbage, avec le risque que le vin ne soit pas très limpide. Aujourd'hui encore, certains des plus grands vins blancs du monde sont élaborés presque sans débourbage préalable. C'est le cas, par exemple, de nombreux vins blancs de Bourgogne comme le meursault, le puligny-montrachet ou le corton-charlemagne. Il est vrai que les moûts de ces vins, grâce au soin apporté à la vendange puis au pressurage et parce qu'ils se composent essentiellement de jus de goutte, sont d'emblée relativement purs. Tous les vins blancs n'ont toutefois pas la stature des vins de Bourgogne. En règle générale, une clarification du moût est nécessaire, surtout les années où la pourriture est importante. Toute la question est de ne pas détruire par un débourbage trop intensif des substances favorisant la qualité, c'est pourquoi un vigneron ambitieux s'efforce toujours de clarifier le moût avec le plus d'attention possible.

Comment séparer les bourbes ?
La méthode la plus simple et la plus naturelle consiste à laisser se former un dépôt. Le moût fraîchement pressuré est déversé par pompage dans des cuves de décantation où il repose vingt-quatre heures. Au bout de quelques heures, une partie des particules solides sont déjà tombées au fond des cuves. Les enzymes contenues dans le moût ne suffisent pas à dissoudre les pectines, ou n'y parviennent que partiellement ; le moût conserve donc pratiquement toute sa viscosité. Après vingt-quatre heures, toutes les matières solides se sont déposées au fond des cuves : le moût s'est clarifié par sédimentation naturelle. Lorsque l'on applique le débourbage statique, le moût doit être refroidi à une température de 5 à 8 °C pour qu'il n'amorce pas de fermentation. Dans les régions viticoles froides, il suffit que les cuves soient placées à l'extérieur, les températures nocturnes étant assez basses. Cette méthode présente un inconvénient : le moût doit généralement être légèrement additionné d'anhydride sulfureux pour éviter l'oxydation. Seuls les moûts de haute qualité, ayant une forte teneur en phénols (par exemple après une brève macération), ne risquent guère de s'oxyder.

Autres méthodes
Lorsque le vinificateur ne dispose pas de moyen de refroidissement, il lui faut se tourner vers d'autres solutions ; par exemple, l'emploi de clarifiants floculants telle la bentonite. Cette argile n'assure toutefois que la coagulation de l'albumine ; elle n'élimine pas le trouble. Beaucoup de vinificateurs préfèrent donc les méthodes de clarification mécanique. Ils utilisent des centrifugeuses ou des filtres rotatifs sous vide capables de clarifier 10 000 l de moût en une heure. Ce qui permet une mise en fermentation rapide. Le risque d'oxydation est minime, et il n'y a généralement plus besoin de sulfitage (la dose de soufre est au moins sensiblement réduite, car le moût ne reste pas longtemps au contact de l'air – bien moins longtemps que dans la méthode de débourbage statique). La centrifugation a cependant pour inconvénient d'éliminer un certain nombre de substances, en particulier les colloïdes. Or, ces polymères contribuent à la qualité des vins blancs fins. Enfin, la force centrifuge du séparateur ou l'aspiration du filtre sous vide font disparaître des levures ; aussi, le moût doit-il ensuite être ensemencé de levures sélectionnées moins typées que les levures naturelles.

La filtration sur diatomées
Nombre de caves de grandes dimensions et de coopératives utilisent un filtre rotatif sous vide pour le débourbage. Le moût est acheminé par une pompe sous vide à travers une épaisse couche de diatomées, ou terre d'infusoires – matière blanche, très poreuse, issue de gisements naturels de coquilles microscopiques d'infusoires fossiles – qui retient les substances solides et le dépôt. Cette méthode permet de traiter de grandes quantités de moût en peu de temps.

La centrifugation
Les centrifugeuses à chambres ou à disques sont des machines qui séparent les substances solides du moût par la force centrifuge (le moût peut contenir jusqu'à 15 % de matières solides). Selon la vitesse (10 000 tours/minute, 4 000 tours/minute), le moût est plus ou moins clarifié. Par comparaison avec la méthode de clarification spontanée, il est certain que les centrifugeuses soumettent le moût à un traitement plus brutal.

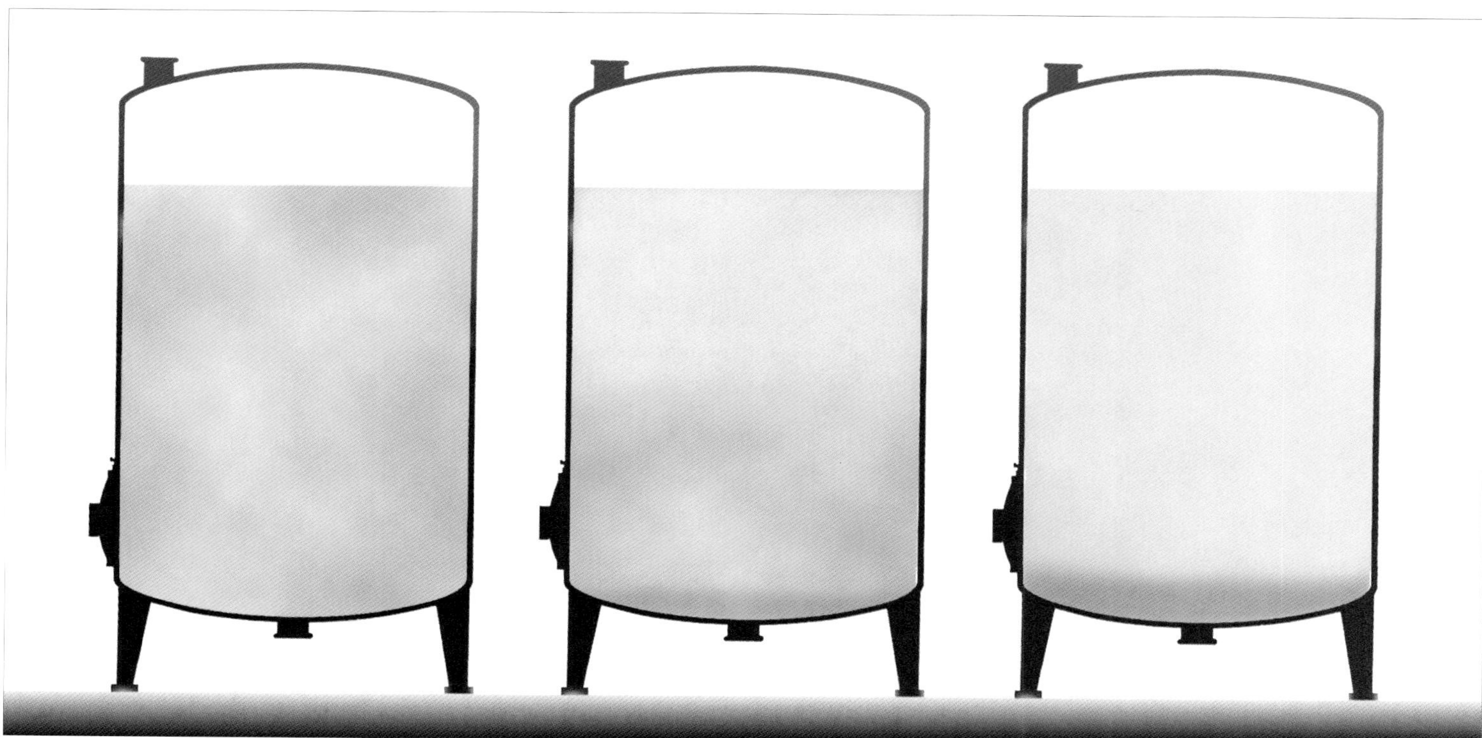

Au bout de trois heures, les matières solides en suspension dans le moût commencent lentement à précipiter.

Au bout de huit heures, une partie du moût, refroidi à une température de 5 °C, est déjà clarifiée.

Au bout de vingt-quatre heures, les impuretés ont été éliminées. Le moût est transféré en cuve de fermentation.

Le contrôle de la température

Les méthodes de fermentation du raisin blanc ont connu une véritable révolution au cours des trente dernières années. La possibilité de refroidir artificiellement le moût pour qu'il fermente plus lentement a fait naître un nouveau style de vins blancs, nets, aromatiques, frais.

Autrefois, pour la plupart des producteurs de vin blanc, il importait presque autant de disposer d'une cave de fermentation fraîche que de posséder un bon vignoble. Cela permettait de maîtriser la fermentation du moût sans moyens techniques. Le contrôle de la fermentation est en l'occurrence essentiel parce que les vins blancs doivent leur attrait à leurs arômes primaires beaucoup plus que les vins rouges. Si la fermentation se déroulait à une température élevée, l'alcool s'évaporerait et de nombreux arômes se volatiliseraient.

Les méthodes de refroidissement

Le refroidissement du moût a été rendu possible par l'utilisation de cuves en acier inoxydable. Celles-ci permettent de refroidir le vin en cours de fermentation soit en faisant ruisseler de l'eau froide du haut de la cuve – méthode la plus simple –, soit en utilisant des cuves à double paroi – méthode plus onéreuse, mais aussi plus efficace : l'intervalle entre les parois est parcouru par des circuits de refroidissement ; le liquide de refroidissement est constitué de glycol. On obtient ainsi des températures aussi basses que désiré à l'intérieur de la cuve, même en plein air.

L'influence de la température

À une température d'environ 15 °C, le moût fermente en l'espace d'un ou deux jours. Les levures se multiplient si rapidement que le mercure s'élève jusqu'à 18 ou 20 °C. Si le dispositif de refroidissement n'intervenait pas, il monterait même en flèche jusqu'à 30 °C. De nos jours, on fait le plus souvent fermenter le moût de vin blanc entre 15 et 18 °C ; c'est ce qu'on appelle la fermentation thermorégulée.

Les nouveaux pays producteurs de vin blanc

La thermorégulation a fondamentalement modifié la carte mondiale des pays producteurs de vin blanc. Actuellement, on peut

Grâce aux techniques modernes de refroidissement, les vignerons des régions chaudes produisent du vin blanc (cuves de fermentation en Nouvelle-Zélande).

élaborer des vins blancs même dans des régions chaudes ; l'Espagne, la Sicile, l'Australie, l'Afrique du Sud, le Chili et la Californie en offrent d'excellents exemples. Cela demande un déploiement d'efforts techniques : avec leurs cuves en acier inoxydable en série, le bourdonnement des dispositifs de refroidissement, les conduites chromées par lesquelles le vin est pompé d'une cuve dans l'autre, nombre de caves de ces contrées s'apparentent à des raffineries de pétrole.

La fermentation à froid

Les possibilités illimitées qu'offrent les techniques de refroidissement ont poussé, dans les années soixante-dix, des vinificateurs audacieux à faire fermenter leurs vins à 12 °C, 10 °C, parfois même 8 °C. À de si basses températures, les levures ne se reproduisent plus guère, et la fermentation se prolonge d'autant plus. On obtient ainsi des vins extrêmement frais, nets, plaisants, aux arômes vifs – exactement ce qu'il faut aux amateurs de vins simples qui n'accordent que peu d'importance à l'arôme spécifique d'un cépage. La fermentation à froid, ou cryofermentation, n'est possible qu'avec des souches de levures particulières qui continuent à agir même à basse température. Le moût doit, en outre, être préalablement bien débourbé. Or, les moûts soigneusement clarifiés au préalable contiennent peu de pectines, ces hydrocarbures polymères qui ont la propriété de « souder » des molécules entre elles, de telle sorte que le vin ait une plus forte viscosité et soit plus épais. Or, les moûts pauvres en pectines donnent des vins peu charnus, certes gouleyants, mais rarement complexes ; la structure de leurs arômes ne se modifie presque pas lors de la fermentation. Ces produits ont un goût de raisin et non de vin. L'exemple type de vin blanc fermenté à froid est le pinot grigio italien qui dévoile des notes primaires évidentes.

L'acidification

L'acidité est une qualité essentielle des vins blancs fermentés à basse température. Elle leur apporte la vivacité et souligne leur fruité. On constate fréquemment que les vins blancs des aires viticoles chaudes, même récoltés tôt, ne présentent pas assez d'acidité. Dans ces régions ou dans les millésimes marqués par la chaleur, l'acidité naturelle s'abaisse jusqu'à des valeurs inférieures à 4 g/l ; il peut alors être nécessaire d'enrichir le moût en acides. L'acidification est autorisée et fréquemment pratiquée en Australie, en Afrique du Sud, au Chili et en Californie. On ajoute au vin de l'acide citrique ou de l'acide malique. En Europe, l'acidification est rarement pratiquée. Elle est même interdite lorsque le vin a été chaptalisé.

Des avis partagés

Comparés à ceux du passé, lourds, parfois oxydés, âpres, les vins blancs de la nouvelle génération marquent indubitablement un progrès. Tous les amateurs n'en sont pourtant pas convaincus, et d'aucuns qualifient avec mépris ces nouveaux vins de « vins de cuve » parce qu'ils auraient une saveur trop monocorde et qu'on aurait du mal à en identifier le terroir ou le cépage d'origine. En outre, la fermentation à l'abri de l'oxygène rend les vins d'autant plus sensibles à l'oxydation au cours de leur évolution. Ils vieillissent en bouteille relativement vite et deviennent rapidement troubles ; ce sont des vins à consommer sans tarder. L'enthousiasme des débuts pour une fermentation simplifiée s'est nettement tempéré depuis quelques années chez les vignerons désireux d'élaborer des vins complexes, de haute qualité. Ils cherchent désormais les moyens de produire des vins de couleur limpide et pourtant riches. Par ailleurs, certains vins blancs fermentent à 25 °C sans en pâtir. De fait, plus la température de fermentation est élevée, plus les composés d'hydrocarbures, qui sont les supports des arômes, réagissent intensément avec d'autres substances. Le goût du vin en est ainsi modifié : aux arômes primaires viennent s'ajouter des arômes fermentaires complexes, parfois très étonnants ; en témoignent certains vins tirés du chardonnay, du sauvignon et du viognier.

La cryoextraction

Parfois, les cépages blancs ne sont pas pressurés mais uniquement foulés, comme les raisins rouges. On obtient alors un marc de raisins blancs. Le moût et les pellicules macèrent ensuite quelques heures ensemble, au cours desquelles une petite partie des substances phénoliques, y compris les composés aromatiques, sont extraites de la pellicule ; celles-ci donneront par la suite au vin davantage de nuances et de structure, et une teinte jaune soutenu. La macération prolongée du moût avec le marc de raisin blanc n'est possible qu'à très basse température, voisine de 0 °C. Autrement, le marc commencerait à fermenter. Dans de nombreux pays, le processus de macération à froid est appelé cryoextraction.

Macération pelliculaire : une méthode qui permet d'extraire certaines substances aromatiques.

La fermentation en fût

La campagne menée avec succès en faveur des vins blancs frais et fruités, la mode de la fermentation à froid, les progrès réalisés en matière de levures sélectionnées rendent les vignerons méditatifs. Comment obtenir un nouveau style de vin ? La réponse se trouve peut-être dans la fermentation en fût.

Avant l'invention des cuves en acier inoxydable, tous les vins fermentaient dans des tonneaux, et l'on pourrait penser que les vignerons n'innovent guère en remettant aujourd'hui leur vin en fût. Ce serait ignorer un élément nouveau : il s'agit le plus souvent de barriques, c'est-à-dire de petits fûts de chêne neuf. Ces récipients de fermentation influent sur l'élaboration du vin.

Éloge de la barrique

Récemment encore, on ne faisait fermenter le vin blanc en fût de chêne qu'en Bourgogne et dans le Bordelais (autrefois aussi en Champagne). Aujourd'hui, de nombreux vignerons d'autres pays producteurs de vin adoptent cette pratique, tant la personnalité des vins français les a séduit. Ainsi, le chardonnay est-il presque toujours fermenté en barrique. La fermentation en fût se différencie de celle pratiquée en cuve en Inox, essentiellement parce que le contrôle thermique n'est pas possible. La température s'y élève jusqu'à 23 ou 25 °C. Le processus se déroule donc autrement. Il se forme de nouveaux complexes d'esters qui donnent au vin une saveur différente de celle obtenue par fermentation à froid : le vin perd de son fruité pour développer des arômes fermentaires caractéristiques, par exemple des notes lactiques (comme le fromage), des arômes de thé ou de tabac, des effluves végétaux (d'herbe ou de poivron), des accents caramélisés (sucre roux). Ces esters confèrent tout simplement au vin une plus grande complexité. Il ne faut toutefois pas que la température s'élève davantage, au risque de voir se développer des bactéries nuisibles. Le risque est du reste faible, car la surface extérieure du bois qui transmet la température fraîche de la cave au vin en cours de fermentation est relativement importante par rapport à la quantité de liquide.

Fermentation en petits fûts de chêne : un bénéfice certain pour les vins riches, un maquillage pour les vins médiocres.

La fermentation malolactique

Les vins fermentés en barrique subissent pour la plupart une fermentation malolactique – décomposition de l'acide malique contenu dans le vin –, qui se déroule immédiatement après la fermentation alcoolique, parfois même simultanément. Cette décomposition biologique (voir p. 76) donne au vin plus de puissance et davantage de corps. Du fait de l'importance de la température dans ce processus, la fermentation malolactique se conduit plus aisément dans des fûts que dans les cuves en acier ; il suffit que le vinificateur augmente la température de la cave.

L'élevage en barrique

Après la fermentation, on élève volontiers le vin en barrique. Le bois est poreux, ce qui permet un infime, mais perpétuel, échange d'oxygène qui favorise une oxydation ménagée : le vin mûrit plus vite que dans un milieu pauvre en oxygène et développe une plus grande richesse aromatique. Cela vaut surtout lorsqu'il séjourne plusieurs mois sur lies. L'élevage sur lies apporte de nouvelles nuances gustatives, qu'on intensifie encore en les brassant régulièrement. Cette opération s'appelle le bâtonnage.

Le surboisage

Tous les vins blancs ne supportent pas la fermentation et l'élevage en fût. Ce type de récipient convient aux vins blancs structurés, riches en substances diverses. Un montrachet, un graves de pessac-léognan tel le Château Haut-Brion, ou un grand pouilly-fumé en tirent des caractéristiques plus complexes. Le bois leur lègue un léger arôme de vanille, la macération sur lies une plus grande fraîcheur. Les vins délicats, voire légers, sont plutôt détériorés par l'oxydation ménagée et leur saveur est complètement masquée par le goût du bois.
Cela n'a malheureusement pas empêché nombre de vignerons de mettre leur vin en fût, le désir de produire un vin blanc de classe internationale étant souvent plus fort que la conscience que supposerait la culture d'un cépage approprié, sur un terrain adéquat et bénéficiant d'une exposition convenable.

Les foudres traditionnels

Les foudres de dix, vingt ans et plus ont presque disparu des caves. On les utilise parfois encore en Allemagne, en Autriche et en Alsace. Leur valeur est controversée. Régulièrement entretenus, ils peuvent certes conférer au vin de nouvelles nuances, mais lorsque les parois intérieures sont recouvertes d'une couche de tartre d'un doigt d'épaisseur, ils n'apportent rien de plus qu'une cuve en acier. Leur capacité varie de 100 à 300 hl, et les pertes dues à l'évaporation sont plus faibles que dans un fût. Souvent, leur bois sculpté sert à décorer la cave.

La finesse du chêne français

Dans les siècles passés, on fabriquait des fûts en bois de châtaignier, d'acacia, de merisier, de pin, de palmier, de cèdre rouge et d'eucalyptus. Mais nul bois ne se prête mieux à l'élevage du vin que le chêne.

Le chêne est plus dur et plus dense que la plupart des autres bois. Les tanins sucrés et légèrement épicés qui s'en dégagent renforcent admirablement l'arôme des vins fins. C'est pourquoi, dès le XVIIe siècle, on a surtout utilisé le bois de *Quercus* pour la confection des tonneaux. Toutefois, les chênes poussent lentement ; ils ne peuvent être abattus avant quatre-vingts ans, et le diamètre du tronc doit atteindre au minimum 50 cm.

Les principales sources de chêne

Il existe environ trois cents espèces de chêne dans le monde, mais trois seulement servent à la fabrication de fûts : le chêne rouvre *(Quercus sessilis)*, le chêne pédonculé *(Quercus peduncolator)*, tous deux cultivés en Europe, et le chêne blanc américain *(Quercus alba)*, qui pousse en Amérique du Nord. Jusqu'à la veille de la Première Guerre mondiale, les meilleurs vins rouges européens étaient élevés dans des fûts confectionnés avec du bois provenant de Pologne, de Lettonie et d'Estonie. Aujourd'hui, on compte trois principales sources : la France, en particulier les forêts du Massif central et des Vosges ; le territoire de l'ex-Yougoslavie, Slovénie, Croatie, Bosnie-Herzégovine et Serbie (chêne de Slavonie) ; les États-Unis, depuis un certain nombre d'années. Le bois de chêne américain est apprécié surtout en Australie, en Espagne et, de plus en plus, dans le sud de la France. L'Autriche et l'Allemagne ne fournissent de chêne qu'à l'échelle régionale.

Le chêne français

Le chêne français est réputé aujourd'hui dans le monde entier. Il est extrêmement aromatique, et la finesse de ses tanins reste insurpassée. Il est généralement travaillé pour donner des barriques, des pièces ou autres fûts de petite capacité. Toutefois, c'est aussi le chêne le plus cher : seuls les producteurs de grands vins peuvent s'offrir des fûts de chêne français. Son prix élevé explique que les forêts françaises, bien que très étendues, soient peu exploitées. En outre, le chêne de la meilleure qualité ne pousse que dans un petit nombre de régions où les sols ne sont pas trop humides et ne contiennent pas trop de fer. Un élément encore plus important intervient : le coût en matériau et en main-d'œuvre est beaucoup plus élevé pour le chêne français que pour le chêne de Slavonie ou le chêne américain. En effet, le chêne français ne peut pas être scié, mais doit être fendu à la main (voir p. 104). Cela ne pouvant se faire que dans le sens des fibres du bois, le rendement est faible et les chutes très importantes.

Le chêne de Slavonie

Le chêne de Slavonie appartient presque exclusivement à l'espèce *Quercus peduncolator*. Il est utilisé depuis des temps immémoriaux pour la confection de foudres, de 50 à 150 hl, traditionnellement employés pour les vins italiens, par exemple le Barolo, le Brunello di Montalcino et le Chianti. La structure du grain est un peu plus grossière que celle du chêne français, la saveur plus neutre. L'exploitation forestière dans les nouvelles républiques balkaniques est manifestement très éloignée des normes françaises. Il arrive constamment que des arbres abattus trop jeunes confèrent ensuite au vin une astringence tannique excessive, ou bien le bois est scié au lieu d'être fendu, ce qui provoque des fuites. Les nouveaux fournisseurs de bois de chêne qui cherchent actuellement à se faire une place sur le marché sont la Hongrie, la Roumanie, l'Ukraine et la Russie.

Le chêne américain

Le chêne américain a un bois nettement plus dur que les espèces de *Quercus* européennes ; il se travaille beaucoup plus facilement. C'est un bois très aromatique qui a fait ses preuves pour l'élevage de vins rouges à la saveur très marquée, comme les vins de syrah ou de tempranillo. Sur les vins fins et délicats, il exerce au contraire un effet trop marqué, ce qui explique qu'un grand nombre de producteurs américains préfèrent le chêne français.

L'Amérique possède les plus grandes forêts de chênes blancs du monde. Les fûts de chêne viennent le plus souvent de Pennsylvanie, du Minnesota ou d'autres États de l'Est, mais cet arbre est également cultivé dans l'Oregon, et parfois même en Californie.

Les principales forêts de chênes en France

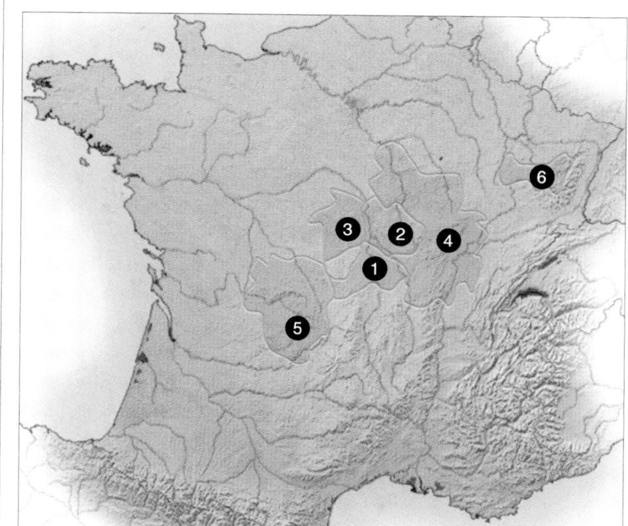

*1. **Allier :** le chêne pousse sur des sols pauvres ; la finesse de son grain et le doux arôme de vanille de ses tanins font qu'il est considéré comme le plus précieux. Les meilleures forêts de ce département sont celles de Tronçais, Gros Bois, Dreuille.*

*2. **Nevers :** le chef-lieu du département de la Nièvre s'est rendu célèbre pour son bois au grain fin, aux fibres épaisses, légèrement plus chargé en tanins que le chêne de l'Allier, mais également doux et sucré.*

*3. **Cher :** dans les forêts des environs de Bourges pousse un chêne aux fibres fines, légèrement plus fort en tanins que celui de l'Allier, mais très élégant et par conséquent très apprécié.*

*4. **Bourgogne :** la région s'étendant du département de l'Yonne, au nord, au département du Rhône, au sud, on y trouve différentes variétés de chêne, aux fibres dures ou fines, avec parfois de gros grains et des tanins âpres.*

*5. **Limousin :** grande région de forêts englobant les départements de la Creuse et de la Haute-Vienne, où pousse, sur des sols calcaires relativement fertiles, un bois à grains grossiers, dont les tanins se dissolvent vite. Ce bois est utilisé surtout pour le vieillissement du cognac.*

*6. **Vosges :** sur les contreforts occidentaux des Vosges, dans le département du même nom, le chêne se caractérise par des fibres et un grain fins. Il lègue au vin un arôme puissant et se rapproche du chêne de l'Allier.*

L'élevage : une histoire d'oxygène

Presque tous les vins – aussi bien rouges que blancs –, avant d'être mis en bouteilles, passent par une phase d'élevage, qui peut durer quelques semaines, mais aussi se prolonger des années. La phase de maturation est appelée élevage, parce que c'est une période au cours de laquelle le vin se modifie, élargit sa palette aromatique et « s'élève ». Le goût de raisin qui subsiste immédiatement après la fermentation fait place à un arôme de vin. Cette transformation est opérée par l'action ménagée de l'oxygène. L'oxygène agit même en si petites quantités qu'il serait plus juste de dire que l'élevage est la conservation du vin au repos en évitant au maximum le contact de l'air. L'élevage peut être réalisé en fût, mais aussi dans une cuve en acier inoxydable, parfois même en bouteille. Le maître de chai opte souvent pour une méthode mixte. Dans certaines méthodes d'élevage, l'oxygène n'intervient pas.

L'oxydation ménagée

Au terme de la fermentation, le vin est fini mais il n'est pas buvable. Encore âpre et dur, il doit mûrir. L'élevage n'est rien d'autre que la conservation du vin au repos avec un apport contrôlé d'oxygène.

L'oxygène est en principe l'ennemi du vin. Il le fait vieillir prématurément et le gâte. Mais l'absence totale d'oxygène est également contre-indiquée. L'élevage du vin exige au moins une petite quantité d'air. Quant à déterminer la quantité d'oxygène à laquelle le vin réagit, on ne peut énoncer qu'une règle générale : il en faut aussi peu que possible, autant que nécessaire. Les vins rouges en réclament beaucoup, les vins blancs en tolèrent moins.

C'est au cours du soutirage d'une barrique à l'autre que le vin absorbe le plus d'oxygène.

Le rôle de l'oxygène dans la maturation

Après fermentation, le vin renferme de nombreux composants qui réagissent avec l'oxygène, en particulier les anthocyanes responsables de la couleur du vin. Comme toutes les substances phénoliques, les pigments se lient très vite à l'oxygène. Ils font passer les vins blancs du jaune paille initial au jaune doré, tandis que les vins rouges perdent leur couleur rouge violacé, s'éclaircissent et prennent pour finir des tons rouge pourpre, rouge grenat puis rouge tuilé. L'arôme du vin se modifie également. Les hydrocarbures – supports des arômes primaires – se lient à des molécules d'oxygène pour donner des combinaisons aromatiques plus complexes. Les tanins réagissent eux aussi de manière évidente ; sous l'effet de l'air, ils se lient à d'autres composés phénoliques de telle sorte que se développent, à côté des arômes purement fruités, de nouvelles nuances.

La polymérisation

La fusion des composés phénoliques sous l'action de l'oxygène est appelée polymérisation : les petites molécules éphémères de phénol se lient à des molécules plus grosses. Ainsi apparaissent, par exemple, les tanins polymères ou les tanins polysaccharides, encore plus complexes. Les effets de la polymérisation sur l'arôme du vin sont considérables. Les molécules de plus grande taille assouplissent le vin ; elles lui enlèvent son aspect fruste et lui confèrent finesse, élégance et complexité. Avec le temps, les molécules de tanins forment de nouvelles liaisons, ou polymères tanniques, jusqu'au moment où elles ne sont plus solubles dans le liquide et se déposent au fond de la bouteille. Ce dépôt est particulièrement perceptible dans les vieux portos millésimés conservés plus de vingt ans.

La réduction

La conservation du vin à l'abri presque total de l'air comporte un risque : celui de réduction. Par manque d'oxygène, le vin ne peut pas réagir chimiquement ou ne le peut que dans des proportions réduites. De ce fait, des liaisons chimiques malodorantes, qui se trouvent dans le vin après toute fermentation (par exemple l'hydrogène sulfuré ou les mercaptans), ne peuvent être neutralisées. Le vin, conservé dans un milieu réducteur (que ce soit en cuve ou en bouteille), risque donc de dégager des odeurs fétides d'œuf pourri ou d'étable. Le maître de chai évite leur diffusion en aérant le vin à l'issue de la fermentation et après soutirage.

L'oxydation

Inversement, un apport excessif d'oxygène exerce un effet négatif sur le vin. Le contact de l'alcool avec l'oxygène produit de l'acétaldéhyde, substance qui, dissoute dans le vin, dégage une odeur de vinaigre. On dit que le vin est oxydé ; il a un goût madérisé, caractéristique des bouteilles ouvertes depuis trop longtemps. L'exemple suivant illustre bien la vitesse à laquelle le vin peut s'oxyder. Lorsqu'un fût n'est pas entièrement plein, et qu'une surface de 1 m^2 de vin se trouve au contact de l'air, il s'y dissout 150 cm^3 d'oxygène à l'heure, ce qui signifie qu'en l'espace de quelques jours à peine le vin est complètement oxydé. Pour éviter l'oxydation, le maître de chai doit toujours maintenir ses fûts pleins jusqu'à la bonde ; si une partie du tonneau reste vide, il peut combler la vidange par injection d'azote, qui protégera le vin des effets de l'oxygène. Dans certaines cuves en acier, un couvercle étanche s'abaisse jusqu'à la surface du vin et limite l'afflux d'oxygène.

Les esters, éléments de l'élevage

Certains processus de maturation du vin se déroulent en l'absence d'oxygène. Le plus important est l'estérification. Les esters sont des liaisons organiques produites par la réaction de l'alcool avec un acide ; ils apparaissent, notamment, pendant la fermentation. Le plus fréquent d'entre eux est l'acétate d'éthyle, composé d'acide acétique et d'alcool éthylique, responsable de l'arôme fruité du vin. Il se forme aussi des esters après fermentation, par la réaction de l'acide tartrique, de l'acide succinique et de l'acide malique avec l'alcool. Ces esters affaiblissent les acides, de sorte que, au bout de quelques années, le vin prend parfois un goût plus

L'air pénètre dans le fût par la bonde.

doux. Le vin est à son apogée lorsqu'il présente un dosage optimal d'acides, d'esters et d'alcool.

Élevage en fût ou en bouteille ?

Un long vieillissement en fût comporte le risque que le vin s'affaiblisse, se fatigue et perde de sa fraîcheur. Pour éviter cet inconvénient, des producteurs de plus en plus nombreux mettent leur vin en bouteilles plus tôt, pour l'affiner ensuite avant de le mettre sur le marché. Les Bodegas Vega Sicilia, qui élevaient autrefois leur vin jusqu'à sept années en fût, l'embouteillent aujourd'hui au plus tard quatre ans après sa récolte, mais laissent ensuite les bouteilles en cave, parfois jusqu'à vingt ans. Cet exemple peut paraître extrême, inimaginable hors d'Espagne, où la tradition veut que ne soient commercialisés que des vins vieillis, prêts à boire. Néanmoins, il illustre une tendance qui s'observe aujourd'hui dans le monde entier et consiste à réduire la durée d'élevage en fût au profit du vieillissement en bouteille. L'arrivée d'air dans la bouteille est nettement plus réduite que dans un fût. Un certain temps d'affinage en bouteille donne donc des vins plus équilibrés, avec une plus grande fusion des arômes et une meilleure intégration des tanins et des acides. En un mot, les vins deviennent plus harmonieux. Le vieillissement en bouteille est, dans les premières années, un processus plutôt réducteur ; il se déroule plus ou moins entièrement à l'abri de l'oxygène. Dans certaines régions viticoles, la législation interdit une mise en bouteilles trop précoce, et les règlements, dont beaucoup datent de vingt ans ou plus, imposent bien souvent un séjour d'un an, deux ans ou deux ans et demi en fût avant embouteillage. Dans de nombreuses régions d'Italie, par exemple pour le Brunello di Montalcino, il a fallu attendre ces dernières années pour que les règles soient révisées.

Les risques de l'oxygénation

On distingue généralement trois possibilités d'arrivée d'air au cours de la phase d'élevage : à travers le bois poreux du fût, par la petite surface de la bonde, lors du soutirage nécessaire du vin d'un fût à l'autre. C'est au cours de cette dernière opération que le vin s'oxyde le plus.

- Chaque litre de vin qui passe dans le tuyau fixe de 3 à 4 cm^3 d'oxygène. Pour les quatre soutirages de la première année, cela fait un apport d'oxygène de 12 à 15 cm^3/l.
- Par le contact de l'air pénétrant par la bonde, le vin absorbe de 15 à 20 cm^3 d'oxygène par an.
- À travers les douelles du fût s'infiltrent de 2 à 5 cm^3 d'oxygène par an, qui sont dissous dans le vin.

Il ne pénètre à travers les douelles des fûts qu'une infime quantité d'oxygène.

La stabilisation des vins blancs

Avant de mettre le vin en bouteilles, le maître de chai s'assure de sa stabilité, c'est-à-dire de l'absence de troubles ou de dépôts. Le vin fini ne doit plus fermenter ni contenir de particules susceptibles de provoquer des modifications indésirables lors de son vieillissement.

Les vins blancs doivent être stabilisés dans un délai relativement court puisqu'ils arrivent sur le marché dès les mois de février ou mars suivant les vendanges. La stabilisation comporte de multiples étapes et débute bien longtemps avant la mise en bouteilles. On procède tout d'abord à la clarification, opération qui a pour objet de supprimer les particules en suspension dans le vin et de le rendre limpide. Il faut ensuite éliminer les divers organismes qui seraient susceptibles de provoquer des transformations microbiologiques. On y parvenait autrefois par la pasteurisation. On obtient aujourd'hui le même résultat par filtration et précipitation ou – méthode plus douce – par refroidissement et clarification spontanée.

Le premier soutirage

Le vin nouveau est clarifié à la fin de la fermentation alcoolique : il est débarrassé des lies, mélange de cellules de levures mortes, de bactéries, de cristaux de tartre, de restes de pellicules et de particules de pulpe, qui ont formé une épaisse couche de dépôt au fond du tonneau. Le vin, plus ou moins clair au-dessus des lies, est tiré et transvasé dans un autre fût. Ce premier soutirage constitue en fait une première clarification (il se déroule toujours au contact de l'oxygène, ce qui aère le vin). Celle-ci est d'ailleurs souvent assez complète, surtout lorsque le vin est filtré ou centrifugé à l'occasion de ce transvasement. Il s'agit toutefois d'un traitement assez brutal qui peut convenir aux vins de consommation courante, mais non aux vins fins de haute qualité.

La clarification spontanée

Les maîtres de chai ambitieux tiennent beaucoup à ce que les vins se clarifient le plus lentement possible. Ils retardent le premier soutirage pour laisser le vin reposer encore quelques semaines sur les lies afin qu'il s'imprègne davantage des arômes de fermentation et gagne ainsi en plénitude et finesse. Cette pratique est surtout profitable aux vins fermentés en fûts de petite capacité. Or, de tels vins sont soumis à une fermentation malolactique. Les bactéries qui déclenchent la « malo » se trouvant dans les cellules de levures déposées au fond du tonneau, le vinificateur brasse régulièrement le dépôt avec un bâton : c'est ce qu'on appelle en Bourgogne le bâtonnage. L'opération permet en même temps d'aérer le vin et d'éviter le développement d'odeurs désagréables. C'est seulement après qu'on procède au soutirage.

La stabilisation à froid

L'une des pratiques courantes consiste, après soutirage du vin et séparation des lies, à entreposer le vin dans la partie la plus froide de la cave ou à le refroidir en abaissant à 0 °C la température dans la cuve en acier. À ces basses températures, l'acide tartrique se cristallise et tombe sous forme de tartre au fond du récipient vinaire. On réduit ainsi le risque d'apparition de cristaux de tartre en bouteille. Ceux-ci ressemblent à des éclats de verre ou à du sucre et peuvent rebuter le consommateur non averti. En réalité, il s'agit de bitartrate de potassium, élément qui ne constitue pas une impureté et qui n'a aucune influence sur le goût du vin. En revanche, le tartrate de calcium est moins aisé à stabiliser par réfrigération.

Les traitements appliqués aux vins blancs

Un vin clarifié n'est pas pour autant stable. Il contient une foule de composés organiques qui, sous l'effet de circonstances extérieures, réagissent et exercent une influence négative. C'est le cas, par exemple, des protéines, qui sont dissoutes dans le vin et uniquement visibles au microscope. Pour les éliminer, le vin doit être traité.

Il ne s'agit pas seulement d'« embellir » le vin, mais de fixer les enzymes et autres polymères à l'état solide, afin qu'ils se déposent au fond du récipient et s'éliminent facilement. La matière la plus fréquemment utilisée pour le collage des vins blancs est la bentonite, argile colloïdale, mélange d'oxyde de silicium et d'alumine. Dissoute dans l'eau puis additionnée au vin, elle précipite les protéines qui, sans cette opération, coaguleraient et floculeraient plus tard dans la bouteille à des températures plus élevées (par exemple sur l'étagère du marchand de vin).

On utilisait autrefois pour le collage l'ichtyocolle (colle préparée à partir de la vessie natatoire de certains poissons) ; elle fait encore partie des produits autorisés et ne laisse pas plus de goût que la bentonite.

Premier soutirage : la fermentation terminée, le vin a besoin d'être aéré.

Des solutions pour atténuer les erreurs de vinification

Après fermentation, il arrive que les vins prennent des goûts ou des odeurs désagréables. Pour y remédier, on leur ajoute de petites quantités de charbon ou de gélatine (par exemple contre l'odeur d'hydrogène sulfuré), plus rarement de levures, de tanins, de kieselsol ou de ferrocyanure de potassium (pour éliminer les casses cuivriques et ferriques). Toutes ces substances sont autorisées (voir p. 99) ; elles sont inodores et n'ont aucun goût. Il faut toutefois les considérer comme des traitements destinés à « réparer » les défauts olfactifs ou gustatifs qui résultent d'une erreur de vinification.

Le deuxième soutirage

Environ huit semaines après le premier, on procède à un deuxième soutirage – cette fois à l'abri de l'air. Il s'agit alors de libérer le vin du moindre trouble, c'est-à-dire des plus fines particules solides encore en suspension (restes de levures ou cristaux de potassium, ainsi que résidus de colles). Il reste d'autant plus d'impuretés dans le vin que la première clarification a été grossière. Certains producteurs tiennent à élever leur vin blanc le plus longtemps possible sur les lies fines. C'est le cas non seulement des producteurs de muscadet, qui font même figurer sur leurs étiquettes la mention « sur lies », mais aussi de producteurs de riesling autrichiens ou allemands, pour qui l'élevage sur lies est une pratique courante. À la fin de l'élevage, la majeure partie de ces substances restées en suspension est tombée au fond du tonneau ; au-dessus, le vin est limpide. Un troisième ou un quatrième soutirage sont rarement utiles. Le dépôt qui subsiste encore est éliminé par filtration au moment de la mise en bouteilles. Le vin n'est alors pas seulement pur, il est aussi stable.

Que faire des tonneaux vides ?

Les tonneaux laissés en vidange jusqu'au prochain millésime doivent être remplis d'eau ou d'un mélange d'eau et de vin, afin que les douelles ne se dessèchent pas et ne rétrécissent pas. Dans certaines régions viticoles, on ajoute à l'eau une partie des lies contenant, par exemple, les bactéries qui ont déclenché la fermentation malolactique. De cette façon, les souches de levures ou de bactéries se logent dans le tonneau et le préparent pour la vendange suivante. La meilleure solution est toutefois de remplir le tonneau de vin ou de s'en défaire. Les fûts de chêne de petite capacité, par exemple, ne servent que pour trois à cinq millésimes.

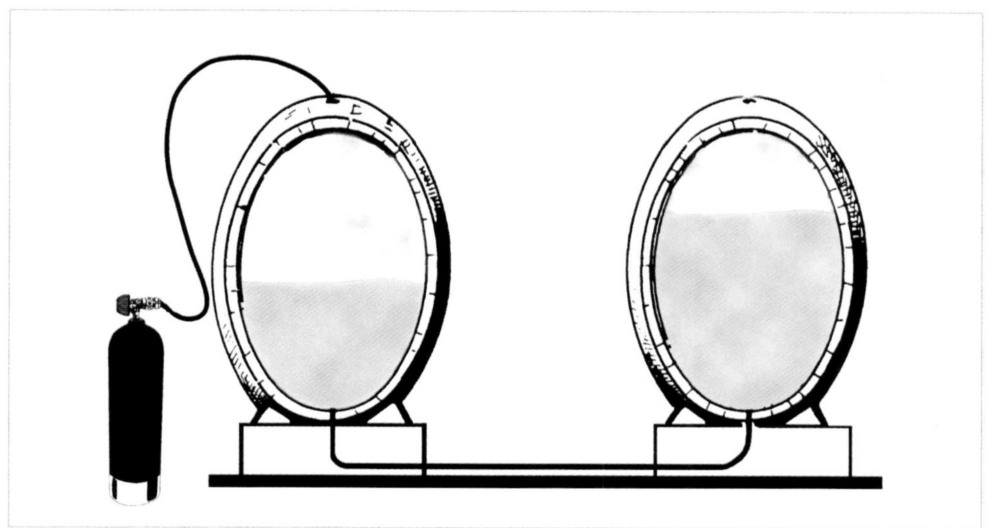

Soutirage du vin sous vide (ci-dessus) : la bouteille sous pression injecte de l'azote et du gaz carbonique par le haut dans le premier fût et fait passer le vin, par le tuyau, dans le second fût, préalablement mis sous gaz inerte. Le gaz s'échappe par la bonde ouverte (ci-dessous) : le vin s'écoule de l'ancien fût et est acheminé dans le nouveau par une pompe.

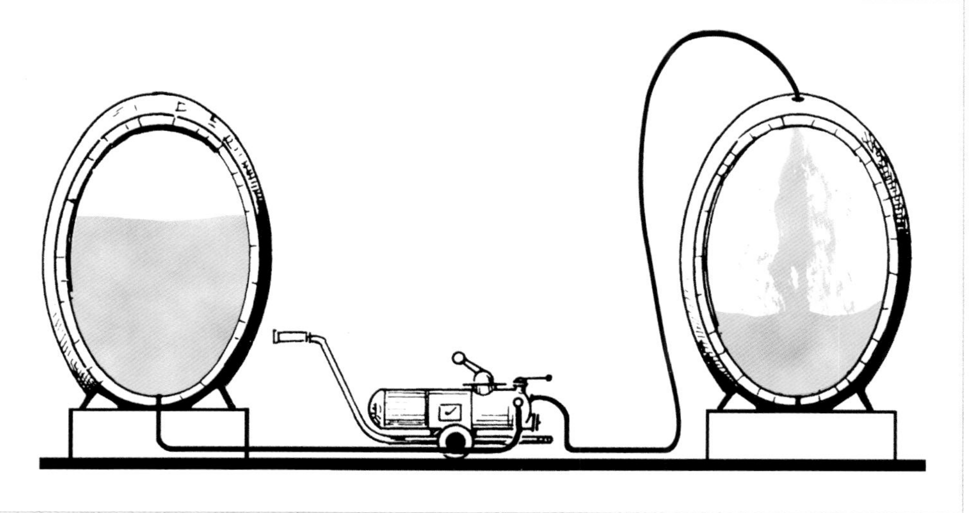

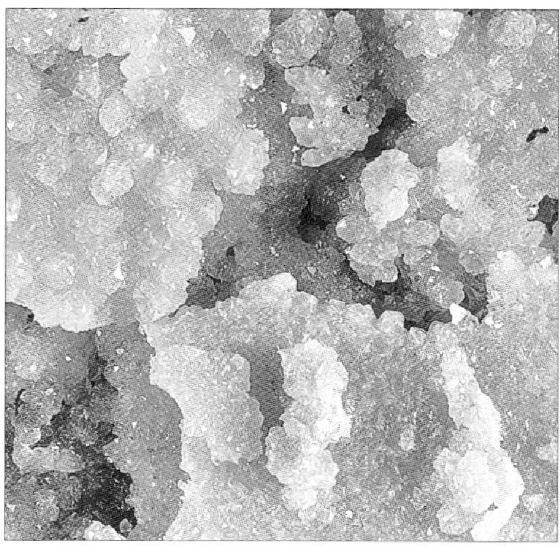

Cristaux de tartre.

La stabilisation des vins rouges

À l'instar des vins blancs, les vins rouges se stabilisent pendant la période d'élevage. Toutefois, ils bénéficient généralement d'une plus longue maturation puisque, à l'exception des vins de primeur, ils arrivent plus tard sur le marché.

Le vin rouge a été soumis à une première opération de stabilisation avant la mise en fût. Au cours de la fermentation malolactique, l'acide malique a été totalement transformé en acide lactique, de sorte qu'il ne peut pas y avoir de reprise de la fermentation en bouteille. La clarification et la poursuite de la stabilisation se déroulent pendant la période d'élevage.

Le soutirage

Traditionnellement, pendant la première année, les vins du Bordelais sont transvasés à quatre reprises. Ce changement de fût est appelé soutirage. Il consiste à libérer le vin du dépôt qui s'est formé au fond du récipient. Ce dépôt est constitué de restes de levures, de bactéries et autres micro-organismes, mais aussi de tartre et de sels minéraux qui risqueraient de se dissoudre à nouveau dans le liquide à une température plus élevée. À chaque soutirage, le dépôt est moins important. La deuxième année, le vin est déjà presque limpide. Il ne sera plus transvasé qu'une ou deux fois.

Les risques du soutirage

Les vins rouges d'autres régions viticoles (où l'on utilise des fûts d'une capacité différente de ceux en usage dans le Bordelais) sont moins souvent soutirés. Chaque pompage est une épreuve pour le vin : la pression du compresseur et les inévitables ébranlements peuvent produire des émanations indésirables. Lors du premier soutirage, il importe que le vin entre en contact avec l'oxygène, car l'oxydation est faible ; il est encore saturé de gaz carbonique. Les transvasements suivants s'effectuent le plus souvent à l'abri de l'oxygène. La déperdition de vin par évaporation de l'eau qui le compose à travers les capillaires du bois est faible (1 à 2 % par an), pourvu que la cave ait un degré d'hygrométrie de 85 %. Les bulles d'air qui se forment autour de la bonde sont essentiellement dues à la rétraction du liquide en hiver. Il faut donc veiller à compenser la perte de liquide après

Collage du vin rouge : les blancs d'œufs fixent immédiatement le dépôt et les particules en suspension, qui précipitent au fond du fût.

chaque soutirage, en ajoutant du vin. Cette opération est appelée l'ouillage. Tous les maîtres de chai conservent, à cet effet, un tonneau de vin en réserve.

La clarification

Comme le vin blanc, le vin rouge doit être rendu chimiquement stable. Cela suppose qu'une partie des colloïdes qu'il contient – infimes particules solides en suspension, avant tout des tanins, des anthocyanes et autres phénols, ainsi que des protéines – soit éliminée, faute de quoi ces substances risqueraient de se coaguler ultérieurement et de former un dépôt épais dans la bouteille. Les vins de consommation courante ne seraient donc pas commercialisables. Même les grands vins ont besoin d'être clarifiés, débarrassés des tanins et des anthocyanes instables, et des protéines sensibles à la chaleur. Tous ces éléments disparaîtront dans le dépôt au soutirage suivant.

Les agents de collage

On utilise pour cette opération des terres minérales argileuses comme la bentonite (plus rarement le kieselsol, le kaolin ou le charbon) et des produits riches en albumine (gélatine, ichtyocolle, plus rarement albumine ou caséine). Tous ces produits sont disponibles dans le commerce sous forme de poudre. Souvent, on verse tout simplement du blanc d'œuf frais dans le tonneau – surtout pour les vins fins ; en l'espace de quelques minutes, cette colle fixe les tanins et les pigments, formant de gros flocons colloïdaux qui s'éliminent aisément. La bentonite fixe surtout les protéines, mais elle doit être utilisée avec prudence pour les vins rouges parce qu'elle attaque les tanins. Tous les types de colles sont d'une innocuité parfaite ; elles ne laissent pas, ou pratiquement pas, de traces dans le vin. On collait autrefois les vins avec du lait ou du sang animal.

La filtration

La filtration est un autre procédé de stabilisation. Le vin blanc est filtré dès le soutirage des lies, tandis que le vin rouge l'est après la séparation du marc. On utilise des filtres stratifiés grossiers de cellulose, de kieselguhr (terre d'infusoires fossiles) ou de perlite (matériau vitreux, composé essentiellement de silicate d'aluminium). Le vin est ainsi libéré des particules les plus grosses. Ces filtres remplacent les passoires et les linges que les Sumériens utilisaient déjà pour clarifier le vin. Généralement, la seconde filtration n'a lieu qu'avant la mise en bouteilles. On emploie aujourd'hui à cet effet des filtres à fine membrane composés d'une feuille de matière synthétique qui retient les plus petites particules, même celles invisibles à l'œil nu. Les vins blancs et les vins rouges jeunes ont besoin de cette filtration fine. Pour les vins rouges élevés longuement en fût, la question est controversée, car le vin s'est déjà clarifié spontanément pour une bonne part.

Pour ou contre la filtration

Certains producteurs de grands vins rouges essaient depuis peu de se dispenser de filtration, de manière à ne pas priver le vin de précieux supports d'arômes. Cette philosophie comporte toujours un risque : le vin embouteillé peut évoluer d'une façon inattendue. Cependant, les producteurs l'acceptent, leur seul désir étant de parvenir à la meilleure qualité possible. Ainsi quelques-uns des plus grands vins du monde passent-ils directement du fût en bouteille – notamment en Bourgogne. Il faut noter qu'un vin de cabernet-sauvignon riche et puissant souffre moins de la filtration qu'un pinot noir délicat et parfumé. Tout dépend donc de l'expérience du maître de chai.

Ouillage des fûts après soutirage du vin.

De l'ichtyocolle à la gomme arabique

Tous les vins demandent à être clarifiés pendant leur élevage. Pour faciliter l'élimination du dépôt, on utilise des produits spéciaux :

Ichtyocolle	vin rouge et blanc
Blanc d'œuf	vin rouge
Gélatine	vin rouge et blanc
Tanins	vin blanc
Kieselsol	vin rouge et blanc
Kaolin	vin doux
Bentonite	vin rouge et blanc

Les produits autorisés pour pallier les défauts olfactifs ou gustatifs sont les suivants :

Caséine	contre une mauvaise évolution de la couleur
Lies	pour raviver le vin
Charbon	contre les odeurs désagréables
Ferrocyanure de potassium	contre les métaux lourds
Phytate de calcium	contre les métaux lourds
Gomme arabique	contre le tartre
Sulfate de cuivre	contre les métaux lourds

Le soufre

Presque tous les vins commercialisés ont été sulfités afin d'éviter l'oxydation et leur transformation en vinaigre. Certes, le soufre n'est pas une substance que l'on peut ajouter au vin inconsidérément. Toutefois, il n'y a aucune raison de le diaboliser. Pour ne causer de dommage ni au vin ni à l'homme, le soufre doit simplement être soigneusement dosé.

Les Grecs utilisaient déjà le soufre comme agent de conservation. Un vin sulfité libère des arômes nets, aisément identifiables ; un vin non sulfité serait fade, aurait une odeur qui manquerait de fraîcheur et prendrait vite une teinte brunâtre. Les doses de soufre (ou anhydride sulfureux) contenu dans le vin doivent être faibles – si faibles qu'on n'en perçoive ni le goût ni l'odeur. Elles ne peuvent donc pas être nuisibles à la santé. Certes, le soufre est un poison, mais les maux de tête et les vomissements dont se plaignent certains consommateurs de vin proviennent plutôt de l'excès d'alcool, les infections urinaires et les maux d'estomac de l'intolérance à l'acidité. En Australie et en Amérique, la mention de sulfitage doit néanmoins obligatoirement figurer sur l'étiquette.

Premier sulfitage : après fermentation, tous les vins sont additionnés d'anhydride sulfureux.

L'action du soufre sur le vin

Rares sont les substances qui réagissent avec l'oxygène aussi vite que le soufre. Le soufre offre donc le moyen d'éviter l'attaque des composants naturels du vin par l'oxygène, non seulement au moment du sulfitage, mais aussi au cours de la conservation du vin. Le maître de chai doit ajouter au vin suffisamment d'anhydride sulfureux (SO_2) pour qu'il conserve sa fraîcheur le plus longtemps possible, sans que ses arômes naturels en soient altérés pour autant. Évidemment, le soufre n'agit pas à l'infini. Son action s'amenuise constamment au cours de l'élevage et finit par disparaître ; c'est le moment où, par oxydation, le vin se transforme en vinaigre. Le soufre peut se présenter sous forme de cristaux, sous forme gazeuse, en bouteille d'acier (SO_2), en solution aqueuse (H_2SO_3) mais aussi sous forme de sulfite de potassium en plaquettes ($K_2S_2O_5$).

Quand sulfiter ?

Autrefois, on soufrait les tonneaux avant de les remplir de vin. Aujourd'hui, on soufre le vin à trois stades de son élaboration : lorsque l'on recueille le moût ou le marc, à la fin de la fermentation et avant la mise en bouteilles. Le sulfitage du moût permet de freiner l'action des enzymes (oxydases transmettant de l'oxygène). Après fermentation, le soufre neutralise l'acétaldéhyde (composé qui se forme au contact de l'alcool avec l'oxygène et se traduit par un désagréable goût de rancio) contenu dans le vin. La dernière administration de soufre, avant la mise en bouteilles, a pour objet d'assurer la conservation. Les grands vins rouges n'ont besoin que d'un très léger sulfitage, car leurs tanins absorbent l'oxygène.

Château Latour 1956 : exemple de grand vin rouge complexe et tannique, peu sulfité.

Prévenir l'action de l'acétaldéhyde

L'objectif principal du sulfitage est la fixation de l'acétaldéhyde. Les quantités de soufre additionnées au vin sont infimes : entre 10 et 30 mg/l. Les vins blancs en demandent un peu plus que les vins rouges, en raison des risques d'oxydation plus importants. Il arrive que le vin doive être sulfité de nouveau en cours d'élevage du fait de petites reprises de fermentation qui produisent de nouveaux acétaldéhydes, mais les quantités de soufre sont alors bien moindres. Le soufre ne fixe du reste pas uniquement l'acétaldéhyde. Il réagit aussi avec d'autres substances contenues dans le vin, par exemple l'acide benzoïque, l'acide kétoglutamique et le glucose. Le soufre modifie donc et altère l'arôme du vin. C'est une raison suffisante pour que les producteurs de vins fins s'efforcent de réduire au minimum le dosage de soufre.

Deuxième sulfitage : avant la mise en bouteilles.

Anhydride sulfureux combiné ou libre

Le soufre contenu dans le vin se divise en deux catégories : une partie libre, une partie combinée. Le soufre combiné est celui qui a réagi avec l'acétaldéhyde et d'autres substances. Il est imperceptible et totalement inoffensif. Il en va différemment du soufre libre ; il est présent dans le vin sous forme de sulfite, c'est-à-dire de sel ou d'ester d'acide sulfurique. Ce soufre non combiné risque de dégager une odeur désagréable et de causer des troubles lorsque le vin a été trop fortement sulfité. En matière de santé, le tout est donc de connaître la teneur en acide sulfurique.

La teneur des vins en SO_2

Après fermentation, le vin n'est généralement que très faiblement sulfité, juste ce qu'il faut pour neutraliser l'acétaldéhyde. C'est seulement au moment de la mise en bouteilles qu'on ajoute au vin la quantité d'anhydride sulfureux nécessaire pour le protéger de l'oxydation en bouteille. Ce soufre se trouve donc ensuite à l'état libre dans le vin. Un vin blanc en contient, après mise en bouteilles, de 35 à 45 mg/l, un vin rouge de 20 à 35 mg. Les vins qui en contiennent le plus sont ceux issus de vendanges atteintes de pourriture noble, soit de 60 à 80 mg/l. Ces valeurs sont d'autant plus faibles que la vendange était saine (avec une faible proportion de pourriture) et que le vin a été vinifié soigneusement (avec réduction de la production d'acétaldéhyde). Le soufre à l'état libre représente tout au plus 20 % du total, le soufre combiné plus de 80 %.

Dans les règles de l'art

On n'a trouvé jusqu'à présent aucun substitut efficace à l'anhydride sulfureux. Il n'est donc pratiquement pas possible de produire des vins exempts de soufre, sans une perte sensible de qualité ou de capacité de conservation. Toutefois, certains producteurs – surtout dans les pays du Nouveau Monde – utilisent, avant la mise en bouteilles, de l'acide ascorbique au lieu de l'anhydride sulfureux. L'acide ascorbique est de la vitamine C ; il freine l'oxydation mais non l'action des enzymes, c'est pourquoi l'adjonction d'acide ascorbique ne peut pas remplacer le sulfitage du moût. Le soufre détériore sensiblement la qualité du raisin, il est donc essentiel, sinon de renoncer au sulfitage, du moins de réduire au minimum les doses de soufre, ce qui est possible si l'on traite rapidement le raisin après la vendange. Il faudrait surtout éviter le soufrage des raisins – tel qu'il se pratique malheureusement encore couramment dans les régions de production intensive des pays chauds, où il y a parfois un long chemin à parcourir entre le vignoble et la cave.

Quantités maximales de soufre légalement autorisées dans les pays de l'Union européenne (en milligrammes par litre)

Vin rouge sec (jusqu'à 5 g de sucre)	160
Vin blanc sec (jusqu'à 5 g de sucre)	210
Vin blanc sec (au-dessus de 5 g de sucre)	260
Vendanges tardives	300
Sélection de grains nobles	350
Sélection de grains nobles pourris-rôtis, vins de glace	400

Disques de soufre : on ne soufre pas le tonneau, mais on sulfite le vin.

La maturation en fût

Le récipient le plus fréquemment utilisé pour l'élevage du vin est le fût. Sa principale qualité est de laisser le vin respirer. L'apport d'oxygène accélère la polymérisation, et le vin devient plus souple, plus harmonieux, plus complexe.

L'élevage sous bois concerne essentiellement les vins rouges. Alors que la plupart des vins blancs entreposés trop longuement en fût perdent de leur fraîcheur et se fatiguent, l'oxygène qui s'infiltre par la paroi du tonneau n'altère guère les vins rouges. Du fait de leur haute teneur en phénols, non seulement ceux-ci supportent l'oxygène, mais ils en ont besoin pour s'épanouir. L'élevage n'est, de ce point de vue, que l'oxydation ménagée du vin.

La capacité des fûts

Toutefois, la quantité d'oxygène qui s'infiltre doit être faible. Or, elle dépend de la capacité du fût. Celle-ci est d'une importance déterminante pour la maturation : 1 000 l de vin entreposés dans un foudre ont moitié moins de contact avec l'air que 1 000 l de vin répartis entre quatre barriques de 225 l chacune. Ne peuvent donc être élevés en barrique que les vins qui ont une teneur en composés phénoliques assez élevée pour résister à un apport d'air plus important. Les premiers grands crus du Bordelais, les grands vins rouges espagnols de la région du Priorato, certains cabernets-sauvignons californiens et les meilleurs shiraz australiennes peuvent séjourner les bonnes années jusqu'à vingt-quatre mois en barrique. Un pinot noir d'Alsace, léger, montrerait les premiers signes de fatigue au bout des six premiers mois à peine. Dans les foudres, il peut séjourner beaucoup plus longuement. Les meilleurs Brunello italiens sont élevés en foudre (*botti*) jusqu'à deux à trois ans, les plus grands Barolo y séjournent parfois cinq ans, sans subir de dommage.

La capacité du fût exerce un rôle déterminant : en barrique, le vin est davantage en contact avec le bois que dans les foudres. Les barriques bordelaises (photo de gauche, et grande photo en bas de page) ont une contenance exacte de 225 l. En Bourgogne, elles sont un peu plus petites ; elles ont une capacité de 205 l. Dans la vallée du Douro, au Portugal, on utilise aussi de petits tonneaux pour l'élaboration du porto ; ils sont appelés pipes (photo de droite) et contiennent de 550 à 580 l.

L'épaisseur du bois

La capacité du fût détermine aussi l'épaisseur des douelles (ou douves). Plus le tonneau est grand, plus elles doivent être épaisses pour contenir le poids de liquide. Pour qu'elles n'éclatent pas sous la pression du vin, les douelles sont cintrées de cercles en feuillard. Les douelles de 10 cm d'épaisseur des grands tonneaux de 50 hl ne laissent passer que des quantités minimes d'oxygène. Les barriques possèdent au contraire des douves de 2,50 cm d'épaisseur à peine. La quantité d'oxygène qui s'infiltre à travers les parois est d'autant plus importante. C'est aussi l'une des raisons pour lesquelles l'élevage se fait plus vite en barrique qu'en foudre.

L'influence du bois neuf

L'élevage en fût de petite capacité a encore un autre effet. Le bois dégage des tanins qui passent dans le vin et en modifient plus ou moins fortement le goût. Cela est vrai tant que les fûts sont neufs. La quantité de tanins contenus dans le bois n'est pas négligeable. La première année, une barrique en fait passer à peu près 200 mg dans le vin ; c'est environ un dixième de la quantité de tanins contenus dans les pellicules de raisin. Toutefois, les tanins du bois sont d'une tout autre constitution que ceux des pellicules. Ils ne se polymérisent pas, ne se modifient donc pas au fur et à mesure que le vin vieillit et sont faits d'autres composés de gaz carbonique. Ce sont eux qui donnent les notes aromatiques typiques de vanille sucrée, de noisettes grillées, de clous de girofle et de caramel. Malheureusement, celles-ci ne font pas toujours ressortir l'arôme propre au vin lui-même ; elles auraient plutôt tendance à le dominer. Au bout de trois, au maximum cinq ans d'utilisation, le bois du fût n'exerce plus aucune influence sur le goût du vin. Des vinificateurs utilisent pour la production de masse de simples copeaux de chêne ou – moins cher encore – des essences chimiques afin de donner au vin un arôme boisé. Un maître de chai digne de ce nom refuse ce genre d'artifice.

Dans la vallée du Rhin, beaucoup de vins de riesling sont encore élevés dans de vieilles futailles d'une contenance de 1 000 l (photo de droite). Dans la vallée de la Moselle, les fûts courants contiennent 2 000 l. Ailleurs, on utilise des tonneaux de 500 l.
Les vins rouges traditionnels sont élevés, au contraire, dans de grands et vieux foudres en chêne, en châtaignier, en acacia, en merisier, entre autres bois (photo de gauche). Les plus grands tonneaux contiennent 150 hl, les plus petits 7,50 hl.

La tonnellerie, un artisanat ancien
Beaucoup d'outils anciens du tonnelier ont été remplacés par des machines, par exemple la gouge et la jablière, à l'aide desquelles ont creusait autrefois la rainure dans laquelle s'encastrait le fond du tonneau. L'ouverture des tonneaux usagés pour les débarrasser de la couche de tartre formée à l'intérieur des douelles et procéder à un nouveau brûlage fait également partie du travail du tonnelier.

La fente
La fente des grumes à merrain en quatre dans le sens des fibres du bois ne se fait plus depuis longtemps à la main, mais à l'aide de merlins mécaniques. La fente présente par rapport au sciage l'avantage de ne pas endommager la structure fibro-cellulaire du bois. Toutefois, aujourd'hui, les billons ne sont généralement plus fendus en quatre, mais directement découpés en douelles. Le rapport est meilleur, les chutes réduites.

Entrepôt à ciel ouvert
La façon d'entreposer le bois est un facteur de qualité de premier ordre. La tradition voulait que les merrains reposent trois ans à l'air libre. Le soleil sèche le bois, la pluie dissout les tanins les plus durs, les polysaccharides et le glucose. Aujourd'hui, la majeure partie du bois destiné à la confection de fûts est séchée artificiellement dans des fours, de sorte que toute la procédure se réduit à une durée de trois à douze mois.

L'assemblage des douelles

La taille des douelles pour la confection d'une barrique est calculée suivant une formule mathématique, le bois raboté à la mesure et les douelles assemblées à sec. C'est le vin lui-même qui fera par la suite l'étanchéité des joints : il fera gonfler le bois de telle sorte qu'aucune fuite ne puisse se manifester.

La chauffe

Avant la mise en place du fond, ou fonçage, le tonneau doit être brûlé. L'opération consiste à flamber l'intérieur des douelles. Le degré de chauffe agit sur la structure chimique du bois et lègue au vin un léger arôme grillé. Selon le type de vin qui y sera élevé, les fûts sont légèrement, moyennement ou fortement chauffés.

Le cerclage

Après le fonçage, on enlève les cercles de moule pour placer les cercles en fer (feuillard) qui cintreront définitivement le ventre de la barrique. Ils maintiennent le fût et empêchent qu'il n'éclate ensuite sous la pression du vin. Pour finir, on perce le trou de la bonde dans une des douelles.

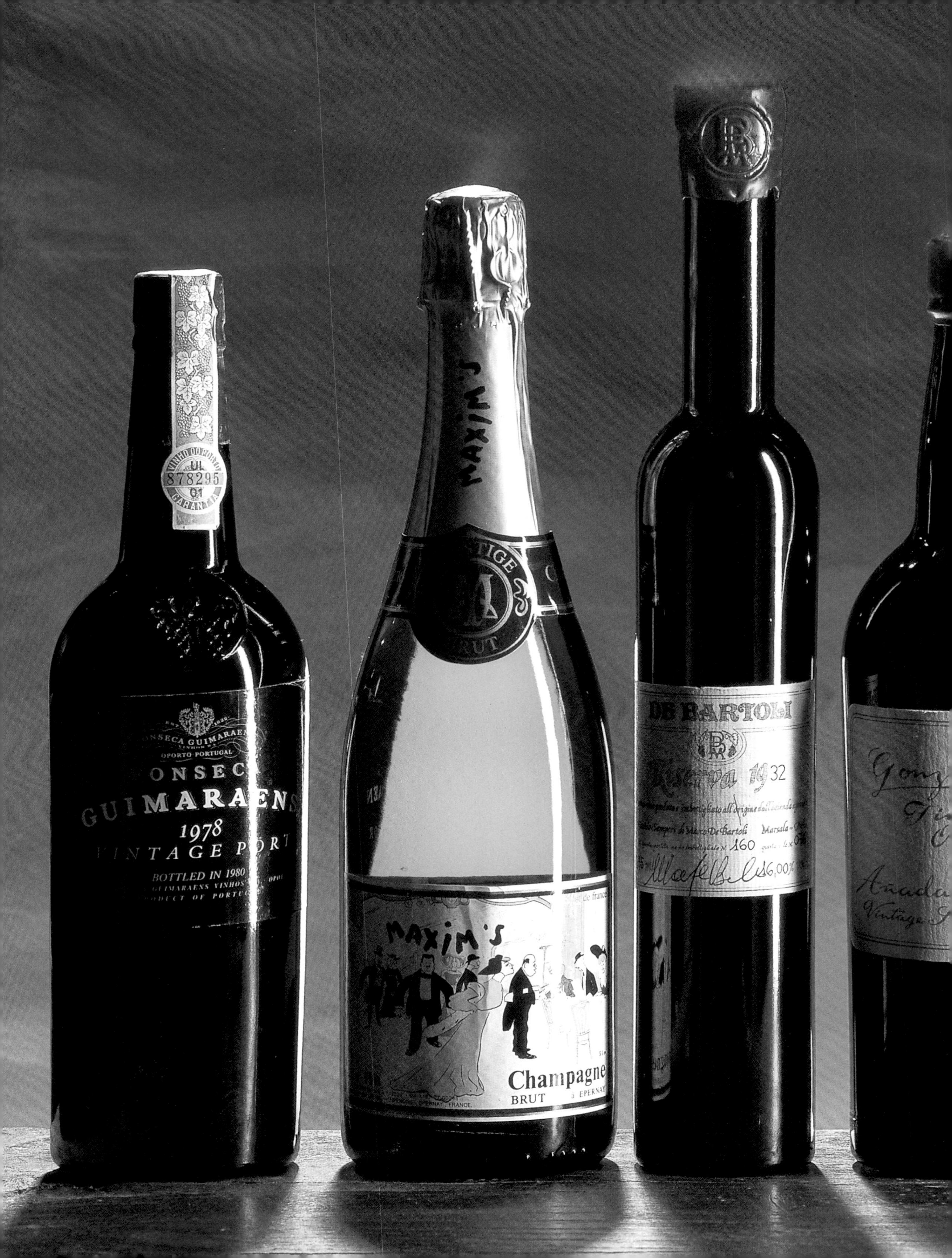

878295
GARANTIA
OPORTO PORTUGAL
GUIMARAENS
1978
BOTTLED IN 1980
MAXIM'S
BRUT
MAXIM'S
Champagne
BRUT
EPERNAY
DE BARTOLI
Riserva 1932
160

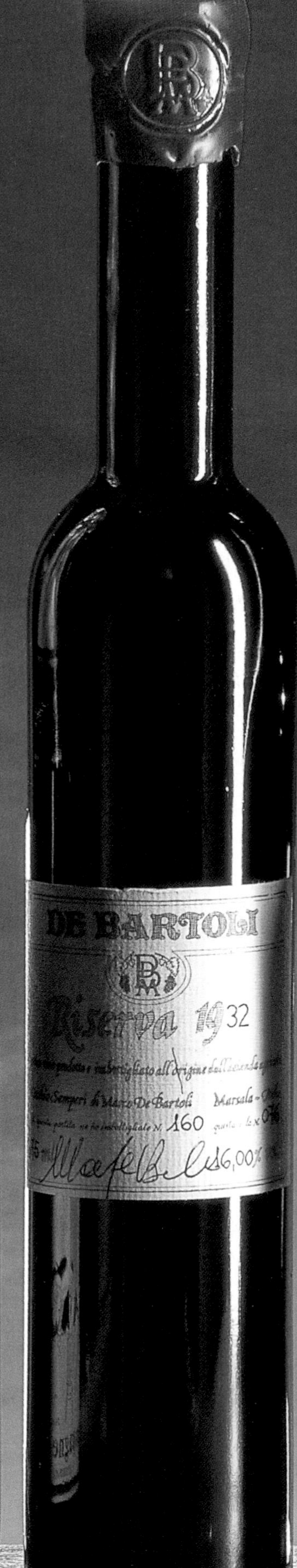

Des vins pour toutes les occasions

Le champagne, le porto et le xérès ont un point en commun : ils doivent leur existence à des concours de circonstances ou à un heureux hasard. Pour les portos, ce fut la guerre de la Succession d'Espagne ; pour le xérès, le pillage de Cadix par sir Francis Drake ; pour le champagne, plusieurs facteurs intervinrent, par exemple la découverte simultanée des vins pétillants en France et du verre résistant à la pression en Angleterre. Le triomphe du champagne fut immédiat. À un journaliste qui lui demandait un jour à quelles occasions elle buvait du champagne, Madame Lily Bollinger répondit : « J'en bois quand je suis heureuse, et j'en bois aussi quand je suis malheureuse. J'en bois parfois quand je suis seule. J'en bois de toute façon en société. Même quand je n'ai envie de rien, j'en prends volontiers un petit verre. Et quand j'ai envie de quelque chose, naturellement je me tourne vers lui. Mais sinon, je n'y touche jamais – sauf quand j'ai soif ». Beaucoup ont fait et font comme cette vieille dame. Seuls quelques Anglais ont pu juger le champagne décadent : « Méprise le champagne et bois plutôt, au coin de ton feu, le modeste porto ». Mais tout cela est de l'histoire ancienne. Aujourd'hui, ils boivent l'un et l'autre, et même du *sherry*.

La méthode traditionnelle

« Je bois des étoiles », s'exclama dom Pérignon, lorsqu'il but pour la première fois du vin mousseux. Ce moine de l'abbaye de Hautvillers, près de Reims, n'est pas l'inventeur du champagne, mais il comprit l'intérêt des bulles : exalter le goût du vin.

Le champagne est le vin effervescent le plus célèbre du monde. Ses fines bulles et son doux arôme en ont fait le symbole par excellence du bon goût français. Sa région d'origine est la plus septentrionale et par conséquent aussi la plus froide de notre pays. Élaboré selon la méthode traditionnelle de fermentation en bouteille, ce vin a vu son appellation maintes fois usurpée par les producteurs du reste du monde. Désormais, celle-ci est protégée et uniquement réservée au véritable « champagne français ».

La prise de mousse

Un vin effervescent est le résultat d'une seconde fermentation d'un vin blanc. Celle-ci se produit alors que le vin est déjà mis en bouteilles et qu'on lui ajoute une petite

Madame veuve Clicquot (1777-1866) eut l'idée de remuer le champagne pour faire tomber les lies.

quantité de liqueur de tirage (24 g/l) – mélange de vin, de sucre et de levures spéciales. Les levures font immédiatement fermenter le sucre dans la bouteille. En l'espace d'un à deux mois, cette fermentation est terminée. Le vin contient 1,2 % vol. de plus d'alcool qu'il n'en contenait à l'origine. Comme toute fermentation, la fermentation en bouteille produit du gaz carbonique, qui ne peut s'échapper, la bouteille étant fermée par un bouchon cerclé de fer ; il reste donc en solution dans le vin.

Le dégorgement

Les bouteilles sont entreposées à l'horizontale de sorte que les levures mortes qui se déposent tombent dans le ventre de la bouteille. Selon les catégories, le vin effervescent repose de neuf mois à cinq ans sur ses lies. Cette étape est importante : elle conserve au vin sa fraîcheur et lui confère l'arôme typique de levures. Il faut ensuite éliminer le dépôt. Pour ce faire, le goulot de la bouteille est plongé dans une saumure ; les lies se congèlent immédiatement, et lorsqu'on enlève le bouchon, le glaçon est expulsé sous la pression qui règne dans la bouteille. Le vin est limpide et peut alors être définitivement bouché. Le dégorgement est terminé. Cette technique fut inventée en 1884 par Raymond Abelé. Auparavant, l'opération était réalisée « à la volée » et demandait une grande dextérité.

Le remuage

Pour que le vin dégorge, il faut que le dépôt se soit préalablement rassemblé dans le goulot de la bouteille. Madame veuve Clicquot eut l'idée de percer des trous dans sa table de cuisine et de mettre les bouteilles à dégorger quelques jours le col en bas. Aujourd'hui, les bouteilles sont placées légèrement inclinées sur un pupitre, de telle sorte que le dépôt glisse lentement vers le goulot. Mais ce dépôt étant assez solidement fixé aux parois de la bouteille (bien que les levures de champagne soient spécialement sélectionnées pour donner des lies à la texture assez épaisse), il faut le détacher ; pour cela, chaque jour – pendant vingt et un jours –, on tourne légèrement la bouteille sur son pupitre : c'est le remuage.

Le dosage

Après le dégorgement, le vin effervescent est clair. Pour qu'il n'y ait pas une trop forte déperdition de gaz carbonique, les bouteilles sont immédiatement bouchées, puis étiquetées. Mais le vin doit d'abord être dosé : on ajoute un mélange de vin et de sirop de sucre, appelé liqueur de dosage ou d'expédition. On complète ainsi le remplissage des bouteilles auxquelles il manque quelques centimètres cubes de liquide après le dégorgement, et on sucre un peu le vin. Presque tous les champagnes classiques et les vins effervescents sans millésime reçoivent une dose plus

ou moins importante de liqueur d'expédition pour en harmoniser le goût. Comme ils présentent généralement un taux d'acidité légèrement élevé, ils restent secs. Seuls les champagnes ou les vins effervescents de grands millésimes qui ont séjourné longtemps sur les lies sont bouchés sans adjonction de liqueur de dosage ; les mentions « brut nature », « brut zéro » ou « non dosé » figurent sur l'étiquette de ces bouteilles. Après bouchage, la pression de gaz carbonique se situe entre 5 et 6 bars, soit à peu près trois fois la pression d'un pneu de voiture.

L'assemblage

Environ 80 % des champagnes arrivent sur le marché sans indication de millésime, ce qui signifie qu'ils sont composés de plusieurs millésimes. L'élaboration d'une cuvée homogène, harmonieuse à partir de différents vins de base est appelée « assemblage ». En règle générale, pour le champagne, on assemble trois cépages différents, parmi lesquels on choisit de préférence des millésimes anciens de pinot noir et de chardonnay qui ont été élevés deux ans dans des cuves en acier inoxydable. On recourt parfois même à de précieux vins de réserve, encore plus anciens, pour « ennoblir » l'assemblage. Les connaisseurs prétendent que l'art de l'assembleur fait le prestige d'une maison de champagne. L'élément décisif est effectivement la capacité de déguster et d'apprécier des centaines de vins pour élaborer finalement cinq, voire dix millions de cols d'une même cuvée, la plus homogène possible – c'est environ la quantité produite annuellement par les grandes maisons de champagne ; 20 % seulement sont commercialisés sous la forme de champagne millésimé.

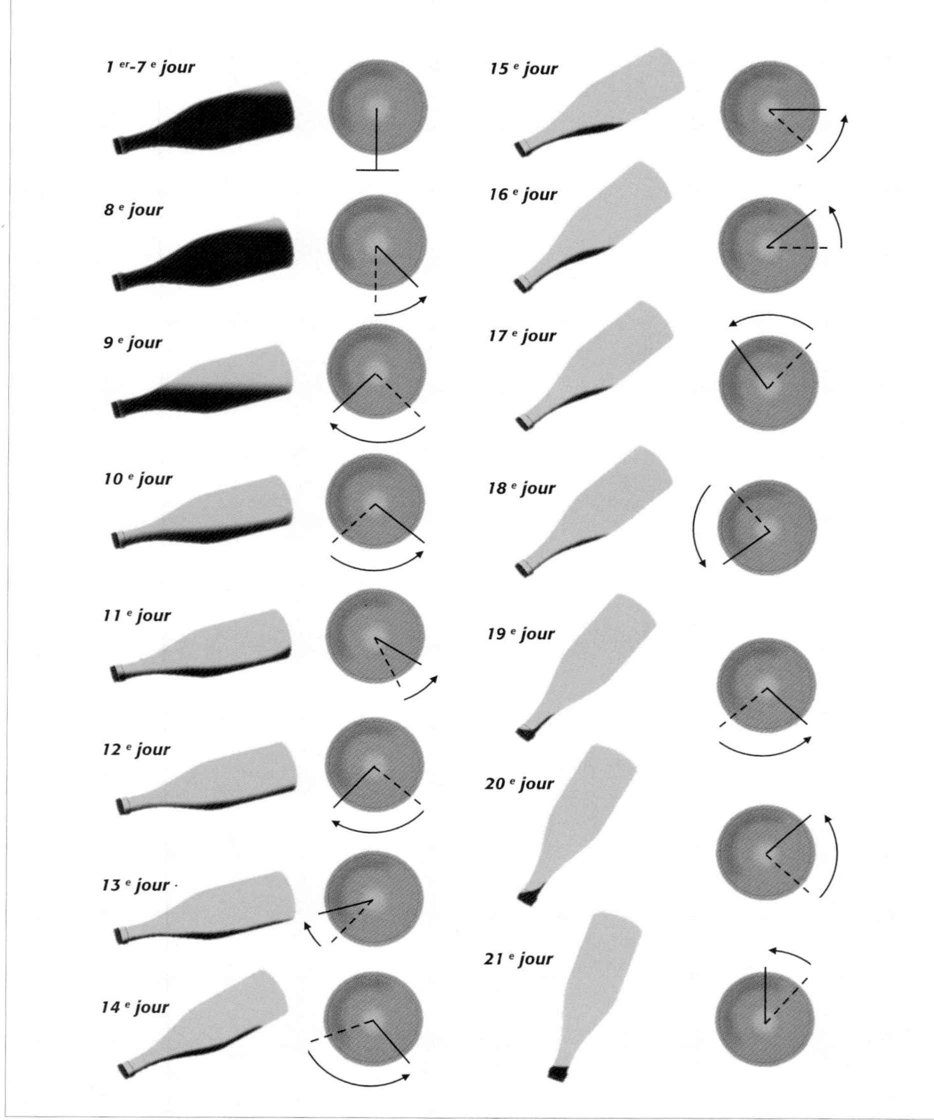

Le remuage dure trois semaines et est réalisé à la main : on tourne les bouteilles selon un certain angle, en même temps qu'on les incline de plus en plus.

Tous les vins effervescents soumis à une fermentation en bouteille doivent être remués...

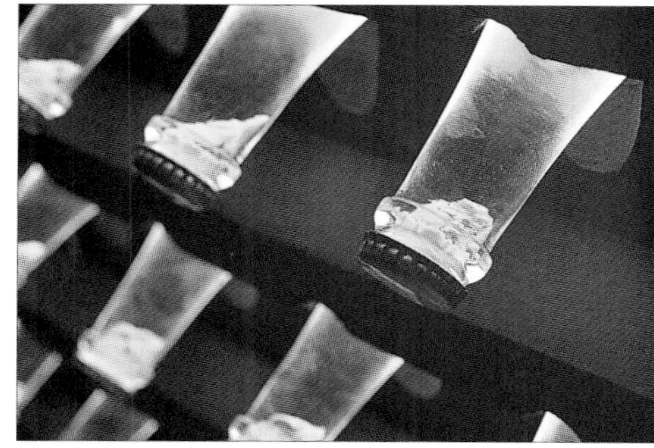

... pour que les lies tombées au fond se rassemblent dans le goulot de la bouteille.

Le dépôt de levures est congelé dans une saumure puis le vin est dégorgé et additionné de liqueur d'expédition.

Dans la lignée du champagne

Le premier maître de chai

Dom Pérignon (1639-1715) a compris que l'assemblage judicieux de vins de différents cépages, récoltés sur des parcelles distinctes, produisait une meilleure cuvée. En revanche, c'est à Londres que l'on découvrit la prise de mousse. Alors que les Français utilisaient encore pour boucher leurs bouteilles des chiffons imbibés d'huile qui laissaient passer l'air, vers 1650, les marchands londoniens connaissaient déjà les bouchons. Lorsque le vin se remettait à fermenter en bouteille accidentellement, le gaz carbonique restait dissous dans le vin sous forme d'acide carbonique. À l'ouverture de la bouteille, le vin moussait. La fermentation en bouteille ne fut exploitée en Champagne que vers 1700, sans grand succès ; la plupart des bouteilles explosaient. Il fallut attendre que les Anglais fabriquent un verre plus résistant pour voir s'imposer ce procédé.

Le prestige du champagne est tel que la méthode traditionnelle de fermentation en bouteille a été reprise dans le monde entier. Toutefois, rares sont ceux qui maîtrisent l'art de l'élaboration des vins effervescents. Quelques régions ont néanmoins démontré qu'il était possible de produire des vins mousseux de grande classe en dehors de la Champagne – à partir de cépages identiques ou distincts.

Le champagne est traditionnellement constitué d'un assemblage de trois cépages : le chardonnay, le pinot noir et le pinot meunier. Les deux cépages rouges sont vinifiés en blanc : on fait fermenter leur jus sans les pellicules afin que les pigments ne passent pas dans le vin. Le pinot noir donne au vin sa plénitude, le chardonnay sa finesse, le pinot meunier son fruité.

L'assemblage

Les trois cépages doivent être assemblés pour donner une cuvée homogène avant la fermentation en bouteille. L'assemblage consiste à déterminer quels vins entreront dans la composition de la cuvée définitive et dans quelle proportion. Il demande un grand talent de dégustateur : des dizaines de vins de cuves et de tonneaux différents sont goûtés. Il suppose la collaboration de plusieurs personnes : le maître de chai propose deux ou trois mélanges, le propriétaire, le directeur des ventes et d'autres bons dégustateurs sont invités à émettre leur avis.

Les styles de champagnes

L'assemblage détermine le style d'un champagne. Bollinger utilise traditionnellement une forte proportion de pinot noir, Billecart-Salmon privilégie le chardonnay. Les grands champagnes contiennent souvent une petite part de vin vieux. La Grande Cuvée de Krug réunit toujours au moins six millésimes différents. Leur choix fait partie de l'art de l'assemblage, et de cet art dépend le succès d'une marque de champagne. Le champagne ne doit pas nécessairement être constitué des trois cépages cités précédemment. Il peut n'être issu que de chardonnay (blanc de blancs) ou de pinot noir et de pinot meunier (blanc de noirs). Le champagne rosé résulte d'un assemblage de vin blanc et rouge.

Cuvées de prestige et champagnes millésimés

En dehors du champagne produit en grandes quantités et élaboré à partir d'un assemblage de millésimes, presque toutes les maisons élaborent des cuvées de premier ordre en volume restreint. Parmi les cuvées de prestige, nous citerons : R.D., Vieilles vignes françaises et Grande Année (Bollinger), Dom Pérignon (Moët & Chandon), Louise Pommery (Pommery), Cristal (Roederer), La Grande Dame (Veuve-Clicquot), Comtes de Champagne (Taittinger) et Nicolas François (Billecart-Salmon). Ce sont des vins de première pressée, contenant une forte proportion de vins de réserve ; ils ont séjourné longtemps sur leurs lies et ont une longévité de vingt à trente ans. Il en va de même des champagnes millésimés.

Les grandes maisons de champagne d'Épernay conservent leur vin dans des galeries calcaires longues de plusieurs kilomètres.

La Champagne vue depuis la Montagne de Reims, au village de Dommange. Le chardonnay prospère sur ces coteaux.

Les autres vins effervescents

La France produit d'autres vins effervescents que le champagne, dont des mousseux comme le saumur, le vouvray et la blanquette-de-limoux. Par ailleurs, sept appellations d'origine ont été reconnues sous l'intitulé crémant : le crémant-de-bourgogne (chardonnay), le crémant-de-loire (essentiellement à base de chenin blanc), le crémant-de-die (clairette), le crémant-d'alsace (pinot blanc, pinot gris, pinot noir, auxerrois, riesling), le crémant-de-limoux (blanquette), le crémant-de-bordeaux (sémillon, sauvignon blanc, muscadelle) et le crémant-du-jura (poulsard, pinot noir, pinot gris, trousseau, savagnin, chardonnay). Enfin, il existe trois vins très originaux élaborés selon un ancien procédé : le gaillac méthode rurale, la blanquette méthode ancestrale et la clairette-de-die. En dehors de l'Hexagone, la Californie et l'Australie produisent d'excellents vins mousseux (*sparkling wines*) issus des chardonnay et pinot noir. En Italie, les mêmes cépages peuvent être à l'origine de *spumante* de première classe. En Espagne, la région du Penedès est réputée pour son cava, issu de macabeo, parellada et xarel-lo. En Autriche et en Allemagne, les *Sekte* étaient au XIXe siècle les plus grands concurrents des vins effervescents français et peuvent atteindre aujourd'hui un bon niveau. Ils proviennent des grüner veltliner, welschriesling et riesling en Autriche, essentiellement du riesling outre-Rhin.

Le pressoir Marmonnier est traditionnel en Champagne. Il contient 2 400 kg de raisin. Le raisin est pressuré sans foulage. Le vigneron ne peut en tirer plus de 1 500 l de moût. Les 900 premiers litres forment la cuvée – la meilleure qualité ; les 350 l suivants la première taille et les 250 l restants, la seconde taille.

Autres méthodes d'élaboration des vins effervescents

La fermentation en bouteille est un procédé onéreux qui demande beaucoup de main-d'œuvre pour réaliser les opérations de remuage, dégorgement, etc. Par conséquent, les spécialistes ont recherché des méthodes d'élaboration de vin mousseux plus simples et moins coûteuses. Toutefois, aucune ne permet d'obtenir la qualité offerte par la méthode traditionnelle.

La méthode Charmat

La seconde fermentation du vin de base a lieu dans de grandes cuves en acier mises sous pression. Le dépôt de lies est éliminé par filtration avant la mise en bouteilles. Cette méthode industrielle, mise au point à Bordeaux, se prête bien à l'élaboration de vins effervescents simples, par exemple les *spumante* italiens comme le Prosecco, ainsi que beaucoup de vins mousseux allemands.

La méthode par transvasement

La fermentation a lieu en bouteille comme dans la méthode traditionnelle. La bouteille est ensuite ouverte, le vin entreposé dans une cuve sous pression, le dépôt de lies éliminé par filtration et le vin remis en bouteilles sous pression. Cette méthode mise au point aux États-Unis est employée pour l'élaboration de vins mousseux de qualité.

La gazéification

La fermentation secondaire est abandonnée et remplacée par l'ajout de gaz carbonique ; le vin est ensuite mis en bouteilles sous pression. Les vins produits de cette façon ne sont pas considérés comme des vins mousseux, mais comme des vins pétillants (*frizzante* en italien) ; ils ont une pression de 1 à 2,50 bars.

Dosage des vins effervescents (en grammes de sucre par litre)

Brut nature, non dosé, brut zéro	jusqu'à 3 g/l
Extra-brut	moins de 6 g/l
Brut	moins de 15 g/l
Extra-sec	12-20 g/l
Sec	17-35 g/l
Doux	plus de 50 g/l

Porto et madère : les vins des gentlemen anglais

Les principaux styles de portos

Ruby
Robe rouge rubis, bouche sucrée comme de la confiture. Commercialisé entre deux et quatre ans d'âge, le ruby constitue la majeure partie des portos distribués sur le marché. Il est toujours le produit de l'assemblage de vins de plusieurs millésimes.

Tawny
Robe brun acajou. Un tawny vieillit généralement en fût plus longuement qu'un ruby et bénéficie parfois d'un léger apport de vieux portos de vingt, trente ou quarante ans d'âge, ce qui le rend très fin. Prêt à boire, il doit être consommé rapidement après l'ouverture de la bouteille, car il s'oxyde vite.

Colheita
Porto tawny d'un seul millésime, vieilli au moins sept années en fût, parfois davantage. LBV (Late Bottled Vintage) : porto d'un petit millésime vieilli de quatre à six ans en fût. Il peut être très bon, mais n'est le plus souvent qu'un ruby un peu amélioré.

Vintage Port
Porto millésimé qui n'est élaboré que dans les années déclarées « grandes » ou « très bonnes ». Vieilli deux ans en fût, il doit ensuite attendre vingt à trente ans ou plus pour parvenir à son apogée. Il constitue 1 % de la production.

White port – porto blanc
Porto qui n'a été que brièvement en contact avec le marc ou qui a été tiré des rares cépages blancs cultivés dans la vallée du Douro. Il est élevé en cuve au maximum dix-huit mois, il est un peu moins sucré que le porto rouge (parfois même sec) et a un titre alcoométrique de 17 % vol. Il constitue entre 10 et 15 % de la production.

Un porto millésimé doit vieillir en bouteille pendant au moins vingt ans avant d'être dégusté. Le porto tawny est prêt à boire lorsqu'il arrive sur le marché.

Il faut ouiller régulièrement les fûts dans lesquels vieillit le porto tawny : l'évaporation s'élève à 3 % par an.

Le porto et le madère ont été inventés par les négociants anglais au XVIIe siècle. Outre-Manche, ces vins de liqueur étaient particulièrement appréciés des gentlemen : au XVIIIe siècle, pendant les longs hivers des îles Britanniques, alors que les collèges étaient engourdis par le froid, les professeurs se réchauffaient en dégustant un verre de porto ou de madère. Aujourd'hui, le charme de ces vins est resté intact.

Le porto est un vin rouge doux renforcé en alcool par ajout d'une petite quantité d'eau-de-vie. D'un titre alcoométrique de 19 à 22 % vol., il se caractérise par sa chaleur, sa couleur profonde et une finesse inégalée. Il est produit sur les coteaux aménagés en terrasses de la vallée du Douro, dans le nord du Portugal, et tient son nom de la ville de Porto, sur le cours inférieur du fleuve. Les entrepôts des grandes maisons de porto se trouvent sur l'autre rive du fleuve, à Vila Nova de Gaia. C'est dans cette ville qu'est élevé le vin. La présence anglaise est encore fortement sensible sur le marché des vins de Porto ; les entrepôts sont appelés *lodges*, les différentes marques se nomment Cockburn, Taylor, Dow, Sandeman ou Graham, et le porto lui-même est toujours considéré comme « le vin des Anglais », bien qu'il se vende fort bien depuis longtemps dans le monde entier.

L'élaboration du porto

Quarante-huit cépages (parmi plus d'une centaine cultivés dans la vallée du Douro) sont admis dans la composition du porto. Il s'agit pour la plupart de cépages rouges. Ils étaient autrefois foulés aux pieds dans des cuves en bois *(lagares)*. Ce travail est assurés aujourd'hui par des pressoirs hydrauliques. Le moût fermente ensuite ; au bout d'un ou deux jours à peine, il est déjà enrichi d'alcool vinique à 77 % vol. Les levures s'activent. Le vin, lorsqu'il est séparé du marc, contient entre 40 et 60 g de sucres résiduels. Au printemps, il est acheminé par camions-citernes à Porto, où il sera mis en fûts (de 520 l, traditionnellement appelés *pipes*). Il vieillira pendant au moins deux ans, parfois même vingt, voire quarante ans.

Les Anglais sont certes à l'origine du succès du porto et du madère, mais ces deux vins sont également appréciés dans le monde entier.

L'élaboration du madère

Autre vin muté, le madère provient de l'île de l'Atlantique éponyme. Il est issu essentiellement du tinta negra mole, cépage de qualité médiocre implanté après la crise phylloxérique qui dévasta le vignoble. Qu'il soit élevé dans des cuves en béton, en acier, dans des bonbonnes de verre ou des fûts, le madère, à la différence du porto, est porté après enrichissement en alcool à une température de 40 à 50 °C, pendant plusieurs mois. Des sortes d'étuves (*estufas*) assurent ce traitement thermique, censé faire vieillir le vin plus vite et caraméliser le sucre. Parce qu'il contient beaucoup de tanins et d'acides (acides volatils, que trahit son bouquet), le madère a besoin de nombreuses années de maturation. Il développe alors ses arômes chocolatés ou légèrement rancio caractéristiques.

Les styles de madères

La majeure partie des madères n'ont d'autre destinée que la préparation de sauces. Toutefois, il existe d'excellents vins qui méritent une dégustation à part entière. Les meilleurs sont issus de raisins récoltés à une altitude de 1 800 m, où les terrasses sont plantées en vieux cépages : sercial, boal, malvasia et verdelho. Ils vieillissent lentement sans chauffage artificiel ; ils sont conservés dans des *pipes* de 600 l et séjournent au moins vingt ans sous le toit des entrepôts, où il fait frais l'hiver et très chaud l'été. On les appelle *vinhos de canteiro*. Ils dévoilent une robe intense, un bouquet de malt et de caramel, de vanille, d'amande douce, de raisins secs et de fruits confits. Il n'est guère d'autre vin qui ait une longévité comparable.

Une centaine de cépages sont cultivées dans la vallée du Douro : presque tous peuvent entrer dans la composition du porto.

Les principaux styles de madères

Le madère courant est un assemblage de millésimes qui, même lorsqu'il est déclaré « extra dry », contient un certain taux de sucres résiduels. Les meilleurs madères proviennent des cépages blancs nobles dont ils revendiquent le nom sur l'étiquette.

Dénominations complémentaires :

Finest (trois ans d'âge)
Reserve (cinq ans d'âge)
Special Reserve (dix ans d'âge)
Extra Reserve (quinze ans d'âge)
Vintage (au moins vingt ans d'âge).

Sercial

Madère relativement léger, le plus souvent assez sec et mordant. Vin fin d'apéritif qui a besoin de vieillir. Presque sec lorsqu'il est vieux.

Verdelho

Madère robuste et épicé produit sur la face nord de l'île. Sec à moyennement doux, au délicat arôme de noix. De faible garde.

Boal ou bual

Vin sombre, couleur de caramel, au bouquet riche et parfumé, nettement doux, avec une légère note de brûlé.

Malmsey

Le plus rare, le plus doux et le plus sombre des madères, exclusivement issu de malvoisie cultivée sur la face méridionale de l'île. C'est un vin plein, dont l'acidité citronnée est atténuée par la chaleur de l'alcool.

Le xérès : l'ardeur du sud

Soleras *dans une bodega de Jerez :* fino, amontillado *et* oloroso *sont les meilleurs styles de xérès.*

Né sous le soleil ardent de l'Andalousie, aux environs de Jerez de la Frontera, le xérès acquiert sa robe chatoyante, ses arômes complexes et sa bouche chaleureuse après un élevage original, sous voile. Issu des cépages palomino, pedro ximénez et muscat d'Alexandrie, il étonne l'amateur par la diversité de ses styles.

Le xérès, ou *sherry* en anglais, se présente sous de multiples variantes. Il peut être sec ou doux, sombre ou clair, puissant ou modérément alcoolique. On distingue essentiellement deux types de xérès : le *fino,* jaune paille, sec, et l'*oloroso,* sombre, qui donneront naissance aux dizaines de dénominations sous lesquelles le xérès est commercialisé : depuis les vins doux, presque sirupeux, jusqu'aux vins secs, extrêmement raffinés, dignement vieillis.

Le *fino* et le *manzanilla*

Le *fino* est le xérès sec classique de la région viticole de Jerez de la Frontera, bien qu'il ne constitue pas la plus grande part de la production. Après une fermentation traditionnelle des raisins blancs, le vin est mis en fûts tenus en semi-vidange. Un voile de levures appelé *flor* se forme alors et ne cesse de se développer à la surface ; il finit par recouvrir tout le vin comme une pellicule de cire, de sorte que celui-ci vieillit à l'abri de l'air. La *flor* fait toute la spécificité du xérès par rapport aux autres vins blancs mutés : elle laisse des nuances gustatives caractéristiques d'amande amère. Elle doit être très soigneusement cultivée ; parce qu'elle est très sensible à l'excès d'alcool, le xérès *fino* n'est que légèrement alcoolisé et dépasse rarement 15 % vol. Il en va de même du *manzanilla,* variante plus souple du *fino* élaborée dans la ville voisine de Sanlúcar de Barrameda, à l'embouchure du Guadalquivir. Les amateurs servent ce style de xérès en accompagnement du poisson et de la langouste.

L'*amontillado*

Durant les étés brûlants d'Andalousie, il fait aussi très chaud sous les toits des entrepôts des grandes maisons productrices de xérès. Il peut arriver que la couche de levures se perce, la *flor* ne résistant pas à la grande chaleur. Le vin entre alors au contact de l'air et s'oxyde. Le *fino* se transforme en *amontillado.* Il prend un goût plus riche et une coloration ambrée. Un authentique a*montillado* est donc un *fino* vieilli sans *flor* et complètement sec. C'est un délicieux nectar dévoilant de fins arômes d'orange et de noisette. Toutefois, le vrai

***La* solera**

Dans les bodegas *de xérès, les fûts sont empilés les uns sur les autres jusqu'à cinq étages. Le plus haut contient le vin le plus jeune (*criadera*), le plus bas (*solera*), le vin le plus vieux. Une ou deux fois par an, on soutire environ 20 à 30 % de vin de la* solera*. On remplace cette quantité par du vin tiré de la rangée supérieure et ainsi de suite jusqu'à la* criadera*. Le vin vieux est ainsi rafraîchi régulièrement.*

Xérès fino *recouvert d'une fine pellicule de* flor*. Sous la couche de levures, le vin est élevé pratiquement à l'abri de l'oxygène.*

La dégustation du xérès est une cérémonie : la venencia, *longue pipette, est utilisée pour prélever un échantillon du fût.*

amontillado est rare, parce que peu de producteurs de xérès attendent la détérioration spontanée des levures ; bien souvent, ils la provoquent artificiellement, en élevant le titre alcoométrique du *fino* jusqu'à 16 % vol. Les vins sont ensuite assemblés suivant le système de la *solera* et mutés avec des *vinos dulces :* vins doux de réserve. L'*amontillado* le plus courant sur le marché est *medium dry* (demi-sec).

L'*oloroso*

L'*oloroso* est un xérès sans *flor*: après sa fermentation, le vin est enrichi à 18 % vol. d'alcool, de telle sorte que le voile de levures ne peut pas se développer. Un *oloroso* est élevé au contact de l'oxygène. Cet élevage oxydatif lui confère sa couleur caramel sombre et son nez épicé où pointe une note de fruits secs. Au cours du vieillissement en *solera,* une certaine quantité de liquide s'évapore (de 3 à 6 % par an et par fût). Aussi le titre alcoométrique s'élève-t-il parfois à 23 % vol. L'*oloroso* est un xérès sec. Vieilli, il est même l'un des plus recherchés et des plus précieux. Toutefois, la majeure partie de l'*oloroso* est additionné de moût concentré rectifié pour produire le Cream Sherry, que l'on trouve sur les rayons des supermarchés. Le vin doux de réserve (mistelle ou *mistela* en espagnol) servant au mutage est appelé PX, d'après le cépage pedro ximénez dont il est issu. Celui-ci était autrefois très répandu à Jerez ; on ne l'y trouve plus guère aujourd'hui. C'est pourquoi les producteurs de xérès ont revendiqué et obtenu le droit d'utiliser des raisins de ce cépage récoltés ailleurs, dans la région de Montilla-Moriles.

L'élevage en *solera*

La seconde particularité du xérès et son mode d'élevage, appelé *solera.* Il consiste à assembler pendant plusieurs années les vins jeunes avec des xérès de millésimes plus anciens. Les plus vieux *manzanillas* peuvent rassembler jusqu'à dix-neuf millésimes différents. Ce système garantit l'homogénéité du style de xérès lors de la mise en bouteilles. En outre, il assure le maintien de la *flor.* En effet, le titre alcoométrique du xérès augmentant au fur et à mesure qu'il vieillit, la concentration en alcool menace de détruire la *flor ;* il faut donc régulièrement ajouter du vin jeune dont le degré alcoolique est moindre.

Palo Cortado : style de xérès de grande classe, résultant d'un assemblage de petits volumes d'*olorosos* élevés en *solera.* Il est difficile à trouver, les xérès étant généralement commercialisés sous les noms de *fino* ou d'*oloroso.*

Pale Cream : xérès à la robe claire, bon marché, muté avec de la mistelle.

Manzanilla Pasada : *manzanilla* vieilli, très fin, qui n'est que brièvement resté sous *flor.* Il dévoile des notes iodées en finale.

Raya : xérès doux élaboré à partir de raisins passerillés. Il n'est pratiquement jamais mis en bouteilles seul, mais est utilisé comme vin d'assemblage.

Passerillage du pedro ximénez : aujourd'hui encore, ce cépage est importé de la région voisine de Montilla-Moriles.

L'héritage français

La France est reine en matière de viticulture et de vinification. Ce règne, elle l'exerce depuis près de deux millénaires, même si elle n'est pas le berceau historique de la vigne. Elle a su traverser les crises de la fin du XIXe siècle avec succès : phylloxéra combattu par le greffage, surproduction maîtrisée par un système juridique singulier, qui devait faire des émules dans le monde entier, la notion d'appellation d'origine contrôlée.

Le Bordelais, la Bourgogne et la Champagne offrent des vins d'une inimitable qualité, et il y a tout lieu de croire que ce don se perpétuera. Cependant, la France recèle plus de quatre cents appellations d'origine, et le prestige des grandes régions ne rejaillit pas toujours sur les plus modestes.

Les experts français ont formé de nombreux élèves, dont certains se sont installés en Californie, en Australie, au Chili ou en Espagne. Ces derniers appliquent désormais les leçons apprises avec la même maîtrise que les vignerons de l'Hexagone. L'astre français brille certes toujours, mais la concurrence du Nouveau Monde se fait de plus en plus pressante.

Reims
Paris
Champagne
Anjou
Nantes
Coteaux du Layon
Anjou
Tours
Vouvray
Muscadet
Bourgueil
Touraine
Saumur
Chinon
Chablis
Auxerrois
Sancerre
Pouilly-Fumé
Menetou-Salon
Dijon
Haut-Poitou
Côte de Nuits
Côte de Beaune
Côte Chalonnaise
Château-Chalon
Mâconnais
Beaujolais-Villages
Beaujolais
Lyon
Bordeaux
Bergerac
Bordeaux
Monbazillac
Côte-Rôtie
Condrieu
Saint-Joseph
Hermitage
Cornas
Cahors
Clairette de Die
Côtes du Rhône-Villages
Gaillac
Tursan
Béarn
Madiran
Irouléguy
Jurançon
Toulouse
Coteaux du Languedoc
Faugères
Saint-Chinian
Minervois
Côtes du Rhône
Côtes du Ventoux
Costières-de-Nîmes
Côtes du Luberon
Coteaux d'Aix-en-Provence
Coteaux du Languedoc
Blanquette de Limoux
Corbières
Fitou
Marseille
Coteaux varois
Côtes de Provence
Cassis
Bandol
Côtes du Roussillon
Banyuls

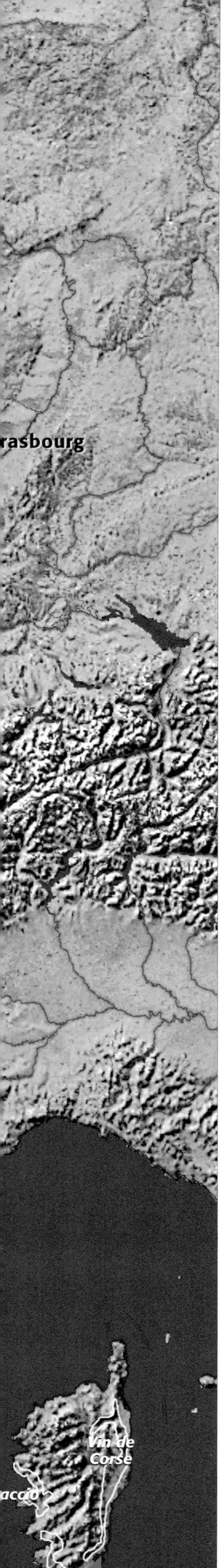

La France et ses terroirs

Dans l'esprit français, la qualité d'un vin est dictée à la fois par la nature du sol, le climat et l'art du vinificateur. La notion de terroir est ainsi un véritable credo. Malgré son évidence apparente, elle ne fait pas l'unanimité dans le monde.

La conception française du vin se traduit avant tout dans quelques terroirs d'exception. Que serait le pinot noir sans la Bourgogne ? Que serait le cabernet-sauvignon sans les graves qui tapissent les rives de la Gironde ? Ces deux cépages sont aujourd'hui cultivés avec succès dans le monde entier. Toutefois, c'est dans leur région d'origine qu'ils donnent le meilleur d'eux-mêmes. La qualité est du ressort de l'homme, le caractère relève du cépage, de la nature du sol, du climat et même du microclimat. Aubert de Villaine, cogérant du domaine de la Romanée-Conti, résume cette philosophie : « La vérité est dans le vignoble, pas dans la main de l'homme. »

Assemblage et vins monocépages

Bien sûr, il existe d'importantes différences régionales en France. Dans le Sud comme dans le Sud-Ouest, on s'accorde à penser que les vins – et surtout les vins rouges – doivent être issus de plusieurs cépages. L'assemblage enrichit leur nature et réduit le risque de trop grandes variations selon les millésimes. En AOC châteauneuf-du-pape, par exemple, treize cépages sont autorisés. En revanche, dans la partie septentrionale du pays (vallée de la Loire, Savoie, Beaujolais, Alsace et surtout Bourgogne), la plupart des vins ne sont issus que d'une seule variété de raisin. Les premiers crus et les grands crus bourguignons proviennent d'une aire très strictement circonscrite à un lieu-dit, ou *climat,* qui se distingue par la qualité de son sol et de son exposition. En Champagne seulement, les vignerons recourent à l'assemblage, c'est-à-dire au mélange de vins : le champagne est traditionnellement issu de pinot noir, de chardonnay et de pinot meunier récoltés sur des parcelles distinctes.

L'empereur Probus et les débuts de la viticulture

Les premières vignes furent probablement implantées en France par les Grecs, vers l'an 600 avant J.-C. Ces derniers choisirent tout d'abord la région située entre Marseille et Banyuls. Mais ce furent les Romains qui favorisèrent la viticulture dans leur province gauloise. Ensuite, les vignobles colonisèrent une large partie de la vallée du Rhône. Au IIe siècle après J.-C., les vignes s'étendaient jusqu'en Bourgogne et dans le Bordelais. Selon les historiens, la France a véritablement développé une culture et une tradition du vin sous l'empereur Aurelius Probus (232-282 après J.-C.). Sur ses ordres, toute la Gaule fut plantée de ceps, qui firent l'objet de soins jaloux. Après l'assassinat de l'empereur, la vigne continua de prospérer jusqu'à atteindre la Champagne au IVe siècle.

La fortune du vin français

En France, l'extension du vignoble alla de pair avec l'essor de la religion. Les églises avaient besoin de vin de messe, et les bénédictins, comme les cisterciens après eux, conjuguaient volontiers la piété et l'art de la vigne aux abords de leurs abbayes. Ainsi, faisaient-ils abstraction de l'ivresse que procure le jus de la treille, à l'exemple de la noblesse séculière et de la jeune bourgeoisie née à la fin du Moyen Âge. Dès le XIIe siècle, ces moines vignerons établirent un commerce actif avec l'Angleterre, puis avec l'Écosse, la Hollande et l'Allemagne. La noble boisson originaire du royaume de France fut de plus en plus appréciée, et la viticulture ne fit que croître. Au début du XVIIe siècle, il existait en France trois fois plus de vignobles que de nos jours. En Bordelais, les membres du parlement furent longtemps propriétaires des grands châteaux du Médoc. Après la Révolution et la sécularisation des biens de l'Église, la bourgeoisie prit en charge les domaines créés par la noblesse et les religieux. En 1855, à la demande de l'empereur Napoléon III, la chambre de commerce de Bordeaux établit un classement des châteaux de la région. Celle-ci reste en vigueur aujourd'hui.

Le château d'Yquem produit le plus célèbre vin liquoreux français.

Un jeu de perles

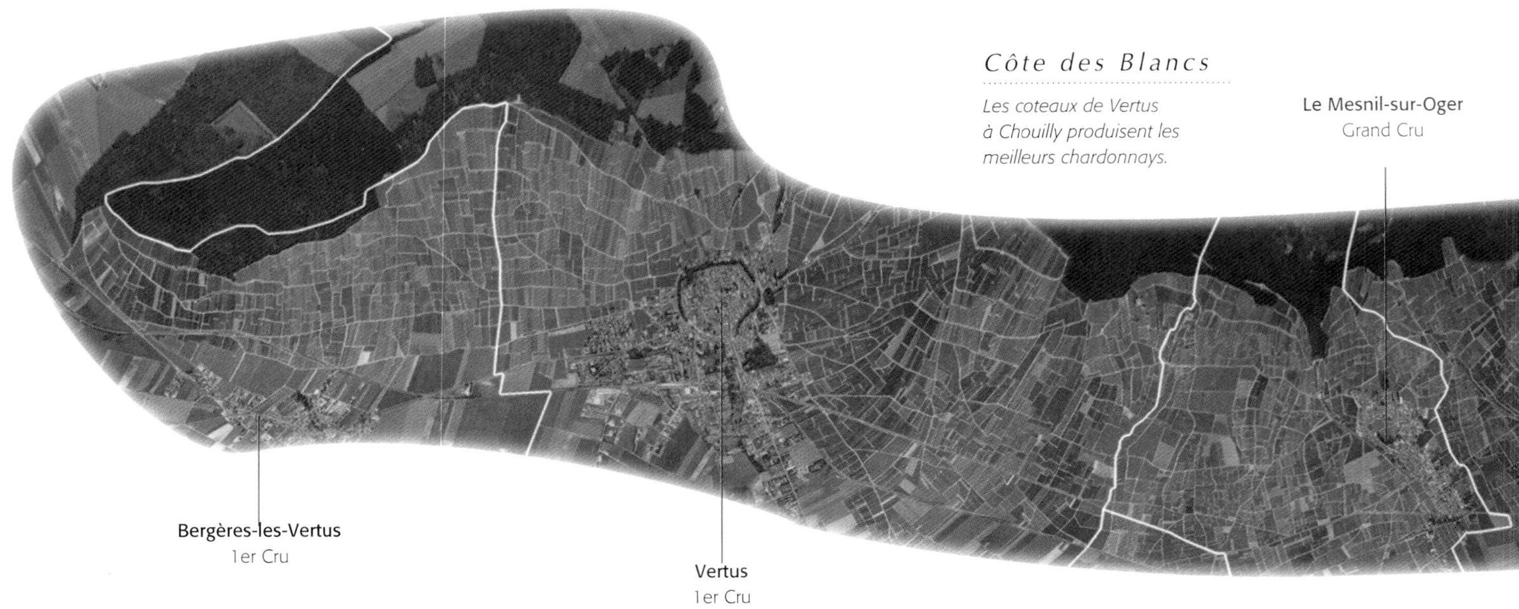

La Champagne est la région viticole la plus septentrionale de France. Des températures annuelles relativement basses, des gelées de printemps fréquentes, un automne souvent court ne créent théoriquement pas des conditions idéales pour la viticulture. Néanmoins, quand il s'agit de produire du champagne, elles le sont.

La Champagne est un terroir assez éclaté mais toujours calcaire, bénéficiant d'un centre de prestige, Reims, et d'un centre de production, Épernay, sur la Marne. La Montagne de Reims, la vallée de la Marne et la Côte des Blancs au sud d'Épernay forment le cœur de la Champagne. C'est là que se trouvent les meilleurs crus. C'est aussi la patrie des grandes marques, des vins les plus raffinés. Officiellement, le terroir du champagne dépasse pourtant largement cette zone, et même les limites du département de la Marne. En tout, la production de champagne s'étend sur cinq départements. Certains vignobles sont situés à 150 km au sud de Reims. Le champagne est du reste le seul vin français d'appellation qui ne porte pas la mention AOC sur son étiquette. « Il n'est vin de Champagne que le champagne », dit un proverbe régional.

Grandes marques et petits récoltants

Le vignoble est complanté des trois cépages champenois : chardonnay, pinot noir et pinot meunier, les deux derniers couvrant (à égalité) à peu près trois quarts de la superficie, le chardonnay environ 25 %. Les températures fraîches et les sols calcaires extrêmement pauvres que seuls des apports réguliers d'engrais rendent aptes à la culture de la vigne expliquent la qualité spécifique des vins, qui se distinguent à la fois par leur rondeur (pinot noir) et leur finesse (chardonnay). Les grandes marques de champagne qui dominent le marché ne possèdent au total que 10 % du vignoble. Elles achètent la majeure partie de leur raisin à des récoltants. Les vignobles de Champagne se répartissent entre 15 000 petits viticulteurs possédant chacun, en moyenne, moins de 2 ha. La plupart de ces récoltants vivent de la vente de leur raisin. Les autres, moins nombreux, appelés récoltants-manipulants, élaborent leur propre vin effervescent. Ces champagnes de propriétaires sont souvent originaux et atypiques, parfois d'une grande finesse. Enfin, certains viticulteurs, dits récoltants-coopérateurs, livrent leur vendange à une coopérative qui vinifie et procède à la prise de mousse.

L'échelle des crus

Les vignobles de Champagne sont officiellement classés sur une échelle de crus, qui va de 80 à 100 % en fonction de la qualité. Les terroirs classés de 90 à 99 % sont des premiers crus, ceux classés 100 % des grands crus. C'est-à-dire qu'un vigneron dont le terroir est classé 99 % vendra ses raisins à 99 % du prix officiel maximal. Le prix du raisin est fixé chaque année au terme d'âpres négociations entre les associations de vignerons et les représentants des maisons de champagne, réunis au sein du Comité interprofessionnel du vin de Champagne (CIVC). L'échelle des crus est le résultat d'études poursuivies pendant des décennies, au cours desquelles on a déterminé la proportion de craie dans le sol, la profondeur de la couche de craie, apprécié l'exposition du vignoble et de nombreux autres critères.

Brut sans année et champagne millésimé

Le chardonnay trouve un terroir de prédilection au sud d'Épernay, sur la Côte des Blancs, autour des villages de Chouilly, Cramant, Avize, Oger et Le Mesnil-sur-Oger, tandis que le meilleur pinot noir provient de Bouzy et d'Ay. S'il existe une seule et unique AOC champagne, la palette des vins est vaste et susceptible de satisfaire tous les usages et tous les goûts des consommateurs. Le champagne peut être blanc de blancs (issu du seul chardonnay), blanc de noirs (de pinot meunier, pinot gris ou des deux), millésimé (une seule vendange) ou bien le résultat d'un assemblage de crus différents ou de plusieurs millésimes (brut sans année). Les non-millésimés peuvent être composés de vins jeunes, ou faire appel à des vins de réserve en proportions variables. Quant au champagne rosé, il est obtenu par mélange de vins rouges et blancs, ou par saignée. Quel que soit son type, on s'accorde à penser que le meilleur champagne est celui qui a mûri le plus long-

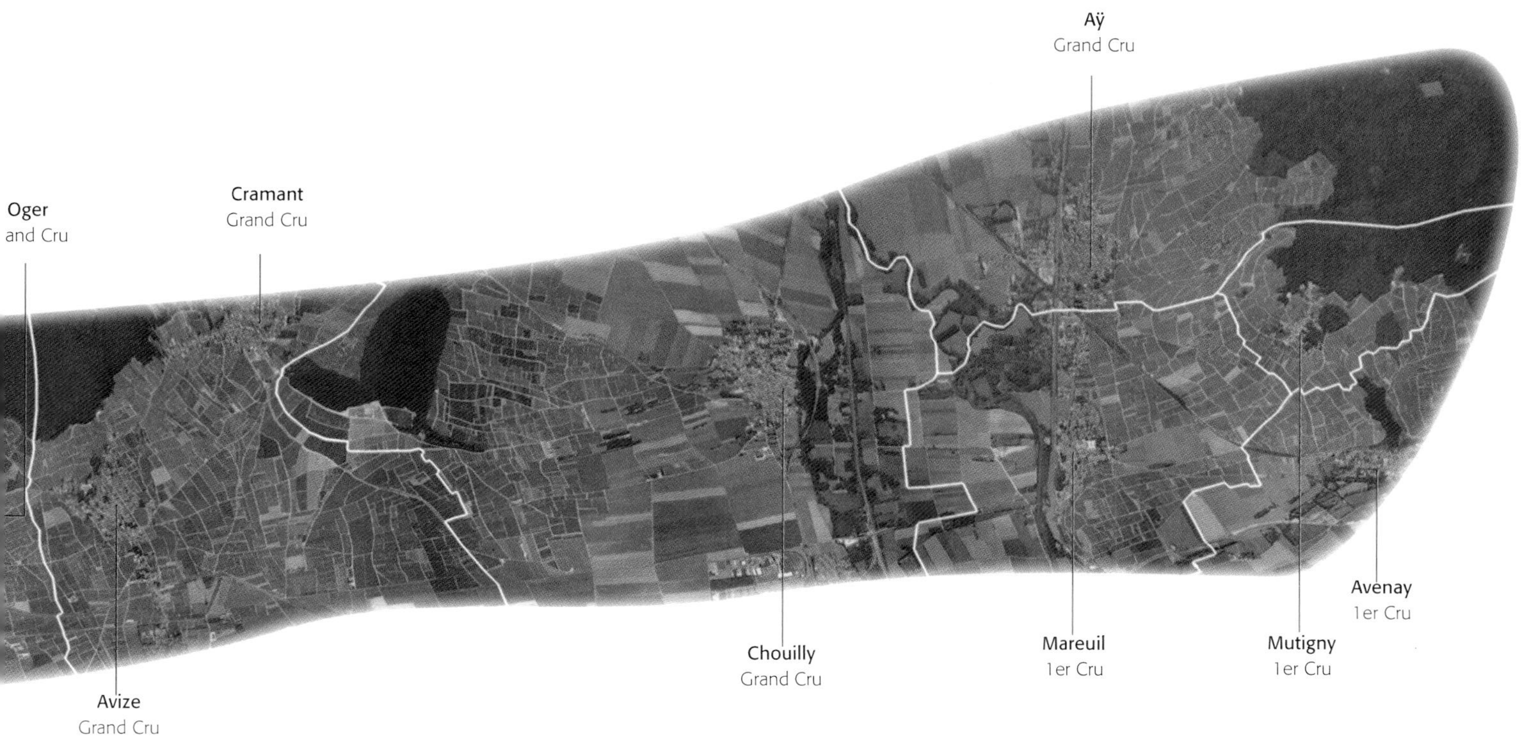

temps sur ses lies (de cinq à dix ans), consommé dans les six mois suivant son dégorgement. Certaines maisons et quelques récoltants-manipulants proposent des cuvées de prestige, vins de haute qualité qui sont les porte-drapeaux de la marque.

Des vins tranquilles

La Champagne produit également des vins tranquilles. L'appellation coteaux-champenois correspond à des vins rouges et rosés, rarement blancs. Le coteaux-champenois rouge de Bouzy (grand cru de pinot noir) est très réputé. Dans cette commune, se situe l'un des deux vignobles les plus étranges du monde (l'autre se trouve à Ay) : il s'agit de vieilles vignes françaises préphylloxériques, conduites « en foule » selon une technique immémoriale abandonnée partout ailleurs. Tous les travaux sont exécutés artisanalement, à l'aide d'outils anciens. C'est la maison Bollinger qui entretient ce joyau destiné à l'élaboration du champagne le plus rare et le plus cher.

Enfin, le rosé-des-riceys est un vin élégant et fort coûteux produit sur la commune des Riceys, à l'extrême sud de l'Aube. Il était déjà apprécié à la cour de Louis XIV, où il aurait été apporté par les spécialistes établissant les fondations du château, les « canats », origi-naires des Riceys. Ce vin rosé peut vieillir de trois à dix ans, lorsqu'il a été élevé en pièces.

Montagne de Reims

Bouzy et les crus voisins sont réputés pour leur pinot noir.

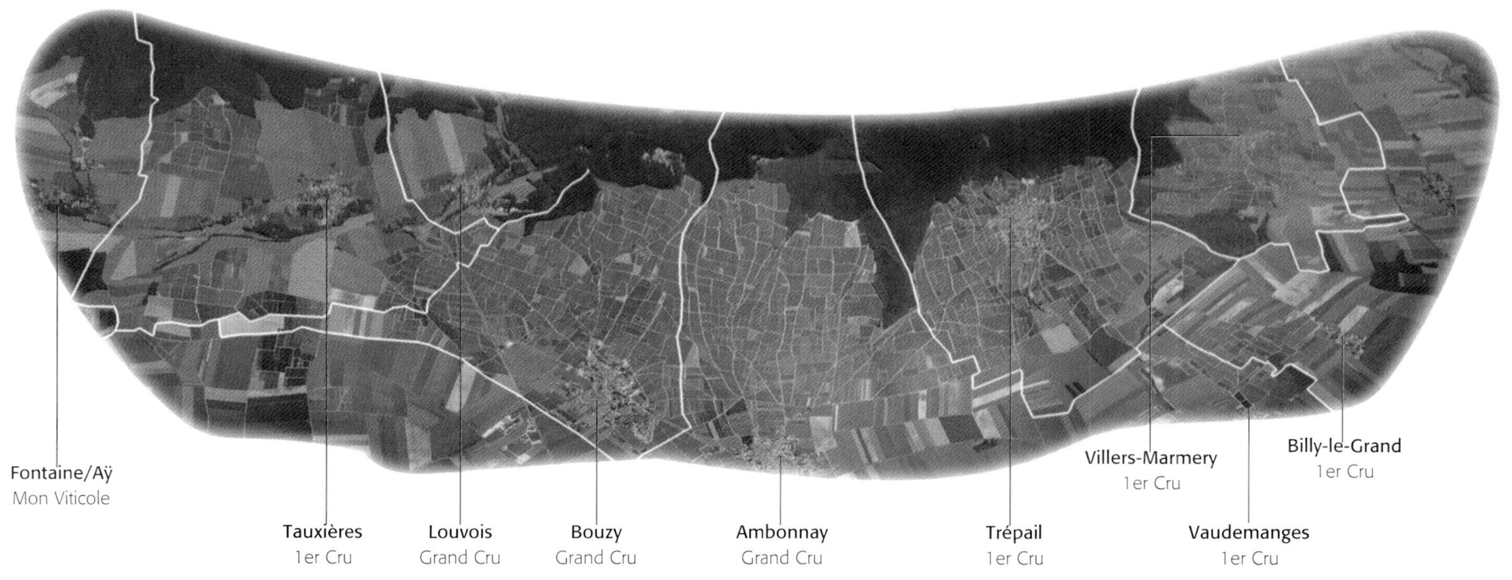

L'attrait des cépages

Les vins d'Alsace sont souvent considérés comme des bouteilles à boire sans tarder, ce qui est vrai du sylvaner, du chasselas, du pinot blanc et de l'edelzwicker. Toutefois, cette région produit aussi quelques-uns des meilleurs vins de France. Riesling, gewurztraminer et pinot gris méritent indéniablement leurs lettres de noblesse.

En suivant la Route des vins, de Thann au sud jusqu'à Marlenheim au nord, c'est tout le charme de l'Alsace que l'on découvre au détour de petits villages accueillants aux maisons à colombages, de *Weinstuben* où l'on chante en levant son verre. Ici, les vins se nomment riesling, gewurztraminer ou edelzwicker, et, dans les caves, les traditionnels foudres sculptés rappellent ceux de la Moselle.

Deux philosophies de chaque côté du Rhin

Autrefois occupée par l'Allemagne, l'Alsace a vécu au rythme de sa viticulture avant de retrouver la philosophie française du vin. Si elle accorde une grande importance aux cépages, elle souligne encore davantage le rôle spécifique du sol et des microclimats. En outre, les Alsaciens produisent essentiellement des vins secs, qui ont plus de corps et un titre alcoométrique plus élevé que leurs pendants allemands. L'appellation alsace s'étend du nord au sud sur une distance de plus de 150 km. Elle autorise la vinification de l'ensemble des cépages alsaciens. La plus grande partie du vignoble est implantée sur les collines qui bordent le massif vosgien.

Kientzheim et ses maisons traditionnelles à colombages.

Le village alsacien de Turkheim. À l'arrière-plan, le grand cru Brand.

Un éventail de cépages

L'Alsace est un pays de vin blanc. Le seul cépage rouge implanté au pied des Vosges est le pinot noir. Cependant, il représente à peine 10 % de la surface du vignoble. Au premier rang des préférences des vignerons se placent les riesling, gewurztraminer, muscat et pinot gris (appelé tokay-pinot gris il y a peu de temps encore). Ils couvrent à eux quatre la moitié du vignoble. L'implantation la plus intensive de ces quatre cépages nobles se situe dans le département du Haut-Rhin. Là, le riesling et le gewurztraminer atteignent leur meilleur potentiel. Le sylvaner et le pinot noir dominent dans le département du Bas-Rhin. On cultive aussi le chasselas, l'auxerrois et le pinot blanc. Il n'est pas rare que derrière la désignation de pinot blanc se cache aussi un chardonnay. Les vignerons utilisent ce dernier cépage pour l'élaboration du crémant-d'alsace.

Les cinquante grands crus

L'appellation alsace a connu une évolution significative en 1975, avec la consécration des grands crus. Treize mille hectares de vignes ont ainsi été délimités en fonction du sol, de l'exposition et de la pente du terrain. Vingt-cinq aires furent tout d'abord élevées au rang de grands crus, parmi lesquelles les célèbres vignobles de Rangen de Thann, Schlossberg à Kientzheim et Kayserberg, Sporen à Riquewihr, Hengst à Wintzenheim. Vingt-cinq autres terroirs sont venus les rejoindre en 1990, de sorte qu'il existe aujourd'hui cinquante grands crus, dont la production ne représente que 3,2 % du volume alsacien. L'appellation ne s'applique qu'aux quatre cépages nobles cités. Parfois, un cru ne peut être planté que d'une variété bien spécifique : par exemple le riesling de Kastelberg à Andlau. Si l'on plantait un autre cépage sur ce terroir, ce ne serait plus un grand cru. Toutefois, d'autres terroirs, non classés, offrent des vins de tout premier plan. Ils n'ont pas été consacrés en AOC grand cru du fait d'une trop grande hétérogénéité géologique.

Le riesling

Les vins d'Alsace sont généralement des vins monocépages. Bien exposé, le riesling est roi dans cette région. Il constitue plus de 20 % du vignoble. Sur les sols sablonneux, à basse altitude, il se développe de façon vigoureuse et donne de hauts rendements. Ses vins dévoilent alors un arôme floral et des tonalités de pêche et de pomme. Sur les sols de gneiss, de schistes ou de lave volcanique, à une altitude plus élevée, non seulement il acquiert une plus grande plénitude, mais il prend une note minérale indéfinissable qui se traduit d'abord par un arôme de silex (pierre à fusil) avant de s'orienter vers un goût de pétrole. Cette palette atténue l'acidité élevée que conserve le riesling en dépit de vendanges tardives. Selon son terroir d'origine, un alsace-riesling bénéfie d'un potentiel de garde de deux à dix ans

Aux alentours de Kayserberg, le riesling produit de beaux vins aux notes minérales sur les terroirs de grands crus.

Le gewurztraminer, le pinot gris et le muscat

Le gewurztraminer a une longévité égale à celle du riesling. Alors que ce cépage régresse presque partout en Europe en raison de ses rendements faibles et incertains, il est soigneusement cultivé en Alsace. Il occupe presque 20 % du vignoble alsacien, même si le volume de vin est faible. Le gewurztraminer provenant de bons terrains offre un témoignage fascinant de la tradition vinicole. C'est un vin lourd, qui a du corps (titrant souvent plus de 14 % vol.), faiblement acide, conservant un peu de sucres résiduels. Il se prête admirablement à la garde et, correctement conservé en bouteille, il est presque pérenne. S'il passe pour un vin viril, son bouquet est pourtant d'une variété ludique, avec des arômes de rose ou de litchi. N'oublions pas que ce cépage est parfois dénommé traminer musqué du fait des fortes similitudes de ses arômes avec ceux du muscat : la rose est, en effet, l'un des composants du nez du muscat.

Le pinot gris donne aussi un vin séveux. D'une saveur assez neutre lorsqu'il est jeune, avec un léger arrière-goût fumé, il prend au fil des années une rondeur que les vins de cépage du même nom n'atteignent nulle part ailleurs dans le monde. Plein de noblesse, il est alors susceptible de remplacer un vin rouge sur les plats de viande. Lorsqu'il est somptueux comme en 1983, 1989 et 1990, c'est l'un des meilleurs compagnons du foie gras. Le muscat (il y en existe deux variétés en Alsace : muscat à petits grains et muscat ottonel) se traduit, en règle générale, par un vin d'apéritif léger, faible en alcool, vinifié en sec et marqué par son goût de raisin intensément épicé.

Les autres vins

Le sylvaner, deuxième cépage en volume, produit en Alsace un vin léger, âprement fruité, qui n'atteint une réelle qualité que sur de très bons terroirs. Le pinot blanc donne, dans cette région, un vin peu corpulent. Le chasselas, l'auxerrois et les autres cépages sont généralement assemblés pour l'élaboration d'edelzwicker.

Le pinot noir est traditionnellement un vin rouge léger à la robe claire. Les viticulteurs jeunes et ambitieux essaient toutefois de lui donner plus de structure et de l'élever en fût. Après avoir presque disparu, ce cépage occupe 8,5 % du vignoble couvrant 1 225 ha. Il rappelle qu'au Moyen Âge les vins rouges représentaient une part importante de la production régionale.

Enfin, parmi les spécialités alsaciennes, les alsace vendanges tardives et sélection de grains nobles constituent des productions exceptionnelles, issues de raisins surmûris. Leur prix est élevé. Seuls le gewurztraminer, le pinot gris, le riesling et, plus rarement, le muscat peuvent bénéficier de ces mentions. Ils font partie des meilleurs vins de l'Hexagone. Si le riesling conserve son profil aromatique (fleurs blanches et pêche), les autres cépages sont plus marqués par la surmaturation : les notes de sous-bois, de champignon, de miel et de pain d'épice viennent compléter les senteurs fumées du pinot gris ou les arômes de peau d'agrume du gewurztraminer.

Cave du domaine Weinbach : le riesling fermente traditionnellement dans des foudres en bois.

Terre des châteaux et de la vigne

Le château de Nozet est le siège du domaine Baron de Ladoucette, producteur mondialement connu de pouilly-fumé.

Sur les bords de la Loire, on ne trouve pas seulement des châteaux, mais aussi près de 400 km de vignobles. Ces dernières années, les viticulteurs ont surtout planté des cépages rouges, avec succès.

Les appellations du Muscadet

Le pays nantais, à l'embouchure de la Loire, produit un vin qui s'accorde bien avec la cuisine de la côte atlantique : le muscadet, dont on apprécie la fraîcheur sur les plats de poissons et de crustacés. Beaucoup d'étiquettes portent la mention « sur lie ». Parce que le muscadet (également appelé melon de Bourgogne) n'est pas un cépage très aromatique, les vignerons eurent très tôt l'idée d'élever leur vin sur ses lies, puis de le soutirer directement de manière à en préserver la fraîcheur et à lui conférer plus de complexité. Suivant la situation géographique, on distingue quatre appellations : muscadet-de-sèvre-et-maine (85 % de la production), muscadet-côtes-de-grand-lieu, muscadet-des-coteaux-de-la-loire et muscadet.

L'Anjou

Région traditionnellement productrice de vin blanc, l'Anjou est connu pour ses vins d'une forte acidité, à base de chenin blanc et de grolleau (ou groslot). Beaucoup d'entre eux contenaient autrefois des sucres résiduels. Inquiets de la crise des vins doux, les viticulteurs de la région se sont convertis aux vins blancs secs. Ils ont donné leur préférence au cabernet franc, cépage rouge implanté depuis un siècle déjà sur les bords de la Loire, mais qui n'avait jamais joué un rôle quantitativement important en Anjou, à quelques exceptions près. Aujourd'hui, le cabernet franc offre des vins épicés, fruités, relativement bon marché, épaulés par un petit pourcentage de cabernet-sauvignon et d'autres cépages. Cet assemblage vaut pour l'anjou, le saumur et l'anjou-villages. Tous trois sont, en règle générale, des vins rouges délicats et agréables. Cependant, l'Anjou est plus célèbre pour ses vins rosés demi-secs. Le gamay est le principal cépage rouge de la région. Il est souvent complété par de petites quantités de cabernet, cot, grolleau et autres cépages locaux. Lorsque la part de cabernet franc ou de cabernet-sauvignon domine, le vin est commercialisé sous l'appellation cabernet-d'anjou. De couleur rouge pâle, il dévoile lui aussi une douceur notable.

Dans certaines communes d'Anjou, on replante toutefois des cépages blancs, en particulier du chenin blanc, dont on tire de grandes quantités de saumur mousseux, élaboré selon la méthode traditionnelle (son prix est bien inférieur à celui du champagne). Le saumur blanc tranquille, étrangement méconnu, mérite aussi l'intérêt des amateurs. À l'instar du vin mousseux, il contient – outre le chenin blanc – un peu de sauvignon et de chardonnay. Enfin, dans toute la région de l'Anjou (comme en Touraine), on élabore le crémant-de-loire à partir du chenin blanc, du cabernet franc et de quelques autres cépages.

Saumur-champigny

Cette petite appellation attachée à la ville de Saumur est réputée pour son vin fin et gouleyant de cabernet franc. Sur les sols calcaires du nord du Saumurois, dominant la Loire, le cabernet franc appelé ici breton donne des vins proches de ceux de chinon et bourgueil.

Coteaux-du-layon

La vaste appellation (1 450 ha) de la vallée du Layon, affluent de la Loire, livre des vins blancs demi-secs, moelleux ou liquoreux, de chenin blanc. Subtils, ils se reconnaissent à leur nez de miel et d'acacia. Leur capacité de vieillissement est étonnante.

Quarts-de-chaume et bonnezeaux

Ces deux petites appellations du Layon reposent sur la maturation tardive du chenin blanc ; récolté sur des coteaux exposés au sud-ouest, par tries successives, ce cépage donne des vins liquoreux, qui peuvent être aussi opulents qu'un sauternes.

Savennières

L'appellation savennières produit des vins blancs secs de chenin blanc, un peu nerveux. Enclavées dans cette dernière, les vignes de la coulée-de-serrant (7 ha en monopole) et de la roche-aux-moines (33 ha) ont atteint une notoriété mondiale grâce à leurs vins aptes à une garde exceptionnelle.

Touraine

La région de Tours, sur la Loire, revendique une multitude de vins rouges, rosés ou blancs, légers et friands. Les rouges sont essentiellement issus du gamay (étayé par un peu de cabernet, de pinot noir et quelques autres cépages), les blancs de sauvignon et de chenin (pour une petite part aussi de chardonnay et d'arbois). L'appellation touraine compte plus de 5 000 ha, touraine-amboise 150 ha, touraine-azay-le-rideau 50 ha, et touraine-mesland 250 ha.

À Sancerre et à Pouilly sont récoltés les meilleurs sauvignon du cours supérieur de la Loire.

Chinon
Petite appellation de Touraine (1 900 ha) qui s'étend autour de la ville médiévale chère à Rabelais, chinon est à l'origine de vins fins de cabernet franc, qui vieillissent bien. Le chenin blanc, confidentiel, est un vin plutôt sec.

Bourgueil et saint-nicolas-de-bourgueil
Jouxtant celle de Chinon, les aires de Bourgueil et de Saint-Nicolas-de-Bourgueil produisent des vins de cabernet franc racés, dotés de tanins élégants.

Vouvray
Les vignobles (2 000 ha) qui entourent la petite ville de Vouvray sont plantés de pineau de la Loire, ou chenin blanc. Les vins, fruités et légers, sont secs, demi-secs ou moelleux. Ils peuvent être particulièrement élégants et d'une longévité étonnante. Les meilleurs sont presque immortels. Quelques-uns servent à l'élaboration d'un vin fin effervescent : le vouvray mousseux.

Sancerre
La vallée du cours supérieur de la Loire est le berceau d'un vin blanc fruité, à l'arôme de feuille de cassis et de poivron, qui porte le nom de la petite ville de Sancerre, dominant le fleuve. L'appellation s'étendant sur plusieurs communes voisines, les sols, et par conséquent les caractères des vins, diffèrent. Le sancerre est toujours issu d'un cépage unique : le sauvignon blanc. Il n'est pas facile de produire un grand vin avec ce cépage de deuxième époque de maturité, non loin de la limite nord de la culture de la vigne, à des altitudes de 200 à 300 m qui influencent encore la climat local et sur des sols qui comptent parmi les plus pentus de France. Pourtant, les vignerons du Sancerrois y parviennent régulièrement. Ces dernières années, les plantations de pinot noir ont permis de produire un sancerre rouge léger.

Les autres vins

Menetou-salon : ce vignoble de 336 ha doit son origine à la proximité de la métropole médiévale qu'était Bourges ; Jacques Cœur y eut des vignes. Ses vins blancs de sauvignon, frais, épicés, ses rosés délicats et fruités, ses rouges de pinot noir harmonieux et bouquetés font la fierté du Berry viticole. Ils sont à boire jeune.

Pouilly-fumé et pouilly-sur-loire : appelé ici blanc fumé, le sauvignon offre des vins caractéristiques des sols calcaires : une fraîcheur qui n'exclut pas une certaine fermeté, un assortiment d'arômes spécifiques du cépage.

Quincy et reuilly : les vins exclusivement blancs de Quincy présentent une grande légèreté, une certaine finesse et de la distinction dans le type frais et fruité. À Reuilly, les vins blancs ont la vedette, devant des vins rosés tendres et distingués, et des vins rouges de pinot noir enveloppés.

Les vins rouges de Chinon et de Bourgueil sont élevés en petits fûts de chêne

Des vins de pourpre et de soie

Autour de Puligny-Montrachet, les grands crus produisent de légendaires vins blancs d'une finesse inégalée.

La Côte d'Or est le joyau de la Bourgogne viticole. Son vignoble se partage entre Côte de Nuits, de Dijon à Corgoloin, et Côte de Beaune, qui s'achève au sud, avec les maranges. Sur ces terres où le calcaire affleure se trouvent les meilleurs crus de France.

Nuits-saint-georges

La petite ville de Nuits-Saint-Georges constitue le centre des ventes des vins de la Côte de Nuits. De nombreux viticulteurs-négociants de renom, tels Joseph-Faiveley et Moillard, y sont établis. Les coteaux qui dominent la ville sont exclusivement plantés de pinot noir. Nuits-Saint-Georges et l'agglomération voisine de Prémeaux-Prissey ne possèdent aucun grand cru, mais une succession de premiers crus, dont certains atteignent des qualités exceptionnelles, comme le clos de la Maréchale et le clos de l'Arlot, et surtout les Saint-Georges et les Vaucrains. De couleur relativement claire mais puissants au palais, ces vins développent un arôme de griotte et de fumé.

Vosne-romanée

Le cœur de la Côte de Nuits palpite au sein des coteaux de ce petit village rêveur. Ici, les vins arborent un velouté, un nez, une finesse épicée et une plénitude incomparables. Les grands crus se situent à mi-pente, le plus célèbre d'entre eux, la romanée-conti, monopole, faisant partie des vins les plus chers du monde. La grande-rue, richebourg, la romanée, la romanée-saint-vivant, la tâche, échézeaux, grands-échézeaux (dans la commune de Flagey-Échézeaux) sont d'une notoriété incontestée.

Vougeot et clos-de-vougeot

D'une superficie de 50 ha, le clos-de-vougeot s'arroge la plus vaste superficie dévolue à un grand cru de Côte de Nuits. Entièrement ceint de murs, il s'étend du château jusqu'à la route nationale 74. On fait souvent la différence entre les vins « du dessus », ceux du « milieu »

et ceux « du bas », mais tous sont grands même si le nombre important de propriétaires se partageant les parcelles justifie quelques différences dans les techniques de vinification. L'appellation communale vougeot consacre quelques hectares à des premiers crus.

Chambolle-musigny

Au pied de la côte, la commune de Chambolle-Musigny élève des vins assez souples, aux arômes étonnamment puissants. Aucun autre vin ne dégage aussi distinctement le fascinant bouquet du pinot : de subtiles senteurs d'iris se conjuguent avec des notes sous-jacentes de prune. Les meilleures parcelles sont réunies dans les grands crus bonnes-mares et musigny, qui produisent des vins d'une finesse incomparable (une partie des surfaces sont plantées de chardonnay). Tout près de là, les premiers crus Les Amoureuses et Les Charmes brillent de tous leurs feux.

Morey-saint-denis

Une centaine d'hectares constituent l'appellation communale, alors que les grands crus se partagent entre le clos-de-tart, le clos-des-lambrays (vins aériens et élégants), le clos-saint-denis et le clos-de-la-roche (dont les vins acquièrent la stature et la solidité des chambertin).

Gevrey-chambertin

Voici la plus grande commune viticole de la Côte de Nuits. La vigne s'étend de la lisière forestière jusqu'à la vallée, passant au-delà de la route nationale 74. Les grands crus appartiennent à la partie supérieure du coteau et sont répartis selon la déclivité de la pente ou l'exposition. Les vins qui mûrissent ici sont qualifiés de virils, charnus, fougueux. Ce sont les vins rouges de Bourgogne les plus vigoureux. Quelques nuances les différencient : le chambertin et le chambertin-clos-de-bèze se rangent parmi les plus corsés, et le mazis-chambertin parmi les plus veloutés. Les autres membres de la famille du chambertin sont chapelle-chambertin, charmes-chambertin, mazoyères-chambertin, griottes-chambertin, latricières-chambertin et ruchottes-chambertin.

Parmi les premiers crus, principalement situés au nord de la commune, citons le mémorable clos Saint-Jacques, ainsi que les Évocelles, les Champeaux et la combe aux Moines, où allaient en promenade les moines de l'abbaye de Cluny, qui furent au XIIIe siècle les plus importants propriétaires de Gevrey. Les gevrey-chambertin peuvent également se prévaloir d'une qualité admirable. Ils sont solides et puissants dans le coteau, élégants et subtils dans le piémont constitué essentiellement de graviers calcaires.

Chablis et les autres

La Bourgogne viticole ne se limite pas à la Côte d'Or. D'excellents vins rouges et blancs sont également produits dans le Chablisien, en Côte chalonnaise et dans le Mâconnais.

La Bourgogne commence à Auxerre, patrie du chablis, et s'étend sur 250 km, presque jusqu'à Lyon. Cette ancienne terre de culture, boisée et vallonnée, produit quelques-uns des meilleurs vins blancs et rouges. S'ils n'étaient pas à l'ombre des illustres crus de la Côte d'Or, on leur accorderait sans doute une plus grande attention. Quatre cépages sont essentiellement cultivés aujourd'hui en Bourgogne. Les principaux sont le pinot noir et le chardonnay, qui donnent des vins de Bourgogne respectivement rouges et blancs. Le gamay, autrefois planté dans toute la région, n'est plus guère présent que dans le Sud. L'aligoté, fort répandu jadis, est le cépage dont l'avenir est le plus incertain ; il ne se trouve plus actuellement que dans des aires marginales, où il sert à l'élaboration de vins blancs frais et légers.

Le Chablisien est le vignoble le plus septentrional de la Bourgogne (ci-dessus AOC chablis grand cru, climat Les Clos).

Chablis

Le chablis est l'un des plus célèbres vins blancs français, maintes fois imité dans le monde. Il est produit dans une petite région autour de la ville d'Auxerre et porte le nom d'une merveilleuse petite bourgade d'à peine 3 000 habitants, sur le Serein, qui n'est jamais qu'un gros ruisseau.

La région de Chablis représente 4 000 ha de vignoble, et cette surface tend à s'accroître. Les vignes de bordure du plateau ainsi que quelques terres basses produisent le petit-chablis. Peu complexe, il est à la base de la hiérarchie du Chablisien. L'appellation chablis (75 % de la production) offre dans les bonnes années un vin frais et léger, à boire entre un et trois ans. Le chablis premier cru (745 ha) provient d'une trentaine de lieux-dits, dont les plus célèbres sont la Montée de Tonnerre, Fourchaume, Mont de Milieu, Forêt ou Butteaux, et Léchet. Une meilleure maturité du raisin assure une garde de cinq ans au moins pendant laquelle le vin acquiert des notes de noisette fraîche. Enfin, les grands crus, au nombre de sept (103 ha), sont tous situés sur la crête de la colline : Blanchot, Bougros, les Clos, Grenouille, Preuses, Valmur et Vaudésir. Complet, le chablis grand cru demande un vieillissement de huit à quinze ans pour développer son bouquet de pierre à fusil.

Vendanges à Puligny-Montrachet.

Le chablis naît du chardonnay. Compte tenu de la latitude (Chablis n'est qu'à 180 km au sud-est de Paris), les raisins mûrissent un peu plus tard que dans le sud de la Bourgogne ; le cycle végétatif étant plus court, ils n'atteignent pas le même degré de maturité qu'en AOC meursault ou puligny-montrachet. Il fait souvent frais jusqu'à une date avancée du printemps, et les gelées nocturnes sont encore assez fréquentes en avril et en mai. On comprend dès lors que le chablis ait une forte acidité. Les sols, riches en coquillages fossiles et très calcaires, soulignent en outre davantage l'accent minéral que la structure du vin. Le chablis est le seul vin de chardonnay qui ne soit pas traditionnellement élevé en fût, mais dans des cuves en béton ou en acier inoxydable. Toutefois, la fermentation et l'élevage sous bois ont fait l'objet d'un large et âpre débat. Les partisans de l'élevage en fût comme Dauvissat et Raveneau s'opposent aux traditionalistes comme Durup et Michel. Reste que ces domaines comptent parmi les porte-drapeaux de l'appellation, quelle que soit leur philosophie.

Sauvignon-de-saint-bris

Originaire de l'Auxerrois, à deux pas de Chablis, le sauvignon-de-saint-bris est essentiellement produit dans les zones de plateaux calcaires, où il atteint toute sa puissance aromatique. Le cépage sauvignon a été introduit dans cette région après la crise phylloxérique et s'est imposé rapidement, à la différence d'autres cépages du Val de Loire également importés. Il couvre aujourd'hui 105 ha, principalement sur les communes de Saint-Bris-le-Vineux, Irancy et Chitry. Ici, son vin est soumis à une fermentation malolactique qui lui confère une certaine souplesse. Vif certes, il n'est cependant jamais agressif et acquiert un caractère tendre après cinq ou six ans de garde.

Bourgogne-aligoté

L'aligoté est le deuxième cépage blanc de Bourgogne. Le chardonnay lui fait ombrage. Les vins qui en sont issus sont le plus souvent légers et fruités, d'une forte acidité ; ils se boivent jeunes. Additionnés de liqueur de cassis, ils servent à confectionner le fameux kir. Des meilleures expositions naissent des vins plus complexes et charnus. Mais sur ces terroirs, l'aligoté est progressivement refoulé par le pinot noir. On ne le trouve plus en quantité notable que dans le sud de la Bougogne. Les meilleurs vins d'aligoté proviennent du village de Bouzeron, qui bénéficie désormais de sa propre AOC.

La Côte chalonnaise

Au sud de la Côte de Beaune, près de Chalon-sur-Saône, la Côte chalonnaise n'a certes pas le prestige de la Côte d'Or, mais produit quelques vins remarquables. La principale AOC est mercurey (vins rouges et blancs). En rouge, le mercurey peut paraître plus austère que ses pairs élaborés plus au nord, mais il a davantage de corps. Son voisin, givry, peut atteindre une qualité comparable. Rully, à quelques kilomètres au sud de Chagny, est surtout connu pour ses vins blancs de chardonnay, lesquels sont plus fruités et plus légers que ceux de chassagne-montrachet. Sur ce terroir, on élabore également du crémant-de-bourgogne. Enfin, le montagny est un vin blanc élégant, fruité et doucement miellé.

Le Mâconnais

La région de Mâcon est connue pour ses savoureux vins blancs de chardonnay, commercialisés sous les appellations mâcon, mâcon supérieur ou mâcon-villages. Ils n'ont certes pas la finesse et la plénitude des vins blancs de la Côte de Beaune, mais sont d'un bon rapport qualité/prix. L'aire de production est relativement vaste, et, depuis la région de Tournus jusqu'aux environs de Mâcon, la diversité des situations se traduit par une grande variété dans la production. Le secteur de Viré, Clessé, Lugny, Chardonnay est le plus connu, et de nombreux viticulteurs se sont groupés en caves coopératives pour vinifier et faire connaître leurs vins. C'est d'ailleurs dans ce secteur que la production s'est développée. Les vins de meilleure qualité naissent sur les collines calcaires du sud du Mâconnais, autour de la petit ville de Pouilly-Fuissé, dont ils portent le nom. Le pouilly-vinzelles, le pouilly-loché et le saint-véran sont des vins de qualité, un peu moins charnus que les précédents. Outre le chardonnay, on cultive un peu de gamay pour la production de mâcon rouge. Ce vignoble est l'un des rares à perpétuer la tradition des vins rouges de gamay anciennement répandue dans toute la Bourgogne.

Dans le sud de la Bourgogne, l'appellation pouilly-fuissé s'illustre dans un vin blanc de chardonnay, aux arômes épicés.

Les autres vins

Bourgogne : rouges, rosés ou blancs, les vins d'appellation régionale bourgogne peuvent être élaborés à partir des raisins de toute la région. Ils sont issus du pinot noir ou du chardonnay. Il n'est pas étonnant qu'en raison de l'étendue de cette appellation, les producteurs aient cherché à personnaliser leurs vins et à convaincre le législateur d'en préciser l'origine. Dans le Châtillonnais, en Côte-d'Or, le nom de Massingy a été utilisé, mais ce vignoble a presque disparu. Plus récemment, et de manière continue, les viticulteurs ont adjoint le nom de certains villages à l'appellation bourgogne : Chitry, Épineuil, ainsi que Saint-Bris, Côtes d'Auxerre et Coulanges-la-Vineuse sur les coteaux de l'Yonne. La commune d'Irancy a vu sa notoriété confirmée par la consécration de l'appellation bourgogne-irancy. Ses vins rouges bénéficient d'une bonne structure tannique lorsqu'ils sont issus du cépage local césar, ou romain. Néanmoins, ce plant capricieux est capable du pire comme du meilleur. Sur les coteaux, le pinot noir est à l'origine de vins de qualité régulière.

Bourgogne-hautes-côtes-de nuits : bon an, mal an, de 15 à 25 000 hl de vin sont produits sur seize communes de l'arrière-pays, ainsi que sur les parties de communes situées au-dessus des appellations communales et des crus de la Côte de Nuits. Les coteaux les mieux exposés donnent certaines années des vins rouges corsés. Les vins blancs de chardonnay, minoritaires, atteignent souvent un très bon niveau.

Bourgogne-passetoutgrain : vin rouge ou rosé, honnête et simple, élaboré dans toute la Bourgogne à partir du gamay et du pinot noir (ce dernier en constitue au moins 33 %).

Bourgogne-hautes-côtes-de-beaune : située sur une vingtaine de communes, le vignoble déborde sur le nord de la Saône-et-Loire. Il constitue un paysage pittoresque, ponctué de jolis villages (Orches, la Rochepot et son château, Nolay). La production est supérieure à celle des bourgogne-hautes-côtes-de-nuits et les cépages aligoté et gamay occupent encore d'importantes surfaces.

Des vins blancs d'une grandiose complexité

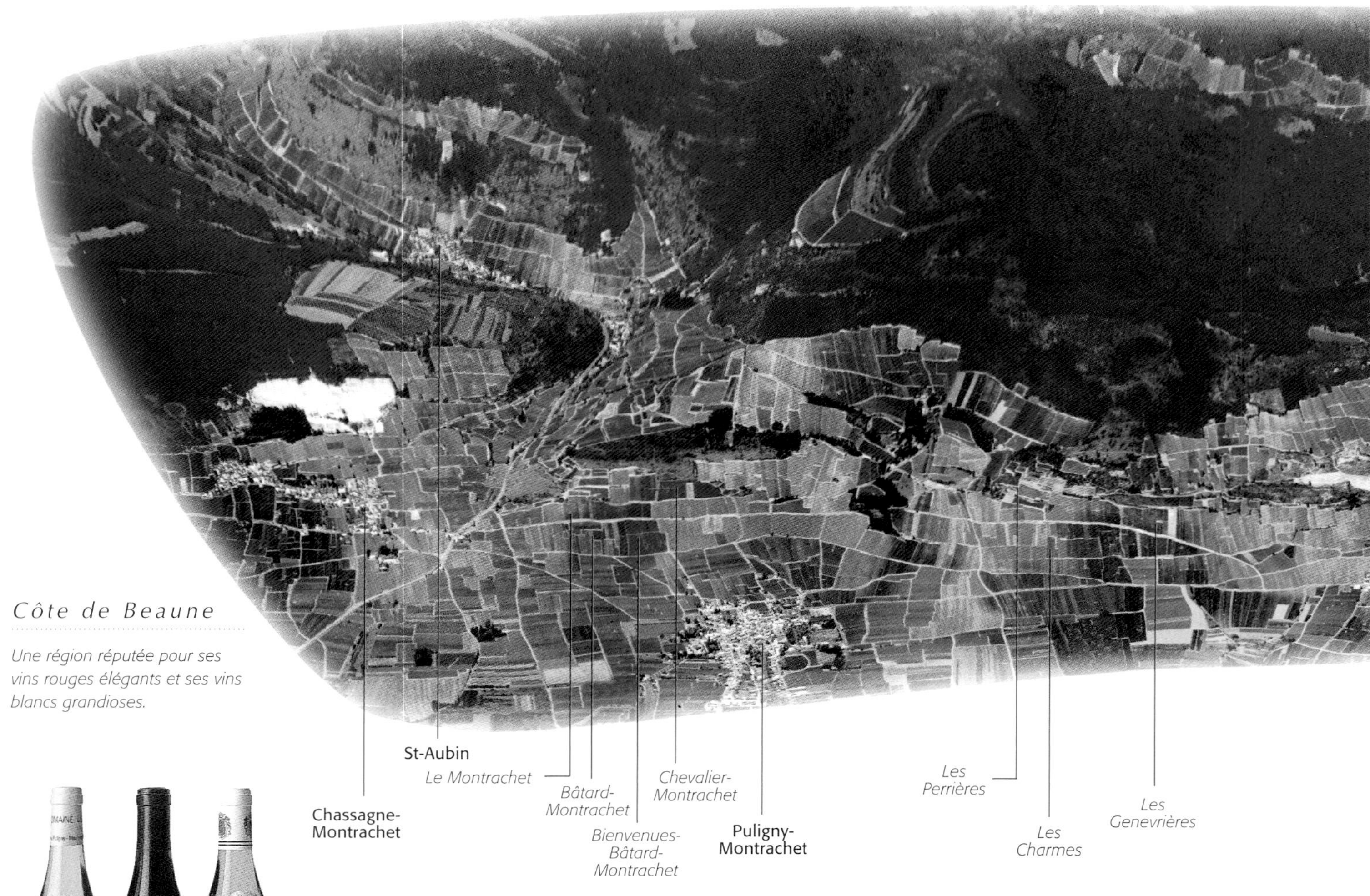

Côte de Beaune

Une région réputée pour ses vins rouges élégants et ses vins blancs grandioses.

Les terroirs viticoles de la Côte de Beaune sont largement plantés de pinot noir. Toutefois, de nombreuses communes ont forgé leur réputation grâce à leurs vins blancs.

Exclusivement constitués de chardonnay, les vins blancs de la Côte de Beaune ont gagné une réputation mondiale. Les meilleurs d'entre eux développent une grande opulence et se caractérisent à la fois par leur plénitude et leur longévité. Les vins rouges se révèlent complets et riches en nuances, mais ils ne possèdent pas la profondeur des vins de la Côte de Nuits.

Aloxe-corton
Le petit village blotti au pied de la colline de Corton se reconnaît à sa coiffe boisée. L'appellation communale produit 6 000 hl, avec des premiers crus réputés. Le coteau n'abrite pratiquement que les grands crus corton et corton-charlemagne. Les pentes qui bordent directement la forêt sont tapissées de chardonnay (corton-charlemagne). Elles produisent des vins blancs capiteux, aux arômes de noisette et de vanille. Le corton rouge est un vin robuste et de longue garde.

Beaune
Tous les coteaux situés derrière la ville de Beaune sont couverts de vigne. La plupart des parcelles se classent en premier cru, avec des vins harmonieux, fruités et expressifs.

Pommard
Ce terroir donne des vins tanniques et fruités. Les meilleurs *climats,* dont les premiers crus Les Épenots et surtout Les Rugiens, arborent beaucoup de profondeur et de fougue.

Volnay
Ces vins tout en finesse, au goût tendrement fruité, font partie des fleurons de la Côte de Beaune. Les *climats* Les Santenots et Les Plures, qui relèvent de l'appellation meursault, produisent également des volnay.

Meursault
Cette superbe appellation produit des vins blancs homogènes et harmonieux. Cette appréciation vaut non seulement pour les premiers crus des Genevrières, des Perrières et des Charmes, mais aussi pour plusieurs meursault d'appellation communale.

Puligny-montrachet
La Mecque des amateurs de vins blancs ! Les cinq grands crus montrachet, chevalier-montrachet, bâtard-montrachet, criots-bâtard-montrachet et bienvenues-bâtard-montrachet sont les vins blancs secs les plus divins de Bourgogne ; marqués par leur terroir d'une note minérale, ils sont d'une opulence

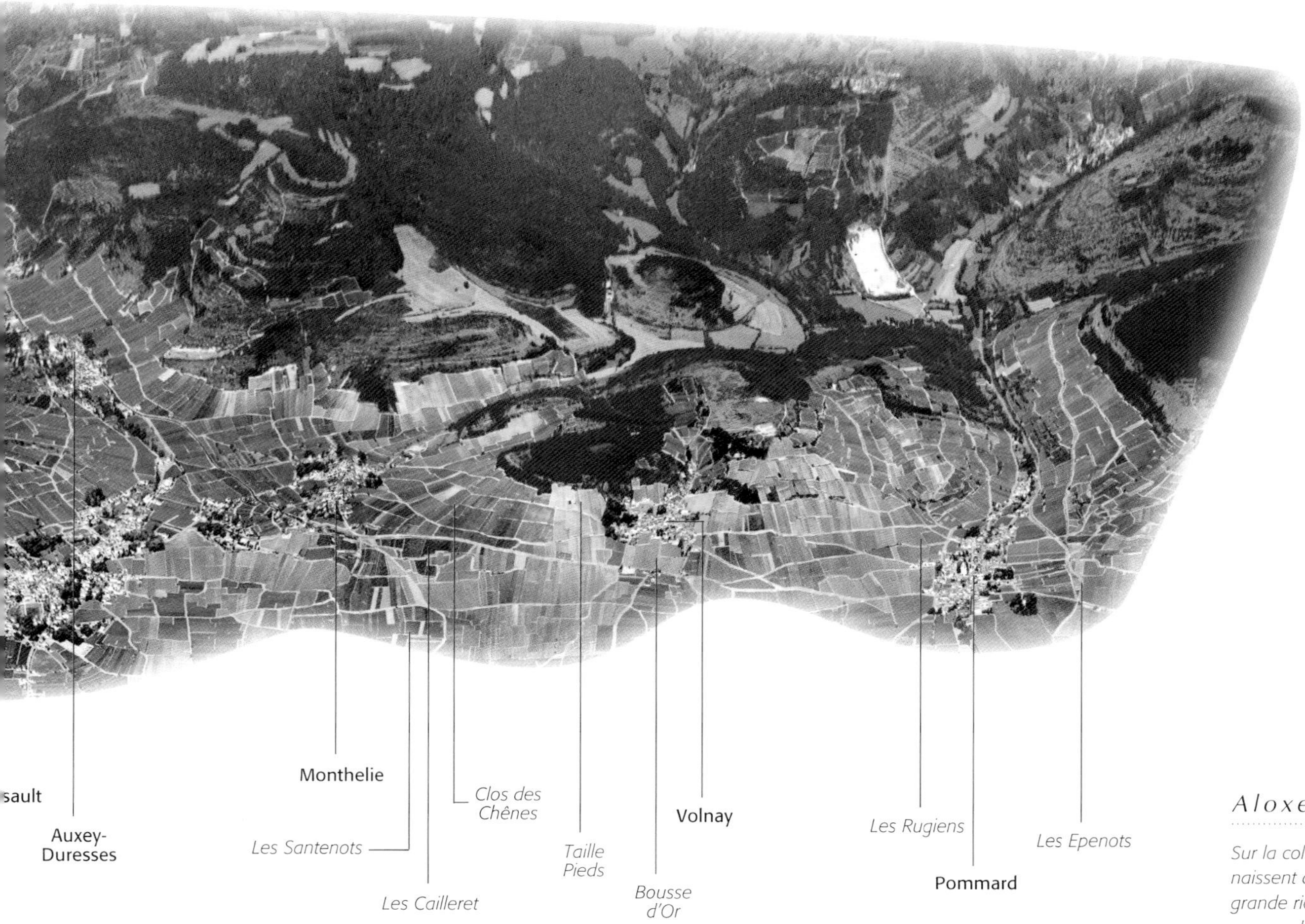
sault
Auxey-Duresses
Monthelie
Les Santenots
Les Cailleret
Clos des Chênes
Taille Pieds
Bousse d'Or
Volnay
Les Rugiens
Pommard
Les Epenots

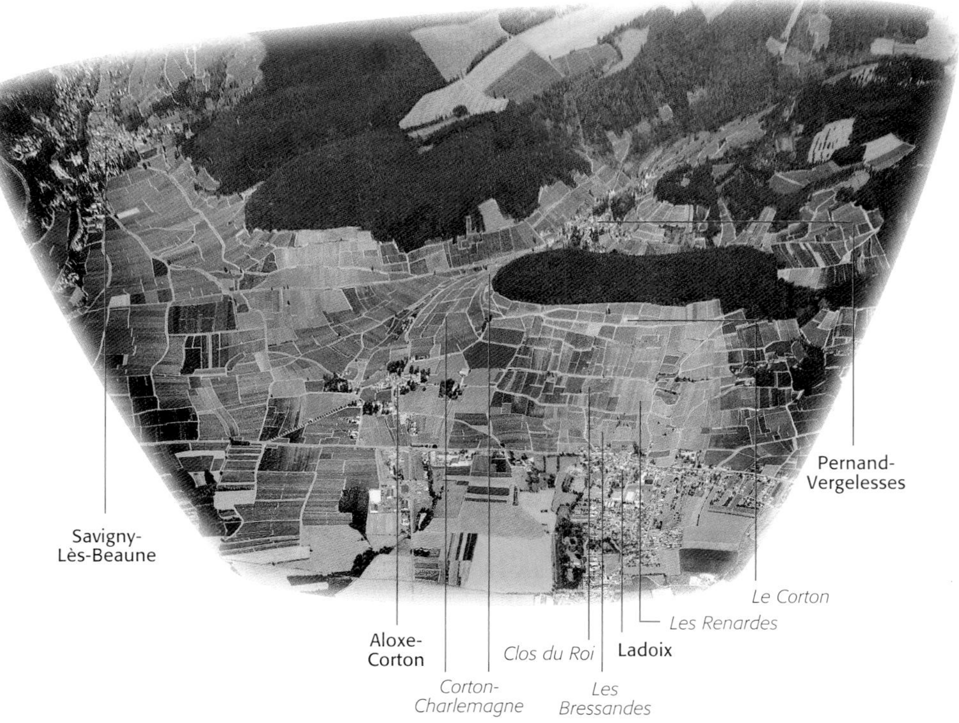

exceptionnelle après quelques années de garde. Ils peuvent présentent un titre alcoométrique de 14 % vol., et la solidité de leur charpente leur permet de vieillir vingt ans et plus. Les vignobles d'appellation communale et des premiers crus donnent également des vins blancs puissants et incomparables, bien armés pour la garde.

Chassagne-montrachet

Les vins blancs de ce terroir sont comparables aux puligny-montrachet quant à l'opulence. Les premiers crus clos de Maltroie et Les Ruchottes se distinguent nettement. En revanche, les vins rouges, austères, terroitent sans grande finesse.

Santenay

Ce petit village paisible produit un vin de pinot noir savoureux, mais aussi des vins blancs. Les premiers crus Beauregard, Charmes et clos Rousseau sont bien cotés.

Aloxe-Corton

Sur la colline coiffée de forêts naissent des vins blancs d'une grande richesse et des vins rouges charnus.

Savigny-Lès-Beaune
Aloxe-Corton
Corton-Charlemagne
Clos du Roi
Les Bressandes
Ladoix
Les Renardes
Le Corton
Pernand-Vergelesses

Les multiples visages du gamay

Vendanges à Fleurie, l'un des dix crus du Beaujolais dont les vins présentent un potentiel de garde non négligeable.

Le beaujolais n'est pas un grand vin, mais c'est assurément l'un des plus populaires. Le monde entier l'attend avec impatience jusqu'à son arrivée sur le marché, le troisième jeudi de novembre. Toutefois, ce sont les dix crus du Beaujolais qui hissent cette région à un réel niveau qualitatif.

Le Beaujolais est la seule partie de la Bourgogne qui ne soit pas complantée de pinot noir. Les viticulteurs y ont opté pour un autre cépage : le gamay noir à jus blanc. Celui-ci donne un vin léger, très fruité, qui n'a rien en commun avec les vins de pinot noir de la Côte d'Or. Il est appelé beaujolais, et c'est aujourd'hui l'un des vins les plus connus et les moins chers de France, dont les volumes sont considérables : près de 200 millions de bouteilles, plus que n'en fournit tout le reste de la Bourgogne. Jusqu'à 50 % de la production sont commercialisés en primeur, six semaines après la récolte.

La macération carbonique

Le secret du succès du beaujolais ne réside pas seulement dans le cépage, mais aussi dans la vinification. Une partie des raisins est fermentée dans des cuves suivant le procédé de la macération carbonique (voir p. 74). Nulle part en France cette méthode n'est aussi répandue. Elle confère au vin un arôme particulièrement fruité, sensible surtout dans le beaujolais nouveau, qui peut être mis sur le marché dès le troisième jeudi de novembre. Ce vin nouveau n'a du reste aucune longévité. Il a généralement perdu son charme dès le printemps suivant

Un vignoble en extension

L'appellation beaujolais provient étymologiquement de la petite ville de Beaujeu, qui dès la fin du Moyen Âge s'est rendue indépendante du comte de Mâcon, des abbés de Cluny et de l'archevêque de Lyon. La campagne victorieuse du gamay n'a toutefois commencé que beaucoup plus tard, ce cépage ayant été banni de Bourgogne par Philippe le Hardi en 1395. Il est certain qu'il se développe mieux sur les sols granitiques du Beaujolais que sur les sols calcaires de la Côte d'Or. Mais la région s'est considérablement étendue. Elle va aujourd'hui jusqu'aux zones basses de la vallée de la Saône, au sud de Villefranche-sur-Saône. Les sols sablonneux sont à l'origine de grandes quantités de vins gouleyants.

Les crus du Beaujolais

Le succès commercial du beaujolais nouveau a fait oublier à beaucoup d'amateurs que dans les collines du nord du Beaujolais, où les sols sont de granite, de porphyre et de schiste, on produit un vin alliant finesse, arômes et corps. Ici, le beaujolais mérite son appellation *villages*.
Fleurons du vignoble, les dix crus du Beaujolais naissent des vignes plantées à mi-coteau, sur sols de gore (décomposition granitique), entre Belleville et Mâcon. Il s'agit de saint-amour, juliénas, chénas, moulin-à-vent, fleurie, chiroubles, morgon, régnié, brouilly et côte-de-brouilly. Ces vins prennent des nuances variables, mais ils sont toujours structurés, parfois d'une rare élégance et d'une bonne longévité. Tous exigent de longs mois d'élevage et ne peuvent être commercialisés avant d'« avoir fait leurs Pâques », c'est-à-dire avant le printemps suivant les vendanges. Le chiroubles est le plus précoce des crus, tandis que le juliénas, issu de sols plus arileux, connaît un vieillissement digne des grands bourgognes (on dit parfois qu'il « pinote »).

Mondeuse et savagnin

La Savoie et le Jura sont considérés comme le paradis des gourmets. L'amateur de vin y découvrira des crus originaux qui tirent leur quintessence d'anciens cépages locaux.

La Savoie

La Savoie n'est pas constituée d'un terroir homogène, mais d'une mosaïque de petites ou minuscules aires viticoles produisant essentiellement des vins blancs, mais aussi quelques rouges. La majeure partie du vignoble savoyard s'étend du lac Léman à la vallée de l'Isère, dans les départements de Savoie et de Haute-Savoie. Le vignoble occupe les basses pentes favorables des Alpes. En constante extension (près de 1 800 ha), il produit bon an mal an environ 130 000 hl.

On y cultive surtout la jacquère, cépage blanc à l'origine de vins légers, fruités (le chardonnay et l'aligoté ne sont présents que de façon sporadique, et la molette n'a qu'une importance locale). Ces vins sont commercialisés sous l'appellation vin-de-savoie. Vinifiés le plus souvent en sec, ils se boivent jeunes. Les plus intéressants proviennent de l'Apremont, au sud de Chambéry, où l'on cultive, outre la jacquère, la roussanne.

Autre appellation régionale, la roussette-de-savoie met en valeur le cépage blanc altesse. En rouge, les principaux cépages sont la mondeuse, le poulsard, le gamay et le pinot noir, que l'on retrouve non seulement dans les vins-de-savoie mais aussi dans l'AOVDQS bugey.

Enfin, le seyssel et le crépy doivent respectivement leur originalité au chasselas et à l'altesse. Les quelques vignes de molette qui subsistent à Seyssel entrent dans les vins mousseux de l'AOC. Ceux-ci sont commercialisés trois ans après leur prise de mousse. Les cépages locaux donnent aux vins un bouquet fin et caractéristique, où l'on reconnaît la violette.

Le Jura

Constitué de chaînes calcaires orientées parallèlement à la Côte d'Or, sur la rive ouest de la Saône, le Jura est une petite région viticole d'à peine 1 500 ha.

Son vignoble occupe les pentes qui descendent du premier plateau des monts du Jura vers la plaine. Ces pentes, beaucoup plus dispersées et irrégulières que celles de la Côte-d'or, se répartissent sous toutes les expositions, mais la vigne ne couvre que les plus favorables, à une altitude de 250 à 400 m. Quelque 1 836 ha sont ainsi plantés. Sous un climat nettement continental, aux hivers rudes et aux étés irréguliers mais comptant de nombreuses journées chaudes, les vendanges s'effectuent pendant une période assez longue, se prolongeant parfois jusqu'en novembre en raison des différences de maturité entre les cépages. Les plants locaux sont parfaitement adaptés à ces conditions et aux sols argileux de la région. Ils doivent toutefois être conduits en hauteur (en « courgées », long bois arqué) pour ne pas être affecté par l'humidité et le gel.

Capitale du vignoble jurassien, la charmante et ancienne cité d'Arbois est marquée par le souvenir de Louis Pasteur. C'est à partir de la vigne de la maison familiale que le chercheur mena ses travaux sur la fermentation, si précieux pour la science œnologique.

L'appellation côtes-du-jura englobe toute la zone productrice de vins fins, mais le vin le plus connu est l'arbois, décliné dans les trois couleurs et dans des styles divers. Les vins rouges et rosés, majoritaires, sont issus du trousseau, du pinot noir et du poulsard. Légers et floraux, ils doivent être consommés jeunes. Également vinifié en blanc, le poulsard s'allie parfois au chardonnay (localement appelé melon d'Arbois) et au savagnin.

Le Jura produit deux spécialités de renom : le vin de paille, élaboré à partir de raisins surmûris, passerillés sur claies, et le rare vin jaune. Ce dernier est exclusivement à base de savagnin. Vieilli sous voile de levures, il acquiert le fameux « goût de jaune » (arômes de noix et d'épices). Il est vendu dans une bouteille caractéristique d'une capacité de 0,62 cl, appelée clavelin. Avec sa robe ambrée, légèrement dorée, le vin jaune semble intemporel. Le plus réputé est indéniablement le château-chalon, produit sur 50 ha répartis entre les communes de Ménétru, Domblans et Névy-sur-Seille.

Vendanges à Apremont. Les cépages jacquère et roussanne sont à la base des meilleurs vins de Savoie.

Grappe de poulsard passerillée sur claies pour l'élaboration du fameux vin de paille.

Les enfants du fleuve

Sur le coteau abrupt de l'Hermitage, la syrah donne naissance à des vins de longue garde.

La vallée du Rhône reste la région viticole la plus méconnue de France. Pourtant, elle donne naissance à des vins incomparablement épanouis et chaleureux, leur puissance prenant naturellement le pas sur leur finesse. Le connaisseur perçoit une nette différence entre les vins des parties septentrionale et méridionale de la région. C'est dans le Nord que se situent les vignobles les plus prestigieux.

Côte-rôtie

C'est à la faveur d'un surprenant méandre du Rhône, aux environs de la ville de Vienne, que naît le côte-rôtie, un vin élégant au nez de violette. Quelque 200 ha de coteaux abrupts descendent vers le fleuve, plantés de syrah. Pour équilibrer la richesse tannique de ce cépage, les vignerons sont autorisés à l'assembler au viognier (blanc) à hauteur de 20 %. On distingue les vins issus de la Côte Blonde, caractérisée par un sol de gneiss, et ceux issus de la Côte Brune, marquée par les micaschistes. Les premiers sont tendres et fins, les seconds plus structurés et aptes à une longue garde.

Hermitage

Le Rhône amorce un autre virage au niveau du massif de Tain, et expose ses coteaux au sud. On y trouve un vin rouge légendaire, l'hermitage obtenu à partir de syrah seule. Son puissant arôme chocolaté, ses notes de framboise et sa longue garde (dix ans) ont fait sa réputation dans le monde entier. Cette appellation ne couvre que 126 ha. Ce vin est donc d'un prix élevé. L'hermitage blanc, vin fin très rare, est constitué de marsanne et de roussanne.

Cornas

Le troisième grand vin de la vallée du Rhône est élaboré au sud du Tain. Il est exclusivement issu de syrah (75 ha), et peut s'approcher de la qualité de l'hermitage. Épicé et charpenté, doté d'arômes de framboise, ce vin se distingue par ses tanins fermes qui demandent une longue garde pour s'adoucir.

Crozes-hermitage

Le plus grand vignoble situé au nord du Rhône (1 02 ha), planté de syrah, propose des vins fruités, souples, à boire jeunes. Le crozes-hermitage blanc est issu de marsanne et de roussanne.

Saint-joseph

Cette appellation, située sur la rive droite du Rhône, produit le vin de syrah le plus tendre. Ce terroir (650 ha) est constitué d'arènes granitiques.

Condrieu et château-grillet

De superficie réduite (60 ha), l'aire d'appellation condrieu comprend une enclave : le vignoble monopole de l'AOC château-grillet (3,5 ha). C'est ici que sont produits des vins blancs de caractère et d'un prix élevé, issus de viognier. Parfumés et étonnamment fins, château-grillet et condrieu sont le privilège de quelques heureux élus.

Des vins rouges fougueux

Au sud de Valence, les lignes du paysage s'adoucissent et se parent des couleurs de la Provence. Les vignes retrouvent les rives du Rhône à la hauteur de Montélimar. En ces lieux, le grenache règne en maître, même si son monopole paraît moins bien assuré que celui de la syrah au nord.

Côtes-du-rhône

Cette gigantesque aire de production (44 000 ha) couvre presque l'ensemble de la vallée du Rhône. On y élabore tout une palette de vins rouges – tanniques et généreux ou légers et fruités – issus des multiples cépages représentatifs de la région, en majorité du grenache, du carignan, du mourvèdre, du cinsaut et de la syrah, sans oublier quelques vins blancs. À l'intérieur de cette aire, soixante-dix-sept communes ont droit à l'appellation côtes-du-rhône-villages.

Gigondas

Cette petite appellation (1 200 ha) localisée au pied des Dentelles de Montmirail produit des vins puissants, mêlant réglisse, épices et fruits à noyau. Essentiellement issus de grenache, les meilleurs crus sont bien charpentés et vieillissent bien.

Vacqueyras

L'AOC recouvre 700 ha de vignes implantées sur les communes de Vacqueyras et de Sarrians. Les vins rouges, majoritaires, ressemblent aux gigondas, mais présentent des nuances différentes en raison de la prédominance de la syrah.

Châteauneuf-du-pape

Ce vin flamboyant et célèbre, riche en alcool, provient du terroir unique (3 200 ha) qui borde la vieille ville du même nom, où les papes élurent jadis domicile. Le sol, constitué d'argiles rouges mêlées à des galets roulés, restitue la chaleur diurne pendant la nuit. Les températures élevées expliquent le fort titre alcoométrique des vins (14 % vol.). Les meilleurs châteauneuf-du-pape sont des vins majestueux, dont la teneur en alcool est équilibrée par leur chair. Le grenache domine, mais douze autres cépages (y compris blancs) sont autorisés. Les vins blancs, produits en petites quantités, savent cacher leur puissance par leur sève et la finesse de leurs arômes.

Tavel et Lirac

Ces deux petites aires de production sont célèbres pour leurs vins rosés issus de presque tous les cépages présents dans la vallée du Rhône. Tavel (950 ha) est la seule appellation rhodanienne à ne produire que du rosé. À Lirac, on produit aussi des vins rouges généreux, au goût de terroir prononcé.

Coteaux-du-tricastin et côtes-du-luberon

Ces deux grands vignobles (2 000 ha et 3 000 ha respectivement) qui pénètrent profondément dans l'arrière-pays offrent des vins semblables aux côtes-du-rhône, mais en progression constante. Les vignerons élaborent également des vins rosés et des vins blancs.

Taille d'été en AOC côtes-du-rhône. Les vignes sont rognées.

Le châteauneuf-du-pape est généralement élevé en petits fûts de chêne anciens.

Les vins du renouveau

Vignoble sous la protection de la montagne de l'Hortus.

Pendant des années, le Midi a fourni un océan de vins simples, souvent destinés aux marchés du Nord. Aujourd'hui, les volumes restent importants. Toutefois, depuis qu'a été lancée une politique de qualité vers le milieu des années quatre-vingt, la région peut s'enorgueillir de ses excellents résultats.

Le Languedoc-Roussillon est la plus vaste région viticole du monde. Ses vignobles s'étendent de Nîmes à la frontière espagnole et couvrent près de 300 000 ha. Le Midi représente donc un tiers de l'ensemble du vignoble français. Jusque dans les années quatre-vingt, le Languedoc-Roussillon était également responsable des plus gros excédents de vin de table. Il a beaucoup contribué à augmenter les volumes de vins européens voués, chaque année, à la distillation obligatoire.

Vers une politique de qualité

Aujourd'hui encore, le sud de la France produit de grandes quantités de vins ordinaires. Néanmoins, ce volume est nettement moins important qu'il y a dix ans, et surtout la qualité des vins s'est améliorée. Les vignerons et les coopératives viticoles prédominantes produisent désormais des vins de pays, dont certains sont d'un excellent niveau, à côté de vins d'appellations d'origine.

Les vins de pays

Les vins de pays constituent la majeure partie de la production viticole du Midi. Ils peuvent porter une dénomination régionale (vin de pays d'Oc), départementale (vin de pays de l'Hérault) ou encore une dénomination de zone (aire géographique ou historique comme le vin de pays catalan). On compte au total en Languedoc-Roussillon environ soixante-dix vins de pays. On cultive surtout des cépages rouges locaux : carignan, grenache, cinsaut, mourvèdre, terret noir, lladoner pelut, counoise et syrah, mais aussi les cépages à la mode tels le merlot et les cabernets. Ceux-ci sont assemblés de façon variable dans les vins de pays ou sont vinifiés seuls. Les vins blancs ne représentent que 10 % de la production ; ils sont issus pour l'essentiel de grenache blanc, piquepoul, clairette, bourboulenc, marsanne, rousanne et rolle. Le chardonnay, le sauvignon et le viognier ont en outre été plantés.
La majeure partie de ces vins sont commercialisés sous la dénomination « vin de pays d'Oc ». Très étendue, celle-ci couvre presque tout le Languedoc-Roussillon. Elle a été créée en 1987 pour introduire sur le marché des vins de cépages. Aujourd'hui, on commercialise sous ce nom plus de 300 millions de bouteilles, soit près d'un tiers des vins de pays de la région. Leur progression sur les marchés internationaux est impressionnante.

Coteaux-du-languedoc

Les coteaux du Languedoc s'étendent de Narbonne à Nîmes. L'appellation a été consacrée en 1985. Onze communes productrices de vins rouges et rosés, et deux communes productrices de vins blancs (La Clape et Picpoul-de-Pinet) peuvent y adjoindre leur nom. La réglementation impose un rendement à l'hectare beaucoup plus faible qu'en vin de pays. Si d'innombrables vins honnêtes sont vendus sous le nom de coteaux-du-languedoc, cette appellation bénéficie de l'aura de quelques-uns des crus les plus spectaculaires de la nouvelle génération : par exemple, le domaine Clavel, le Prieuré de Saint-Jean-de-Bébian, Les Aurels, Aupilhac, Mas Julien. Leurs vignes sont cultivées dans des terroirs de coteaux au pied des Causses ou des Cévennes.

Minervois, corbières et fitou

Ces trois appellations languedociennes proposent des vins rouges au nez épicé, souvent un peu tanniques, mais parfois très fins (ainsi que des rosés plus légers et fruités en minervois et corbières) avec une note très caractéristique de valériane. Ils proviennent essentiellement de cépages traditionnels : carignan, mourvèdre, grenache, lladoner pelut et piquepoul noir. En minervois et en corbières, les vins blancs issus de grenache, bourboulenc et marsanne jouent entre puissance et finesse, et dévoilent des notes de fleurs blanches.

Saint-chinian et faugères

Sur les contreforts schisteux des Cévennes, saint-chinian et faugères produisent des vins structurés, essentiellement rouges, très fruités et charnus. Ils ne sont pas sans rappeler les côtes-du-rhône et leurs voisins du Minervois.

Côtes-du-roussillon

Cette vaste appellation régionale couvre la majeure partie du département des Pyrénées-Orientales. Elle vaut pour les vins rouges, rosés et blancs, mais les premiers se situent très nettement au premier plan : ce sont des vins chauds, souples, épicés, le plus souvent à base de carignan. La zone située au nord de Perpignan revendique l'AOC côtes-du-roussillon-villages. Les localités de Caramany, Latour-de-France et Lesquerde ont le droit d'ajouter leur nom à l'appellation.

Blanquette-de-limoux et crémant-de-limoux

Spécialité de vin mousseux, la blanquette de limoux est produite dans une zone circonscrite, autour de la petite ville de Limoux. Ici, la fermentation en bouteille se pratiquait bien avant l'« invention » du champagne. La blanquette-de-limoux est issue à 90 % d'un cépage blanc typé, le mauzac, qui lui confère un arôme de pomme. Elle est élaborée selon la méthode traditionnelle ou bien selon la méthode ancestrale (prise de mousse en bouteille à partir des sucres du raisin, sans dégorgement). Le crémant-de-limoux, vin d'appellation d'origine depuis 1990, ne contient que 70 % de mauzac, complétés par 30 % de chardonnay et de chenin blanc.

Les vins doux naturels

Le Languedoc-Roussillon est la plus grande région productrice de vins doux naturels en France. Il s'agit de vins capiteux dont la fermentation a été interrompue par ajout d'alcool vinique (c'est le principe du mutage découvert à Montpellier, au XIIIe siècle, par le savant Arnaud de Villeneuve). Ils conservent ainsi un arôme de raisin et un fort taux de sucres résiduels. Produits à partir de raisins blancs ou rouges, les vins doux naturels sont parfois soumis à un élevage oxydatif en fût ou en bonbonne exposée au soleil, pour obtenir le fameux goût de rancio.

Les muscats de l'Hérault (muscat-de-frontignan, muscat-de-lunel, muscat-de-mireval, muscat-de-saint-jean-de-minervois) proviennent exclusivement du muscat blanc à petits grains, alors que le muscat-de-rivesaltes est un assemblage entre ce cépage et le muscat d'Alexandrie. Apéritif et vin de dessert très doux, le rivesaltes est produit dans de nombreuses aires du Roussillon (14 000 ha). Il peut être élaboré à partir de cépages blancs (muscat d'Alexandrie, muscat blanc à petits grains, grenache blanc, macabeu, malvoisie) ou de cépages rouges (grenache). C'est un vin complexe, ambré ou tuilé, aux arômes de torréfaction et de fruits secs. Il est généralement commercialisé à un stade de maturité supérieur à celui du muscat-de-rivesaltes. Produit au nord de l'Agly, le maury est issu du grenache noir planté sur schistes. Enfin, les banyuls et banyuls grand cru sont les vins doux naturels les plus célèbres de France. Ils sont élaborés à partir de grenache mûri sur les terrasses abruptes qui descendent vers la mer Méditerranée. Après un mutage sur grains, le banyuls grand cru vieillit en fût au moins trente mois, parfois même beaucoup plus. Il n'est pas rare qu'un banyuls atteigne vingt ans d'âge. Il serait le seul vin du monde à se marier à la perfection au chocolat.

Vignoble de l'AOC coteaux-du-languedoc-Picpoul-de-Pinet. Les vins languedociens sont aussi variés que les paysages.

Une mosaïque d'appellations

Au pied des Pyrénées, le vignoble jurançonnais produit un vin de caractère apprécié du roi Henri IV.

Le Sud-Ouest est une région secrète, qui ne se dévoile pas facilement. Pourtant, ces vins méritent toute notre attention.

On appelle Sud-Ouest, la région qui va de la Dordogne aux Pyrénées. Dans ces vastes étendues de collines, souvent boisées, la vigne est omniprésente. La plus grande appellation est celle de bergerac, qui rassemble d'innombrables vins blancs, rosés et rouges flatteurs. Ici, les cépages du Bordelais voisin (surtout le sauvignon blanc et le merlot) donnent des vins très proches des bordeaux d'appellation régionale. Gaillac, au sud-est, produit aussi de grandes quantités de vins rouges gouleyants et de vins blancs secs et perlés, moelleux ou encore mousseux. Plus on se rapproche des Pyrénées, plus les appellations sont petites et les vins originaux. Pour le visiteur étranger, les cépages qui y sont cultivés sont souvent aussi peu connus que la région elle-même. Or, sur certains terroirs, les vins s'élèvent à une grandeur insoupçonnée.

Cahors

Petite région viticole en aval de la ville du même nom, sur le Lot, qui trace ses méandres au fond de la vallée. Les vins à la robe sombre, d'un rouge presque noir, concurrençaient au XIXe siècle les bordeaux. Ils sont traditionnellement tirés de malbec, localement appelé cot ou auxerrois. Aujourd'hui, ce cépage est assemblé le plus souvent au merlot, très souple, parfois aussi au tannat. Les vins nés sur les alluvions anciennes du Lot sont les plus complexes.

Jurançon

Produit autour de la ville de Pau, le jurançon servit au baptême d'Henri IV et était apprécié de Colette, qui voyait en lui un prince impérieux. Le jurançon sec est issu essentiellement du gros manseng, allié au petit manseng et au courbu. Sous le climat frais d'influence atlantique, il développe un nez miellé et une rondeur suave. Mais c'est le vin moelleux (AOC jurançon), dans sa belle robe dorée, qui est le plus célèbre. Il doit beaucoup au petit manseng, dont les pellicules épaisses résistent bien à un passerillage sur souche jusqu'aux vendanges de novembre. Le sucre se concentre, les arômes d'épices, de fruits exotiques ou confits, et de miel se développent.

Les autres vins

Madiran : vin rouge structuré, riche en tanins. Issu du tannat, il demande toujours quelques années de garde. Toutefois, on trouve aussi beaucoup de madiran simples et légers sur le marché.

Pécharmant : le meilleur vin rouge du Bergeracois, essentiellement composé de cépages bordelais (majorité de merlot). Toujours tannique, il parvient à son plein épanouissement après cinq années de vieillissement en bouteille.

Monbazillac : appellation bergeracoise productrice de vins liquoreux. Nés sur des sols argilo-calcaires, ces vins acquièrent des arômes opulents et une structure puissante.

Irouléguy : vins rouges et rosés originaux du Pays basque, issus de tannat, de cabernet-sauvignon et de cabernet franc.

Béarn : appellation recouvrant des vins rouges, blancs et rosés variés, dont l'aire coïncide en partie avec celles du jurançon et du madiran.

Tursan : petite appellation à l'origine d'un vin rouge viril (à base de tannat), et d'un excellent vin blanc sec et fruité (à base de baroque).

Buzet : des vins typés et variés dans les trois couleurs. Les rouges puissants sont capables de rivaliser avec certains de leurs voisins girondins ; les blancs et rosés sont gouleyants à souhait.

Côtes-du-frontonnais : vins des Toulousains, les côtes-du-frontonnais rouges à forte proportion de cabernet, gamay ou syrah sont légers, fruités et aromatiques. Les vins plus riches en négrette acquièrent plus de puissance tannique. Les vins rosés sont francs et vifs.

Des vins ensoleillés

La Provence est une région de vacances qui consacre la plus grande part de sa production au vin rosé. Les vins sont majoritairement consommés sur place. Certains domaines ont su montrer, toutefois, que la Provence pouvait aussi offrir d'excellents vins, notamment rouges. Leur modèle fait école.

Le sol, l'ensoleillement et le soin apporté à la vigne sont les principaux facteurs de qualité en Provence (ci-dessus vendanges du cinsaut au Luc).

Longtemps, on a assimilé la Provence au vin rosé, à la jolie teinte pelure d'oignon. C'était et c'est effectivement le classique vin des vacances sur la côte méditerranéenne. On en produit partout dans la région, non seulement dans les appellations cassis, bellet et bandol, mais aussi en baux-de-provence, coteaux-varois, coteaux-d'aix-en-provence et côtes-de-provence. Si ces aires sont « tricolores », ce sont généralement les rosés qui constituent la majeure partie de leur production. Autrefois fades, grossiers et alcooleux (14 % vol.), ces vins sont désormais friands et fruités, dotés d'un taux d'acidité rafraîchissant qui les destine aussi bien à l'apéritif qu'au repas.

Côtes-de-provence

La production est variée, depuis les gros volumes de vins à boire jeunes jusqu'aux grands blancs, rouges et rosés classiques. Ces derniers sont élaborés par des vignerons ambitieux qui s'efforcent de tirer le maximum des cépages traditionnels et ont adopté d'autres cépages jusqu'alors étrangers à la région : viognier, cabernet-sauvignon, merlot et syrah.

Bandol

Enclave viticole qui s'étend autour du petit port du même nom, Bandol produit quelques-uns des meilleurs vins rouges de France. Le mourvèdre ne donne nulle part ailleurs de plus beaux résultats. Il est assemblé à d'autres cépages locaux. Le bandol est un vin opulent, chaleureux, qui reste souple et épicé malgré un grain tannique évident, et qui s'affine plusieurs années en bouteille.

Coteaux-d'aix-en-provence et les Baux

Entre garrigue et résineux, la vigne s'étend sur 3 500 ha pour produire des vins rosés (70 %) légers et fruités, issus de grenache et de cinsaut. Les vins rouges, équilibrés, dévoilent un beau fruité et des tanins souples. La production de vin blanc est limitée. En 1995, a été reconnue l'appellation les baux-de-provence (vins rouges et rosés), terroir original autour de la fameuse citadelle. Les règles de production sont ici plus strictes.

Vignes près de Propriano, en Corse. D'excellents vins d'appellations sont produits à côté des vins de pays.

Cassis et bellet

À Cassis, les vins rouges et rosés sentent bon le romarin, la bruyère et la myrte, selon les termes de Mistral. Bellet, minuscule vignoble sur les hauteurs de Nice, produit en quantité confidentielle des blancs originaux et aromatiques, des rosés soyeux et frais, des rouges somptueux.

Corse

Essentiellement consacrée à la production de vins de table et de vins de pays, la Corse compte cependant plusieurs aires d'appellation d'origine, dont celles des vins-de-corse, de patrimonio et d'ajaccio. Les vins rouges et blancs de ces deux dernières AOC atteignent un haut niveau qualitatif.

Les Champs-Élysées du vin

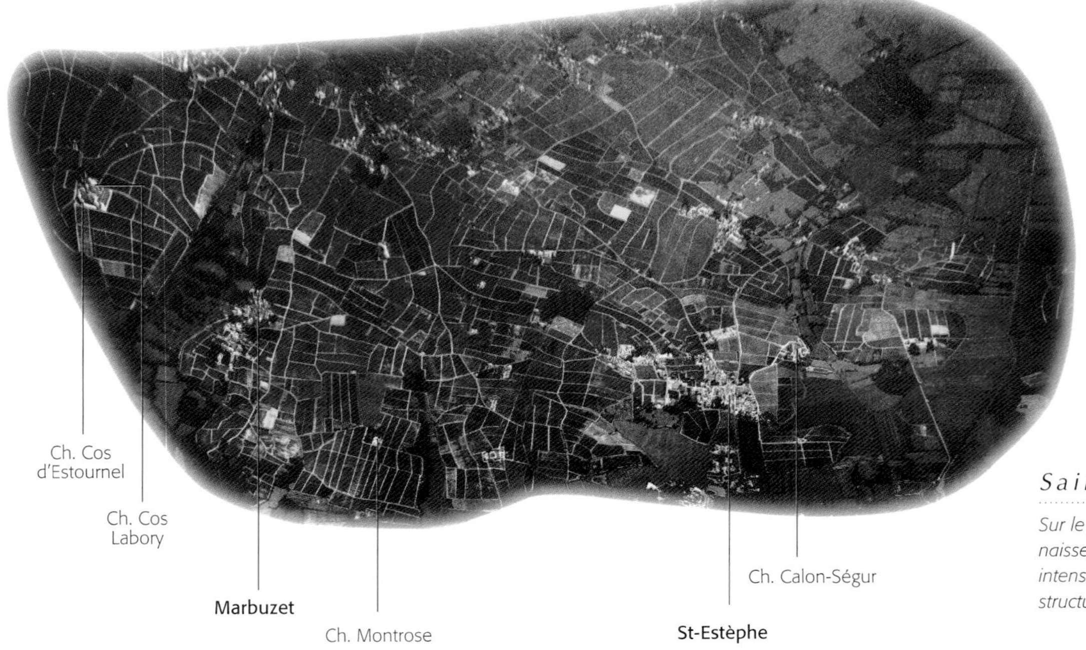

Saint-Estèphe

Sur le plateau d'argile naissent des vins à la ro[...] intense et à la bouche structurée.

C'est dans le Bordelais qu'est née la réputation des grands vins de France. Les trois atouts qui font le succès des vins rouges de cette région sont le terroir, la qualité des cépages et une tradition vieille de plusieurs siècles.

Le vignoble bordelais est de loin le plus vaste de France. Il couvre 116 000 ha. Les aires d'appelation les plus célèbres jalonnent les rives des fleuves. Ce sont, rive droite de la Dordogne et de la Gironde, le saint-émilionnais, pomerol, fronsac et canon-fronsac, bourg et blaye ; rive gauche de la Gironde, médoc et haut-médoc ainsi que les AOC communales margaux, pauillac, saint-julien, saint-estèphe ; et, plus bas sur la Garonne, graves, pessac-léognan, sauternes et barsac.

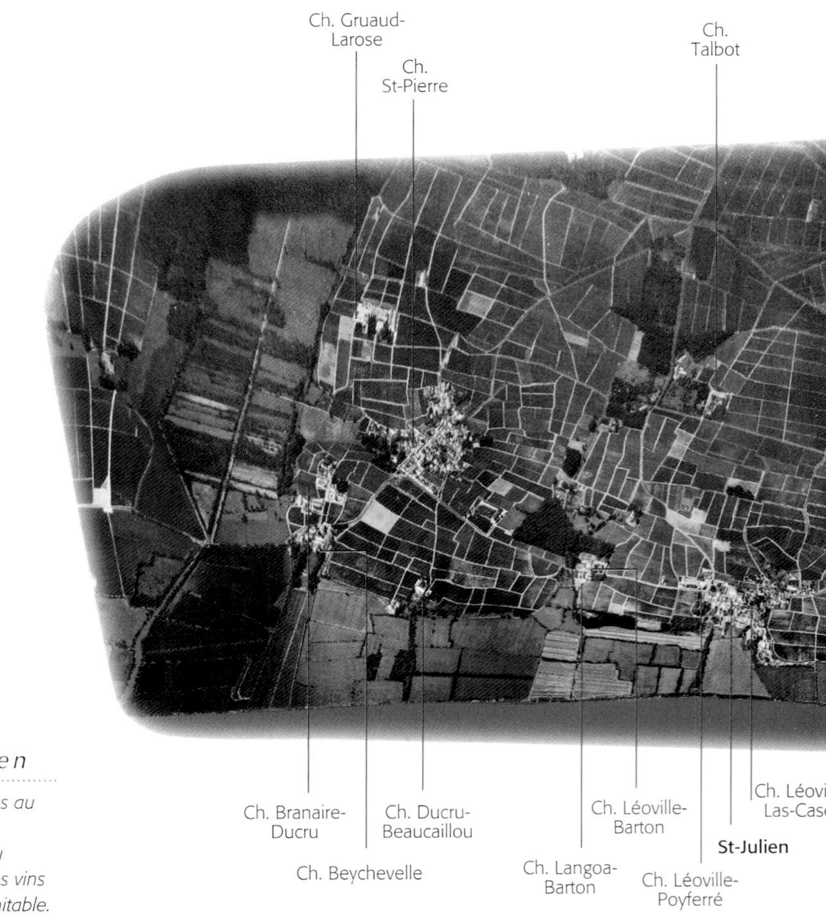

Pauillac et Saint-Julien

Ces communes situées au bord de la Gironde constituent le cœur du Médoc. Ici naissent des vins d'une profondeur inimitable.

Haut-médoc

Le prestige du Bordelais est surtout lié aux vins produits sur les graves de la rive gauche de la Gironde (4 160 ha). Le cabernet-sauvignon, le merlot et le cabernet franc dominent cette aire. Cinq crus classés sont présents dans l'appellation. Les vins se caractérise par leur générosité, mais sans excès de puissance.

Saint-estèphe

Cet ancien village de pêcheurs situé sur les bords de la Gironde a donné son nom à la plus septentrionale des six appellations communales du Médoc. Produits sur des croupes argilo-graveleuses d'une quarantaine de mètres d'altitude, les saint-estèphe sont les vins les plus tanniques du Médoc. Habillés de rouge grenat, ils restent longtemps fermés en bouche, pour mieux « exploser » lorsqu'ils parviennent à maturité.

Pauillac

Le petit port de plaisance de Pauillac est la capitale du Médoc viticole. Dans l'aire d'appellation homonyme, sur de belles croupes graveleuses, trois premiers crus classés sont implantés : Lafite-Rothschild, Mouton-Rothschild et Latour. Les vignobles se trouvent à proximité de l'estuaire et donnent raison à l'adage selon lequel « Les grands vins regardent la rivière ». Les vins de Pauillac sont les plus opulents et les plus sophistiqués du haut Médoc. Ils arborent une densité tannique extraordinaire sans jamais tomber dans l'excès. Les tanins sont extrêmement fins et doux, lorsque les crus sont réussis. Les pauillac bénéficient du meilleur potentiel de garde. Même dans les secteurs les plus reculés de ce ruban de vignes long de 6,5 km, là où le sol contient une plus grande quantité de sable et d'argile, les vins encore charnus et charpentés gardent toute leur finesse. Ils sont généralement composés de 65 à 75 % de cabernet-sauvignon. Les spécialistes prétendent que ce cépage atteint sa plénitude en AOC pauillac. Toutefois, au cours de ces dernières années, il a régressé au profit du merlot, qui donne des vins plus ronds.

Bouteilles de Château Pontet-Canet (pauillac), cinquième cru dans le classement de 1855.

Élégance et finesse

Château Margaux, fleuron de l'appellation.

Saint-julien

Un ruisseau d'apparence insignifiante sépare l'aire de Saint-Julien de celle de Pauillac. Les vignes du château Latour avoisinent directement celles du château Léoville-Las-Cases. Autour de la petite commune de Saint-Julien-Beychevelle se répartissent onze crus classés, dont cinq seconds crus. Le terroir est à cheval sur deux plateaux. Souvent, les vignes bordent directement le fleuve, sur de légères croupes de graves qui assurent un drainage parfait, critère essentiel de qualité en Médoc. Saint-Julien (900 ha) ne possède aucun premier grand cru classé, mais bien des dégustateurs estiment que Léoville-Las-Cases est injustement privé de ce titre depuis longtemps. Sans doute les saint-julien ne paraissent-ils pas aussi complexes et d'aussi longue garde que les vins de Pauillac, mais ils les surpassent par leur sève et leur élégance. Le cabernet-sauvignon et le cabernet franc règnent ici en maîtres comme dans la plupart des pauillac. Le Léoville-Las-Cases comprend même entre 2,5 et 3 % de petit verdot, un cépage complémentaire que les Médocains affectionnent.

Margaux

Le village de Margaux est situé à l'extrémité sud du haut Médoc. L'appellation se distingue par son étendue (1 361 ha). Elle couvre les communes voisines de Soussans, Cantenac, Labarde et Arsac. Les terroirs présentent les mêmes qualités de drainage que les autres AOC communales de la Gironde, mais ils se caractérisent par leur faible teneur en azote. Les vins comptent parmi les crus les plus agréables et les plus aromatiques. Le monde entier envie leurs doux arômes fruités, épicés et fumés, la distinction de leurs tanins et leur juste équilibre entre alcool et acidité. Certes, les styles et les niveaux de qualité varient d'un vin à l'autre, comme partout ailleurs, notamment en raison du nombre important de propriétés, de la grande étendue couverte par l'appellation et de la variété des terroirs. Le Château Margaux, seul premier cru de l'appellation, constitue un modèle de finesse. Dès que l'on aborde les seconds crus classés, le tableau gagne en contrastes, et de sensibles différences séparent les troisièmes et quatrièmes crus classés. En revanche, une profusion de crus bourgeois arborent des qualités dignes de grands crus. Les vins de Margaux sont issus du cabernet-sauvignon, assemblé au merlot, mais aussi au cabernet franc, sans oublier une pointe de petit verdot, qui leur confère une robe foncée et un fort taux d'acidité.

Margaux

Les vins élégants et soyeux se caractérisent également par leur équilibre.

Listrac-médoc et moulis-en-médoc

Ces deux petites appellations communales situées dans le haut Médoc s'étendent dans l'arrière-pays de Margaux. Elles offrent des vins robustes, fruités et charnus.

Le vignoble du château Prieuré-Lichine dans l'aire de margaux, quatrième cru classé en 1855.

Pessac-léognan

Les communes de Pessac et Léognan appartiennent à la grande aire de production des graves, qui s'étend du sud de Bordeaux jusqu'à Sauternes, sans jamais quitter la rive gauche de la Garonne. Pessac fait partie de la banlieue de Bordeaux. On y trouve le seul premier cru classé de l'appellation, le Château Haut-Brion, ainsi que le formidable Château La Mission-Haut-Brion, Pape-Clément et Laville-Haut-Brion, réputé pour son vin blanc. Léognan est situé un peu plus loin au sud, au cœur d'un riche paysage viticole et forestier. Le sol pauvre et graveleux nourrit des vins extrêmement délicats, charpentés et fruités, qui n'atteignent toutefois pas la variété ni la longévité des médoc ou des vins de la commune de Pessac.

Graves

Seule appellation de France à prendre le nom de son sol, les graves produisent des vins rouges et des vins blancs secs issus du sauvignon blanc et du sémillon mêlés d'un peu de muscadelle. Ces derniers, généralement élevés en barrique, figurent parmi les plus nobles de France, en raison de leur opulence et de leur capacité à s'affiner. De très rares vins moelleux sont vendus en AOC graves supérieures.

Les vins liquoreux

Sauternes, petite AOC de 1 613 ha sise au sud des Graves, doit sa réputation à ses vins liquoreux capiteux, constitués de sauvignon blanc et de sémillon. Grâce à la proximité du Ciron, dans les bonnes années, les baies se couvrent de pourriture noble et concentrent leurs sucres. Les vins développent un bouquet « rôti » au viellissement, avec des notes de miel, de noisette et d'orange confite. Leur présence dans le classement de 1855, regroupant des vins rouges, constitue une exception remarquable. Le sauternes le plus célèbre est le Château d'Yquem. Plus au nord, les vins produits dans l'aire de barsac peuvent bénéficier de l'AOC sauternes. Ils se distinguent cependant de leurs voisins par un caractère plus aérien. Les grappes non botrytisées permettent de produire des vins blancs secs profonds et charpentés sous l'appellation graves ou bordeaux supérieur. Enclavée dans les graves, l'appellation cérons produit moins de 3 000 hl de vin liquoreux fin. Sur la rive droite de la Garonne, les autres appellations sont cadillac, loupiac et sainte-croix-du-mont. Quelle que soit l'aire de production, les rendements à l'hectare sont faibles (avec un maximum autorisé de 25 hl à Sauternes et Barsac).

Le royaume du merlot

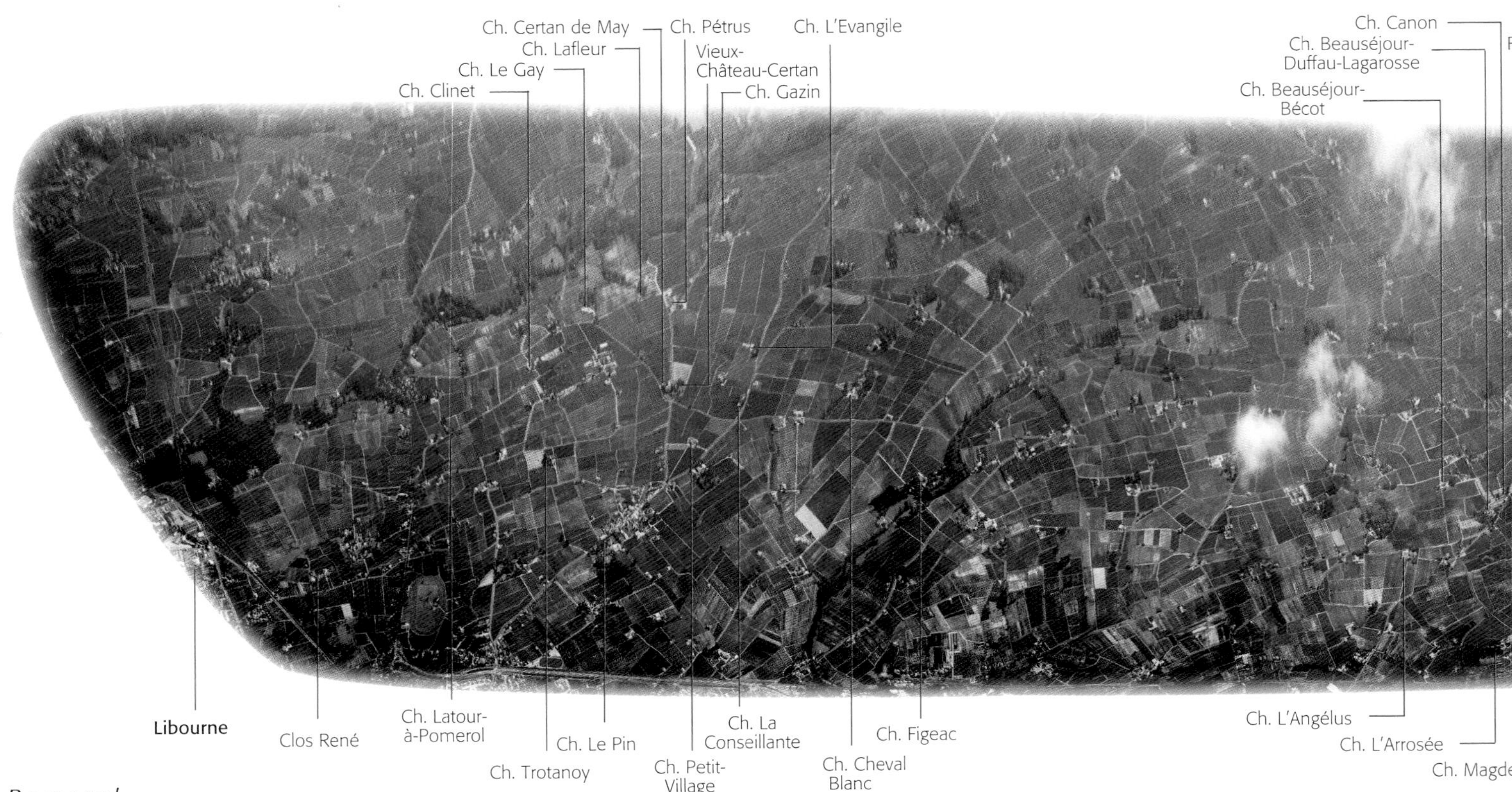

Pomerol et Saint-Émilion

Des vins opulents et riches en alcool, issus majoritairement de merlot.

La rive nord de la Dordogne est largement agrémentée de terres sableuses mêlées de graves, d'argilo-calcaires et parfois de sols argileux lourds. Le cépage merlot est ici dominant, même si deux des plus grands crus reposent en majorité sur les cabernets.

Saint-émilion

Dans le Saint-Émilionnais, deux appellations se partagent le vaste vignoble : saint-émilion et saint-émilion grand cru, celle-ci rassemblant les soixante-huit crus classés. Les vins sont issus de merlot et de cabernet franc. On peut distinguer deux types de sols : le haut plateau (sable et graves fines) et les côtes, dont le sous-sol est constitué de calcaire et de sable. C'est là que se trouvent la plupart des grands châteaux. Leurs vins sont charnus, épicés et souvent marqués par une note fruitée. Ils sont d'excellente garde, mais peuvent être consommés plus rapidement que les médoc. Le Château Ausone est le seul premier grand cru classé A, reposant sur un sol calcaire à astéries. Les vins du haut plateau se révèlent souvent plus charpentés, caractérisés par un nez à la fois épicé et minéral. Installés sur les alluvions gravelo-sableuses du Quaternaire, le premier grand cru A Château Cheval-Blanc et le Château Figeac : l'un comporte une majorité de cabernet franc, l'autre de cabernet sauvignon.

Pomerol

La frontière entre les appellations saint-émilion et pomerol traverse les vignes. Ce petit vignoble prolonge le plateau graveleux de Saint-Émilion. Après Libourne, le sol devient plus argileux au fur et à mesure que l'on se dirige vers le nord. La part de merlot dans les pomerol oscille entre 50 et 100 %. Petrus – célèbre parmi les grands – établit un record avec ses 95 % de merlot. Les 5 % restants sont réservés au cabernet franc. Le cabernet-sauvignon apparaît assez rarement dans ces vins. Les pomerol sont les plus opulents et les plus capiteux des vins rouges du Bordelais. Ils sont relativement rares, en raison des dimensions réduites de leur aire de production. Souvent, cette région est décrite comme le jardin de Libourne. Elle ressemble d'ailleurs à un joli parc bien entretenu, agrémenté de vignes. Devant chaque rangée de ceps fleurit un rosier. Les domaines viticoles (150 en tout) paraissent artistiquement disposés. Presque toutes les propriétés portent le titre de château, mais il s'agit généralement de simples maisons bourgeoises ou cossues. Ces crus n'ont jamais été classés, les producteurs refusant toute forme de classement. Mais il y a longtemps que le marché a rendu son jugement. Avec Petrus, Le Pin, les Châteaux Lafleur, Trotanoy et l'Évangile enregistrent des chiffres de vente exceptionnels.

Les autres vins

Lalande-de-pomerol : cette région qui marque la frontière nord du pomerol offre d'excellents vins, dont les caractères répondent aux différentes natures de sols qui composent l'appellation.

Fronsac et canon-fronsac : au nord-ouest de Libourne, ce vignoble est traditionnellement planté de merlot, de cabernet franc et de malbec sur des sols variés. Les vins, corsés, dévoilent de la finesse et un beau potentiel de garde. Certains égalent en qualité les saint-émilion, tout en affichant des prix plus bas.

Entre-deux-mers : le vignoble blanc situé entre la Garonne et la Dordogne développe des vins simples mais savoureux et véritablement bon marché, à base de sauvignon blanc, de sémillon, de muscadelle et d'ugni blanc. Signalons que dans cette région sont produits la plus grande part des bordeaux blancs.

Premières-côtes-de-bordeaux : face à l'appellation graves, sur la rive droite de la Garonne, cette région déroule un long ruban de vignobles. Quelques investisseurs ambitieux s'y sont installés ces dernières années. Ce terroir argilo-calcaire peut produire de superbes vins rouges, surtout constitués de merlot.

La petite colline de Petrus nourrit un vin exquis.

La France viticole en chiffres

Superficie : 920 000 ha
Production : 50-60 millions d'hl
Consommation annuelle de vin par habitant : 63 l

Les dix cépages les plus plantés

1. Carignan	rouge	18 %
2. Ugni-blanc	blanc	11 %
3. Grenache	rouge	9 %
4. Merlot	rouge	6 %
5. Syrah	rouge	6 %
6. Cinsaut	rouge	5 %
7. Aramon	rouge	4 %
8. Gamay	rouge	4 %
9. Cabernet-sauvignon	rouge	4 %
10. Chardonnay	blanc	2 %

La réglementation viti-vinicole

La hiérarchie des vins français est la plus stricte du monde.
Vin de table : issu de coupages de vins français ou originaires de différents pays de l'Union européenne.
Vin de pays : issu d'un département ou bien d'une aire géographique ou historique délimitée.
Vin délimité de qualité supérieure (AOVDQS) : issu d'une aire délimitée, soumis à des conditions plus strictes que le vin de pays.
Appellation d'origine contrôlée (AOC) : vin originaire d'une aire géographique délimitée, soumis à de sévères conditions de production répondant aux « usages locaux, loyaux et constants ».
On distingue les appellations régionales (bourgogne, bordeaux, côtes-du-rhône, etc.), sous-régionales (haut-médoc), communales (pauillac, tavel, etc.). En Bourgogne, il existe une distinction supplémentaire : au sein de l'appellation communale, dite *village*, un certain nombre de lieux-dits, ou *climats*, ont été reconnus en premiers crus (beaune-premier cru Les Amoureuses, par exemple). En outre, au sommet de la hiérarchie, des appellations grands crus ont été consacrées (comme échézeaux).

L'Italie ou la folie du vin

Au cours de ces trente dernières années, le vin et le vignoble italiens ont connu une évolution plus rapide qu'au fil des trois siècles précédents. La culture mixte de la vigne, de l'olivier et des arbres fruitiers a largement disparu. Sur les coteaux, les parcelles sont divisées selon leur encépagement. Désormais, les raisins de chaque cépage sont récoltés séparément. Les caves se sont également modifiées. Le vin italien atteint de nouveaux horizons de qualité, grâce au contrôle des températures pendant la fermentation, véritable révolution dans ce pays au climat chaud, voire torride à certaines époques de l'année.

Angelo Gaja, propriétaire dans l'aire de Barbaresco, fut l'un des pionniers de la production de vins de qualité internationale. Pour lui, le contrôle des températures constitue le plus grand événement vinicole depuis l'invention du tonneau.

Globalement, la modernisation de la viticulture et des techniques de vinification ont permis un formidable bond qualitatif. La folie du vin a touché la Toscane à la fin des années soixante, s'est emparée du Frioul et du Piémont, avant de gagner l'ensemble des provinces italiennes.

Haut Adige
Frioul
Trentin
Ghemme
Gattinara
Milan
Franciacorta
Valpolicella
Venise
Turin
Vérone
Barbera
Roero
Gavi
Barbaresco
Barolo
Gênes
Bologne
Florence
Carmignano
Chianti Rufina
Rosso Conero
San Gimignano
Chianti classico
Montepulciano
Pérouse
Verdicchio
Montalcino
Torgiano
Rosso Piceno
Montefalco
Morellino
Orvieto
Montefiascone
Corse
Rome
Frascati
Naples
Taurasi
Aglianico del Vulture
Bari
Pouilles
Campanie
Sardaigne
Cagliari
Cirò
Calabre
Palerme
Marsala
Sicile

Petite histoire de la vigne et du vin au pays de Bacchus

Sous la protection de Bacchus, l'Italie est le plus gros producteur de vin du monde, avec une moyenne de 60 millions d'hectolitres par an. Paradoxalement, malgré une tradition vinicole pluriséculaire, les Italiens consomment peu les produits de leur pays.

La plus grande partie du vin italien provient des Pouilles, de la Sicile, du Latium et de la Vénétie. Ces régions se consacrent essentiellement à une production de masse : vins de table communs, vendus comme vins médecins par de grandes coopératives européennes ou bien voués à la distillation obligatoire mise en place par l'Union européenne afin de limiter les excédents vinicoles. L'Italie s'est inquiétée à temps de la surproduction des vins de table et a instauré un système d'appellation d'origine (DOCG et DOC) qui prévoit des règles strictes en matière de rendements. Le volume de vin vendu en vrac s'est certes réduit, et la qualité s'est développée : le nombre de vins DOC a augmenté de 17 % dans les années quatre-vingt. Toutefois, le système italien présente des écueils : les contraintes fixées pour accéder au rang d'appellation ne sont pas toujours justifiées et freinent souvent l'initiative et le progrès. Aussi, certains des meilleurs vins du pays sont-ils commercialisés en *vini da tavola*, les producteurs préférant déclasser leur vin et se libérer du carcan administratif.

L'influence grecque

L'histoire du vignoble italien a commencé sous l'égide des Grecs, qui explorèrent le pourtour méditerranéen dès l'an 1000 avant J.-C., et plantèrent des vignes en pays conquis. Les premières bases commerciales grecques furent établies en Sicile et en Calabre. Ensuite, les vignobles s'étendirent lentement vers le nord. Dès le VIIe siècle, les Étrusques cultivèrent la vigne sur les terres de la Toscane actuelle, et vendirent le jus de la treille. Au IIIe siècle, lorsque Hannibal le Carthaginois marcha sur Rome, toute l'Italie du Sud était déjà couverte de vignes. Le falerne était le vin le plus réputé de l'Antiquité.

Les invasions barbares

Sous l'Empire romain, la vigne atteignit le nord de l'Italie et franchit les Alpes pour gagner l'Allemagne et la France. Après l'invasion des Goths et des Lombards, la viticulture fut réduite à néant, puis elle connut un nouvel âge d'or pendant la Renaissance, au XIIIe siècle. De grandes maisons vinicoles, comme Frescobaldi et Antinori furent fondées à cette époque. Après la chute des Médicis, au XVIe siècle, l'Italie tomba aux mains des Habsbourg espagnols et entra dans une période de décadence qui sonna de nouveau le glas de la viticulture. En raison des bouleversements politiques du XIXe siècle, la vigne ne put se développer qu'au niveau régional, jusqu'à ce que surviennent la grande crise phylloxérique puis la Seconde Guerre mondiale. La viti-viniculture italienne ne se releva vraiment que dans les années soixante.

Bacchus et Cupidon : le vin, béni des dieux, a toujours fait bon ménage avec l'amour dans la mythologie.

Le rouge et le noir... Les vins et les truffes

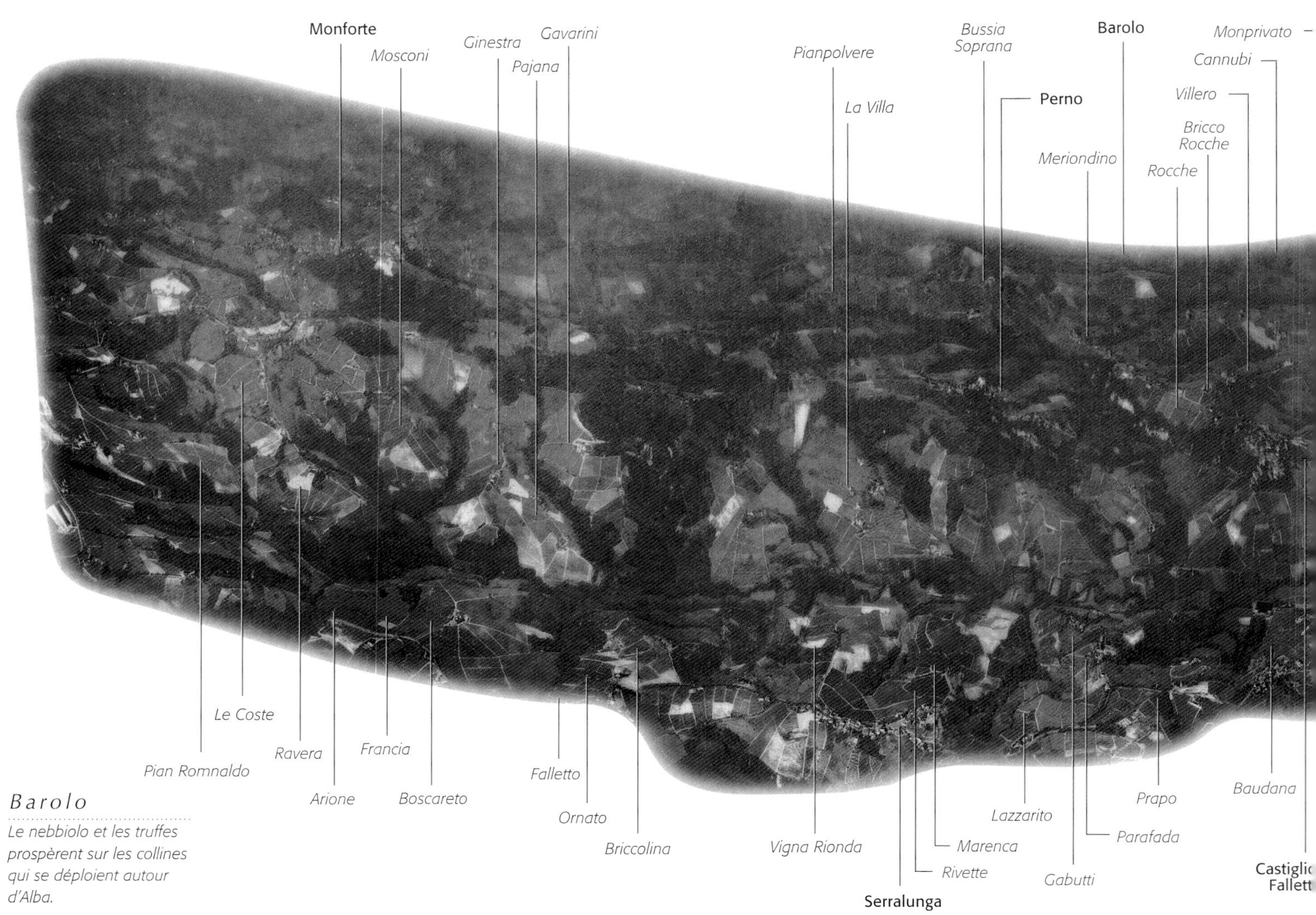

Barolo

Le nebbiolo et les truffes prospèrent sur les collines qui se déploient autour d'Alba.

Piémont : à la pointe du progrès

Le Piémont fait preuve d'un dynamisme étonnant dans le domaine de la viticulture. Le Barolo et le Barbaresco sont restés célèbres après un retour sur le devant de la scène fort remarqué dans les années quatre-vingt. Dix ans plus tard, les vins sombres de barbera et quelques autres merveilles jusqu'alors négligées ont attiré l'attention générale.

Le Barolo et le Barbaresco figurent parmi les plus grands vins rouges italiens, et – cas rare – sont uniquement issus de nebbiolo. Ce cépage ancien, vraisemblablement originaire du Val d'Aoste, est essentiellement cultivé dans le Piémont. Les sols érodés, argilo-calcaires, des Langhe, aux abords de la ville d'Alba, confèrent à son vin un corps et une richesse tannique caractéristiques. D'un goût vif et fruité au cours de ses premières années de vie, le nebbiolo développe à la garde un bouquet diversifié de fleurs fanées, de sous-bois et de clou de girofle. Sa robe relativement claire, cerise ou pourpre, trompe sur sa légèreté. En réalité, les bons millésimes de Barolo et de Barbaresco peuvent titrer 14 % vol.

Barolo

Cette petite aire de production, située au sud-ouest d'Alba, rassemble onze villages. Parmi les plus importants, citons Serralunga, Monforte, Castiglione Falletto, La Morra et Barolo. Les vignobles s'élèvent jusqu'à 500 m d'altitude. Les vins se montrent à la fois tendres et charpentés. Élevés au moins deux ans sous bois de chêne, ils ne se dévoilent qu'après trois années de garde en bouteille. En raison de leur richesse tannique, la tradition impose de les faire mûrir bien plus longtemps dans des foudres de chêne slave. Mais depuis quelques années, la mode est à la vinification en petits fûts et barriques. Alors que le Barolo a été longtemps décrit comme une « bombe tannique », le choix des parcelles, la meilleure sélection des clones, le soin apporté à la fermentation et la réduction des volumes ont permis d'améliorer considérablement sa matière.

Barbaresco

Les coteaux de Barbaresco commencent dès les faubourgs nord-est d'Alba et s'étendent sur le territoire de trois communes, Treiso, Neive et Barbaresco. L'aire géographique offre des dimensions plus réduites encore que celles du Barolo. Les producteurs ne dépassent presque jamais les 2,5 millions de bouteilles. Les coteaux sont situés à une altitude plus basse

que ceux de Barolo, et leur sol est un peu plus léger et sableux. En revanche, les vins expriment généralement des arômes moins exubérants. La plupart d'entre eux sont plus marqués par un aspect fruité que par les tanins. Les meilleures parcelles produisent cependant des vins dont l'opulence et le corps n'ont rien à envier au Barolo. Les Barbaresco sont également stabilisés dans de grands fûts anciens de chêne slave, où ils doivent mûrir au moins un an. Il ne peuvent être commercialisés avant deux ans de vieillissement. Malgré la proximité géographique de Barolo, les producteurs de Barbaresco sont restés conservateurs. Les vins exceptionnels sont moins nombreux que dans la région de Barolo. Les plus intéressants peuvent cependant rivaliser avec leurs voisins quant à l'élégance et à la longévité.

Barbera

Le Barbera est de loin le vin rouge le plus répandu du Piémont : il est produit plus particulièrement dans la province d'Asti et aux alentours d'Alba. À proximité de cette ville, beaucoup de viticulteurs spécialisés dans la production de Barolo le proposent comme vin de seconde catégorie. Le Barbera est peu corpulent, pauvre en tanins, mais remarquablement fruité. Il donne le meilleur de lui-même dans le Montferrat, région de basses collines sise au nord et au sud d'Asti. Le sol sableux et calcaire produit des vins veloutés, parfois très structurés, dont le titre alcoométrique oscille entre 13 et 14 % vol. Traditionnellement, le vin vieillit dans de grands fûts en bois, mais depuis quelques années, les vignerons utilisent également des barriques avec succès.

Les autres aires viticoles

Gattinara : ce vin vigoureux, issu du nebbiolo, originaire du village du même nom, est produit non loin de Vercelli. Il ne possède pas la finesse de la plupart des Barolo.

Ghemme : vin puissant, mais un peu rustique, à base de nebbiolo, produit dans le village de Ghemme, à proximité immédiate de l'aire de Gattinara.

Roero : cette aire de production en plein essor située au nord du Tanaro, près d'Alba, doit sa réputation à son délicat vin blanc d'arneis et à son vin rouge constitué de nebbiolo. Ce dernier se montre un peu plus léger que le Barolo et le Barbaresco, mais il peut être très fin.

Gavi : cette région de collines, productrice de vin blanc, se déploie au sud-est d'Alessandria, et bénéficie de la légère acidité du cépage cortese.

Moscato d'Asti : les collines qui enserrent Montferrat au sud fournissent un vin effervescent doux, l'Asti spumante, et un vin de dessert légèrement perlant, le Moscato d'Asti.

Le Barolo mûrit traditionnellement dans de vieux foudres en chêne slave. La nouvelle génération de vignerons se détourne du bois ancien au profit des barriques neuves.

La carte des cépages internationaux

Le vignoble du Haut-Adige, à la frontière du Tyrol autrichien.

La Franciacorta

Ce petit vignoble, qui a accédé à la notoriété grâce à la ténacité de quelques producteurs, est situé entre Brescia et le lac d'Iseo. Cette aire de Lombardie fonde sa réputation sur son vin effervescent, qui compte à juste titre parmi les meilleurs d'Italie. La plupart d'entre eux sont issus de chardonnay et/ou de pinot nero, deux cépages qui bénéficient largement des propriétés du sol calcaire de la région. Les *spumante* de la Franciacorta sont parmi les plus savoureux du pays et peuvent se mesurer aux bons champagnes, en plus fruité. Le chardonnay donne aussi de remarquables vins tranquilles, tandis que différents cépages comme le cabernet, le barbera, le nebbiolo et le merlot peuvent être assemblés pour créer le Franciacorta Rosso, un peu plus rustique.

Vigne en treille dans l'aire du Valpolicella Classico.

Le Haut-Adige

Le schiava (appelé localement vernatsch) occupe 55 % des parcelles du Haut-Adige. Il fournit des vins simples et communs réservés aux amateurs de fêtes bien arrosées. Actuellement, les propriétaires et les coopératives (qui vinifient plus de 80 % du raisin) s'efforcent de rendre une place de choix aux cépages traditionnels comme le traminer, le pinot blanc et le lagrein. Néanmoins, les vins les plus intéressants du Haut-Adige sont encore issus de chardonnay et de sauvignon. En rouge, on assiste à une vogue du merlot et du pinot noir, mais le succès n'est pas toujours au rendez-vous. Le cabernet-sauvignon ne mûrit que sur certaines parcelles ; il offre alors des vins très fins et charpentés.

Le Trentin

Entre toutes les régions viticoles d'Italie, le Trentin accorde la priorité au chardonnay et au pinot grigio, alors que partout ailleurs le chardonnay est surtout réservé au *spumante* industriel et le pinot grigio aux vins légers ordinaires. Dans de rares cas, ces cépages se prêtent à la production de vins fins. Parmi les cépages rouges locaux, citons le marzemino et le teroldego. Dans les meilleures années, ils donnent naissance à des vins de caractère, épicés.

La Valpolicella
Vignoble de plaine, la Valpolicella est une région de production de masse. Seule la catégorie Valpolicella Classico, cantonnée aux collines, produit des vins aériens, éclatants et fruités, très racés. Généralement, ils sont constitués de trois cépages rouges : le corvina, le rondinella et le molinara.Le fougueux Amarone est un vin de dessert issu de la fermentation d'une certaine quantité de raisins passerillés ; il présente un titre alcoométrique de 14 à 17 % vol. Ce vin typiquement véronais, qui peut être de grande qualité, constitue une part négligeable de la production.

Breganze
Ce minuscule vignoble, baptisé du nom d'un village situé au nord de Vicence, tire sa réputation des excellents vins de chardonnay, de cabernet-sauvignon et des vins doux (Torcolato, Dindarello, Acininobili) produits par un seul domaine : Maculan. Le reste de la production est constitué de vins charpentés mais peu complexes.

Le Frioul
Au cours des deux dernières décennies, les vins blancs et rouges du Frioul ont connu un formidable élan. Bénéficiant du climat méditerranéen et de la douceur de ses hivers, l'aire de production vallonnée de Collio (proche de Gorizia) et des Colli Orientali (près d'Udine), ainsi que celle d'Isonzo, au maigre soubassement de graviers et au sol rouge, offrent d'excellentes bouteilles. Les vins blancs sont réputés. Leur structure et leurs arômes primaires leur valent la faveur suprême du public italien. Ces dernières années, le chardonnay et le sauvignon ont fait reculer de nombreux cépages traditionnels. Cependant, le tocai autochtone est encore, de loin, le cépage le plus planté en Frioul. Provenant d'Istrie, il n'a rien à voir avec le tokay hongrois, ni même avec le tokay-pinot gris alsacien. Ses vins doivent être bus jeunes et sont généralement de qualité moyenne. Le ribolla et le pinot bianco peuvent présenter davantage d'intérêt. Le verduzzo et le picolit, qui produisent des vins doux, ne sont connus qu'à l'échelle régionale. Par ailleurs, les vins rouges ont pris leur essor, grâce à des merlots de qualité et à des cabernets-sauvignons d'une force rare. Les cépages anciens comme le schioppettino, le pignolo, le tazzelenghe et le refosco sont à l'origine de vins tantôt rustiques tantôt délicats, vendus en quantités réduites.

Soave
Le vignoble qui avoisine Vérone à l'est, région de production de masse, cache dans ses collines de mémorables vins blancs Classico élaborés autour des villages de Soave et de Monteforte par des producteurs comme Pieropan, Anselmi, Pra, Bolla et quelques autres encore. Dans cette contrée, la palme revient au garganega, dont les raisins à la peau épaisse permettent l'élaboration de vins doux raffinés.

Les autres aires viticoles

Bianco di Custoza, Gambellara :
à l'origine, ce vignoble s'étendait autour des rives sud du lac de Garde. Il propose des vins blancs simples et francs, issus essentiellement du garganega et du trebbiano.

Lugana :
cette région, sise au sud de Sirmione, près du lac de Garde, appartient à la Lombardie. Elle produit des vins blancs relativement lourds et corsés.

Vendanges dans le Collio (Frioul) : les vins blancs fruités et rouges charpentés sont réputés dans toute l'Italie.

Entre vignes, oliviers et cyprès

Castelnuovo Berardenga

Un Chianti à la robe sombre, au nez explosif, d'une belle structure tannique.

Un paysage mythique

La langue de terre qui sépare les Apennins de la mer Tyrrhénienne présente l'un des paysages agricoles les plus somptueux d'Europe. Un tapis de collines long de 200 km s'étale de la frontière nord à la frontière sud, parsemé de villages médiévaux, garni de forêts de chênes-lièges. La vigne se glisse presque partout dans les vallons. Il n'existe toutefois que très peu de parcelles regroupées. Un tiers de la Toscane est consacré au Chianti. Cette région viticole comprend plusieurs sous-régions de production comme celles du Brunello di Montalcino ou du Vino Nobile di Montepulciano.

Chianti

Le Chianti couvre un territoire qui s'étend de Pise, au nord, jusqu'à Montalcino, au sud, en passant par Florence et Sienne. Il se subdivise en sept sous-régions viticoles, dont une seule a atteint quelque célébrité : celle du Chianti Classico, située entre Florence et Sienne. Les autres aires de production sont baptisées Chianti Rufina (près de Pontassieve), Chianti Colline Pisane (Pise), Chianti Montalbano (Carmignano), Chianti Colli Fiorentini (Florence), Chianti Aretini (Arezzo) et Chianti Colli Senesi (au sud de Sienne). Les Chianti de ces sous-régions constituent des DOCG (voir p. 161), même si la plupart d'entre eux sont des vins rouges relativement simples. À elle seule, l'appellation régionale Chianti occupe un espace plus vaste que ses sept sous-régions de production réunies. Les producteurs peuvent décider commercialiser leur vin sous le simple nom de Chianti ou sous celui de sa sous-région d'origine. Les Chianti d'appellation régionale (dont le nom a été souvent usurpé dans le monde) sont soumis aux règles les moins contraignantes, tandis que les Chianti Classico se plient à des conditions strictes. De manière générale, tous doivent être constitués, en partie ou en majorité, de sangiovese. Les meilleurs sont concentrés, agrémentés de tanins fermes et d'un bel arôme de mûre. Ce sont des vins à l'élégance dépouillée.

Le Chianti Classico du célèbre producteur Antinori atteint des sommets (ci-dessus, cave de Badia a Passignano)

Chianti Classico

Les collines qui séparent Florence de Sienne constituent le cœur de la région du Chianti. Le Chianti Classico rassemble neuf lieux-dits. Habituellement, le vin est constitué exclusivement ou à 75 % de sangiovese. Le canaiolo, la malvasia nera, le mammolo ou d'autres cépages locaux peuvent le compléter à hauteur de 10 %. En outre, un ajout de 15 % de cépages secondaires comme le merlot et le cabernet-sauvignon est autorisé. Certains cépages blancs (6 %) font l'objet d'une tolérance, tel que le prévoyait déjà la « recette » du Chianti mis au point par le baron Ricasoli vers 1870, mais les meilleurs vignerons renoncent désormais à cet usage.
Le Chianti Classico ne constitue pas une aire homogène. Dans le nord, près de San Casciano et de Greve, les vins sont plus parfumés et plus élégamment tanniques que ceux du sud. Castellina, Gaiole, Radda et Castelnuovo Berardenga, situés à la bordure méridionale de cette région viticole, donnent en revanche des vins plus structurés, plus tanniques et parfois âpres. Évidemment, la nature du vin change selon l'altitude de la parcelle (jusqu'à 700 m) et le terroir. En contrebas, des sols sableux, de fines couches caillouteuses, produisent des vins tendres et élégants ; sur les hauteurs, les terres argileuses dominent (Galestro), et le sable calcaire (Alberese) est à l'origine de vins plus robustes. Les bouteilles de Chianti Classico portent sur leur goulot un sceau représentant un coq noir sur fond or.

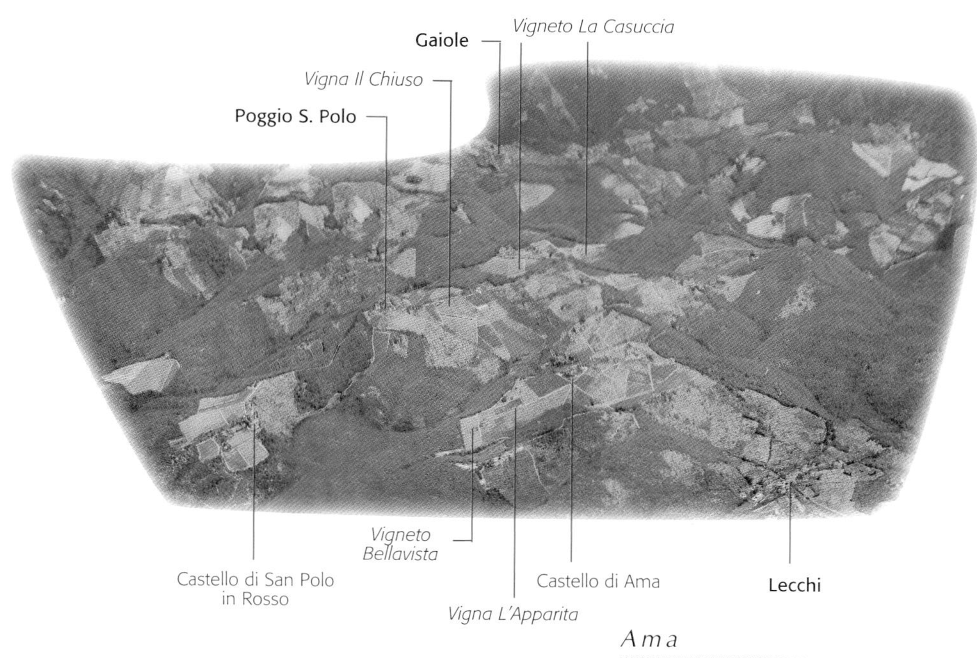

Ama

Un Chianti Classico raffiné, produit dans l'un des vignobles les plus élevés de l'aire d'appellation.

Supertoscans et Chianti Riserva

Dès le début des années quatre-vingt, la qualité du Chianti Classico a considérablement progressé. Certains investisseurs privés disposant de capitaux ont acheté de nombreux domaines viticoles et assaini l'économie languissante de la région. Ils ont réduit les rendements, replanté du sangiovese en grandes quantités, tout en expérimentant d'autres cépages. Parce que leur production ne respectait pas les dispositions légales, ils en ont commercialisé une partie en *vini da tavola,* devenus célèbres sous le nom de supertoscans. Depuis 1997, les vins de table ne peuvent plus afficher de millésime sur leur étiquette. Aussi, les supertoscans doivent-ils désormais être vendus comme vins IGT (voir p. 161) ou comme Chianti Riserva, s'ils ont longuement vieilli avant mise sur le marché. Les Riserve, aux tanins fins, comptent parmi les vins rouges les plus typiques, parfois dotés de qualités exceptionnelles.

Cacchiano et Brolio

Les Chianti Classico les plus séveux.

Renaissance du sangiovese

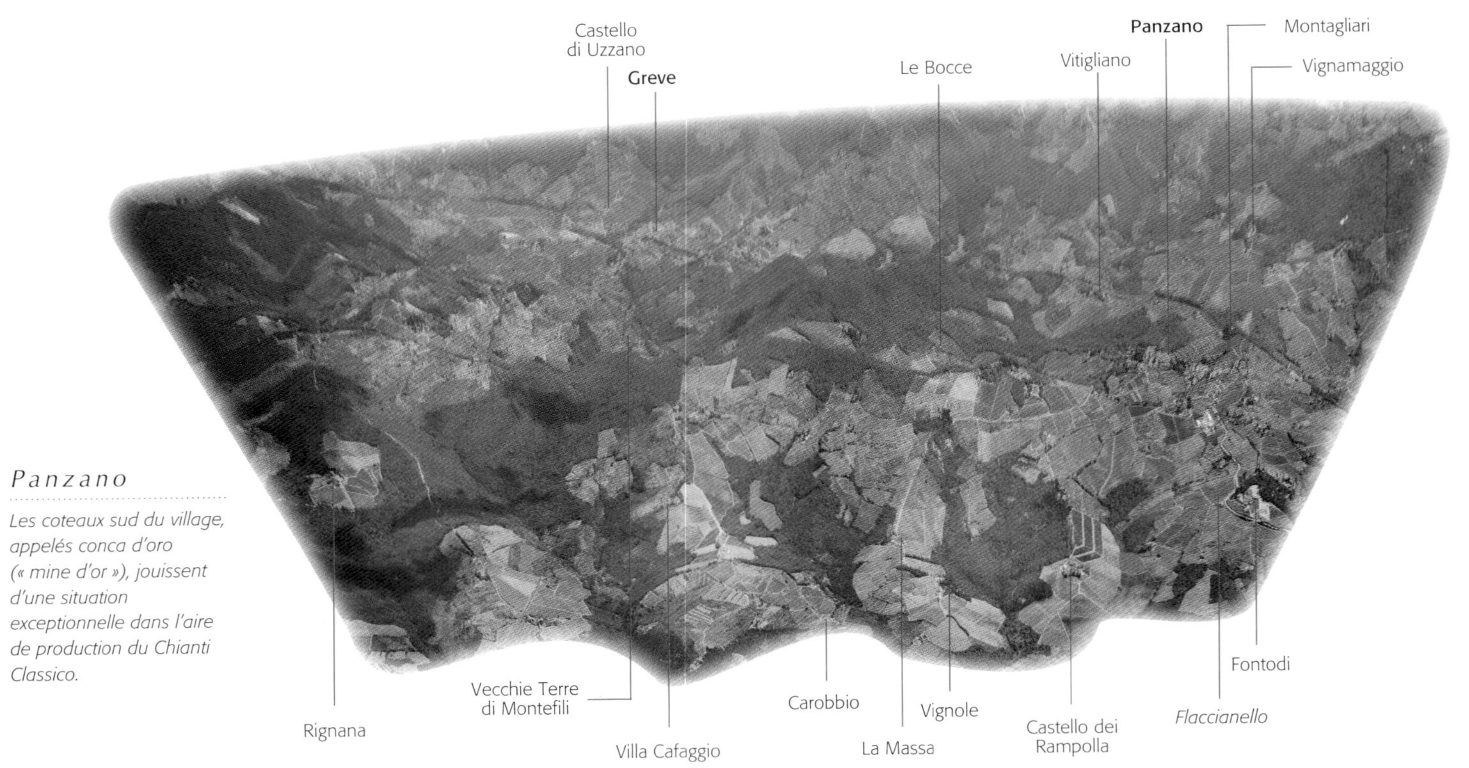

Panzano

Les coteaux sud du village, appelés conca d'oro (« mine d'or »), jouissent d'une situation exceptionnelle dans l'aire de production du Chianti Classico.

Chianti Rufina

À l'est de Florence, près de Pontassieve, commence une petite aire de production qui a été intégrée au Chianti dans les années trente, et qui commercialisait jusqu'alors son vin sous le nom de Rufina. Le Rufina est soumis aux mêmes conditions que les autres Chianti, mais les sols sableux et argileux de cette zone produisent des vins typés. Plus tanniques, mais tendrement fruités, ils se comparent parfois aux meilleurs Chianti Classico. Toutefois, la zone DOCG ne couvre que 600 ha, et les vignerons hors pair se comptent sur les doigts de la main. Pomino, qui relevait auparavant de l'aire géographique de Chianti Rufina, dispose aujourd'hui de sa propre DOC.

Carmignano

Ce modeste vignoble situé à l'ouest de Florence, et qui fut intégré en 1932 à l'aire viticole du Chianti Montalbano, a retrouvé son autonomie en 1975. Le Carmignano est issu du sangiovese et du canaiolo, assemblés à 10 % de cabernet-sauvignon. En raison de la basse altitude des parcelles, il est moins acide que le Chianti Classico, mais le sol sableux le prive d'une certaine étoffe.

Bolgheri

Ce bourg pittoresque situé au sud de Pise est le berceau du Sassicaia, le plus célèbre vin

Passignano

Bada a Passignano : les coteaux situés autour de l'abbaye de Vallombreuse produisent aujourd'hui l'un des meilleurs Chianti Classico.

italien. Celui-ci est exclusivement composé de cabernet-sauvignon et de cabernet franc, c'est-à-dire de cépages peu communs en Toscane. Sous ce climat chaud et méditerranéen, le terroir donne des vins opulents, savoureux et de longue garde. Le Sassicaia a fait de nombreux émules, de même que l'Ornellaia. Depuis 1994, ces deux vins ne font plus partie de la catégorie *vino da tavola,* mais ont été consacrés en DOC. Les autres vins de la région de Castagneto Carducci (dont fait partie Bolgheri) s'appellent Bolgheri Rosso et Bolgheri Bianco. En rouge, ils peuvent être élaborés aussi bien avec du cabernet-sauvignon ou du merlot qu'avec du sangiovese. Presque tous les Bolgheri Rosso sont des vins très recherchés et chers, quoique vendus en quantités non négligeables. Leur succès a provoqué un véritable engouement pour les vins de la Maremme, sur la côte toscane. De nombreux domaines ont vu le jour.

Radda

Les coteaux de Radda produisent un Chianti Classico fruité, au grain tannique perceptible.

Castello di Volpaia
Castello di Albola
Capaccia
Montemaggio
Castelvecchi
Montevertine
Poggerino

Les autres aires viticoles

San Gimignano : cette aire forme une oasis blanche dans l'océan du Chianti rouge ; elle produit un vin modeste mais très apprécié, à base de vernaccia.

Rosso delle Colline Lucchesi : cette petite aire avoisine la ville de Lucques. Sur les contreforts des Apennins, on produit un vin rouge proche du Chianti, à base de sangiovese et de canaiolo. Ces dernières années, la demi-douzaine de petits vignerons qui s'est installée dans cette région propose des vins élégants et nets.

Vin Santo : presque partout dans le Chianti, on produit des vins de dessert issus de raisins blancs passerillés, qui fermentent ou mûrissent de trois à cinq ans dans de petits fûts *(caratelli).* La qualité est variable selon les assemblages et l'art du vigneron.

Montescudaio : cette petite aire viticole située au nord de Bolgheri offre surtout un intérêt pour ses vins rouges, majoritairement issus du sangiovese.

Val di Cornia : peu de gens connaissent ce vignoble proche du bourg de Suvereto, dans la région de la Maremme. Il a acquis une récente notoriété grâce à ses remarquables vins de sangiovese et de cabernet.

San Gimignano : une ville médiévale située dans le Chianti, portée par la réputation de son vin de vernaccia.

Le Vin Santo, traditionnel vin de dessert toscan.

Les grandes familles d'Italie

Montalcino

Sur les coteaux de cette petite ville du Sud toscan mûrit le cépage brunello di Montalcino.

Brunello di Montalcino

Le Brunello rouge DOC bat des records de popularité à l'échelon international : c'est un vin exubérant et charnu, aux profonds arômes de cèdre et de mûre, et aux tanins doux mais puissants. Il est exclusivement constitué d'une variété à petits grains du sangiovese, encore appelée brunello. Ce clone, très réussi, de sangiovese grosso a été isolé et multiplié par Ferruccio Biondi-Santi au milieu du XIXe siècle. La famille Biondi-Santi a gardé le monopole du brunello jusque dans les années soixante. Aujourd'hui, une centaine de producteurs, d'ailleurs modestes, se sont installés dans cette aire. La surface du vignoble a plus que doublé depuis le début des années quatre-vingt. Aux côtés des grandes maisons de vin et des détenteurs de capitaux privés qui se sont implantés dans le Montalcino, de petits propriétaires continuent d'embouteiller eux-mêmes leur vin. Grâce à l'exposition des coteaux au midi, le Brunello est plus structuré et puissant que le Chianti Classico ; ses tanins savent faire patte de velours et son acidité reste modérée. Il lui faut au moins deux ans pour mûrir en fût (traditionnellement en foudre de chêne slave),

Vendangeur de sangiovese à Montalcino.

Cave du domaine Il Greppo de Biondi-Santi : le Brunello est élevé trois ans en fût.

et quatre années doivent s'écouler avant sa commercialisation. Toutefois, tous les Brunello ne méritent pas leur réputation et leur prix. Le Rosso di Montalcino, second vin de cette aire viticole du sud de la Toscane, peut être de première grandeur et d'un bon rapport qualité-prix. Lui aussi est uniquement constitué de brunello, mais doit être élevé une seule année sous bois.

Vino Nobile di Montepulciano
Autre vedette du sud de la Toscane, le Vino Nobile di Montepulciano est surtout constitué de sangiovese (appelé localement prugnolo gentile), mais aussi de canaiolo et de mammolo (en petites quantités), dont les raisins mûrissent sur les collines de la petite ville médiévale de Montepulciano, à une cinquantaine de kilomètres de Sienne. Cette aire viticole, deux fois plus réduite que celle du Brunello, bénéficie de sols sableux et d'un climat plus frais et tempéré, du fait de la moindre proximité de la mer. C'est la raison pour laquelle le Vino Nobile ne possède pas tout à fait la même structure que le Brunello, ni la densité et l'élégance du Chianti Classico. Cependant, les meilleurs Vino Nobile sont de dignes représentants du cépage sangiovese et ont inspiré le poète Francesco Redi dans son célèbre *Bacchus en Toscane*. Les parcelles moins favorisées donnent naissance au Rosso di Montepulciano, peu complexe mais délicat, et au Chianti Colli Senesi, plus modeste.

Montalcino : un paysage de collines esseulées et boisées, berceau d'un grand vin rouge.

Morellino di Scansano
Dans l'arrière-pays quelque peu désert de la Maremme, au sud de Grosseto, on cultive également le sangiovese. Le chaud climat méditerranéen favorise l'élaboration d'un vin charnu et exubérant, mais qui ne possède pas la plénitude d'un Brunello.

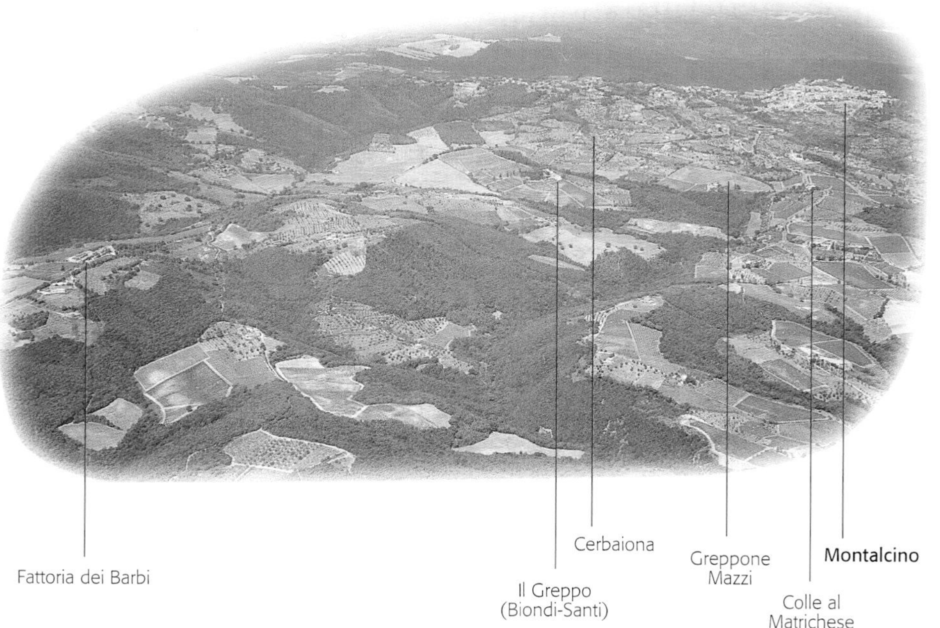

Torgiano
Ce vin rouge d'Ombrie doit sa réputation à la famille Lungarotti, qui possède une grande partie du vignoble situé aux abords du petit village de Torgiano, sur le Tibre. Avec sa Riserva Monticchio, qui n'est commercialisée qu'au bout de dix ans (le vin vieillit surtout en bouteille), cette aire de production a imposé très tôt d'excellentes normes qualitatives. Le simple Torgiano, à base de sangiovese, reste un vin sans prétention mais délicat ; ses arômes fruités et marqués lui viennent du canaiolo qui constitue 30 % de l'assemblage.

Sagrantino
Le meilleur vin rouge d'Ombrie naît dans les collines qui cernent la petite ville de Montefalco. Le cépage sagrantino produit un vin complexe, traditionnellement fougueux, mais aujourd'hui un peu plus structuré qu'auparavant, à la robe rubis foncé, et aux tanins tendres.

Orvieto
Le trebbiano et le grechetto dominent dans cette région qui est la plus grande productrice de vin blanc d'Ombrie. Ils offrent des vins simples et peu acides. Les meilleurs résultats sont obtenus à partir du chardonnay et du sauvignon.

Un nouveau départ

Coucher de soleil sur les collines des Marches près de Montecarotto : c'est le pays du Verdicchio et des vins rouges de Montepulciano.

Montefiascone

Dans le nord du Latium, à proximité de la Toscane, se trouve une petite région viticole connue pour le vin blanc qu'elle a baptisé Est ! Est ! Est ! Ce vin rustique et modeste est issu du trebbiano. Récemment, plusieurs petits viticulteurs se sont installés au milieu des grandes exploitations industrielles et y produisent du Montefiascone avec succès. Depuis quelque temps, le merlot donne également d'excellents résultats dans cette région.

Frascati

Le Frascati, qui s'étend aux portes de Rome, fait partie des aires de production industrielle du Latium. Son vin blanc est généralement commun et frêle. Ces dernières années, quelques domaines ont mis sur le marché des vins plus solides et plus fruités.

Rosso Conero

Au sud de la ville portuaire d'Ancône, dans une région où souffle une douce brise marine, on élabore un vin charpenté et ardent. Le Rosso Conero est issu du cépage montepulciano, mais le sangiovese, dont l'ajout est autorisé à hauteur de 15 %, n'est pas un atout sous le chaud climat adriatique. Traditionnellement fougueux et un peu rustique, le Rosso Conero a beaucoup gagné en finesse grâce à l'adoption de méthodes de vinification plus soignées. Toutefois, ils ne sont qu'une douzaine de propriétaires à proposer un vin de qualité.

Verdicchio

Principale production de la région des Marches, située au pied des Apennins et dotée d'un sol argilo-calcaire, le Verdicchio est un vin blanc qui se distingue moins par son acidité que par sa complexité. Le Verdicchio typique développe une rondeur, un parfum et une charpente remarquables. Ces qualités sont l'apanage du Verdicchio dei Castelli di Jesi, et plus encore du Verdicchio di Matelica, deux vins de cépage qui possèdent leur propre DOC.

Les Pouilles

En raison de la profusion de vins rouges DOC, connus ou anonymes, tour à tour ordinaires ou de qualité moyenne, il est difficile de distinguer les différentes aires viticoles des Pouilles. Comme le climat est uniformément chaud du nord au sud et que le terroir se prête largement à la viticulture, la valeur du vin dépend surtout du producteur. Le negroamaro règne en maître sur les vins de cette région, souvent associé à la malvasia nera et au montepulciano. L'uva di troia, en nette régression, donne des vins particulièrement intéressants (notamment les vins de Castel del Monte et de Cerignola), ainsi que quelques vins rouges secs, récemment apparus sur le marché, et dont certains sont mémorables.

Le temple sicilien de Ségeste, au milieu de vignes centenaires.

La Calabre

Cette région viticole oubliée, située à l'extrême pointe sud de la botte italienne, ne produit que quelques vins de qualité. Ceux-ci sont élaborés exclusivement dans l'arrière-pays de la ville portuaire de Cirò : ce sont des vins vigoureux et tanniques qui rappellent de loin les Barolo, mais n'ont ni leur longévité ni leur finesse.

La Campanie

Région viticole par excellence, la Campanie offre aujourd'hui une profusion de solides vins blancs et rosés au profil méditerranéen. Le principal vin rouge est le Taurasi, lourd et tannique, qui exprime toutefois un arôme très fruité ; il est produit dans la région d'Avellino. Le Fiano blanc, au caractère bien marqué, tient également une place à part.

La Basilicate

Au pied du volcan éteint du mont Vulture, l'aglianico mûrit sur de petites terrasses dispersées. Il sert à élaborer l'Aglianico del Vulture, l'un des meilleurs vins rouges du sud de l'Italie.

Cendres volcaniques à Pantelleria, oasis de vins doux.

La Sicile

Cet immense espace viticole se distingue avant tout par sa production de masse. Seuls quelques vignerons savent exploiter le potentiel qualitatif de l'île. Les pionniers en ce domaine furent la coopérative d'État Duca di Salaparuta à Casteldaccia, les propriétaires du comté Tasca d'Almerita à Scalfani Bagni et le producteur de marsala Vecchio Samperi. Pourtant, de nombreux viticulteurs cherchent à suivre leur exemple et proposent des vins blancs et rosés de facture moderne.

La Sardaigne

La Sardaigne produit des vins d'été, légers et agréables (cépages : vermentino, nuragus, malvasia di Sardegna, sauvignon), mais aussi des vins rouges de caractère. Outre les cépages traditionnels – cannonau, carignano, malvasia nera et sangiovese –, les producteurs cultivent désormais le cabernet-sauvignon et obtiennent d'excellents résultats. Leur tavail est soigné, même dans la catégorie des vins de table, lesquels devraient passer en IGT.

L'Italie viticole en chiffres

Superficie : 922 000 ha
Production : 60 millions d'hl
Consommation annuelle de vin par habitant : 60 l

Les dix cépages les plus plantés

1. Sangiovese	rouge	10,75 %
2. Catarratto comune	blanc	7,29 %
3. Trebbiano toscano	blanc	6,98 %
4. Barbera	rouge	4,55 %
5. Merlot	rouge	4,23 %
6. Negroamaro	rouge	4,14 %
7. Montepulciano	rouge	2,68 %
8. Trebbiano romagnolo	blanc	2,16 %
9. Catarratto lucido	blanc	2,03 %
10. Primitivo	rouge	2,02 %

La réglementation viti-vinicole

Denominazione di Origine Controllata e Garantita (DOCG) : appellation contrôlée et garantie qui constitue l'échelon le plus élevé de la réglementation viti-vinicole italienne. Depuis 1983, cette appellation n'a été que rarement attribuée. En règle générale, elle est assortie de contraintes plus strictes, surtout en ce qui concerne le rendement, que la DOC.

Denominazione di Origine Controllata (DOC) : l'appellation d'origine contrôlée existe depuis 1964. Elle délimite les aires viticoles, fixe les cépages autorisés, réglemente les techniques de production et le moment du déblocage. Environ 17 % des vins italiens entrent dans la catégorie des DOC.

Indicazione Geografica Tipica (IGT) : ce niveau de qualité introduit en 1997 rassemble les vins régionaux. Les contraintes relatives au titre alcoométrique et au rendement maximal à l'hectare sont moins strictes que celles de la DOC. Sur l'étiquette peuvent apparaître le cépage, le millésime et la région d'origine.

Vino da Tavola (VdT) : vin de table dont les exigences qualitatives sont peu contraignantes. Le raisin doit être sain. Sur l'étiquette ne peuvent figurer que la couleur, le titre alcoométrique et la région d'origine, à l'exception du millésime.

GONZA

Les défits de la péninsule Ibérique

L'Espagne possède la plus vaste superficie plantée de vignes du monde. Toutefois, en termes de volumes de vin produit, elle occupe seulement le troisième rang, derrière l'Italie et la France. Cet écart s'explique par le faible rendement de la vigne dans des régions marquées par la sécheresse. La péninsule Ibérique s'appuie sur des traditions vinicoles qui remontent au XVIIIe et au XIXe siècle. Depuis les années soixante, la modernisation exemplaire de la viticulture espagnole a permis de passer d'une production de masse à une production de qualité, synonyme de développement. L'impulsion n'a pas été donnée par La Rioja, qui jouissait déjà d'une réputation internationale, mais par de nombreuses autres petites aires de production. Au Portugal, où le patrimoine ampélographique est immense, les progrès réalisés en matière de vinification sont également sensibles, quoique inégaux selon les régions. Ce pays a le privilège de posséder l'une des plus anciennes appellations d'origine délimitées de l'histoire : le porto.

La Corogne
Saint-Sébastien
Bierzo
Rias Baixas
Rioja
Navarre
Somon
Vinhos Verdes
Ribera del Duero
Toro
Porto
Rueda
Porto e Douro
Bairrada
Dão
Madrid
Valence
Utiel-Requena
La Manche
Bucelas
Colares
Lisbonne
Carcavelos
Setúbal
Valdepeñas
Yecla
Jumilla
Carthagène
Séville
Montilla-Moriles
Xérès

Un profond respect des traditions

L'Espagne est aujourd'hui l'un des pays viticoles les plus dynamiques du monde. Cependant, la plupart de ses aires de production sont dominées par un seul cépage qui a apporté, au cours des cinquante ou cent dernières années, un revenu appréciable à la population locale, des rendements élevés et réguliers sans grandes contraintes de qualité.

Dans les statistiques viticoles, l'airén prévaut parmi les cépages blancs, et le grenache parmi les cépages rouges. Tous deux sont à l'origine de vins simples et communs. Le mode de vinification traditionnelle – vendanges tardives et absence de contrôle des températures lors de la fermentation – appartient toutefois au passé. Les coopératives, qui ont opté pour une production de masse, sont largement responsables de l'image du vin espagnol : vins blancs maigres et sans grâce ; vins rouges alcooleux manquant d'acidité. Dans les années quatre-vingt et quatre-vingt-dix, les nouvelles générations de vignerons se sont efforcées de changer cette situation. Ces pionniers ont implanté les vignes dans des zones plus fraîches et ont largement investi dans les techniques de vinification moderne. Il en résulte des vins blancs plus frais et francs de goût, des rouges solides et concentrés, jamais trop lourds.

Des Carthaginois aux Arabes

Dans la péninsule Ibérique, la vigne est apparue en l'an 4000 ou 3000 avant J.-C. Lorsque les Phéniciens fondèrent la ville de Cadix, et que les Carthaginois puis les Romains développèrent le commerce dans le pourtour méditerranéen, l'Espagne connut son premier essor viticole (en 200 avant J.-C.). Les vins de Bétique (Andalousie) et de Terraconensis (Tarragone) étaient particulièrement appréciés à Rome. Après la conquête de l'Espagne par les Maures (en 711 après J.-C.), la viticulture ne fut plus favorisée, mais tolérée. L'islam avait certes interdit la consommation de vin, mais les émirs et les califes ne pouvaient se passer des impôts qu'ils levaient sur la vigne.

La viticulture des temps modernes

Après la reconquête de la péninsule Ibérique par les chrétiens au XVe siècle, la viticulture connut un second épanouissement. Jerez et Málaga étaient les principales aires de production. En 1587, Sir Francis Drake envahit Cadix et déroba 2 900 *pipes* (tonneaux) de xérès. Bientôt, le commerce de vin avec l'Angleterre se développa. La viticulture espagnole connut un âge d'or. Ce n'est qu'au cours de la seconde moitié du XIXe siècle que le mildiou et le phylloxéra détruisirent les vignobles de la Catalogne jusqu'à Málaga. Grâce à sa situation excentrée, La Rioja ne fut atteinte que tardivement (1900-1910) par le puceron dévastateur ; les producteurs avaient alors largement greffé leurs cépages sur des ceps américains résistants.

C'est ainsi que de nombreux négociants bordelais, face à la pénurie en vin français, vinrent s'approvisionner dans La Rioja. Ils introduisirent dans cette région l'usage des barriques et de nouveaux modes de vinification. Pendant la Seconde Guerre mondiale et la guerre civile espagnole, la viticulture réussit péniblement à rester à flot.

Déclin et renaissance

Après 1950, la viticulture a été régénérée par la création de nombreuses coopératives, mais celles-ci se sont concentrées sur la production de simples vins de table et sur l'exportation de barriques. La qualité en a souffert. Seule la production de xérès et de Rioja s'est accrue à partir des années soixante. Depuis les années quatre-vingt, les Espagnols tentent de répondre aux exigences de qualité qui sont émises par les autres pays européens. En Catalogne, en Castille-León et dans plusieurs petites aires de production du nord de l'Espagne, de jeunes propriétaires et investisseurs entament une nouvelle et exaltante *reconquista* de la qualité.

Les vins du Marqués de Murrieta suivent l'exemple de l'aristocratique Rioja. Ce sont des vins traditionnels qui présentent une fantastique potentiel de garde. Le Castillo Ygay 1959 a passé vingt-cinq années en fût. Depuis, le propriétaire du domaine, le Conde de Creixell, a écourté la durée de vieillissement.

Le vent de la modernité

La crise phylloxérique, qui toucha la péninsule Ibérique au siècle dernier, ainsi que la production industrielle de masse, instaurée après la Seconde Guerre mondiale, ont beaucoup desservi la viticulture espagnole. Cependant, un formidable élan de reconquête de la qualité anime aujourd'hui l'Espagne.

Bodegas Raimat à Costers del Segre : le tempranillo, le cabernet-sauvignon, le merlot et le chardonnay sont cultivés.

Costers del Segre

Cette véritable oasis viticole située près de la ville de Lérida, portée par la réputation du prestigieux domaine de Raimat, s'est dotée des équipements les plus modernes. Le Raimat figure parmi les fleurons de la nouvelle génération des vins espagnols. Cette région élevée, où le gel n'est pas inconnu en hiver et où règne la sécheresse en été, est irriguée par un système de canaux. Aux côtés des cépages traditionnels (parellada, macabeo, tempranillo), on cultive avec succès le chardonnay, le merlot, le cabernet-sauvignon et le pinot noir.

Le Penedès

Cette région de collines fraîches, au sud de Barcelone, doit surtout sa réputation au cava, vin effervescent le plus connu d'Espagne, élaboré selon la méthode traditionnelle, qui fut appliquée pour la première fois en 1872 par José Raventos ; depuis, la cave de Cordoníu bénéficie d'un renom national. Ce mousseux est issu des cépages blancs macabeo, xarel-lo et parellada ; depuis 1988, le chardonnay est également autorisé. Le cava doit être élevé sur lies pendant neuf mois, et le cava millésimé (cava vintage) pendant quatre ans au moins.

Généralement, le Penedès, aux sols calcaires de couleur claire, produit des vins blancs charpentés et fruités, issus des trois cépages du cava, ainsi que quelques rouges constitués de cariñena, de grenache et de monastrell. Le propriétaire le plus connu du Penedès est Miguel Torres. Dans les années soixante-dix, il a été le premier à appliquer les techniques de la viticulture moderne en Espagne. De son domaine de Villafranca proviennent aujourd'hui des vins rouges nobles à base de cabernet-sauvignon. Les jeunes vignerons avant-gardistes remportent un splendide succès avec le merlot.

Le Priorato

Cette petite aire de production ne regroupe que neuf villages nichés dans l'arrière-pays montagneux de Tarragone. La cariñena est cultivée sur la plus grande partie des coteaux ; on en tire des vins à la robe sombre, riches en alcool mais assez simples. Depuis la fin des années quatre-vingt cependant, une bonne douzaine de producteurs hors pair se sont installés dans le Priorato, qui ont rendu sa place au traditionnel grenache et ont planté un peu de cabernet-sauvignon. Ils produisent aujourd'hui des vins rouges de caractère et d'une belle longévité, qui figurent parmi les meilleurs et les plus chers d'Espagne.

La Rioja

L'aire viticole de La Rioja, sise sur les rives de l'Èbre, est longue de 120 km. Elle doit surtout sa réputation à ses vins rouges profonds et épicés, dont les meilleurs Reserva et Gran Reserva peuvent vieillir pendant plusieurs dizaines d'années, en acquérant une finesse incomparable. Toutefois, plus de la moitié des vins rouges sont vendus jeunes. La Rioja est divisée en trois sous-régions : la Rioja Alavesa, à l'ouest, s'étend au nord de l'Èbre ; la Rioja Alta occupe les collines qui s'élèvent au sud du fleuve ; à l'est de Logroño commence la Rioja Baja, au climat particulièrement chaud et sec, qui produit les vins les plus chauds (jusqu'à 15 % vol.). Le Rioja typique se compose de tempranillo à 80 %, complété par de petites quantités de grenache et de cariñena (localement appelé mazuelo). À titre exceptionnel, le Rioja peut être également renfermer du cabernet-sauvignon et du merlot. Les vins sont élevés dans de petites *barricas* (225 l) en chêne américain. La qualité des Rioja reste très inégale. Il existe de nombreux vins maigres et d'innombrables Reservas trop puissants. L'essor qu'a connu la Rioja dans les années soixante a stimulé la production de masse. Aujourd'hui encore, des centaines de viticulteurs alimentent les grandes caves de vinification (*bodegas*). En dépit de la sécheresse estivale, ils dépassent bien souvent les rendements maximaux de 50 quintaux à l'hectare. Ces dernières années pourtant, quelques petits propriétaires ont commencé à produire leur propre vin, afin de mieux contrôler la production. Les Rioja blancs sont des vins

De nombreux Rioja mûrissent aujourd'hui dans des petites barricas en chêne américain (ci-dessus les Bodegas Palacio).

de plus en plus frais et parfumés, à boire jeunes. Toutefois, la région propose encore des Crianzas et des Reservas élevés en fûts. Ceux-ci constituent environ 20 % de la production régionale et sont souvent issus du macabeo, plus rarement du cépage traditionnel malvasia.

La Navarre

Cette région viticole s'est surtout illustrée par ses vins rosés de grenache, simples mais délicats, encore produits en grande quantité. Cependant, de plus en plus de vignerons remplacent le grenache par le tempranillo, beaucoup plus fin. Ce cépage donne des vins rouges structurés qui concurrencent le Rioja. Le cabernet-sauvignon et le merlot sont également cultivés avec succès. La Navarre compte aujourd'hui parmi les aires de production les plus dynamiques d'Espagne.

Somontano

L'aire de Somontano s'étend sur les pentes méridionales des Pyrénées, dans la région d'Aragon. Il s'agit de l'un des plus petits vignobles (2 000 ha) et aussi de l'un des plus jeunes d'Espagne (il n'a été créé qu'en 1985). Sous ce climat frais et pluvieux, on élabore de merveilleux vins blancs issus de chardonnay et de chenin blanc, tandis que dans les zones plus basses et plus chaudes le cabernet-sauvignon, le merlot et le pinot noir prennent le pas sur les cépages locaux (monastrell et grenache). Ils donnent des vins rouges solides et élégants qui suscitent un grand intérêt depuis quelques années.

Ribera del Duero

La principale aire viticole de Castille-León se trouve au sud de la ville de Valladolid, sur les rives du Douro (Duero en espagnol). Ses surfaces cultivées (10 000 ha) représentent un cinquième des parcelles de La Rioja, mais sur le plan qualitatif, le Ribera del Duero concurrence sérieusement le Rioja. On cultive surtout le tempranillo, appelé localement tinto fino ou tinto del país, jusqu'à une altitude de 900 m. À l'origine, ce cépage était utilisé pour élaborer des vins rosés simples. Aujourd'hui, il donne des vins rouges à la robe sombre, puissants, fins et de longue garde. La cave de vinification la plus réputée est celle des Bodegas Vega Sicilia ; elle assemble le tinto fino avec du cabernet-sauvignon, du merlot et du malbec. La plupart des nouvelles *bodegas* suivent cet exemple. D'autres ne pressurent que le tinto fino ; c'est le cas du domaine de Pesquera, deuxième *bodega* la plus célèbre de la région. Cette dernière a connu un véritable essor grâce au succès

de ses vins dans les années quatre-vingt, alors que la vigne y côtoie encore les champs de betterave sucrière. Sur le plan climatique, Ribera del Duero est une terre de contrastes, marquée par de longs hivers froids et par des étés courts et secs qui ne permettent pas d'obtenir de forts rendements.

Rueda

Vignoble de cépages blancs, situé aux environs de la ville de Rueda, au sud-ouest de Valladollid, Rueda était tombé dans l'oubli il y a un siècle. Aujourd'hui, il revient sur le devant de la scène. Pendant des décennies, on n'y a cultivé que le suave palomino, afin de produire des vins dans le style du xérès. Depuis 1980, les viticulteurs plantent de plus en plus de verdejo, cépage traditionnel qui constitue désormais la base des vins blancs secs et légers de la région. Le Rueda Superior comprend au moins 60 % de verdejo, assemblé avec du macabeo (viura) et du sauvignon.

Toro

Cette petite enclave de vin rouge, à l'est de la ville de Zamora, propose un vin fougueux et typé, uniquement issu du tempranillo.

El Bierzo

La région viticole du nord-ouest de l'Espagne, proche de la Galice, reste marquée par ses traditions. En raison de son climat frais, elle est promise à un grand avenir viticole, comme en témoignent ses vins rouges élégants.

Rias Baixas

Le climat humide et atlantique de la Galice prédispose cette région à la production de vins blancs. Du sud de la ville de Cambados jusqu'à la frontière portugaise, Rias Baixas constitue la meilleure aire géographique de vin blanc d'Espagne. On y cultive à 90 % l'albariño. Les vins frais et légèrement épicés, très appréciés dans la péninsule Ibérique, sont très chers et exportés en quantités infimes.

Les grands espaces ensoleillés

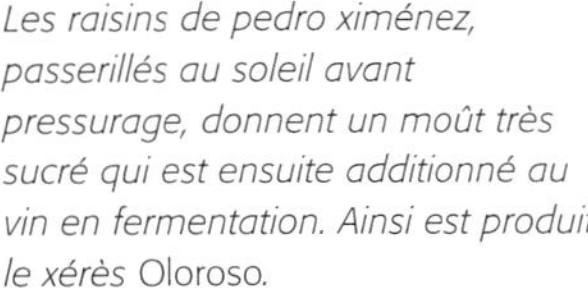

Les raisins de pedro ximénez, passerillés au soleil avant pressurage, donnent un moût très sucré qui est ensuite additionné au vin en fermentation. Ainsi est produit le xérès Oloroso.

L'Espagne viticole en chiffres

Superficie : 1,3 million d'ha
Production : 32,6 millions d'hl
Consommation annuelle de vin par habitant : 37 l

Les dix cépages les plus plantés

1. Airén	blanc	35,4 %
2. Grenache	rouge	14,1 %
3. Bobal	rouge	8,7 %
4. Monastrell	rouge	8,3 %
5. Tempranillo	rouge	4,9 %
6. Pardina	blanc	4,2 %
7. Macabeo	blanc	3,5 %
8. Palomino	blanc	2,8 %
9. Pedro ximénez	blanc	1,5 %
10. Parellada	blanc	1,4 %

La Manche

Cette contrée déserte et solitaire, située au sud de Tolède, abrite la plus grande aire viticole d'Espagne. Bien qu'aride, cette partie de la région de Castille-La Manche fournit d'incroyables rendements. Les surfaces cultivées sont plantées à 90 % d'airén, cépage résistant à la sécheresse qui se prête à la production de vins blancs peu acides, au goût de terroir. Quelques *bodegas* sont parvenues à tirer de ce cépage des vins frais et fruités. Les vins rouges du Marqués de Grigñón, issus du cabernet-sauvignon et du merlot, figurent parmi les meilleurs de leur catégorie en Espagne.

Valdepeñas

Cette région viticole étendue, située à 700 m d'altitude à proximité de la ville de Valdepeñas, est réputée pour ses vins légers mais ardents. Ils sont constitués à 90 % d'airén blanc ; 10 % de tempranillo (localement appelé cencibel) suffisent pour conférer à ces vins leur couleur et leurs tanins. Quelques vinificateurs ambitieux pressurent uniquement le cencibel ou d'autres cépages rouges, afin d'élaborer un Reserva élevé ensuite en barrique. La plus grande partie de la production de Valdepeñas est cependant constituée de vins blancs simples.

Jerez et Sanlúcar

Le xérès est le principal vin andalou. Son caractère et son mode d'élaboration le distinguent de tous les autres vins du monde. Trois cépages sont autorisés : le palomino, le pedro ximénez et le muscat d'Alexandrie. En fait, le xérès – en tout cas le xérès sec – est constitué de palomino à 90 %. Ce vin est élaboré, non loin de l'Océan, dans la province de Cadix, où souffle toujours une brise fraîche venue de l'Atlantique, en dépit des hautes températures qui règnent en Andalousie ; le centre de la production se situe dans la ville de Jerez de la Frontera. Sur les sols blancs crayeux (*albariza*), le xérès atteint des sommets de qualité.

Dans les vignobles très chauds du centre et du sud de l'Espagne, les techniques de vinification ont progressé avec l'adoption de cuves en acier permettant le contrôle des températures pendant la fermentation.

Certains vins de Valdepeñas et du Penedès se classent aujourd'hui parmi les meilleures productions des régions viticoles méconnues de l'Espagne. Leur fougue a cédé le pas à une élégance fruitée.

L'ajout d'eau-de-vie de vin, qui accroît le titre alcoométrique, rehausse la richesse de ses arômes et lui confère son originalité. Au cours de ces dernières années, la surface des parcelles de Jerez a été divisée par deux. Mais les connaisseurs apprécient toujours ce vin à la réputation unique.

Les autres aires viticoles

Jumilla : cette vaste région au climat torride, sise dans l'arrière-pays d'Alicante, est surtout consacrée au monastrell. Elle produit généralement des vins rouges corpulents et chaleureux, aux arômes puissants. L'avancement de la date des vendanges a permis de donner une plus grande finesse à de nombreux vins.

Yecla : cette petite DO des montagnes de Murcie produit des vins à la robe sombre, dont le goût rappelle celui des vins de Jumilla.

Utiel-Requena : grande aire viticole de l'arrière-pays de Valence, proche des villes d'Utiel et de Requena, d'où proviennent des vins rouges structurés et solides issus du tempranillo et du bobal.

Binissalem : le principal centre de production viticole de l'île de Majorque est planté de manto-negro, qui donne des vins ardents et typés, dans lequels entrent parfois également du tempranillo et du monastrell.

Montilla-Moriles : cette région, plantée de pedro-ximénez, propose des vins secs dont le style et la qualité se rapprochent de ceux du xérès, à un prix beaucoup plus abordable. Comme le permet la réglementation, une part non négligeable des raisins est vendue pour la production d'*oloroso* doux.

La réglementation viti-vinicole

Denominación de Origen (DO) : les vins de qualité originaires de certaines aires de production sont placés sous le contrôle d'un Consejo Regulador qui veille à l'élaboration et à la commercialisation des vins, ainsi qu'au respect de certaines règles de qualité ; 50 % de la production de vin espagnole répondent aux statuts de la DO.
Denominación de Origen Calificada (DOCa) : créée en 1991 (Rioja), elle désigne les meilleurs vins.
Vino de la Tierra (VdlT) : vin de pays provenant d'une région délimitée qui ne bénéficie pas du statut de DO.
Vino de Mesa (VdM) : vin de table dont les raisins proviennent de plusieurs régions non délimitées.

Les mentions particulières à l'Espagne

Une vieille tradition espagnole impose de ne vendre le vin que lorsqu'il est prêt à boire. Il existe donc un système différencié de mentions d'âge, sur la base desquelles le consommateur peut reconnaître, à la simple lecture de l'étiquette, s'il a affaire à un vin rouge jeune ou déjà vieilli. Pour chaque type de vin, l'étiquetage indique la durée de son séjour en fût ou le temps de vieillissement souhaité en bouteille.
Joven : 1 an
Crianza : 2 ans
Reserva : 3 ans
Gran Reserva : 5 ans

Pays de mystères

Vignobles en terrasses dans le Douro : des étés brûlants et des hivers froids et pluvieux caractérisent le berceau du porto.

Le Portugal ne se résume pas au Mateus rosé et au porto. Ce pays cultive plus de cinq cents cépages indigènes qui donnent de nombreux vins effervescents, mais aussi quelques vins rouges et blancs de caractère. Les dix prochaines années révéleront leur qualité.

Le Portugal est un pays en pleine effervescence : une ère nouvelle a commencé, mais les temps anciens ne sont pas tout à fait révolus. L'ordre séculaire sévit toujours dans les terres intérieures : on y récolte des raisins rouges avec leur rafles, et le pressurage demeure artisanal ; on en tire des vins rouges puissants, tanniques et âcres qui restent peu séduisants pendant de longues années. On obtient aussi quelques vins blancs plus agréables, légèrement chaptalisés en fin de fermentation, et qui séduisent le marché international. Le Portugal est une terre de contrastes : sous le frais climat atlantique, naissent des vins légers comme le Vinho Verde, tandis que le climat continental, aux étés brûlants, qui règne à l'intérieur des terres donne toute sa force au porto.

Le commerce du vin

Dès l'Antiquité, les Phéniciens, les Grecs et les Romains importèrent les cépages de la péninsule Ibérique. Sous la domination maure, la viticulture stagna, mais ne fut pas réduite à néant. En accédant à l'indépendance, en 1385, le Portugal développa ses liens commerciaux avec l'Angleterre. Sur le fleuve Minho, qui sépare aujourd'hui le nord du Portugal de l'Espagne, des tonneaux de vins voguaient régulièrement vers les ports pour y être expédiés en Grande-Bretagne. À cette époque, on ne parlait pas encore de porto. Celui-ci ne fut découvert que lorsque le roi anglais Guillaume III taxa lourdement les vins français, en 1693, ce qui força les négociants britanniques à chercher d'autres sources d'approvisionnement, afin de remplacer leurs vins français favoris. Dès lors, le porto fut le vin de prédilection des Anglais.

L'avènement du porto

En 1678, un négociant anglais de Liverpool envoya ses deux fils au Portugal. Ceux-ci remontèrent le Douro et firent une curieuse découverte dans un monastère : l'abbé ajoutait de l'eau-de-vie à son vin rouge afin d'arrêter la fermentation. La boisson obtenue, plus sucrée, puissante et riche en alcool, répondait au goût des Anglais. Bientôt, de nombreuses maisons de commerce s'établirent sur les rives du Douro, afin de satisfaire la demande. Pour prévenir les contrefaçons, les limites de l'aire géographique furent précisément établies en 1756 (voir p. 112). Le madère, élaboré sur l'île du même nom, jouissait également d'une grande popularité au XVIIIe et au XIXe siècle (voir p. 113). Cent ans plus tard, le mildiou et le phylloxéra dévastèrent les coteaux. Ce n'est qu'en 1930 que de nombreuses coopératives s'installèrent pour organiser le renouveau du vignoble. Lorsque le Portugal est entré dans la Communauté européenne en 1986, il existait déjà de nombreuses régions viticoles, et le succès du Mateus rosé a prouvé que les producteurs portugais savaient aller de l'avant.

Le Vinho Verde

Le vin le plus généreux sur le plan quantitatif provient du nord du Portugal : le Vinho Verde, « vin vert », se décline en deux versions, rouge et blanc. Le rouge est sec, tannique et assez méconnu à l'étranger ; le blanc constitue, avec le porto, le meilleur produit d'exportation du Portugal : léger, légèrement acide, il titre entre 8 et 10 % vol. et contient souvent un peu de sucre résiduel. Son aire géographique inclut la province de Minho, qui s'étend de Porto à la frontière espagnole. Dans cette contrée fraîche, pluvieuse, fertile et donc très densément peuplée, de nombreux cépages blancs sont cultivés. Le Vinho Verde se compose de cépages très différents, parfois assemblés : pederña, trajadura, avesso et loureiro par exemple. Le cépage le plus remarquable est l'alvarinho, cultivé à l'extrême nord, en bordure de la Galice. Cependant, la plupart de ces vins (qui titrent jusqu'à 13 % vol.) ne sont pas exportés. Auparavant, le Vinho Verde était systématiquement soumis à une fermentation secondaire qui produisait du gaz carbonique. Dans le Vinho Verde industriel, qui représente 90 % de la production, le gaz carbonique est injecté.

Le Vinho Verde, un vin vif, issu de raisins vendangés précocement dans la région d'Entre-Douro-e-Minho.

Le Douro

Le berceau du porto se trouve à 100 km à l'est de Porto, le long du cours supérieur du Douro. Le centre de production se situe à Pinhão. Les terrasses pénètrent très loin dans l'arrière-pays ; elles reposent sur des terres schisteuses érodées, qui retiennent l'humidité, ce qui permet à la vigne de résister à de longs étés secs (voir p. 27). On sait peu que la moitié de la production vinicole du Douro est constituée de vins rouges secs. Le plus célèbre d'entre eux est le Barca Velha, élaboré par Ferreira, producteur de Porto. Il mérite bien son titre de meilleur vin rouge du Portugal.

Le Bairrada

La région viticole sise aux abords de la ville d'Águeda est restée célèbre dans le monde entier jusqu'au XVIIIe siècle, lorsqu'elle se mit à muter ses vins rouges pour les transformer en porto. Ce n'est qu'après la Seconde Guerre mondiale qu'elle retrouva sa réputation grâce à des vins puissants, tanniques et de longue garde, issus du cépage baga à la peau épaisse. Le Bairrada produit aussi un vin blanc structuré et légèrement acide issu du bical.

Le Dão

Située au nord-est de Lisbonne, cette région en pleine expansion doit surtout son succès à ses solides vins rouges issus de divers cépages, de touriga nacional, de tinta roriz, de bastardo, de jaen. De nombreux Dão sont encore fermentés avec les rafles, de sorte qu'ils tendent à être astringents. Les meilleurs d'entre eux possèdent toutefois une certaine classe.

Les autres aires viticoles

Carcavelos : un vin de dessert moelleux, à base de cépages blancs, viné avec de l'eau-de-vie, que l'on aimait boire en Angleterre il y a cent cinquante ans. Aujourd'hui, cette minuscule aire de production a été pratiquement rongée par la station thermale d'Estoril, aux portes de Lisbonne.

Bucelas : minuscule vignoble situé au nord de Lisbonne, produisant un vin blanc très apprécié, mais simple, à base d'arinto.

Ribatejo : vaste aire géographique située dans l'arrière-pays de Lisbonne, d'où proviennent de nombreux vins de production de masse, mais aussi quelques excellents vins rouges.

Colares : un vin épais, presque noir, très recherché au Portugal, issu de ramisco cultivé dans les terres sableuses, à l'ouest de Lisbonne.

Le Portugal viticole en chiffres

Superficie : 260 000 ha
Production : de 7 à 9 millions d'hl
Consommation annuelle de vin par habitant : 58 l

Les cépages les plus plantés

Au Portugal, il n'existe pas encore de statistiques sur les nombreux cépages et les surfaces qui leur sont allouées. Les cépage rouges (jaen, periquita, moreto di Alentejo, baga, aramon et bastardo) dominent. En blanc, le loureiro, l'alvarinho et l'arinto sont très productifs. Il est difficile d'obtenir des précisions sur leur proportion dans l'encépagement et parfois même de les identifier.

La réglementation viti-vinicole

Historiquement, le Portugal est la première nation viticole du monde à avoir délimité, dès 1756, ses aires de production afin de lutter contre les contrefaçons, en précisant les limites de la région du porto. La réglementation viti-vinicole portugaise se caractérise par sa simplicité. Il existe deux catégories, la **Denominação de Origem Controlada** (DOC, qui correspond à l'AOC française) et l'**Indicação de Proveniencia Regulamentada** (IPR, qui équivaut aux vins de pays). Ces deux catégories regroupent 50 % de la production de vin. L'autre moitié de la production est constituée de vins de table.

Les mentions particulières au Portugal

Verdes : vins jeunes, à consommer immédiatement après la fin de la fermentation.
Maturo : la mention « vin mûr » s'applique à tous les vins qui ne sont pas *verdes*.
Garrafeida : mention portée sur l'étiquette, réservée à un grand vin qui a vieilli longtemps, souvent dix ans, en fût ou en bouteille.

Au septentrion, les exploits de la vigne

L'Allemagne compte parmi les nations viticoles les plus modestes de la planète. Les aires de production ne représentent que 8 % des surfaces cultivées en France, et les volumes produits dépassent à peine ceux de la Roumanie. Toutefois, l'Allemagne ne laisse pas d'étonner. Ses centres de production sont situés à proximité du 51e parallèle, qui constitue une limite climatique pour la viticulture. Sous ce climat continental relativement froid, les raisins ne mûrissent jamais complètement. Pourtant, les vins allemands ne se trouvent nullement en bas de l'échelle qualitative, bien au contraire ! Les régions septentrionales (comme la Champagne, en France) produisent souvent des vins particulièrement fins et typés. En outre, l'Allemagne peut compter sur l'un des cépages les plus nobles du monde : le riesling.

Maîtriser les lois de la nature

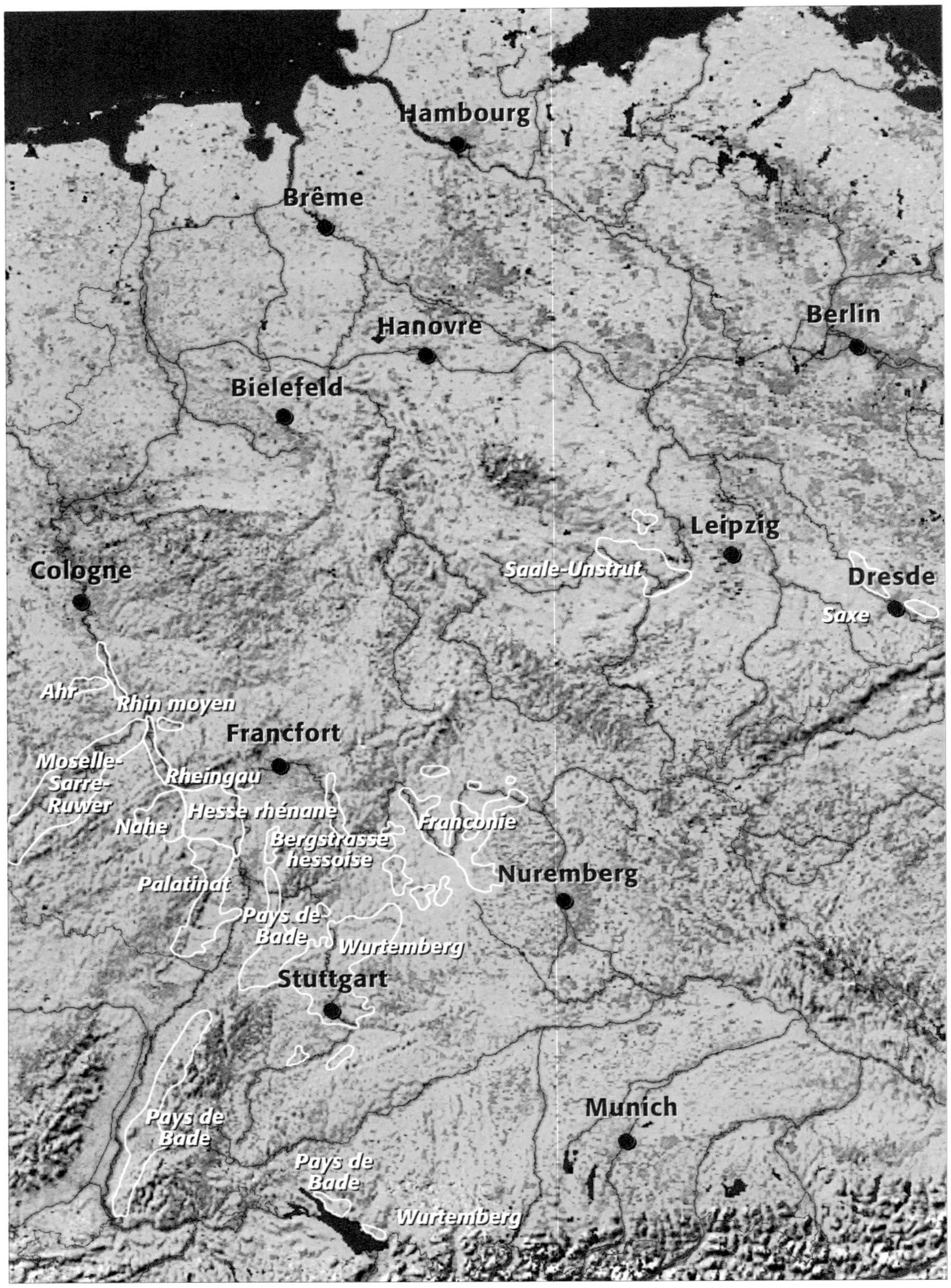

Aucun autre pays ne s'est acharné avec autant de violence sur son brillant héritage viticole. Aucune autre nation européenne n'a accumulé autant d'erreurs sur le plan technique et ne s'obstine à les perpétuer malgré leurs conséquences. En dépit de cette histoire tragique, certains vignerons produisent des vins extraordinaires.

La viticulture fut introduite en Allemagne par les Romains. Au IIIe siècle après J.-C., le poète Ausone vantait les coteaux de la Moselle. Nous ignorons s'il s'agissait alors de riesling. Au Moyen Âge, l'elbling et le sylvaner, deux cépages fort appréciés, prédominaient. Il n'est fait mention du « ruesseling » qu'au XVe siècle ; le terme « riesling » ne s'est imposé que bien plus tard. En 1787, Clément Wenceslas, prince-évêque de Trèves, autorisa la plantation de ce cépage dans la vallée de la Moselle. Ainsi commença l'âge d'or du vin dans toute l'Allemagne. Au XIXe siècle, les rieslings du Rheingau étaient les vins les plus chers du monde. Cet honneur rendait justice aux vins des meilleures parcelles comme l'Erbacher Marcobrunn, le Schloss Johannisberg, le Rauenthaler Baiken. Lors de la révolution industrielle, qui s'accompagna d'un exode rural, la viticulture allemande entama un lent déclin. Après la Seconde Guerre mondiale, les aires de production furent étendues en dépit du bon sens, et les écarts de qualité existant entre les différents domaines furent nivelés. On préféra établir, entre les vins avec prédicat, une hiérarchie qui n'était pas toujours dictée par des critères qualitatifs. Cette politique n'a pas encore changé, bien au contraire ! Certains vins de qualité moyenne sont officiellement mis en valeur, afin de leur donner de meilleures chances commerciales. Heureusement, quelques rares producteurs continuent à défendre la qualité en dépit des obstacles administratifs.

La Nahe

La Nahe est une petite rivière qui prend sa source dans les monts du Hunsrück et se jette dans le Rhin à Bingen. Elle a donné son nom à un petit vignoble, où l'on cultive surtout du müller-thurgau et du riesling, mais aussi des pinots blanc et gris, du sylvaner, du kerner et du scheurebe. Ces cépages sont plantés tour à tour dans des terres schisteuses ou dans un sol riche en quartz, en lœss et en grès bigarré. Les meilleurs vins de la Nahe égalent les grands crus de la vallée de la Moselle et du Rhin.

Vendanges du trollinger dans le Wurtemberg.

La Franconie

La Franconie ne constitue pas une aire géographique homogène. Ses coteaux se logent dans des enclaves au climat favorable, le long du Main. Würzburg est le centre de la production viticole. Le cépage dominant de Franconie reste le sylvaner ; il donne des vins neutres, fruités ou charpentés, qui comptent parmi les meilleurs d'Allemagne. Le riesling ne mûrit que sur certaines parcelles, mais produit alors des vins de grande classe. De nombreux producteurs ont abandonné le rieslaner (sylvaner x riesling), qui permettait d'élaborer des vins parfumés, proches des rieslings, et accordent désormais la priorité au müller-thurgau. Les vins de Franconie sont opulents, généralement vinifiés en sec (ils contiennent 4 g de sucres résiduels maximum) et présentés dans les traditionnels *Bocksbeutels*. À l'ouest du Main, près de Wertheim et de Miltenberg, on élabore également des vins rouges issus de pinot noir, de portugais bleu et de domina.

La Hesse rhénane

La plus vaste aire viticole allemande étend très loin ses limites, et regroupe des vins très différents sur le plan stylistique et qualitatif. Le lœss fertile de l'arrière-pays produit des vins chaleureux, rustiques et vigoureux, surtout composés de müller-thurgau, de kerner, de scheurebe et de bacchus. Le sylvaner fait ici l'objet de soins particuliers et donne un vin léger et sec, modérément fruité, qui accompagne agréablement de nombreux mets. L'un des fiefs du sylvaner se situe à la pointe sud de la Hesse rhénane, près de Worms, « ville du Liebfraumilch ». Son vin mince et sucré, qui a perdu beaucoup de sa séduction, porte malheureusement l'étendard de la production allemande dans de nombreux pays, au grand dam des viticulteurs de la nouvelle génération. Les coteaux plantés de riesling se concentrent sur les rives du Rhin, aux environs des villes de Nackenheim, Nierstein et Oppenheim. Le sable et l'argile sablonneuse qui parent le sol d'une belle teinte rouge aux abords du fleuve donnent naissance à certains des rieslings les plus remarquables d'Allemagne. Leur plénitude confine au lyrisme et leur finesse est incomparable. On les vinifie en sec pour leur offrir une plus grande force tout en réduisant leur acidité par rapport aux rieslings de Moselle.

Le Schloss Johannisberg trône sur les hauteurs du Rhin : ses rieslings sont célèbres dans le monde entier.

Les coteaux qui bordent le Rhin à Nierstein, recouverts de sable et d'argile sablonneuse, donnent naissance à certains des meilleurs vins de riesling d'Allemagne.

La corne d'abondance

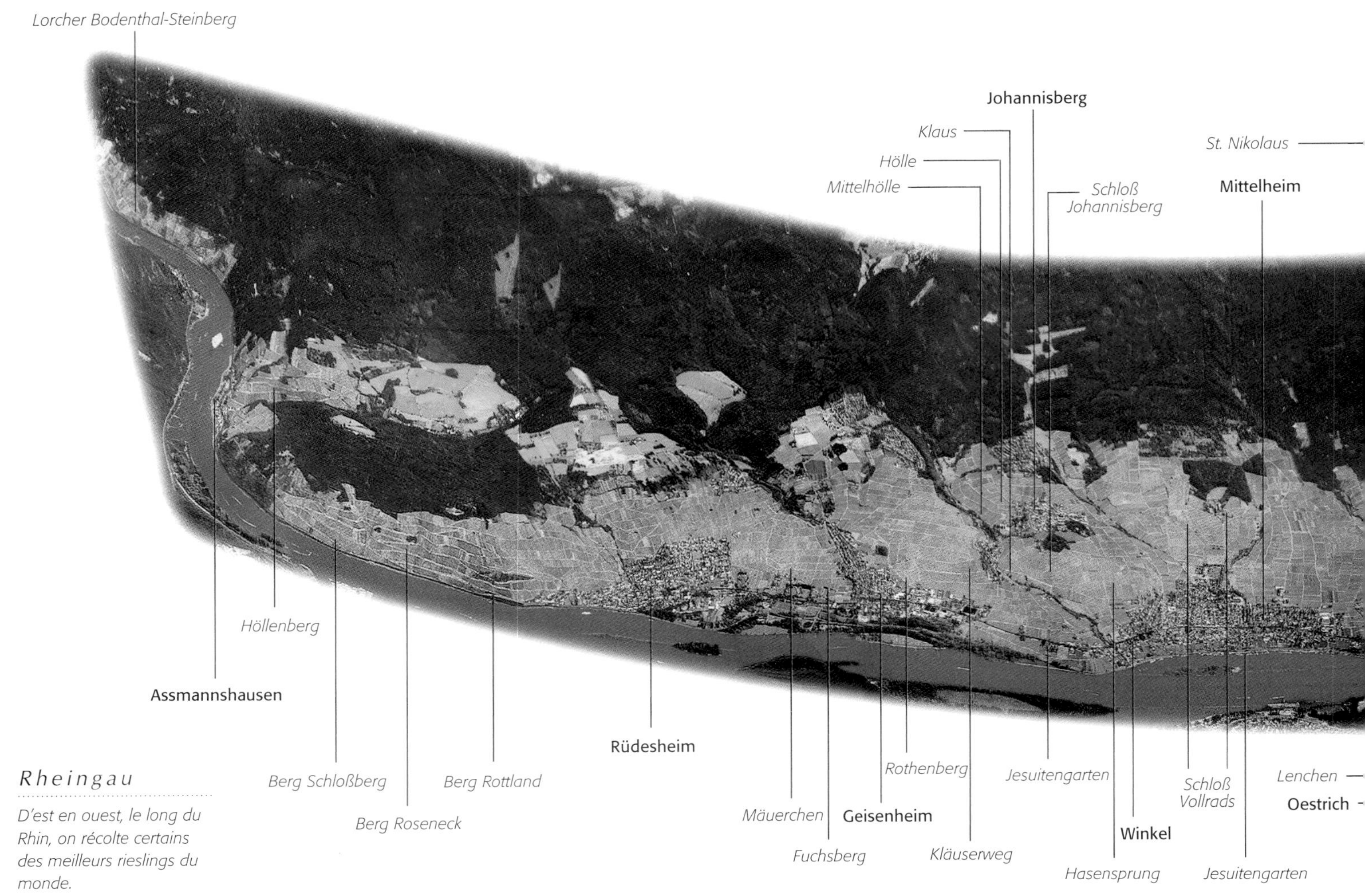

Rheingau

D'est en ouest, le long du Rhin, on récolte certains des meilleurs rieslings du monde.

Le Rheingau

Le Rheingau est un petit vignoble illustre situé à l'ouest de Francfort. Dès le XIIIe siècle, des ceps furent plantés aux environs du Schloss Johannisberg et du monastère d'Eberbach. Au début du XXe siècle, les connaisseurs londoniens offraient pour une bouteille du meilleur Rheingau – que l'on appelait alors « Hock » – le même prix que pour une bouteille de Château Lafite. Aujourd'hui, le Rheingau est d'un abord plus modeste. Cependant, ses bouteilles les plus remarquables se classent toujours parmi les grands vins blancs du monde. Des communes viticoles comme Rüdesheim, Oestrich, Hattenheim, Erbach, Kiedrich et Rauenthal conservent une excellente réputation, mais la région propose aussi d'innombrables vins ordinaires qui résultent de rendements excessifs. Le vignoble est planté à 88 % de riesling. Les vins du Rheingau sont plus ronds que ceux de la Moselle ; ils sont de plus en plus souvent vinifiés en sec et en demi-sec. La région d'Assmannshausen, située au nord, constitue une enclave de vins rouges. On y récolte un pinot noir plus léger, plus fruité, aux arômes d'amande.

Le Palatinat

Voici le deuxième plus grand vignoble allemand. Cette véritable corne d'abondance réunit des vins gouleyants qui se plient facilement aux règlements du Land. La plupart des vins blancs sont issus du müller-thurgau, et la plupart des vins rouges du portugais bleu. Cependant, on trouve aussi un nombre croissant de vins de grande classe. Dans le sud de l'aire viticole, où le climat est plus chaud, le pinot noir, le dornfelder et le saint-laurent, en pleine expansion, produisent des vins rouges qui n'ont rien à envier à ceux du pays de Bade. Le long ruban des collines du Mittelhaardt est traditionnellement désigné comme l'une des meilleures aires de production de riesling du pays. Certaines communes comme Kallstadt, Ungstein, Wachenheim, Deidesheim, Forst et Gimmeldingen fondent leur réputation sur leurs rieslings puissants, aux notes minérales et épicées ou fruitées. Les sols plus calcaires portent des pinots blanc et gris. Convenablement vinifiés, ces cépages donnent certains des meilleurs crus du genre en Allemagne.

Le pays de Bade

L'aire de production du pays de Bade est la plus méridionale et la plus hétérogène de toute l'Allemagne. Elle regroupe plusieurs

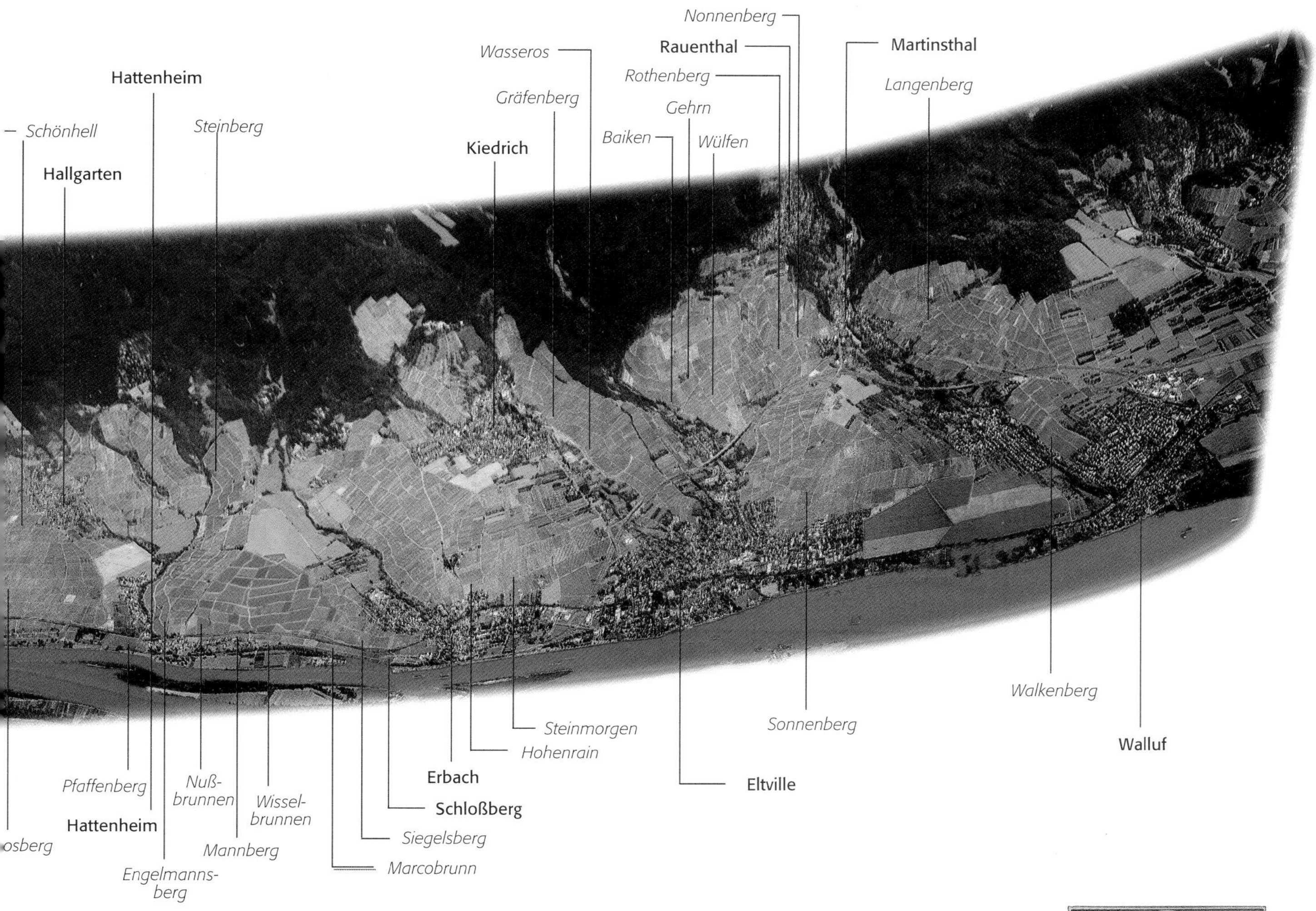
Nonnenberg
Wasseros
Rauenthal
Martinsthal
Rothenberg
Langenberg
Hattenheim
Gräfenberg
Gehrn
Schönhell
Steinberg
Baiken
Wülfen
Kiedrich
Hallgarten
Walkenberg
Steinmorgen
Sonnenberg
Hohenrain
Walluf
Erbach
Eltville
Pfaffenberg
Nuß-brunnen
Wissel-brunnen
Schloßberg
Hattenheim
Siegelsberg
osberg
Mannberg
Marcobrunn
Engelmanns-berg

1995er Rheingau Riesling

BADEN
GEORG BREUER
NONNENBERG

sous-régions. L'une d'elles, le Kaiserstuhl, contrée chaude et vallonnée située sur les contreforts de la Forêt-Noire, produit surtout des vins rouges à base de pinot noir. De nombreux connaisseurs lui décernent la palme. En matière de vin blanc, les producteurs préfèrent les pinots blanc et gris au riesling. Autre petite sous-région, la Kraichgau, au sud de Heidelberg, offre des rieslings typés, des pinots blancs légers et des pinots gris charnus. Dans l'Ortenau, tout près de Baden-Baden, le riesling atteint son apogée ; il porte ici le nom de klingelberger. En outre, quelques pinots noirs superbes sont issus de cette zone. Au sud de Fribourg s'étend le Markgräflerland, domaine du gutedel, qui donne naissance à des vins aériens, d'une belle fraîcheur . Des vins de müller-thurgau simples sont le point commun de toutes ces aires de production.

Le Wurtemberg

Le Wurtemberg est une terre de vins rouges. Plus de la moitié de la production de cette région du sud-ouest provient de cépages rouges. La plus grande partie est consacrée au roter trollinger, que l'on ne trouve nulle part ailleurs, pas même en pays souabe, ce qui le rend d'autant plus remarquable. Les vins rouges classiques sont à base de lemberger, équivalent allemand du blaufränkisch autrichien. S'y ajoute un peu de schwarzriesling (pinot meunier). Ces dernières années, le dornfelder (helfensteiner x heroldrebe) a été planté à grande échelle, et a donné des vins rouges élégants et fruités. Les rieslings du Wurtemberg sont robustes et charpentés, mais ne possèdent pas la finesse des vins originaires des régions plus fraîches de l'Allemagne.

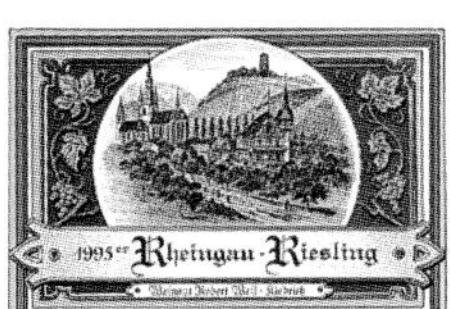

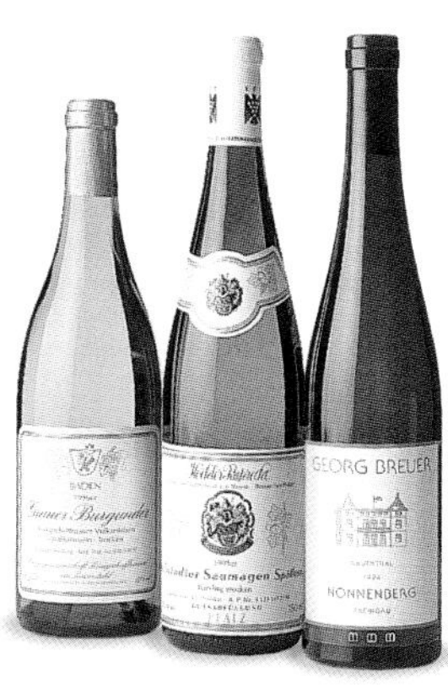

Des rieslings au cœur d'acier

Piesport : les meilleurs vins proviennent des coteaux situés sur les bords de la Moselle.

La Moselle-Sarre-Ruwer

La vallée de la Moselle aux coteaux abrupts compte parmi les paysages viticoles les plus imposants du monde. Le riesling règne en maître entre Coblence et Trèves. Les schistes et le grès des houillères, qui retiennent la chaleur, donnent des vins légers mais au cœur d'acier, tendrement épicés, qui présentent un taux d'acidité élevé. En fonction du terroir, ces rieslings dévoilent des arômes de pêche, d'abricot ou de sureau, doublés d'une note d'ardoise. En fait, les limites de l'aire géographique ont été beaucoup trop étendues par les autorités ; elles courent des pentes escarpées de la Moselle jusqu'aux monts du Hunsrück et de l'Eife, où même le müller-thurgau ne parvient pas à mûrir. Dans les méandres de la Moselle, en plaine ou sur les collines, on cultive aussi la vigne, mais sans jamais atteindre la qualité des coteaux situés sur les basses rives du fleuve. Aussi, la Moselle propose-t-elle à la fois des crus de classe internationale et une manne de vins d'une honnête simplicité. Le riesling se taille la part du lion dans l'encépagement (54 %) ; il voisine avec le müller-thurgau, l'elbling et le kerner. Les meilleurs coteaux de riesling se trouvent en moyenne Moselle. La vallée de la Ruwer, aux abords de Trèves, offre également des vins d'une belle acidité, aux arômes végétaux plus prononcés. Les vins de la Sarre sont les plus acides. Cette région produit les meilleurs Eisweine d'Allemagne (voir p. 51) et de superbes Beerenauslesen (vins liquoreux).

Moyenne Moselle

Des vins de riesling vifs, d'une belle acidité, au cœur d'acier.

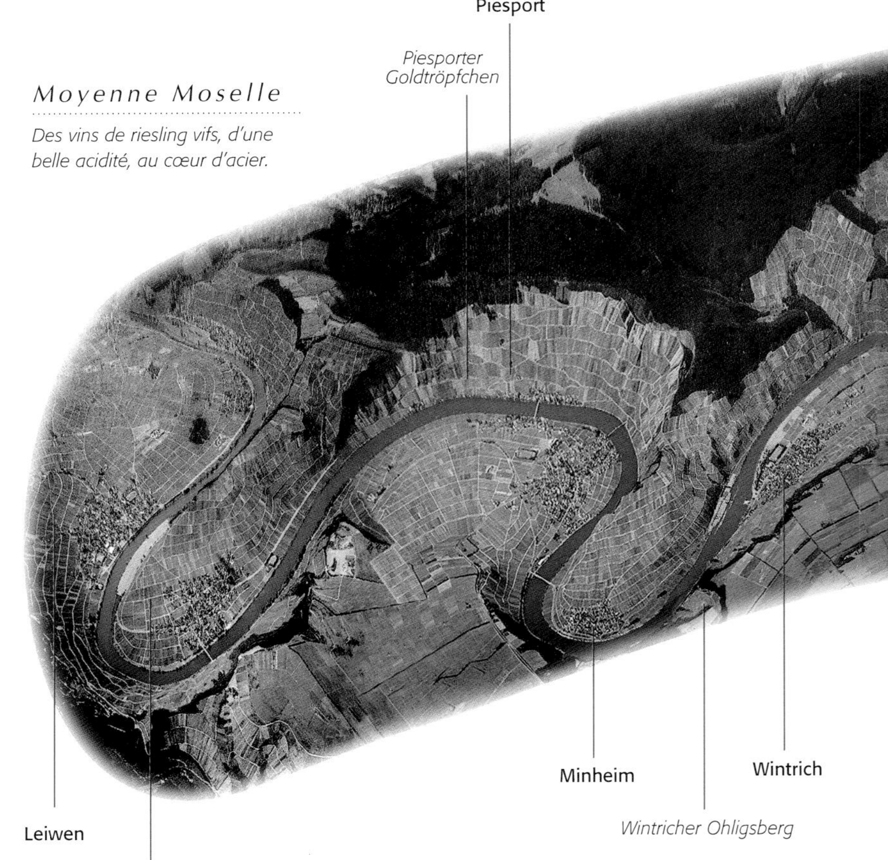

Les autres aires viticoles

Ahr : les coteaux de cet affluent du Rhin sont essentiellement plantés de portugais bleu et de pinot noir. Ils nourrissent des vins rouges légers, peu tanniques, dont certains s'expriment dans un registre particulièrement raffiné et fruité.

Mittelrhein : cette région viticole, située entre Coblence et Bonn, est pourvue de coteaux d'une sauvage splendeur qui produisent de nombreux vins blancs de qualité moyenne, mais aussi quelques rieslings superbes.

Saxe : c'est la plus petite de toutes les aires de production allemandes : 300 ha de vignes, largement encépagés de müller-thurgau et de riesling. Elle produit des vins légers un peu revêches.

Saale-Unstrut : sur les rives de la Saale et de son affluent l'Unstrut, on cultive surtout du sylvaner et du riesling, et l'on élabore des vins dépouillés, aux arômes fruités et minéraux, à l'acidité marquée.

Hessische Bergstrasse : ce petit vignoble situé sur la rive droite du Rhin près de Bensheim faisait autrefois partie du Rheingau. Il propose aujourd'hui des rieslings originaux, parfois très fins, avec prédicat, ainsi qu'un peu de müller-thurgau.

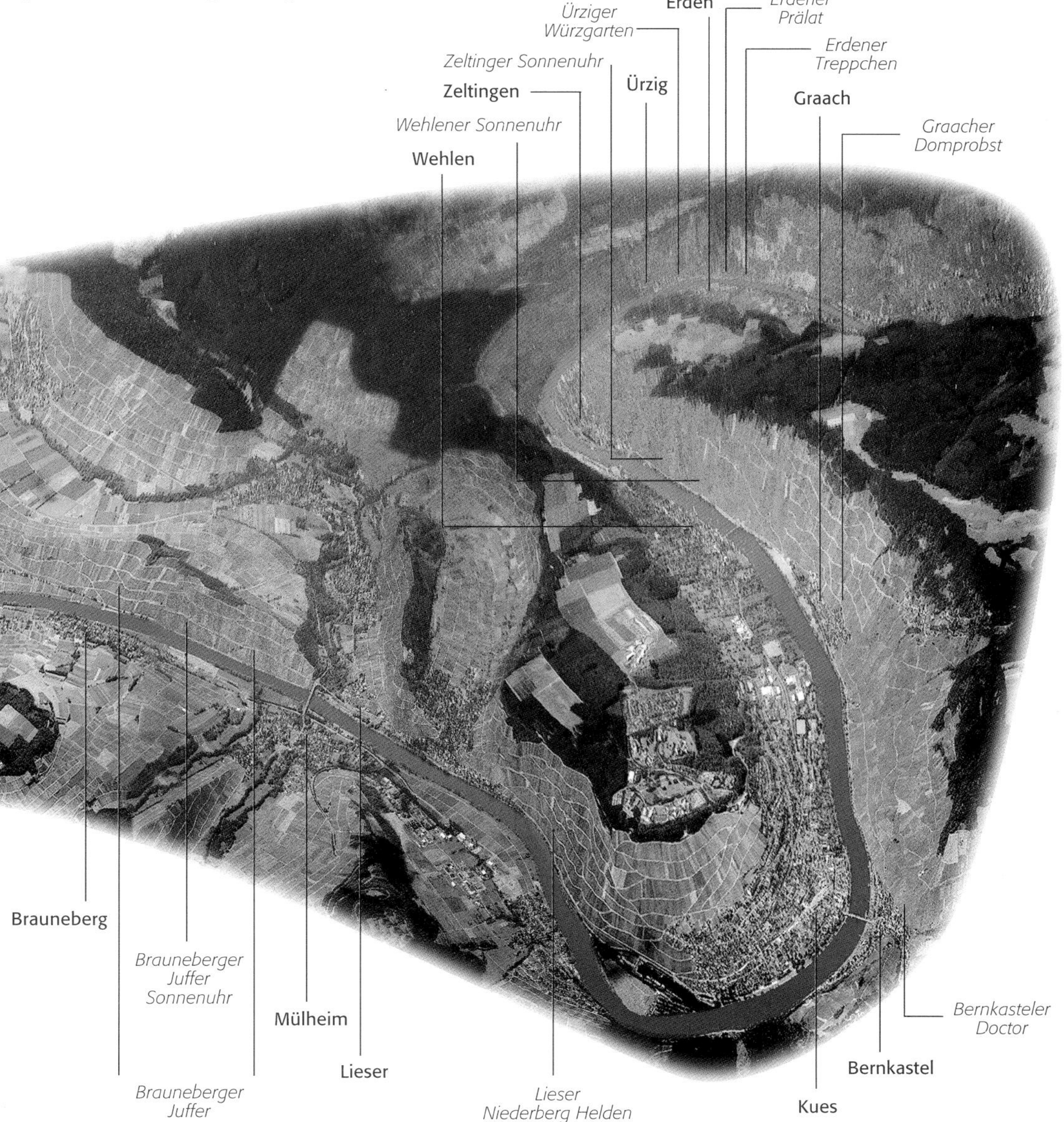

L'Allemagne viticole en chiffres

Superficie : 105 000 ha
Production : de 8 à 10 millions d'hl
Consommation annuelle de vin par habitant : 22,8 l

Les dix cépages les plus plantés

1. Müller-thurgau	blanc	24,2 %
2. Riesling	blanc	20,8 %
3. Sylvaner	blanc	7,7 %
4. Kerner	blanc	7,5 %
5. Pinot noir	rouge	5,5 %
6. Portugais bleu	rouge	4,0 %
7. Scheurebe	blanc	3,5 %
8. Bacchus	blanc	3,4 %
9. Pinot gris	blanc	2,5 %
10. Trollinger	rouge	2,3 %

La réglementation viti-vinicole

Selon les millésimes, entre 90 et 98 % des vins allemands obtiennent le statut de vins de qualité provenant d'une aire désignée (QbA). Les vins de table et de pays constituent une part infime de la production. Les vins avec prédicat tiennent une place à part dans la catégorie des vins de qualité. Ces vins ne doivent pas être chaptalisés.
Le **Kabinett** présente une densité du moût oscillant entre 70 et 80 degrés Oechsle (selon les régions).
Le **Spätlese** est vinifié à partir de raisins parfaitement mûrs (90 degrés Oechsle).
L'**Auslese** provient de grappes parfaitement mûres et d'une petite partie de raisins surmûris (125 degrés Oechsle).
Le **Beerenauslese** est majoritairement élaboré à partir de raisins surmûris (de 125 à 150 degrés Oechsle).
Le **Trockenbeerauslese** est exclusivement à base de raisins surmûris (plus de 150 degrés Oechsle).
L'**Eiswein** est issu de raisins gelés sur souche, récoltés à une température égale ou inférieure à -7 °C. La densité du moût doit être au moins égal à celle du Beerenauslese.

Les Großlagen

Les lieux-dits viticoles ont été regroupés en aires viticoles. La mention du nom d'une aire de production sur l'étiquette ne constitue pas une garantie de qualité.

Au cœur du continent européen

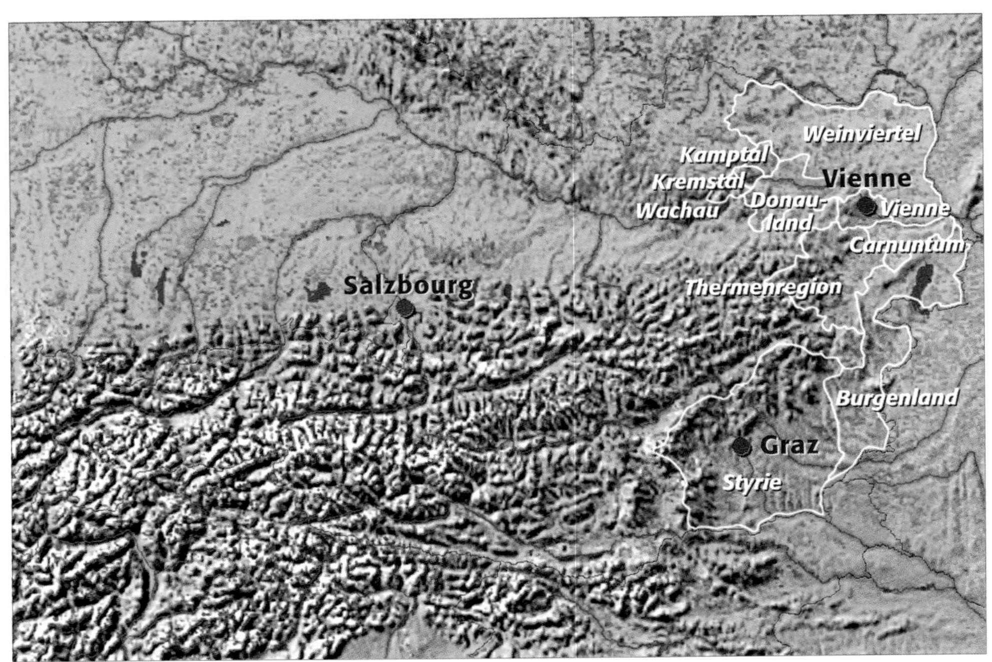

Les vins autrichiens rappellent souvent leurs homologues de Hongrie et du Frioul. Toutefois, l'organisation du vignoble est plus proche des critères de qualité allemands. Les vins blancs secs sont opulents, tandis que les vins rouges expriment chaleur et arôme fruité, reflétant le caractère climatique de leurs régions de production.

L'Autriche est l'un des derniers pays européens à s'être lancés dans la production de vins de qualité. Après la révélation, en 1985, d'une falsification à grande échelle, le commerce viticole s'est complètement effondré. Les producteurs et les coopératives qui avaient opté pour une politique de qualité ont puisé une force nouvelle dans cette crise. Une loi rigoureuse a été votée, le contrôle de la production s'est intensifié. Depuis, les vins d'Autriche ont le vent en poupe. Certains vins blancs et liquoreux comptent aujourd'hui parmi les meilleurs du monde.

Des vins pour un marché local

Les vins autrichiens ont toujours été largement absorbés par le marché national, et cette tradition se perpétue, bien que la part des exportations, limitée à 15 %, soit en hausse. Dans la production réservée à l'usage national, on trouve une grande quantité de vins simples et rustiques, proposés par les coopératives et les petits vignerons, et généralement présentés en magnums de 2 l ; 40 % du vin qui est consommé en Autriche est ainsi embouteillé.

La Wachau

Cette aire viticole, petite par la taille, située le long des rives du Danube entre Melk et Krems, revêt une importance capitale. Sur les terrasses escarpées qui descendent vers le Danube, où affleure le socle ancien, le grüner veltliner et le riesling atteignent un niveau de qualité élevé. Les raisins, généralement vendangés en octobre, donnent naissance à des vins complexes, d'une finesse parfois remarquable, à l'acidité bien perceptible. La vigne bénéficie de l'air chaud venu de Hongrie, qui étend son influence jusque dans la vallée du Danube, tempérée par l'air frais qui provient des vallées latérales du Waldviertel. Les Steinfeder, légers, et les Federspiel, plus charnus, comptent parmi les vins les plus recherchés d'Autriche. La palme revient aux Smaragd. Ces vins épicés, aux notes fruitées exotiques et aux élégantes tonalités miellées se prêtent à une garde exceptionnelle, notamment lorsqu'ils sont issus de grüner veltliner. Pour obtenir la forte densité de moût requise, une partie des raisins doit être botrytisée. On comprend dès lors que le Smaragd ne soit élaboré que dans les bons millésimes. En 1983, les vinificateurs de la Wachau se sont accordés à définir des règles strictes et des critères descriptifs précis dans le cadre de la réglementation viti-vinicole autrichienne.

Sophistication technique d'une cuverie autrichienne.

La Wachau, le plus célèbre vignoble d'Autriche : le Danube apporte la salutaire chaleur de Pannonie.

Le Kremstal
La rivière Wachau sinue entre les coteaux du Kremstal et arrose la ville de Krems. Le grüner veltliner et le riesling ne donnent le meilleur d'eux-mêmes qu'aux abords du Danube, car, dans l'arrière-pays, la chaleur venue de la plaine de Pannonie s'atténue. On cultive le riesling sur les rives basses du Danube, constituées de roches anciennes. Le grüner vetliner qui pousse sur les terrasses de lœss de l'arrière-pays s'illustre dans cette région tempérée.

Le Kamptal
L'aire de production s'étend des environs de la ville de Langenlois aux abords de Krems, mais elle est tournée vers le Danube. Le pinot blanc, le chardonnay, le cabernet-sauvignon et d'autres cépages y bénéficient d'un climat chaud et sec. La plus grande partie des parcelles est cependant plantée de grüner veltliner ou de riesling. Les vins qui en sont issus peuvent rivaliser avec ceux de la Wachau. Les vignes sont cultivées en terrasses, sur des coteaux. Certains des producteurs autrichiens les plus réputés sont installés dans cette région.

Vienne
De nombreuses parcelles, le plus souvent dispersées au nord de Vienne (Nussdorf, Heiligenstadt, Grinzing, Stammersdorf, Strebersdorf, Jedlersdorf), possèdent un sol de lœss, d'ardoise et de pierraille qui produit des vins gouleyants, issus de presque tous les cépages autorisés en Autriche. La majeure partie de la production est servie dans les *Heurigen,* les bars à vin et les guinguettes locaux (leurs propriétaires sont souvent eux-mêmes vignerons). Les producteurs indépendants ont montré que Vienne pouvait aussi offrir des vins de caractère et de longue garde.

Wachau

Le grüner veltliner et le riesling déclinent toute leur puissance dans les terroirs proches du Danube.

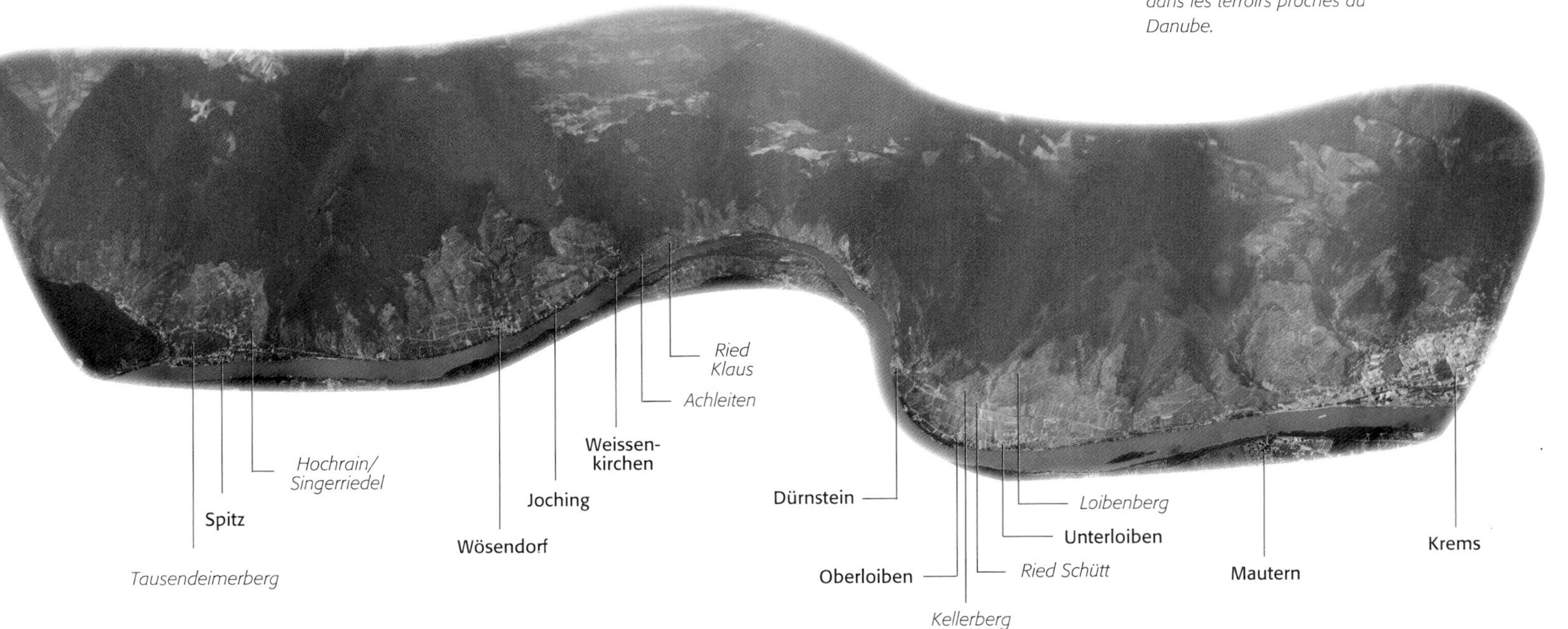

Un vignoble accueillant

Vieux moulin datant de 1772, à Retz, en Basse-Autriche.

C'est du moins le cas des vins produits par Alois Krachers et Willi Opitz, grandes figures de la viti-viniculture autrichienne.

Le lac de Neusiedl

Le vignoble situé au nord du lac de Neusiedl est consacré à l'élaboration de vins plus simples et plus modestes qui ne répondent qu'à quelques critères de qualité. La production est constituée à 80 % de vin blanc. Le welschriesling est le principal cépage indigène. Les meilleures années, il offre des vins extrêmement fins et typés, que l'on préfère aux vins de grüner veltliner, plus épais. On rencontre également dans cette région le pinot blanc, le neuburger, le bouvier et parfois le chardonnay et le sauvignon. Ces cépages donnent des vins charnus, assez fins, souvent vinifiés en demi-sec ou en doux. Aux environs des villages de Gols, Frauenkirchen et Podersdorf, on élabore des vins blancs et rouges secs souvent intéressants, ainsi que quelques vins blancs structurés (issus de welschriesling, de sauvignon, de ruländer, de chardonnay) et des rouges gouleyants (à base de zweigelt, de blaufränkisch, de cabernet-sauvignon), jusqu'alors complètement inédits dans cette zone.

L'Autriche viticole en chiffres

Superficie : 52 000 ha
Production : 2,2 millions d'hl
Consommation annuelle de vin par habitant : 33 l

Les dix cépages les plus plantés

1. Grüner veltliner	blanc	36,7 %
2. Welschriesling	blanc	9 %
3. Zweigelt	rouge	7,9 %
4. Müller-thurgau	blanc	7,8 %
5. Blaufränkisch	rouge	5,3 %
6. Portugais	rouge	5,2 %
7. Pinot blanc	blanc	3,3 %
8. Riesling	blanc	2,6 %
9. Neuburger	blanc	2,4 %
10. Muscat-ottonel	blanc	1,1 %

Neusiedlersee-Hügelland

L'aire viticole du Neusiedlersee-Hügelland occupe l'est et l'ouest du lac de Neusiedl et s'étend de la ville de Rust jusqu'au pied des monts Leitha. Les sols sablonneux qui contiennent du lœss et du limon noir nourrissent des vins chaleureux et ronds (le sauvignon, le pinot blanc et le chardonnay s'y plaisent particulièrement) et des vins rouges moyennement corsés, surtout composés de blaufränkisch, mais aussi de zweigelt et de cabernet-sauvignon. Le Ruster Ausbruch est le vin le plus réputé du vignoble de Neusiedlersee-Hügelland. Ce vin liquoreux est élaboré à partir de cépages divers, souvent assemblés, cultivés dans les vignobles proches du lac, aux abords de Rust. Le climat de serre chaud et humide qui règne dans cette région favorise l'attaque superficielle de *Botrytis cinerea*. Les raisins atteints par la pourriture noble doivent présenter, selon les règlements, une densité du moût au moins égale à 138 degrés Oechsle. Les meilleurs vignerons n'élaborent l'Ausbruch qu'à partir de 150 degrés Oechsle. Le même phénomène se produit sur la rive est du lac, d'où proviennent les Beerenauslesen et les Trockenbeerauslesen les plus nobles. Les vins liquoreux de Seewinkel jouissent de la même réputation que ceux de Rust.

Le Moyen Burgenland et le Burgenland du Sud

Au sud du lac de Neusiedler, le Moyen Burgenland constitue le meilleur terroir viticole d'Autriche. Les cépages rouges occupent 70 % du vignoble. Le vin rouge classique, issu du tannique blaufränkisch, a récemment bénéficié de l'ajout de cabernet-sauvignon. Les bouteilles de Deutschkreuz et de Horitschon sont citées parmi les meilleurs vins du pays. Par ailleurs, on cultive un peu de saint-laurent et de zweigelt. Le Burgenland du Sud entretient des rapports plus orageux avec le vin. Des coteaux, peu nombreux et dispersés, naissent cependant quelques vins extraordinaires. De remarquables blaufränkisch sont produits non loin d'Eisenstadt et de Deutsch-Schützen. Ailleurs, sont cultivés le welschriesling et le pinot blanc.

La Styrie

Cette aire couvre un vaste territoire, mais sa superficie viticole est réduite. Elle produit avant tout des vins rouges fruités provenant de coteaux épars. Le welschriesling, le pinot blanc, le müller-thurgau, le gewurztraminer sont les cépages les mieux représentés en Styrie méridionale. Un climat très chaud en été, mais également pluvieux marque cette

Le Riegersburg domine les vignes en Styrie orientale.

région située aux abords de la frontière slovène et réputée pour ses vins blancs frais et fruités. Le sol d'ardoise des collines escarpées donne des vins de welschriesling et de chardonnay (que l'on appelle ici morillon) à l'acidité marquée, et des vins de sauvignon (également nommé muscat-sylvaner) qui titrent parfois 14 % vol. ou plus. La Styrie occidentale se distingue par la production de Schilcher, un vin vif, de couleur pelure d'oignon, issu du blauer wildbacher.

La Thermenregion

Le vignoble anciennement appelé Gummpoldskirchen a été rebaptisé Thermenregion. C'est la plus chaude de toutes les régions viticoles d'Autriche. En 1985, lors du regroupement des appellations Gumpoldskirchen et Bad Vöslau, cette région s'est surtout fait connaître pour ses vins blancs issus de zierfandler et de rotgipfler, qui étaient auparavant cultivés côte à côte et vendangés ensemble. Au fil des années, alors que l'on vendait systématiquement plus de Gumpoldskirchener que l'on en produisait dans cette aire géographique, la région a acquis la réputation de couper ses vins et de les vendre en masse. Depuis, les vignerons s'efforcent de rehausser les normes de qualité. Toutefois, 90 % de la production vinicole sont encore consommés dans les *Heurigen* (guinguettes).

Le Weinviertel

La région viticole la plus étendue d'Autriche regroupe exactement un tiers des vignes du pays. Le Weinviertel (« quartier du vin ») est surtout connu comme le lieu de production de vins gouleyants à base de grüner veltliner, qui coulent à flots dans les *Heurigen*. Le welschriesling est réservé à l'élaboration de vins effervescents. En outre, presque tous les autres cépages d'Autriche sont représentés dans cette zone.

Le Carnuntum

La petite aire viticole qui borde le Danube, à l'est de Vienne, produit un bon pinot blanc ainsi qu'un zweigelt fruité et sans prétention.

Le Donauland

Ce vignoble de taille réduite, qui s'étire tout en longueur de Krems à Klosterneuburg, manque d'unité. Il produit de nombreux vins de grüner veltliner simples, ainsi que du pinot blanc, un peu de riesling et de müller-thurgau.

Le Traisental

Sur les sols de lœss sablonneux, entre Wagram et Saint Pölten, on élabore des vins frais et parfumés, issus de grüner veltliner, de pinot blanc et de riesling.

La réglementation viti-vinicole

Prädikatswein : niveau de qualité le plus élevé, rassemblant essentiellement les vins liquoreux ou moelleux qui ne peuvent être chaptalisés. En fonction de la densité du moût, les vins sont répartis en Spätlese (teneur en sucre naturelle des moûts égale ou supérieure à 19 degrés KMW – *Klosterneuburger Mostwaage),* Auslese, Beerenauslese, Ausbruch, Trockenbeerenauslese et Eiswein.
Kabinett : vin de qualité dont la chaptalisation est interdite, titrant au maximum 12,9 % vol.
Qualitätswein : vin de qualité dont la densité du moût est au minimum de 15 degrés KMW.
Landwein : vin de pays dont la densité du moût atteint au minimum 13 degrés KMW. Le vin de pays peut être chaptalisé.
Tafelwein : vin de table ordinaire dont la densité du moût est au minimum de 13 degrés KMW. Aucune limite de rendement n'est fixée pour ce vin, qui peut être chaptalisé.

La Wachau possède sa propre classification.
Steinfeder : vins légers et parfumés qui titrent au maximum 10,7 % vol.
Federspiel : vin sec classique titrant au maximum 12% vol.
Smaragd : Spätlese (« vendanges tardives ») rond et sec dont le titre alcoométrique est supérieur à 12 % vol.

Les vignerons réunis au sein du consortium Vinea Wachau doivent présenter exclusivement des vins issus de cette aire de production.

Une vocation viticole

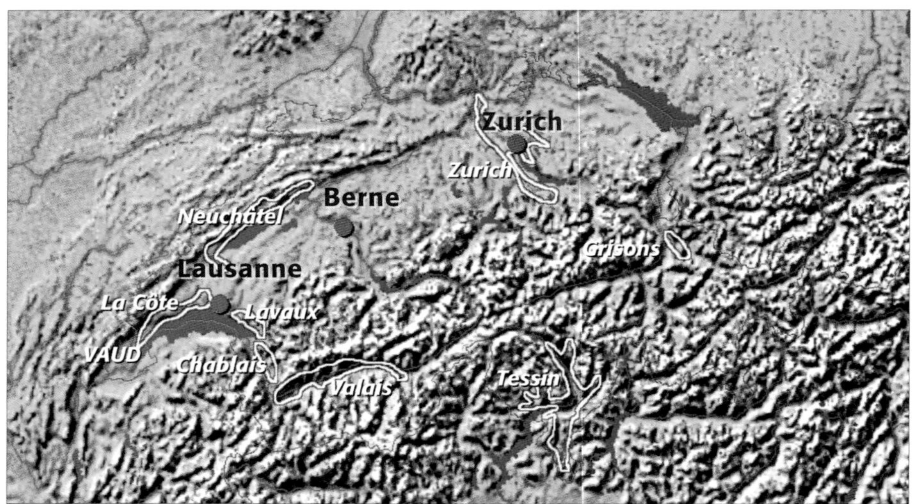

Les Suisses tiennent à leur autonomie, sauf dans le domaine vinicole. En effet, la majeure partie des vins consommés proviennent de l'étranger. Les vignobles ne seraient-ils pas assez généreux ? Ou bien les vins de qualité seraient-ils rares ?

En raison de leur préférence pour les vins étrangers, les Suisses ont été légalement contraints, depuis plusieurs dizaines d'années, de limiter leurs importations, et surtout leurs importations de vins blancs. Ce protectionnisme a certes permis d'assurer des débouchés nationaux aux vins, mais en contrepartie, il a isolé la viticulture helvète. Les vins suisses ne sont présents que sur le territoire national, en raison de leur prix élevé et de leur faible qualité. Si quelques vignerons ne se fixaient pas des contraintes malgré l'absence de concurrence, nul ne saurait que la Suisse sait produire des vins élégants et de caractère.

Splendeur et misère du vignoble

L'histoire du vignoble suisse constitue un chapitre à part dans l'histoire européenne du vin. Sous l'Empire romain, la vigne était essentiellement cultivée aux abords de Bâle et de Windisch. Au Moyen Âge, les moines développèrent les techniques de vinification. L'année 1142 fut décisive ; c'est en effet la date de la fondation du cloître cistercien de Dézaley et de l'apparition de la viticulture en terrasses sur les pentes du lac Léman. Peu après la création de la Confédération helvétique (1291) et jusqu'au XVIIIe siècle, la consommation de vin augmenta de manière spectaculaire. Au XIXe siècle, la viticulture suisse subit les rudes assauts de la concurrence et déclina. À la fin du XIXe et au début du XXe siècle, elle s'effondra sous les coups du mildiou et du phylloxéra. Ce n'est qu'au lendemain de la Seconde Guerre mondiale que la vigne recouvra quelques forces, alors que les surfaces cultivées avaient été amputées de près des deux tiers. La reprise économique s'accompagna évidemment d'une chute rapide de la qualité. En 1977, la Suisse avait multiplié sa production par deux par rapport à l'année 1957, tandis que les surfaces cultivées avaient augmenté d'un peu moins de 10 %. De pâles vins rouges étaient, et restent, assemblés avec d'obscurs vins d'importation. Les vins blancs sont encore massivement chaptalisés (jusqu'à 3 %).

La Suisse viticole en chiffres

Superficie : 14 800 ha
Production : 1,1 million d'hl
Consommation annuelle de vin par habitant : 41 l

Les cinq cépages les plus plantés

1. Chasselas	blanc	40 %
2. Pinot noir	rouge	27 %
3. Gamay	rouge	14 %
4. Merlot	rouge	6 %
5. Riesling x sylvaner	blanc	5 %

La réglementation suisse autorise la viticulture dans la quasi-totalité des vingt-quatre cantons. Les règles sont souples. Les rendements sont fixés à 1,40 kg/m² pour le vin blanc et à 1,20 kg/m² pour le vin rouge, ce qui signifie que l'on récolte de 84 à 110 hl/ha, chiffre excessif pour une viticulture de qualité. Toutefois, les bons vignerons vendangent beaucoup moins. Presque tous les vins suisses sont secs. Dans le Valais, on trouve quelques vins de johannisberg botrytisé. Malheureusement, la chaptalisation est devenue un principe, alors qu'elle s'avère inutile dans le Valais et la vallée du Rhin.

Viticulture en terrasses à Lavaux : quelques-uns des meilleurs vins blancs de chasselas proviennent de la rive nord du lac Léman.

Le canton du Valais

Le canton du Valais assure 40 % de la production viticole suisse. Les coteaux abrupts qui tapissent les rives du Rhône, aménagés en terrasses et orientés au sud, s'étendent de Viège à Martigny et regroupent plus de quarante cépages. La moitié des parcelles est consacrée au chasselas, que l'on appelle ici fendant. Selon le terroir, ce cépage donne des vins puissants et ronds aux notes minérales ou fruitées. À Chamoson, on produit des vins aromatiques et étoffés, toujours secs, issus du sylvaner (ici désigné sous le nom de johannisberg). Le vignoble de Fully nourrit la petite arvine épicée et l'ermitage exotique (ou marsanne). Dans la partie supérieure de la vallée du Rhône, on cultive encore plus d'une douzaine de cépages indigènes anciens. Un tiers de la production viticole du Valais est consacrée au vin rouge : il s'agit surtout de dôle, assemblage de pinot noir (51 % au minimum) et de gamay, mais des vins issus du seul pinot noir sont également élaborés.

Le canton de Vaud

Le canton de Vaud représente l'archétype même de la région suisse productrice de vin blanc. Les surfaces cultivées sont plantées à 80 % de chasselas. Le vignoble le plus réputé est celui de Lavaux, situé dans une région très touristique, sur la rive nord du lac Léman. Entre Montreux et Lausanne, on élabore les meilleurs vins de chasselas suisses (ce cépage est localement appelé dorin) ; les plus fins portent le nom des communes qui les produisent : Chardonnes, Saint-Saphorin, Épesses, Calamin et surtout Dézaley. La région située entre Lausanne et Genève, dénommée la Côte, offre des vins de chasselas plus légers, fleuris, perlants ; le plus connu d'entre eux est le Féchy. Les vins rouges – généralement composés de gamay – sont en revanche assez simples (le salvagnin est un assemblage de pinot noir et de gamay). Le Chablais, au sud de Montreux, affirme sa différence ; la proximité de la haute montagne s'y fait sentir. Aux environs d'Yvorne, d'Aigle et de Bex, loin du Rhône, le chasselas développe des notes minérales, rappelant la richesse du fendant du Valais.

Le canton de Neuchâtel

Les parcelles de ce petit vignoble sont plantées d'un peu de chardonnay et de pinot noir ; de ce dernier, on obtient un vin rosé, l'œil-de-perdrix.

Le canton des Grisons

C'est la seule aire géographique de quelque importance qui soit située en Suisse orientale, près de la ville de Chur, célèbre pour ses pinots noirs (blauburgunder) fruités et épicés ; leur finesse, plus que leur richesse en bouche, est leur principal atout.

Le canton du Tessin

Cette petite région de production, relativement jeune, mais très dynamique, s'étend de Giornico à Chiasso. Elle est plantée à 90 % de merlot. Aucun autre vin rouge suisse n'égale le meilleur Merlot del Ticino.

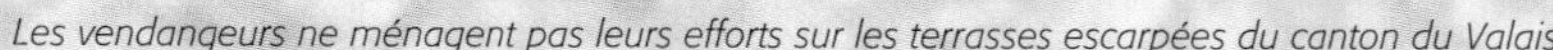
Les vendangeurs ne ménagent pas leurs efforts sur les terrasses escarpées du canton du Valais.

À l'Est, du nouveau

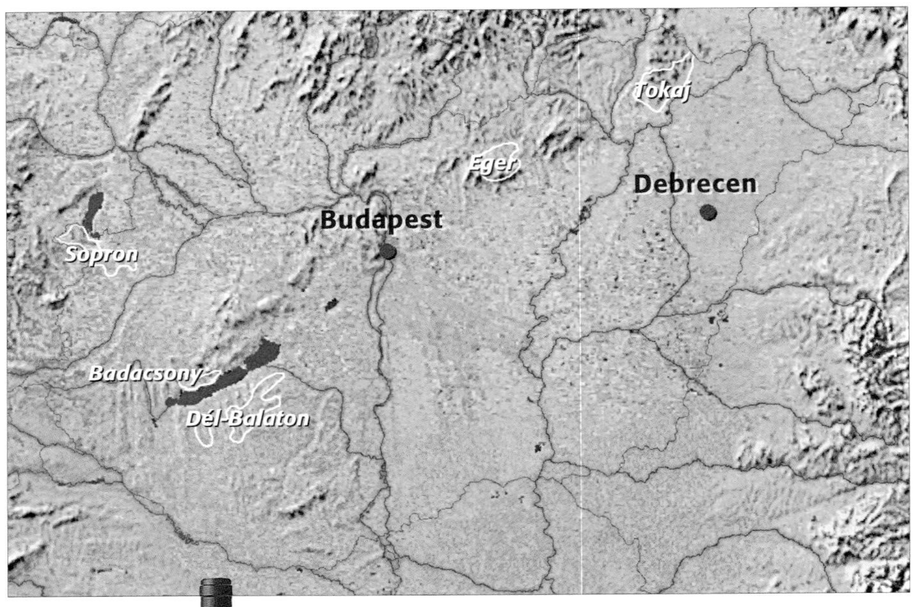

Les vignobles de l'est et du sud de l'Europe n'ont pas connu, au cours de ces cinquante dernières années, le développement fulgurant du vignoble français, italien et espagnol, sans parler de celui des nations viticoles du Nouveau Monde. Ils ont toutefois évolué.

La population de nombreux pays de l'est et du sud de l'Europe – Hongrie, Grèce, Bulgarie, Moldavie ou Ukraine – se souvient que les étrangers tenaient leurs vins en haute estime. Lentement, ces nations réapprennent à ne pas faire mentir ce prestigieux passé viticole.

La Hongrie

La Hongrie possède une tradition viticole presque aussi ancienne que la France ou l'Italie. Les vins de Sopron et d'Eger possédaient sans doute autant d'éclat au XIIIe siècle qu'aujourd'hui, puisqu'ils étaient exportés. Au début du XVIIIe siècle, la réputation du tokay était telle que ce vin de liqueur était vendu à la cour de Louis XIV. Après la grande crise phylloxérique et la Seconde Guerre mondiale, les vignerons hongrois optèrent pour la production de masse. Les vins très simples, souvent chaptalisés, coulèrent à flots. Certains crus autrefois célèbres perdirent lentement de leur classe et de leur richesse. Depuis 1989, date de la refondation de l'association viticole nationale, la viticulture retrouve lentement son allant.

Les aires viticoles anciennes et nouvelles

Au nord du lac Balaton (Badacsony, Balatonfüred, Csopak), on cultive le kéknyelü (blaustiel), le szürkebarat (pinot gris) et l'olaszrizling (welschriesling), cépages qui donnent des vins blancs riches et séveux. Plus récents, les vignobles situés au sud du lac Balaton (Dél-Balaton) sont plantés de chardonnay, de sauvignon et de traminer. Sopron, à proximité de la frontière autrichienne, est une zone de vins rouges qui accorde sa priorité au kékfrankos (blaufränkisch). Les nouveaux vignobles plantés en cépages rouges sont situés dans le Sud, près de Szekszárd et Vilány (cabernet, merlot, pinot noir). Dans le Nord, la région d'Eger, plus fraîche, s'est spécialisée dans le très populaire vin de marque Egri Bikavér, ou « sang de taureau », qui a longtemps été issu de kadarka

Le tokay et les « puttonyos »

Le tokay, composé de furmint, d'hárslevelü et de muscat ottonel, provient de la pointe nord-est de la Hongrie. Plus de la moitié des raisins doivent être atteints par la pourriture noble. Les raisins *aszú* (botrytisés) macèrent avant d'être ajoutés au moût de raisins sains en fermentation : plus la quantité de raisins macérés est importante, plus le vin sera doux et complexe. La mention de trois *puttonyos* (le mot *puttonyos* désigne le nombre de seaux de raisins *aszú* qui sont ajoutés à chaque fût de 136 l ; un seau contient 25 kg), sur l'étiquette, assimile le vin à un Auslese, quatre à un Beerenauslese et six à un Trockenbeerauslese. Un Aszú Eszencia, le parfait tokay, peut fermenter pendant dix ans.

Les vins de dessert de la région de Tokajhegyalia, en Hongrie, allient une qualité, une garde et un caractère exceptionnels.

Cave de tokay typique, aux murs couverts de moisissure noire.

rouge et qui est aujourd'hui composé de kékfrankos, de cabernet et de merlot. La palme revient cependant aux vins blancs d'Eger et de la commune voisine de Mátraalja (leànika, olasrizling, muskateller, chardonnay, sauvignon et sémillon). Le vin hongrois le plus connu sur le marché international reste le tokay.

La Bulgarie

Ce pays de collines ondoyantes, situé au sud du Danube, présente des conditions quasi idéales pour la viticulture : à l'intérieur des terres, un climat continental fait alterner des étés très chauds et des hivers rigoureux, et sur les contreforts des Balkans, qui descendent en pente douce jusqu'à la mer Noire, le climat méditerranéen favorise la principale activité économique de ce pays. Le vin blanc et le vin rouge se partagent équitablement les 160 000 ha cultivés.

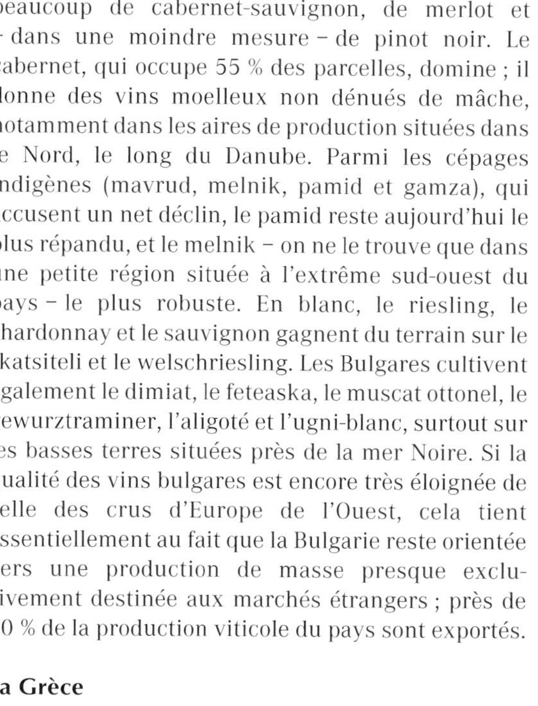

Au cours de ces dernières décennies, on a planté beaucoup de cabernet-sauvignon, de merlot et – dans une moindre mesure – de pinot noir. Le cabernet, qui occupe 55 % des parcelles, domine ; il donne des vins moelleux non dénués de mâche, notamment dans les aires de production situées dans le Nord, le long du Danube. Parmi les cépages indigènes (mavrud, melnik, pamid et gamza), qui accusent un net déclin, le pamid reste aujourd'hui le plus répandu, et le melnik – on ne le trouve que dans une petite région située à l'extrême sud-ouest du pays – le plus robuste. En blanc, le riesling, le chardonnay et le sauvignon gagnent du terrain sur le rkatsiteli et le welschriesling. Les Bulgares cultivent également le dimiat, le feteaska, le muscat ottonel, le gewurztraminer, l'aligoté et l'ugni-blanc, surtout sur les basses terres situées près de la mer Noire. Si la qualité des vins bulgares est encore très éloignée de celle des crus d'Europe de l'Ouest, cela tient essentiellement au fait que la Bulgarie reste orientée vers une production de masse presque exclusivement destinée aux marchés étrangers ; près de 90 % de la production viticole du pays sont exportés.

La Grèce

Récemment, la Grèce a donné à son économie viticole une impulsion similaire à celle qu'a connue l'Italie il y a vingt ans. L'implantation de vignes dans des régions fraîches, situées à une altitude relativement élevée, l'adoption de méthodes de vinification modernes à la française, les progrès de l'encépagement en rouge (notamment avec du cabernet-sauvignon) ont permis de produire des vins inédits dans ce pays. Ceux-ci proviennent d'aires enclavées, plus ou moins étendues, en Chalcidique, autour de Patras, en Thessalonique ou en Macédoine, et sont élaborés à la fois par de gros producteurs de vins de marque connus et par de petits vignerons ambitieux. Cependant, les vins blancs constituent encore près de 60 % de la production. Il s'agit généralement de vins peu raffinés, à forte teneur en alcool, souvent chaptalisés ou résinés. Sur les îles de la mer Égée, on produit encore les vins doux riches en alcool, traditionnels. Les cépages indigènes y règnent en maîtres.

Les cépages traditionnels dominent encore dans les vignobles grecs.

Les autres pays viticoles

République tchèque et Slovaquie : la viticulture reste archaïque, mais elle témoigne d'un bon potentiel, surtout en Moravie.

Roumanie : cette grande nation viticole possède 200 000 ha de coteaux, largement plantés de cépages indigènes très variés. Le feteasca alba (blanc) se taille la part du lion. Cependant, des vins d'une qualité supérieure sont issus de sauvignon blanc, de pinot gris, de rkatsiteli, de muscat ottonel, d'aligoté et de gewurztraminer, pour les blancs, et de pinot noir, pour les rouges. La Moldavie, la Munténie, l'Olténie et le Banat sont les principales aires de production.

Slovénie : depuis l'accession de ce pays à l'indépendance, en 1991, la viticulture slovène a pris son essor. Deux régions se distinguent : le Podravski, vallée de la Drave, aux abords de la ville de Maribor, qui offre de superbes vins blancs (welschriesling, sauvignon, chardonnay, pinot blanc), et Goriska Brda (le Collio slovène) qui produit également des vins rouges (refosco, merlot, barbera).

Croatie : ce pays réorganise son activité viticole. Dans le Nord, où règne un climat chaud et continental, les vignerons élaborent des vins blancs ronds et mûrs. Dans la bande étroite située sur la côte dalmate, ils produisent surtout des vins rouges (cépages plavac mali, teran, cabernet et merlot).

États de la mer Noire : Les républiques de l'ex-Union soviétique occupent à elles seules le quart de l'espace viticole mondial. Cependant, le volume de vin reste peu abondant. L'Ukraine, avec la Crimée et la Géorgie, préserve sa tradition de vins doux qui jouissent d'excellentes conditions de production, propices à la qualité. Seule la Moldavie a réussi, avec l'aide de sociétés internationales, à relancer son économie viticole.

Un potentiel illimité

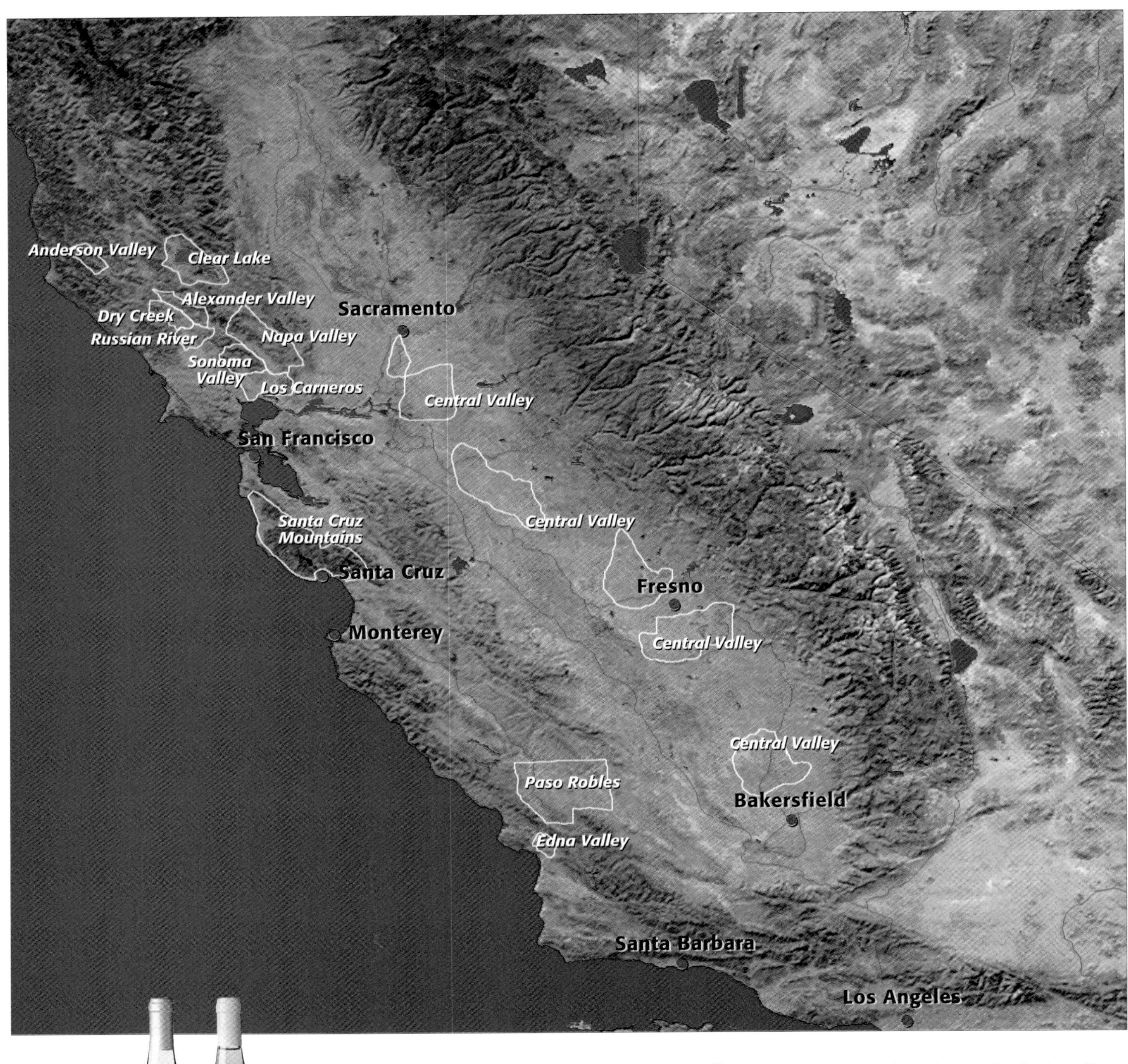

En l'espace de trente ans, la Napa Valley, verte vallée où paissaient moutons et bœufs, est devenue l'aire de production viticole la plus dynamique de toute la Californie. Une transformation radicale qui rend plus évident encore le contraste entre la viticulture du Nouveau Monde et celle du Vieux Continent.

Depuis les années soixante-dix, le riant Ouest américain connaît une sorte de révolution viticole. Les vins de Napa, Sonoma, Monterey, Santa Barbara et d'autres régions de production sont souvent prisés par les experts internationaux. Le soleil de la Californie n'explique pas seul cet essor. Au siècle dernier déjà, on savait que les terres de l'Ouest se prêtaient admirablement à la viticulture. Depuis les travaux de recherche menés dans les années cinquante par l'université de Davis, il est apparu clairement que le climat des régions proches de l'océan Pacifique était le principal facteur favorable à l'élaboration de grands vins.

Les débuts de la viticulture

L'histoire de la viticulture californienne a débuté en 1769 à San Diego. Le moine franciscain Juníperro Serra créa une série de missions qui s'étageaient jusqu'au nord de la Californie, à Sonoma. Comme on avait besoin de vin de messe, on planta la vigne. Il s'agissait notamment du cépage criolla, que les Espagnols avaient introduit au Mexique et qui fut récolté pour la première fois dans une mission américaine, à San Juan Capistrano, en 1782. Sans doute le vin était-il très râpeux. Vers 1833, le Français Jean-Louis Vignes planta pour la première fois des ceps directement importés d'Europe, sur les hauteurs proches de Los Angeles. Sa production de vin atteignit rapidement 1 000 fûts par an. Après la déclaration d'indépendance du Mexique, en 1822, et l'annexion ultérieure de la Californie par les États-Unis d'Amérique, les grands propriétaires américains restèrent fidèles à la tradition viticole.

Cap vers le nord

En 1849, époque de la ruée vers l'or, de nombreux Allemands, Italiens et Américains s'établirent en Californie et vendirent leur vin avec succès dans les villes des chercheurs d'or, sur les bords de la Sierra Nevada. La viticulture s'étendit lentement au nord de la Californie, où régnait une température plus fraîche. Le héros le plus haut en couleur du monde viticole fut le comte hongrois Agoston Haraszthy. D'abord shérif à San Diego, il s'installa dans les environs de San Francisco, où il devint négociant de vins de table, spécialisé dans l'importation de zinfandel et de muscat d'Alexandrie. Il rapporta plus de trois cents cépages différents d'Europe pour les implanter à Sonoma. Lorsque son domaine de Buena Vista fit faillite, le comte se retira au Nicaragua, où il investit dans la canne à sucre afin d'élaborer du rhum ; mais le succès, là encore, ne fut pas au rendez-vous. Peu après, il mourut, dévoré par les alligators.

Le temps de crises

Pourtant, les premiers jalons étaient posés. Bientôt, des producteurs européens comme Charles Krug, Jakob Schram, Jakob et Beringer s'installèrent dans la Napa Valley. La vigne connut un essor sans précédent aux États-Unis, mais ce mouvement s'arrêta net en 1886, lorsque le phylloxéra détruisit les jeunes cultures. Sans doute l'insecte avait-il été introduit en Amérique par Haraszthy, lorsqu'il y avait apporté le steckling. À peine avait-on trouvé un antidote à la maladie et les coteaux avaient-ils été plantés de nouveaux pieds que les autorités américaines imposèrent la prohibition, en 1919. Les conséquences de cette politique furent fatales : la plupart des domaines se trouvèrent acculés à la ruine. La vigne ne pouvait plus être cultivée qu'à titre privé ou pour élaborer du vin de messe. Lorsque la prohibition fut abrogée, en 1933, les marchés avaient pratiquement disparu et les structures commerciales étaient détruites.

Le renouveau

Ce n'est qu'à la fin des années soixante que le relèvement de la vigne s'amorça, lorsque des producteurs enthousiastes comme Robert Mondavi et Joe Heitz s'établirent dans la Napa Valley et se mirent à élaborer du vin d'une qualité exceptionnelle. Ce mouvement fut soutenu par l'œnologue d'origine russe André Tchelistcheff, qui avait travaillé pendant de longues années en France pour de célèbres producteurs. Les vignerons appliquèrent les méthodes de vinification modernes, telles la fermentation malolactique et autres innovations techniques majeures. La vallée verdoyante endormie, située, à deux heures d'autoroute, au nord de San Francisco, se transforma en un lieu de pèlerinage obligé pour tous les passionnés de vin. Lors d'un test à l'aveugle organisé à Paris par l'Académie du vin, plusieurs vins californiens furent comparés à de grands crus français, et le chardonnay du Chateau Montelena se classa avant les meilleurs bourgognes blancs ; un cabernet-sauvignon du domaine californien Stag's Leap s'arrogea également l'une des premières places. Trois ans plus tard, le guide de gastronomie Gault-Millau organisa une « olympiade des vins » lors de laquelle les vins californiens furent de nouveau primés. Le vin américain eut alors le vent en poupe. La Napa Valley comptait vingt *wineries* en 1960, elle en réunissait plus de deux cents en 1988.

« Été indien » sur un coteau proche de Calistoga, dans la Napa Valley, point de mire des millionnaires du vin.

Les fleurons de la Californie

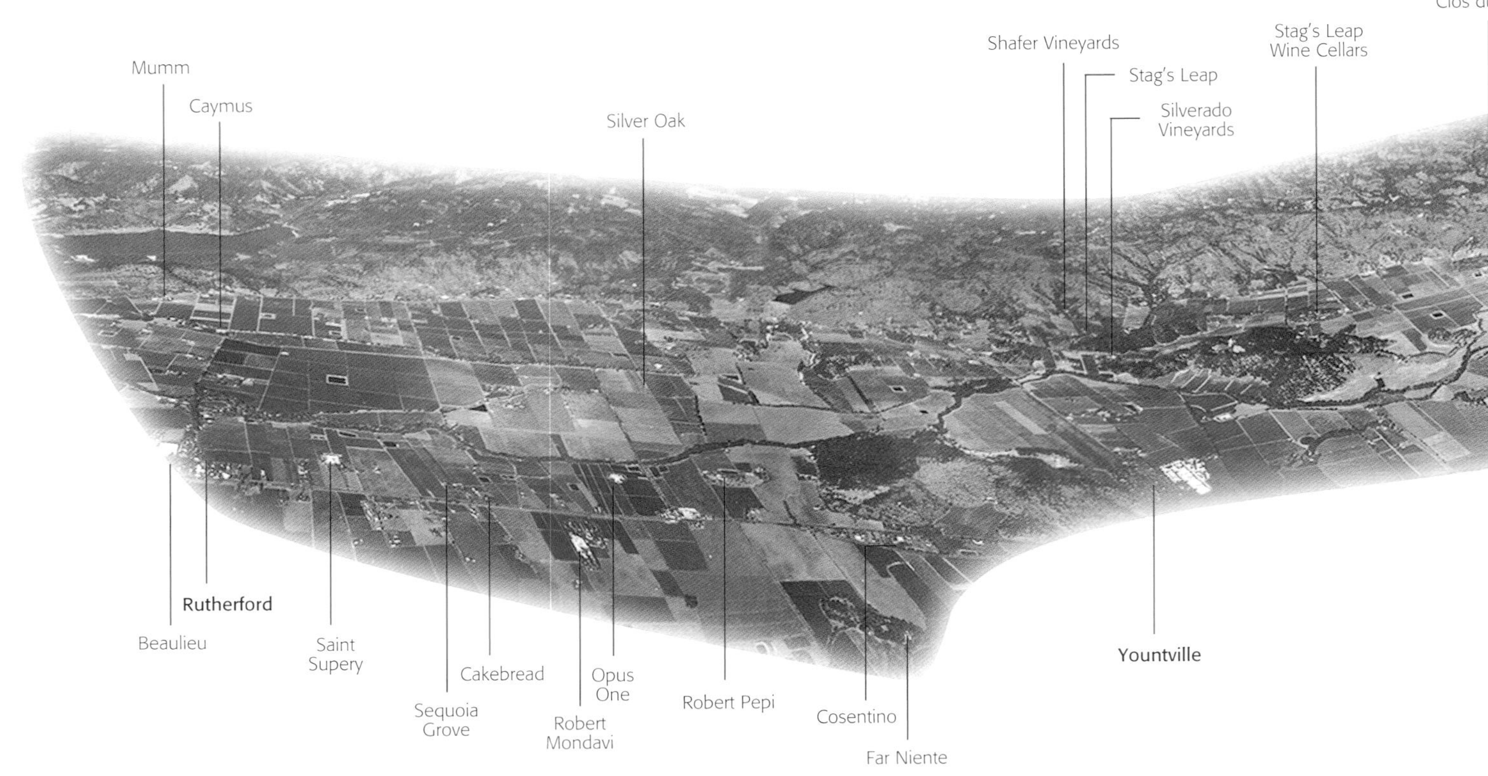

Panneau d'affichage situé à l'entrée de la Napa Valley : « Le vin est un poème en bouteille. »

Los Carneros

Le vignoble qui s'étend sur environ 6 500 ha aux abords de la baie de San Pablo est réputé pour ses vins blancs et effervescents. Certains des meilleurs chardonnays sont cultivés sur cette terre plate ou légèrement vallonnée, dans un paysage par ailleurs insignifiant, entre la Napa Valley et Sonoma. La plus grande partie des raisins est vendue aux *wineries* de Napa. Cependant, certaines caves vinicoles possèdent leurs propres parcelles. Enfin, plusieurs coopératives européennes élaborant des vins mousseux se sont installées à Los Carneros, notamment Freixenet, Codorníu, Domaine Chandon, Mumm et Taittinger (Domaine Carneros). Les meilleurs *sparkling wines,* élaborés selon la méthode traditionnelle de la fermentation en bouteille (et souvent selon la méthode de transvasement), tiennent la dragée haute à leurs pairs européens. Le climat frais de cette région convient également au pinot noir. En espagnol, Los Carneros signifie « les moutons », rappel de l'époque antérieure à l'implantation de la vigne, où cette terre était consacrée à l'élevage ovin.

La Napa Valley

La Napa Valley incarne le miracle viticole nord-américain. Les Américains ont montré en moins de trente ans qu'ils étaient capables d'adapter chez eux les lois de l'œnologie européenne. Beaucoup de vinificateurs, dotés d'un extraordinaire sens de l'organisation, ont mis en pratique des connaissances qui n'existaient que dans les livres du Vieux Continent, très souvent avec l'aide et le soutien financier d'experts français, suisses et allemands. Depuis, cette longue bande de terre américaine n'a cessé de faire sensation, même si moins de 5 % des vins californiens en proviennent. Naturellement, ce sont les vins les plus spectaculaires qui attirent l'attention, mais les millionnaires esthètes qui cherchent à pérenniser leurs vins, les esprits subtils au parcours fulgurant, les amoureux de vins excentriques, qui paient régulièrement des fortunes dans les ventes aux enchères pour acquérir les cabernets-sauvignons locaux, contribuent tout autant à faire parler de la région. Le panneau qui figure à l'entrée de la Napa Valley donne le ton, qui salue les Américains plutôt sobres par une formule signée de l'écrivain Robert Louis Stevenson : « Le vin est un poème en bouteille. »

Les *wineries* de la Napa Valley

La vallée s'allonge sur environ 50 km, de Napa, au sud, jusqu'au-delà de Calistoga, au nord. Paradoxalement, les températures de la région la plus septentrionale sont plus élevées que dans le Sud. La fraîcheur humide due à la proximité de l'océan Pacifique pénètre par la zone la plus méridionale et s'amenuise vers le nord. Plus de 95 % des vignes sont implantées dans la vallée, sur les contreforts des monts Mayacamas et les pentes des monts Vaca, sur l'autre versant de la vallée. Les parcelles de la Napa Valley sont dotées de lourdes terres argileuses, tandis que sur les coteaux, l'argile se mêle à la silice. Jusqu'à présent, peu de caves viticoles se sont établies dans l'arrière-pays, sur les terres situées plus en altitude. La

Napa Valley

Les producteurs proposent des vins rouges solides et élégants.

Sénevé en fleur sur un coteau proche de Los Carneros.

plupart des *wineries* s'égrènent le long des grands axes qui traversent la vallée : la *highway* 29 et sa parallèle, la Silverado Trail. Les caves vinicoles de style mexicain construites par Robert Mondavi présentent des caractéristiques architecturales intéressantes ; ainsi le cellier de Dominus, qui trône comme un cloître grec sur la colline de Sterling, le Clos Pegase et la Hess Collection, qui sont aussi des musées d'Art, le chai très moderne d'Opus One, l'ancienne *winery* Inglenook (aujourd'hui appelée Niebaum-Coppola), ou le domaine de Joseph Phelps aux allures de ranch. De nombreux vins remarquables proviennent cependant de caves qui n'ont rien de spectaculaire, comme Heitz Cellars, Mount Veeder, Stag's Leap, Clos du Val ou Cain Cellars. Les sols sont fertiles (en février, le sénevé jaune fleurit au milieu des vignes ; de nombreux vignerons cultivent cette plante de couverture, que l'on appelle encore moutarde sauvage). Toutefois, leur composition ne présente nullement un profil homogène, même dans les parcelles situées dans la vallée. De plus, de nombreux producteurs ne sont pas propriétaires de terrains dans la Napa Valley, mais se contentent de collecter les raisins de vignerons indépendants, l'acquisition de vignes n'ayant pris de sens que depuis quelques années, lorsque les prix ont brutalement augmenté en raison des dégâts provoqués par le phylloxéra et par la succession de mauvais millésimes.

Napa, terre de cabernet-sauvignon

La Napa Valley méridionale bénéficie des vents frais qui soufflent en provenance de l'Océan. De ce fait, jusqu'à Yountville, on trouve beaucoup de chardonnay, un peu de gewurztraminer, de riesling et de sauvignon ; puis, au-delà de cette ville, c'est le cabernet-sauvignon qui domine. Les quelques enclaves de vin blanc qui subsistent dans le nord de la Napa Valley sont de plus en plus souvent plantées de cépages rouges. L'offensive du vin rouge se poursuit d'ailleurs inexorablement vers le sud. Les sols caillouteux bien drainés sont généralement réservés au cabernet-sauvignon, tandis que les terres argileuses, plus lourdes, restent dévolues au merlot. Le cabernet-sauvignon produit des vins opulents, légèrement herbacés, au bouquet de groseille et de poivre noir, nuancé d'épices, de notes de moka et de café torréfié. Ces vins, aux tanins remarquables, n'ont peut-être pas la longévité des grands bordeaux, mais ils possèdent une plénitude similaire et une finesse remarquable. De nombreuses dégustations ont clairement montré à quel point il est difficile de différencier à l'aveugle les bordeaux et les cabernets de la Napa Valley. Ces derniers sont parfois assemblés au merlot, au cabernet franc ou au malbec, en faible proportion. Tant que ces cépages complémentaires ne dépassent pas 25 % de l'assemblage, l'étiquette peut ne mentionner que le cabernet-sauvignon (voir encadré p 193).

De Sonoma à Mendocino

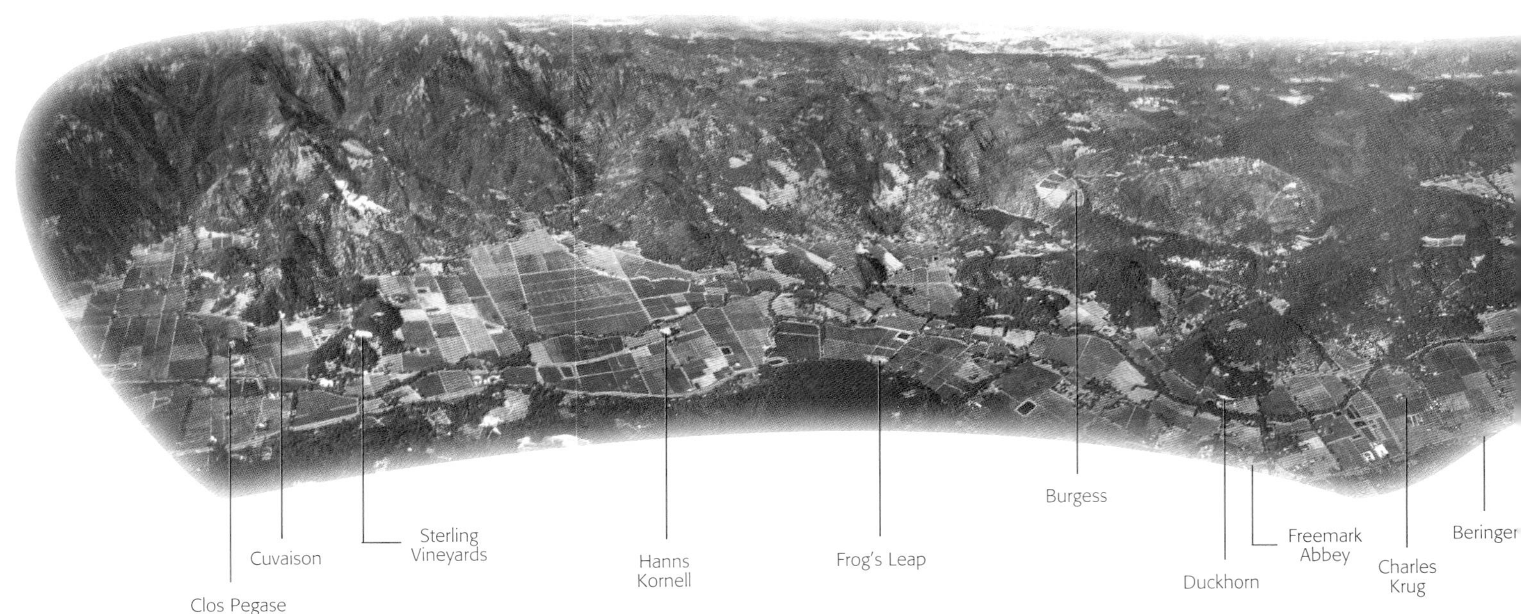

La Napa Valley est située au cœur du vignoble californien, mais elle ne possède ni l'exclusivité ni la primeur des vins de cet État. Sonoma a été l'un des premiers comtés à cultiver la vigne. Il se compose de plusieurs sous-régions et produit des vins divers.

La jolie petite ville de Sonoma n'est qu'à une heure de route de San Francisco, si l'on emprunte le Golden Gate Bridge et la *highway* 101. Son vignoble est plus ancien que celui de la Napa Valley, mais Sonoma se trouve dans l'ombre de sa célèbre voisine. Il s'agit d'une vaste zone de production aux microclimats et aux cépages variés. Les vignobles les plus connus sont ceux de la Russian River Valley, de l'Alexander Valley et de Dry Creek. Cependant, la Sonoma Valley, qui s'étend de Sonoma jusqu'à Santa Rosa, reste la principale zone historique. C'est là que se tient le siège du domaine Bartholomew Park, ancienne propriété d'Agoston Haraszthy, la gigantesque cave Sebastiani, le domaine de Ravenswood (spécialisé dans le zinfandel), le Chateau Saint-Jean, qui propose de remarquables vins blancs, ainsi que la petite Matanzas Creek Winery, qui produit de célèbres merlots (les raisins vinifiés par cette cave vinicole ne proviennent pas tous de la vallée de Sonoma).

La Russian River Valley

Cette région, qui déploie ses vignobles sur une vaste superficie entre Santa Rosa et Healdsburg est la deuxième plus grande région viticole américaine consacrée au chardonnay. Le pinot noir est cantonné aux terrains alluviaux siliceux, sur les rives de la Russian River ; les brumes venues du Pacifique et l'air humide et frais qui entre dans la vallée par le sud conviennent bien à ce cépage blanc bourguignon. La Russian River Valley est la sous-région la plus fraîche de la Sonoma Valley. Aussi de nombreuses caves vinicoles ont-elles planté du chardonnay ou du pinot noir sur ses coteaux et certaines *wineries* viennent s'y approvisionner en raisin. Les vins effervescents élaborés à Carneros sont d'ailleurs issus de cépages cultivés dans cette aire.

La Dry Creek Valley

Cette rivière asséchée a creusé son lit vers l'ouest, parallèlement à la *highway* 101. La vallée est largement consacrée à une variété vigoureuse et ancienne de zinfandel, signe que cette région possédait une tradition viticole bien avant la vogue du cabernet. Au XIXe siècle, les Italiens y ont planté les premières vignes. Aujourd'hui, les noms des domaines témoignent encore des origines italiennes de leurs propriétaires : le domaine de Ferrari-Carrano, la cave vinicole et le domaine agricole de Pedroncelli (qui offre de bons zinfandels), la gigantesque Simi Winery et celle, plus vaste encore, des frères Gallo. La pittoresque Dry Creek Valley offre aussi de nombreux vins de cabernet-sauvignon, quelques vins de syrah et de cinsaut. Dans le Sud, on trouve fréquemment du sauvignon et du chardonnay.

Napa Valley

Dans sa partie septentrionale, la Napa Valley produit des vins rouges ronds et charpentés.

L'Alexander Valley

Au nord de Sonoma, entre Healdsburg et Cloverdale, se trouve la sous-région la plus chaude de toute l'appellation. Autrefois, cette zone était consacrée à la production de masse, mais depuis les années soixante-dix, on y élabore également des vins de qualité. La palette des cépages reste large, et les vins présentent souvent un grand intérêt. Le sol argileux, qui assure une bonne rétention d'eau, nourrit des cabernets-sauvignons et des merlots charpentés et opulents, mais aussi de splendides zinfandels. Les cépages blancs occupent encore quelques enclaves.

Le comté de Mendocino

Le nord de la Californie, dont le climat peut être chaud, n'a pas manqué de se forger une réputation viticole. Le comté de Mendocino porte le nom d'une petite ville côtière habitée par de nombreux artistes, laquelle est bien éloignée des vignes qui tapissent les flancs de l'Anderson Valley, située en amont de la Russian River et à proximité de Clear Lake. Seules deux douzaines de caves viticoles se partagent le district. Autrefois, on cultivait beaucoup le houblon dans la région ; aujourd'hui, on voit surtout mûrir du chardonnay, du gewurztraminer et du pinot noir sur les coteaux en terrasses. La Navarro River, qui coule dans la vallée, se jette dans l'océan Pacifique, de sorte que la chaleur estivale est toujours tempérée par l'air frais venu de l'Océan. La maison de champagne Roederer a établi ici sa filiale américaine. En amont de la Russian River Valley, aux abords d'Ukiah, les températures sont sensiblement plus élevées. Cette région produit des zinfandels épicés et de solides cabernets-sauvignons, ainsi que des quantités limitées de petite syrah, quoique ce cépage soit plutôt une relique des temps révolus où le comté de Mendocino sacrifiait à une anonyme production de masse. Le meilleur domaine est celui de Fetzer à Hopeland, qui a adopté des méthodes de vinification écologiques.

Cave souterraine de la Kunde Winery à Sonoma.

La Californie viticole en chiffres

Superficie : 130 000 ha
Production : 14 millions d'hl
Consommation annuelle de vin par habitant : 7,7 l

Les dix cépages les plus plantés (pour la production de vin)

1.	Chardonnay	blanc	20 %
2.	French colombard	blanc	18,5 %
3.	Cabernet-sauvignon	rouge	11,5 %
4.	Zinfandel	rouge	11,4 %
5.	Chenin blanc	blanc	9,2 %
6.	Riesling	blanc	4,8 %
7.	Sauvignon	blanc	4,2 %
8.	Merlot	rouge	4,1 %
9.	Grenache	rouge	4,0 %
10.	Carignan	rouge	3,5 %

La réglementation viti-vinicole

Il n'existe aucune limitation de production, et la politique relative aux cépages est libérale. Un chardonnay ou un cabernet-sauvignon doit être pur à 75 % au moins. Les vins qui ne remplissent pas cette condition sont appelés Meritage (vins généralement ordinaires).

Les AVA

Au début des années quatre-vingt, certaines aires de production ont obtenu le statut d'*American Viticultural Areas* (AVA). Celles-ci désignent de nombreuses régions étendues comme la Napa Valley, le comté de Sonoma ou Paso Robles, mais aussi quelques sous-régions comme Stag's Leap ou Mount Veeder, toutes deux situées dans la Napa Valley. Les vins dont l'étiquette mentionne une sous-AVA doivent provenir à 95 % de cette zone ; cette proportion est ramenée à 85 % pour les vins d'une AVA régionale. Une part de 15 % est donc dévolue aux vins originaires des aires de production chaudes de la Central Valley.

Dénominations particulières

Jug wine : le vin le plus simple, issu de la production de masse.
Cooler : vin léger, à faible teneur en alcool, mélangé à des jus de fruits.
Blush : vin rosé.
White zinfandel : vin blanc doux issu du cépage rouge zinfandel.

La Central Coast californienne

Toutes les aires de production situées entre San Francisco et Los Angeles sont réunies sous l'appellation Central Coast (Côte centrale). La région, comme ses vins, réserve bien des surprises agréables.

Certes, la plupart des *fun-wines* et des *mode wines* élaborés dans le sud de la Californie sont tout simplement légers, gouleyants et rafraîchissants. Toutefois, certains vins, plus ambitieux, n'ont rien à envier aux grands crus de la Napa Valley et de la Sonoma Valley.

De nombreux vins fantaisie proviennent du sud de la Californie, qui produit également de grandes bouteilles.

Santa Cruz Mountains

Les collines boisées qui séparent la ville de San José de l'océan Pacifique sont peuplées d'arbres centenaires et habillées de petits vignobles éparpillés. On y produit de très jolis cabernets-sauvignons, d'excellents zinfandels et quelques vins blancs remarquables. La production est substantielle.

Le comté de Monterey

Cette aire de production hétérogène couvre la Salina Valley et ses alentours. C'est le plus grand potager de la Californie. Depuis quelques années, les vignobles ont également élu domicile dans cette vallée fertile. Leur taille ne se mesure pas en hectares mais en kilomètres carrés. C'est du moins le cas des trois AVA de Carmel, de Chalone et d'Arroyo Seco, qui donnent d'innombrables cabernets-sauvignons de qualité et quelques superbes chardonnays.

Paso Robles, Edna Valley et Arroyo Grande

Ces vignobles entourent la ville universitaire de San Luis Obispo. La vaste région de Paso Robles propose de bons sauvignon et zinfandel, tandis que l'Edna Valley, plus proche de l'Océan et plus fraîche, se prête naturellement à la culture du chardonnay et du pinot noir. À Arroyo Grande, il n'est question que de vin mousseux. La maison de champagne Deutz est le principal producteur de la région. La majeure partie du raisin vendangé dans ces trois contrées est vendue aux *wineries* du Nord, et généralement expédiée à Carneros ou à Sonoma.

Le comté de Santa Barbara

Dans les vallées ouvertes vers le Pacifique, un vent frais souffle vers la Santa Ynez Valley et la Santa María Valley. On y produit des chardonnays d'une belle vivacité et des pinots noirs épicés. À basse altitude, on trouve aussi du sauvignon et du merlot. Au Bon Climat, Lane Tanner, Foxen Vineyard et le domaine Byron de Robert Mondavi sont les principaux producteurs.

La Central Valley

La vallée centrale de la Californie est la région agricole la plus productive des États-Unis. Sur cette bande longue de plus de 800 km, on récolte des melons, des choux-fleurs, mais aussi du raisin, traditionnellement destiné à la table et à la cuve ; 60 % du raisin californien proviennent des vignobles irrigués de la central Valley. L'entreprise E. & J. Gallo, qui possède la plus grande cave du monde, produit soixante millions de bouteilles d'un vin simple mais agréable.

De plus en plus de grands producteurs comme Robert Mondavi, Glen Ellen et Sebastiani s'installent à Lodi, dans la partie septentrionale de la San Joaquin Valley, afin de récolter eux-mêmes le raisin. Au lieu d'utiliser des cépages hybrides comme le rubired et le royalty, on plante de plus en plus de cabernet-sauvignon, de merlot, de sauvignon, de gewurztraminer et de riesling. De nombreux vins de la Napa Valley comportent 15 % de raisins provenant de la Central Valley.

Environs de Santa Ynez : des chardonnays expressifs et des pinots noirs aux notes épicées.

Oregon et Washington : éloge du pinot noir

David Lett (à gauche), pionnier du pinot noir en Oregon. Ci-dessus, système d'irrigation dans la Yakima Valley

D'aucuns prétendent que les meilleurs vins d'Amérique viendront un jour d'Oregon. Quoi qu'il en soit, dans l'ombre de son grand voisin du Sud, cet État est devenu le champion incontesté du pinot noir.

Les vignobles de l'Oregon ne représentent que 2 % environ des surfaces californiennes. Les premières vraies *wineries* se sont implantées dans les années soixante, alors que la Californie connaissait déjà un essor viticole considérable. Le climat tempéré qui règne dans cet État, aux hivers doux et aux étés relativement humides, a conduit quelques pionniers à s'installer au sud de Portland, dans la vallée de la Villamette River. Sans tenir compte des avis de l'université de Davis, ils ont planté des cépages européens : chardonnay, riesling, gewurztraminer et surtout pinot noir.

Le succès tardif du pinot noir

Le fameux cépage rouge bourguignon a profité du climat doux et couvre aujourd'hui près de la moitié des vignobles de l'Oregon. Il donne des vins qui ne sont ni lourds ni trop peu acides, mais tendres et fruités, plus proches du bourgogne français que les vins californiens. L'enthousiasme des premiers producteurs de pinot noir s'est révélé contagieux, à tel point que de nombreux Californiens se sont établis dans la vallée de la Villamette et ont misé sur ce cépage, qui n'avait fait ses preuves qu'en Bourgogne. Même le négociant bourguignon Robert Drouhin a ouvert une cave en Oregon. Parmi les autres grands producteurs de pinot noir, citons Elk Cove Vineyards, Bether Heights et Adelsheim. Une grande partie des raisins est achetée aux viticulteurs indépendants, car les nouveaux domaines ne cultivent pas encore une superficie suffisante. Outre le pinot noir, l'Oregon est planté de chardonnay et de gewurztraminer, ainsi que de cabernet-sauvignon dans le sud.

L'État de Washington

L'État de Washington, situé à l'extrême nord-ouest des États-Unis, possède deux fois plus de vignes que l'Oregon. Pourtant, il est plus méconnu encore. Cela tient au fait que les vignobles occupent une place négligeable par rapport aux autres cultures. La qualité n'est pas en cause. Le cabernet-sauvignon et surtout le merlot qui sont plantés sur les rives chaudes de la rivière Colombia et dans la vallée de Yakima présentent un intérêt évident, même s'ils sont encore loin de menacer les vins californiens. Ces vins ne manquent jamais de corps, mais parfois de finesse. Le plus grand domaine de l'État de Washington est le Chateau Sainte-Michelle, qui produit des vins blancs intéressants issus de sémillon et de sauvignon. Ces vins ne sont pratiquement pas commercialisés en dehors des États-Unis.

Les autres États viticoles

Nouveau-Mexique : cet État du Sud-Ouest américain, au climat chaud, doit sa réputation à la qualité de ses vins effervescents, élaborés au sud d'Albuquerque à plus de 1 000 m d'altitude, aux abords du río Grande.

Virginie : à l'est des États-Unis, sous un climat doux, l'État de Virginie cultive ses traditions viticoles depuis trois cent cinquante ans et connaît un réel essor. Les cépages hybrides ont été largement remplacés par du chardonnay, du cabernet-sauvignon et du merlot, qui donnent des vins moyennement corsés au caractère marqué.

État de New York : les Finger Lakes, situés non loin du lac Érié, produisent d'excellents vins doux depuis plusieurs décennies, à l'instar de la zone de production située sur la rive canadienne de ce lac.

Le géant de l'océan Indien

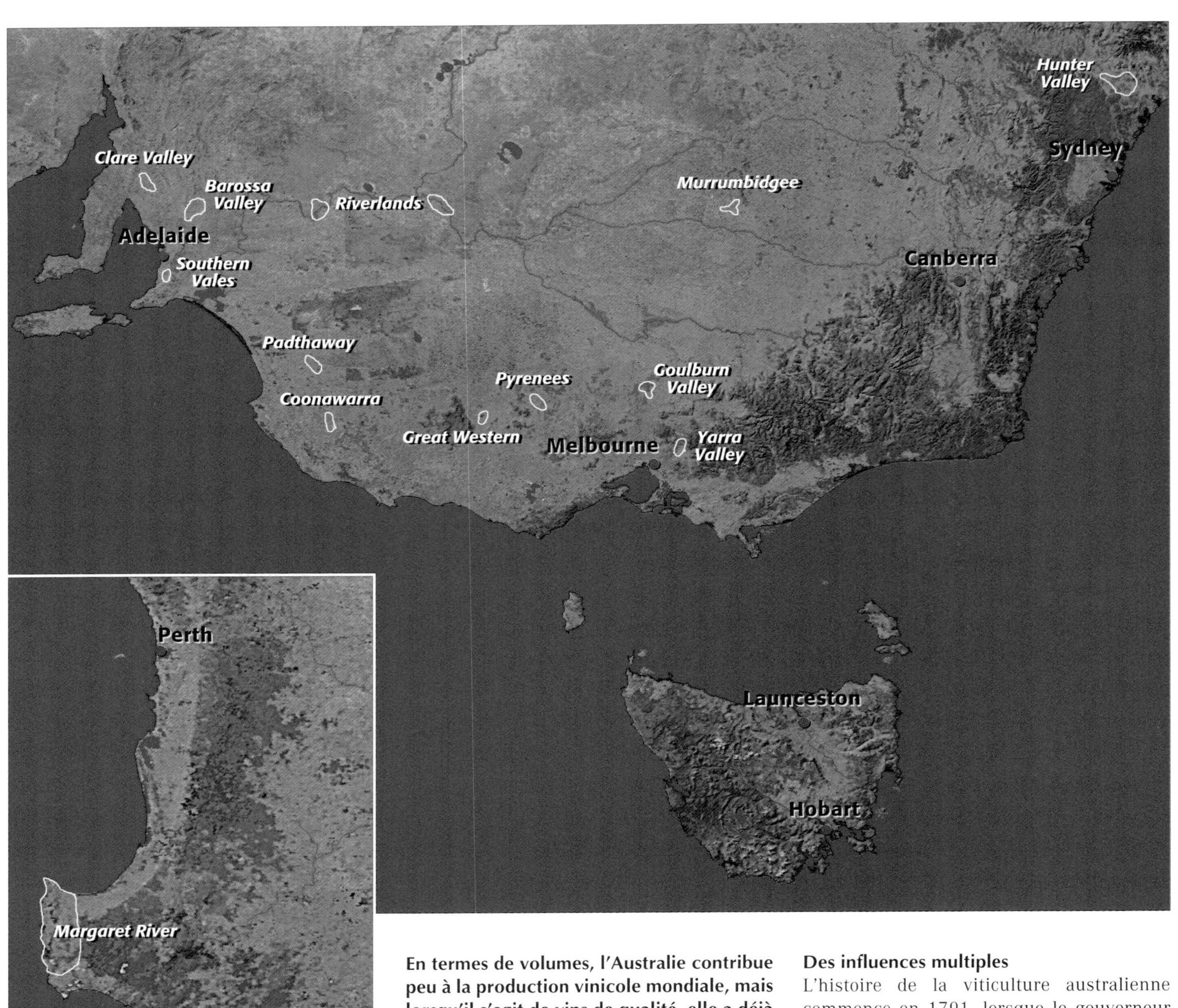

En termes de volumes, l'Australie contribue peu à la production vinicole mondiale, mais lorsqu'il s'agit de vins de qualité, elle a déjà des allures de géant. Ce lointain continent a su se forger une excellente réputation, propre à étonner le Vieux Continent.

Au cours des trente dernières années, l'économie viticole a beaucoup changé en Australie : des vins de liqueur, riches en alcool, ont pris le pas sur les simples vins de table qui étaient généralement produits en quantités industrielles. Aujourd'hui, il existe un vaste éventail qualitatif et plusieurs crus dignes de ce nom. Avec une production annuelle de 660 000 hl, l'Australie est le chef de file des pays viticoles de l'hémisphère Sud.

Des influences multiples

L'histoire de la viticulture australienne commence en 1791, lorsque le gouverneur britannique récolta le jus de la treille qu'il avait plantée trois ans plus tôt dans son jardin de Sydney. Le cépage provenait d'Afrique du Sud (l'Australie ne possède aucun cépage indigène). Au cours des décennies qui suivirent, les fermiers implantèrent la vigne dans d'autres parties du pays, et bientôt, elle s'épanouit un peu partout, à Victoria, en Nouvelle-Galles du Sud et en Australie-Occidentale, où s'étaient installés de nombreux Anglais. Les Français l'introduisirent sur la petite île de Tasmanie. Vers le milieu du XIXe siècle, de nombreux Allemands s'établirent dans la vallée de Barossa et commencèrent à cultiver des cépages européens. Au début du XXe siècle, l'Australie, devenue un État fédéral en 1901, disposait déjà d'un potentiel viticole considérable. Dans ce pays, la syrah s'appelle hermitage ; le pinot noir, red burgundy, et le vin blanc a longtemps été dénommé chablis ou rhineriesling. Mais surtout, les Australiens se sont spécialisés dans la production de vins de liqueur, dans le style du porto. Aujourd'hui encore, le muscat d'Alexandrie est le cépage le plus usité en Australie (on l'appelle ici gordon blanco). Le lent retour des vins blancs secs a commencé après la Seconde Guerre mondiale. Le marché local absorbe plus de 80 % de la production viticole australienne, et la demande croissante à l'étranger a provoqué une constante extension des parcelles. Toutefois, les nouveaux coteaux sont implantés de préférence dans les régions de climat frais tandis que les aires de production traditionnelles ont quelque peu perdu de leur importance.

Depuis les coteaux d'Adelaide Hills, le vignoble australien s'étend lentement vers les zones plus fraîches.

Le facteur climatique

Les conditions réunies dans les régions viticoles australiennes diffèrent de celles qui règnent en Europe. Ce ne sont pas les critères géo-pédologiques, mais les zones climatiques qui, par leurs températures équilibrées, permettent ou non l'élaboration de vins de qualité. Si le gel est inexistant, la sécheresse ou le haut degré d'humidité qui sévissent dans certaines régions constituent les plus grands dangers pour la vigne. Ce risque est étroitement et rapidement associé à l'apparition de maladies cryptogamiques. Au cours de ces dix dernières années, la vigne a gagné les régions plus fraîches situées dans le sud du pays : Margaret River, Adelaide Hills, le Coonawarra, Padthaway, Geelong, la Yarra Valley ou la Tasmanie.

Des vins de cépage

Nul ne s'étonnera de constater que la philosophie de l'œnologie n'est pas la même en Australie et en Europe. Généralement, le vin n'exprime pas les caractères d'un terroir appartenant à une zone climatique spécifique, mais la personnalité d'un cépage, quel que soit l'endroit où il pousse. La plus grande partie du raisin vinifié par une cave vinicole provient de vignes situées dans des aires de production différentes, parfois éloignées de 15 km ou même de 3 000 km les unes des autres. On le transporte dans des cuves en acier sur les lieux où il sera assemblé à d'autres vins. La plupart des vins sont vendus sous un nom de cépage : chardonnay, sémillon, shiraz ou cabernet-sauvignon par exemple. Souvent, l'indication de la région d'origine se résume à la mention Australie-Méridionale ou tout simplement Australie.

La philosophie australienne

Le producteur australien se distingue radicalement de son collègue européen. Il produit en effet une vaste palette de vins, allant des cabernets-sauvignons à cinq ou dix dollars jusqu'aux vins de qualité supérieure à quinze dollars. Par ailleurs, il s'efforce d'acheter les raisins les mieux adaptés à son objectif. Les Australiens ont perfectionné cette approche de la viticulture ; presque toutes les grandes caves viticoles proposent plusieurs qualités, et les bouteilles – généralement de bon niveau – se comptent chaque année par millions. Même le vin le plus célèbre d'Australie, le Grange rouge élaboré par l'entreprise Penfolds, est un « multi district blend », assemblage de trois vins originaires de vignobles très éloignés. Bien sûr, il existe aussi de nombreux vins provenant d'une seule région. Ils sont surtout élaborés par de petits vignerons qui misent sur la typicité des produits locaux. Cependant, ces vins ne sont pas toujours meilleurs ni plus intéressants que les « multi district blends » des grandes caves vinicoles.

La conquête des régions fraîches

La Hunter Valley, chaude et humide, est l'une des aires de production les plus prestigieuses d'Australie. On y produit d'élégants vins de shiraz et de sémillon.

En Australie, presque toute l'activité viticole se concentre dans les États du Sud. Les températures qui y règnent sont relativement fraîches, et la sécheresse y est moins accentuée que dans le Nord. Lorsque les précipitations se font attendre, les Australiens, qui ne manquent jamais de sens pratique, irriguent la vigne.

L'Australie-Méridionale comprend à elle seule 42 % des surfaces viticoles du continent. Dans l'arrière-pays d'Adélaïde, les vins de table et d'assemblage côtoient des vins rouges de grande classe. La Nouvelle-Galles du Sud représente 30 % de la production et l'État de Victoria 18 %. L'Australie-Occidentale et la Tasmanie, toutes deux désignées comme des régions de climat frais, se partagent les 10 % restants.

La Barossa Valley

La plus grande aire géographique de vin de qualité se trouve à environ une heure de route au nord d'Adélaïde. On y cultive presque tous les cépages existants. La shiraz (syrah) et le sémillon supportent parfaitement le climat chaud. Le riesling domine ; il a eu la préférence des colons allemands qui se sont installés vers le milieu du XIXe siècle dans la Barossa Valley. Aujourd'hui, il donne des vins épicés et opulents, qui présentent peu de ressemblances avec le riesling européen. Pour des raisons climatiques, le vin blanc est surtout élaboré dans la vallée voisine (Eden Valley) et dans l'aire d'Adelaide Hills. La Barossa Valley abrite de nombreuses *wineries* comme Penfolds (le plus gros producteur australien), Orlando, Mildara et Yalumba.

La Clare Valley

Dans cette région sèche et chaude, située en altitude au nord-est d'Adélaïde, on trouve le meilleur riesling du pays. Toutefois, c'est le cabernet-sauvignon qui prédomine. En outre, cette « Toscane australienne » produit de très bons vins blancs et un vin de shiraz de caractère.

Adelaide Hills

Au nord d'Adélaïde, cette contrée vallonnée bénéficie d'un microclimat frais, propice à l'élaboration de vins élégants et vifs. Elle produit quelques-uns des meilleurs chardonnays, sauvignons, pinots noirs et vins effervescents du pays.

Le Coonawarra

Située à mi-chemin entre Adélaïde et Melbourne, cette région est réputée pour son vin rouge. La vigne y a été implantée pour la première fois au cours du XIXe siècle, mais sa production n'a été appréciée que vers 1960. La terra rossa confère aux cabernets-sauvignons une robe d'encre et une bouche tannique. Les vins de shiraz élégants comptent parmi les meilleurs vins rouges de toute l'Australie. Dans cette aire de production, large de 16 km, située au nord de la ville de Penola, de nombreuses caves vinicoles de grande et de petite taille se sont installées.

Padthaway
Ce vignoble relativement frais, mais sec, est largement planté de cépages blancs. Les chardonnays et sauvignons sont intéressants. La vigne doit être régulièrement irriguée en raison de la sécheresse.

Les Southern Vales
Cette vallée relativement chaude sise au sud d'Adélaïde a acquis la réputation de produire de remarquables shiraz à la fois structurés et veloutés, ainsi que d'excellents cabernets-sauvignons et de solides chardonnays. Le McLaren Vale est le vignoble le plus connu et le plus étonnant de cette région.

Le Great Western
Sous le climat tempéré de cette petite aire à l'ouest de Victoria, sont produits des vins rouges légers et modérément fruités, ainsi que des vins effervescents de qualité.

Les Pyrenees
Les douces collines de l'Avoca River, campées à deux heures de voiture environ au nord-ouest de Melbourne, fournissent un cadre idéal à l'appréciation du vin et de la gastronomie. On y élabore des vins rouges de bon aloi, rustiques ou élégants (shiraz, cabernet-sauvignon, merlot) ainsi que de bons vins blancs.

La Goulbourn Valley
Certains des vins les plus séduisants de Victoria proviennent de cette aire viticole peu homogène, située aux abords de la rivière Goulbourn : vins de shiraz épicés et équilibrés, riches cabernets-sauvignons, chardonnays bien charpentés et sauvignons séveux.

La Yarra Valley
À une demi-heure à peine au nord de Melbourne, dans la zone d'influence d'un climat maritime frais, ce vignoble particulièrement disséminé se distingue par des cabernets-sauvignons profonds et très tanniques, des vins de shiraz vigoureux, des pinots noirs fruités et des chardonnays suaves. En outre, la Yarra Valley se spécialise dans les vins gouleyants issus de pinot gris et dans les assemblages de cabernets et de shiraz.

La Hunter Valley
Très connue en raison de sa proximité de Sydney, cette région bénéficie d'un climat subtropical. Elle est plantée de presque tous les cépages existants en Australie, surtout de shiraz et de sémillon de qualité. Le chardonnay et le cabernet-sauvignon peuvent également présenter un intérêt certain.

Margaret River, Swan Valley et Mount Barker
Les trois meilleurs vignobles de l'Australie-Occidentale avoisinent Perth. Leurs vins blancs parfumés (chardonnay, sémillon, sauvignon, riesling) n'ont d'égal que les cabernet-sauvignon et pinot noir d'une grande finesse.

La Tasmanie
Launceston, Freycinet et Hobart bénéficient des conditions climatiques les plus fraîches d'Australie. Certains des meilleurs vins blancs (chardonnay) et rouges (pinot noir) du pays en sont originaires.

En Australie-Méridionale, le raisin est vendangé aux heures fraîches de la nuit, notamment dans la Clare Valley.

L'Australie viticole en chiffres

Superficie : 81 000 ha
Production : 6,7 millions d'hl
Consommation annuelle de vin par habitant : 18,2 l

Les dix cépages les plus plantés

1. Chardonnay	blanc	11,3 %
2. Shiraz	rouge	10,5 %
3. Cabernet-sauvignon	rouge	9,3 %
4. Sauvignon	blanc	5,3 %
5. Muscat	blanc	5,0 %
6. Sémillon	blanc	4,8 %
7. Grenache	rouge	2,9 %
8. Pinot noir	rouge	2,1 %
9. Trebbiano	blanc	1,6 %
10. Colombard	blanc	1,4 %

La réglementation viti-vinicole
Les vins doivent provenir à 85 % de la région mentionnée sur l'étiquette et être issus des cépages qui y sont cultivés. Si plusieurs cépages sont indiqués, le vin est majoritairement composé de celui qui est placé en tête de liste. L'acidification est autorisée, mais non la chaptalisation. Le législateur n'impose aucune limitation de rendements. Dans les vignobles de qualité, les volumes oscillent entre 60 et 90 hl/ha.

Les méthodes de vinification
En matière de vinification, les normes techniques australiennes se caractérisent par une grande rigueur. La majeure partie du raisin est vendangée mécaniquement. Les vins rouges sont souvent vinifiés en barrique (le cabernet-sauvignon dans des fûts français, la shiraz dans des fûts américains). Les meilleurs vins blancs sont soumis à la fermentation malolactique et mûrissent également en barrique.

La taille minimale
Au terme d'expériences liées à la recherche d'une meilleure productivité, certains vignerons ont choisi de renoncer presque totalement à la taille. Après plusieurs années de surproduction, le cep régule de lui-même son rendement à environ 80 hl/ha.

Les îles du sauvignon blanc

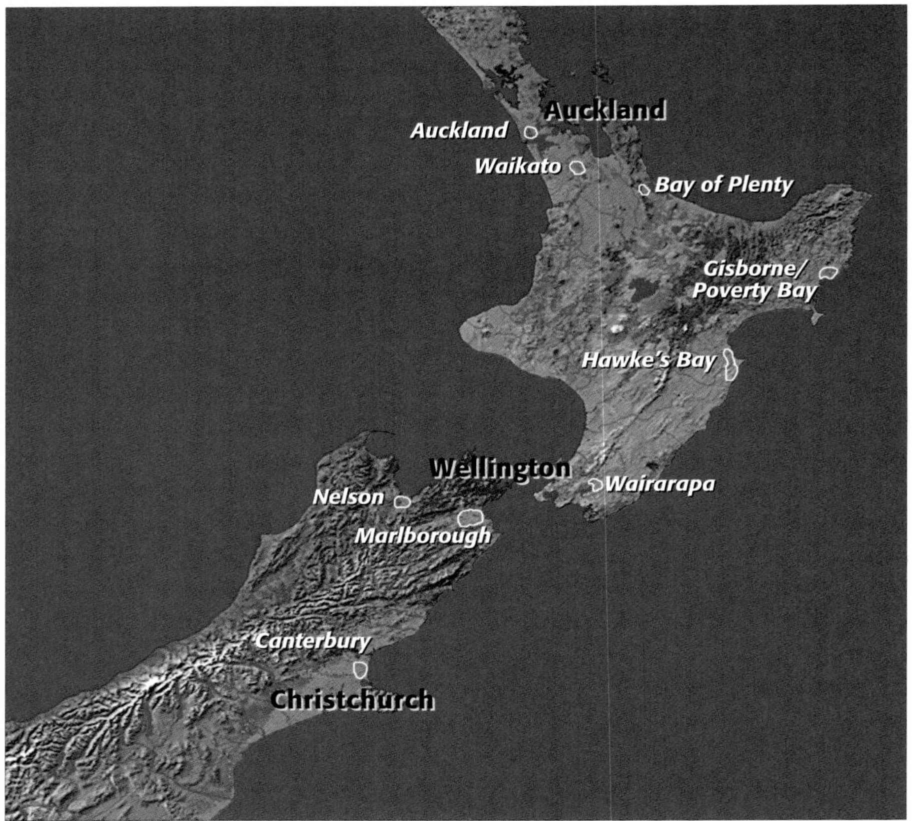

En Nouvelle-Zélande, la consommation de vin n'est pas encore entrée dans les mœurs, même si la production viticole a été multipliée par vingt depuis 1960. En revanche, sur la scène internationale, les vins de sauvignon et de chardonnay de ce pays suscitent l'admiration.

Pendant de nombreuses années, seuls les hôtels vendaient du vin en Nouvelle-Zélande, et les citoyens n'avaient pas le droit d'en acheter plus de douze bouteilles. Progressivement, la situation a évolué : en 1960, les restaurants ont été autorisés à servir du vin, puis en 1990, les supermarchés ont pu en commercialiser. Jusqu'en 1980, l'État a jugé utile de maintenir le décret qui interdisait de mélanger du vin à de l'eau minérale. Ces pratiques étonnantes sont liées à l'histoire du pays. Les premiers ceps furent plantés dès 1819, mais le vignoble néo-zélandais n'a pris un réel essor qu'en 1970. Dans l'intervalle, le phylloxéra, la prohibition et la crise sévirent.

Une initiation tardive

Les premiers plants de *Vitis vinifera* européens apparurent vers 1970, et les premiers vins intéressants furent produits en 1984. À cette époque, le cépage le plus fréquent était l'albany surprise, issu du müller-thurgau. Les vignerons néo-zélandais croyaient que les cépages plantés sous le climat froid de l'Allemagne convenaient au climat de leur pays. Les vins doux coulèrent à flots dans les caves. Les trois plus grands distributeurs de boissons embouteillaient 90 % de la production viticole ; les 10 % restants étaient répartis entre cent cinquante producteurs. Le müller-thurgau connut son âge d'or jusqu'en 1992. Depuis, le chardonnay lui a ravi la place.

La découverte des îles du Sud

Le climat néo-zélandais se caractérise par sa fraîcheur, surtout dans son île méridionale. Cependant, les premières vignes furent plantées dans la partie septentrionale, où il fait plus chaud. Pendant plusieurs décennies, Auckland est resté le centre viticole du pays. La propagation du müller-thurgau a coïncidé avec l'essor de la fertile Gisborne Valley, devenue la plus grande aire de production du pays. L'audacieuse implantation de chardonnay et surtout de sauvignon a été couronnée de succès, et l'économie viticole a misé sur la Hawke's Bay voisine, puis sur l'île du Sud dans les années quatre-vingt-dix. Aujourd'hui, Marlborough et ses sols caillouteux, région marquée par de forts écarts entre les températures diurnes et nocturnes, est devenue le plus vaste vignoble du pays. Néanmoins, les meilleurs cabernets-sauvignons sont toujours produits dans l'île du Nord, surtout dans la région de Hawke's Bay et aux environs d'Auckland.

Auckland

Sous le climat tempéré, chaud et humide de la capitale, les Néo-Zélandais accordent traditionnellement la priorité aux vins rouges. Les plus intéressants sont constitués de cabernet-sauvignon, notamment à Matacma et sur l'île de Waiheke. Près de Montana, où se situe la principale cave viticole du pays, les citadins les plus fortunés ont quitté les faubourgs pour cultiver la vigne.

Petit domaine viticole dans la région de Hawke's Bay.

Lac Wanaba en Otago central, île du Sud. L'une des aires viticoles les plus fraîches de l'hémisphère Sud.

La Nouvelle-Zélande viticole en chiffres

Superficie : 8 000 ha
Production : 573 000 hl
Consommation annuelle de vin par habitant : 9,9 l

Les dix cépages les plus plantés

1. Chardonnay	blanc	23 %
2. Sauvignon	blanc	19 %
3. Müller-thurgau	blanc	8 %
4. Cabernet-sauvignon	rouge	8 %
5. Pinot noir	rouge	7 %
6. Merlot	rouge	6 %
7. Riesling	blanc	5 %
8. Muscat	blanc	3 %
9. Sémillon	blanc	3 %
10. Chenin blanc	blanc	2 %

La réglementation viti-vinicole

La réglementation néo-zélandaise est comparable à celle en vigueur en Australie. Il n'existe aucune limitation de rendements. La production moyenne de vins de qualité se situe à 90 hl/ha, chiffre relativement élevé lié à l'abondance des précipitations. Cependant, les étés sont souvent secs, ce qui impose l'irrigation de certaines régions. Le vin néo-zélandais provient à 90 % des trois grandes sociétés de boissons du pays, qui doivent transporter leur raisin (ou leur moût) sur de grandes distances (jusqu'à 1 500 km) avant de parvenir aux caves centrales.

La Gisborne Valley

Cette vallée reste consacrée à la production de masse, mais elle constitue aussi le plus vaste vignoble de chardonnay du pays : des centaines de petits producteurs concentrent leurs efforts sur ce cépage et produisent des vins corsés, aux arômes de fruits exotiques et à l'acidité mesurée.

Hawke's Bay

En raison du net recul du müller-thurgau, l'aire située aux abords de Napier n'est plus la principale région viticole de Nouvelle-Zélande, mais elle reste la meilleure. On y trouve une grande quantité de chardonnay, bien que le cabernet-sauvignon, le cabernet franc et le merlot donnent aussi d'excellents résultats. Les vins rouges sont concentrés, marqués par des notes de chêne épicées.

Wairarapa-Martinsborough

Petite et coquette aire sise dans l'arrière-pays de Wellington, qui offre d'excellents cabernets-sauvignons et quelques pinots noirs d'exception.

Marlborough

C'est la plus grande aire de production de Nouvelle-Zélande, dotée d'un climat frais influencé par la proximité du Pacifique, et d'un sol pierreux. La ville de Benheim est célèbre pour ses sauvignons qui expriment une richesse et une force aromatique exceptionnelles.

Nelson et Canterbury

Encore peu développée, cette région de l'île du Sud propose des chardonnays puissants (Nelson) et quelques pinots noirs intéressants (Canterbury).

Coteaux de Marlborough : les Néo-Zélandais ont développé la notion de maîtrise du couvert végétal.

Construire l'avenir

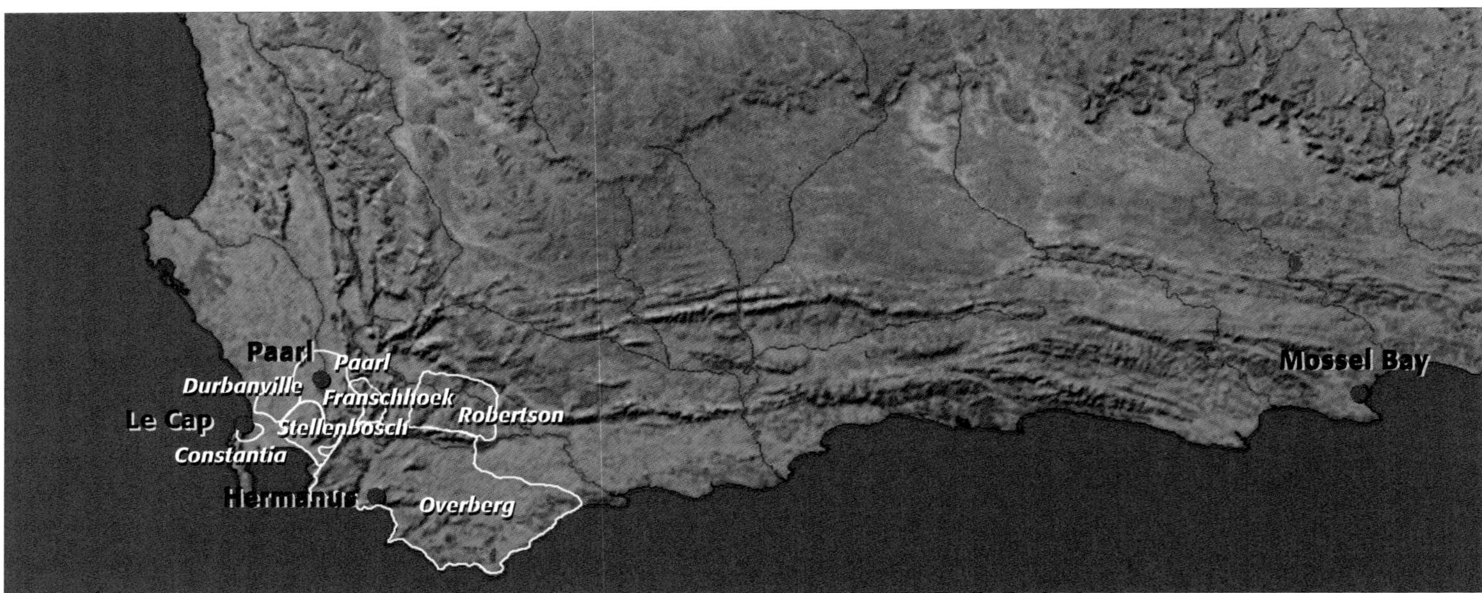

L'Afrique du Sud connaît encore un certain retard par rapport aux autres pays viticoles du Nouveau Monde. Depuis le milieu des années quatre-vingt, le pays témoigne d'un grand esprit d'ouverture. Les nouveaux vignerons plantent à un rythme effréné. L'avenir leur sourit.

L'Afrique du Sud reste un pays de coopératives : 85 % des raisins sont traités dans les soixante-dix établissements que compte le pays. Presque tous sont liés à la KWV (Kooperatiewe Wijnbouwers Vereeniging), principale coopérative d'Afrique du Sud ; 40 % des vins produits à la KWV sont distillés ou bien les raisins sont transformés en moût concentré. Le vin sud-africain provient de régions chaudes où l'on pratique la production de masse (Orange River, Olifants River, Klein-Karoo ou Malmesbury) : grâce à l'irrigation, on y produit plus de 300 hl/ha. Une grande partie du vin est stockée dans des cubitainers de cinq litres avant d'être expédiée vers les régions majoritairement habitées par la population blanche d'Afrique du Sud.

La suprématie des vins rouges

Actuellement, l'Afrique du Sud traverse une importante période de restructuration. Depuis le milieu des années quatre-vingt, l'implantation de cépages européens de qualité est autorisée. Ceux-ci remplacent petit à petit les variétés locales propices à la production de masse. Les sauvignon, chardonnay ou cabernet-sauvignon à venir devraient donc se révéler plus intéressants que leurs prédécesseurs. Le nombre de vignerons et de producteurs privés augmente de manière spectaculaire, et avec eux le quota de vins rouges. Le désir d'élaborer des vins de qualité s'affirme. En conséquence, le vignoble migre vers des régions plus fraîches, ce qui conduit à une réévaluation des parcelles et des aires de production existantes.

Les vins de Constantia

En 1652, le médecin hollandais Jan Van Riebeeck avait planté les premiers ceps dans la baie de la Table, près du Cap. C'est là que se trouve l'aire de production la plus ancienne et la plus réputée d'Afrique du Sud. Sous ce climat chaud et humide mûrissent des sauvignons et chardonnays d'exception. Quelques excellentes cuvées de cabernet-merlot viennent s'y ajouter. Trois domaines dictent leur loi : le domaine étatisé de Groot Constantia, le domaine familial de Klein Constantia (en pleine expansion) et le très ambitieux Buitenverwachting, qui se trouve entre les mains de propriétaires allemands.

Stellenbosch

Les propriétés productrices de grands crus se concentrent à Stellenbosch, à 50 km du Cap. Cette région pittoresque, marquée par les traditions hollandaises et anglaises, produit des vins rouges solides et tanniques constitués de cabernet-sauvignon, de merlot et de pinotage. Sur les coteaux élevés de Simonsberg et du Helderberg, on élabore des vins blancs corsés et fruités, surtout issus de sauvignon, mais aussi de plus en plus de chardonnay. Les meilleurs vins proviennent des monts Thelema, de Vriesenhof, de Muldersbosch, de Kanonkop et de Morgenhof.

Franschhoek

Au nord de Stellenbosch, cette longue vallée relativement chaude fait partie dès sites touristiques les plus visités d'Afrique du Sud. Elle fut colonisée au

XVIIe siècle par les huguenots français, qui plantèrent les premières vignes. Aujourd'hui, presque toute la palette des cépages sud-africains s'y décline. La région s'est spécialisée dans le sémillon.

Paarl
Au nord du Cap, cette zone chaude est dominée par les deux géants KWV et Nederburg. Ces entreprises produisent d'innombrables vins, souvent de qualité moyenne, ainsi que des liqueurs, du « porto » et des eaux-de-vie. Les propriétaires privés restent dans l'ombre de la coopérative. Quelques-uns, dont les parcelles sont situées dans des aires fraîches, élaborent aussi d'excellents vins rouges comme le Plaisir de Merle.

Les autres aires viticoles

Hermanus : dans le sud du pays, Walker Bay est dotée d'un climat frais et humide qui permet d'élaborer avec succès des vins de pinot noir et de chardonnay.

Durban : cette région dynamique, proche de l'océan Atlantique, n'est éloignée du Cap que de quelques kilomètres, et porte de beaux espoirs, notamment pour la production de vins blancs.

Fûts sculptés dans la cave de Bergkelder, à Stellenbosch.

Robertson : cette zone pluvieuse, au climat chaud et parfois torride, se trouve à deux heures de route du Cap. Elle se consacre à la production de masse, mais offre aussi de bons vins, notamment le De Weshof et le Graham Beck.

Domaine viticole de Boschendal à Franschhoek, Groot Drakenstein : les cultures hollandaise et anglaise marquent cette région.

L'Afrique du Sud viticole en chiffres

Superficie : 105 000 ha
Production : 10 millions d'hl
Consommation annuelle de vin par habitant : 9,3 l

Les cépages en Afrique du Sud

Le vin blanc constitue 85 % de la production sud-africaine, dont 30 % sont issus de chenin blanc (appelé localement steen). Le sauvignon (4 %) et le chardonnay (2 %) progressent. En rouge, c'est le cabernet-sauvignon qui domine nettement et tend à se développer, à l'instar du merlot. Le cinsaut, encore très présent, semble sur le déclin. La shiraz (syrah) n'est que rarement plantée. Le pinotage, croisement sud-africain entre le pinot noir et le cinsaut, est une spécialité locale. Il produit des vins nettement plus riches que le pinot noir, le cinsaut et le gamay.

La réglementation viti-vinicole

Le réglementation sud-africaine n'est pas particulièrement stricte. Les régions de production (*Wine of Origin*) ont été précisément définies depuis 1973. Toutefois, un domaine qui possède des parcelles dans plusieurs régions ne peut mentionner qu'un seul nom sur l'étiquette, même lorsque le raisin provient de deux aires viticoles ou plus. Les vins de cépage doivent être élaborés avec un minimum de 75 % de la variété indiquée. Les limites de rendement n'existent pas. Les vins sud-africains ne peuvent être chaptalisés, mais l'acidification est autorisée.

Entre les Andes et le Pacifique

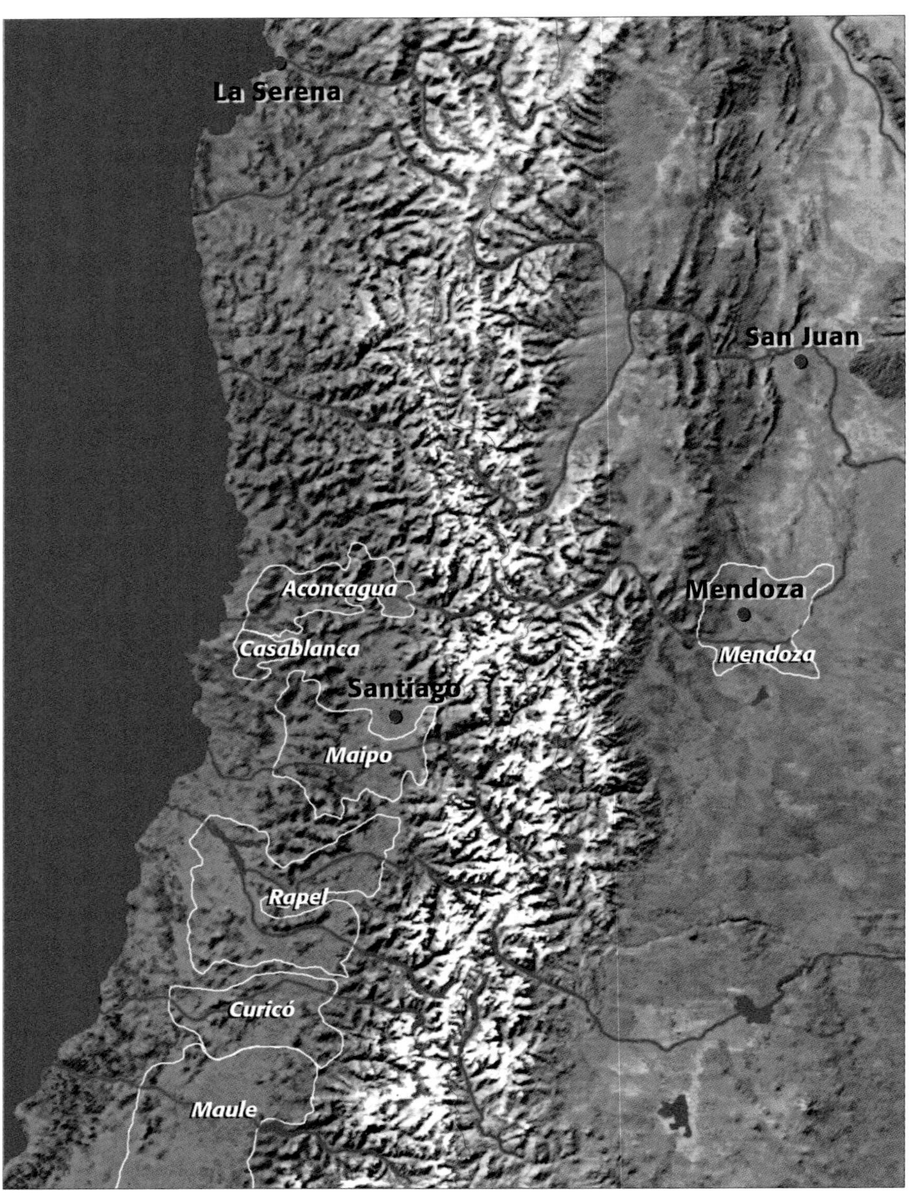

Le Chili a accédé au rang des grands pays viticoles grâce au cabernet-sauvignon, au merlot, au sauvignon blanc et au chardonnay. Le climat quasi méditerranéen de ce pays confère à ses vins une note très fraîche et épicée. La vigne est très rarement touchée par les maladies.

Le Chili est le plus vieux pays viticole de l'hémisphère Sud. Au XVIe siècle, les Espagnols importèrent les premiers ceps. Mais l'histoire du vin chilien moderne est récente. Elle commence en 1982, date où l'industrie vinicole fut confrontée à une crise grave. La consommation nationale était passée de 50 l à 11 l par habitant, alors que deux années de vendanges exceptionnelles étaient en cave. Le marché viticole s'effondra. Dès lors, les plus grandes *bodegas* se mirent à planter des cépages internationaux : cabernet-sauvignon, merlot, ainsi que sauvignon blanc et chardonnay. L'accent fut mis avec succès sur l'exportation. En l'espace de cinq ans, les Chiliens réussirent à produire des vins susceptibles d'être exportés, et à redresser l'économie viticole chancelante.

L'essor des cépages européens

Les cépages internationaux ont été implantés bien avant 1982 ; dès 1851, les premiers cabernets-sauvignons avaient fait leur apparition au Chili. Aujourd'hui, ils ont résolument pris le pas sur les cépages anciens. Les vins sélectionnés pour l'exportation présentent un caractère très différent de ceux qui sont destinés à la consommation intérieure. Le cabernet-sauvignon, avec sa note herbacée et épicée, ses arômes d'eucalyptus, constitue généralement le meilleur choix. Mais c'est le merlot qui progresse le plus sensiblement ; il donne des vins opulents, au nez légèrement animal. En blanc, le sauvignon et le chardonnay séduisent par leur rondeur exotique. Seuls quelques producteurs cultivent eux-mêmes leurs vignes ; les autres achètent chaque année la vendange de viticulteurs sous contrat.

La nécessité d'irriguer

Le climat chilien ressemble au climat méditerranéen, mais se caractérise par de grands écarts de températures. Les aires de production se répartissent entre la zone sèche de l'Aconcagua, vallée située à 100 km au nord de Santiago, et la ville de Chillán, à 400 km au sud de la capitale. L'océan Pacifique apporte sa fraîcheur à cette région, avec des précipitations assez importantes. Les ceps sont encore francs de pied car le phylloxéra est inconnu au Chili. L'insecte dévastateur ne se plait pas dans les sols sablonneux, très fréquents dans ce pays. Les 300 mm de pluies annuelles imposent l'irrigation presque partout.

Les aires de production

L'aire géographique la plus prestigieuse est celle de Maípo, à environ 100 km au sud de Santiago. Elle propose les meilleurs cabernets et quelques bons sémillons. Les vins rouges de la vallée de Rapel, zone plus fraîche, sont aussi d'excellente qualité. Produits autour des villes de Rancagua, San Fernando et Santa Cruz, ils se distinguent par des arômes intenses et épicés. Certains des meilleurs crus proviennent de la ville de Curicó. Plus au sud, à Maule, on élabore surtout le traditionnel vin de país, dans le cadre d'une production de masse (jusqu'à 250 quintaux par hectare). Les meilleurs chardonnays et sauvignons proviennent de la région côtière de Casablanca, au nord, non loin de Valparaíso.

L'Argentine, un monde à part

L'Argentine est le quatrième producteur viticole du monde, mais ses vins sont aussi peu connus que ses cépages. Son vignoble couvre plus de 200 000 ha, concentrés dans l'ouest du pays, au pied des Andes. Extrêmement hétérogène, il s'étend de Lavalle, au nord, jusqu'à San Rafael, au sud. Le centre de la production vinicole est Mendoza, et la plupart des grandes caves ont leur siège dans cette région (le visiteur y découvrira la plus grande cuve du monde, d'une capacité de 78 000 hl !). Bien que Mendoza ne soit éloignée que de 300 km de Santiago du Chili, ces deux aires viticoles ont opéré des choix radicalement différents. En Argentine, ce sont les cépages anciens implantés à l'époque coloniale qui dominent, surtout le criolla et le cereza. Dans les vallées fertiles et bien irriguées par les eaux descendues de la cordillère des Andes, ils peuvent produire jusqu'à 400 quintaux par hectare. Les vins rouges à la robe claire et de faible teneur en alcool sont exclusivement réservés au marché intérieur. Parmi les cépages blancs, l'ugni blanc et le muscat de Hambourg règnent en maîtres ; on en tire des vins doux plus ou moins lourds et des vins secs assez fades. Les cépages blancs internationaux ont rarement fait leurs preuves. La meilleure variété locale est le torrontés, qui offre des vins légers et épicés. Les vins rouges les plus intéressants sont issus de malbec : ils révèlent profondeur, charpente et complexité.

Les producteurs chiliens parcourent leurs vastes vignobles à cheval.

Malheureusement, le malbec a amorcé son déclin, le cabernet et le merlot laissant espérer de plus grands profits. En outre, l'Argentine cultive de nombreux cépages italiens (barbera, bonarda, nebbiolo, sangiovese) et espagnols (tempranillo). La première et unique apellation d'origine a été créée à Luján de Cuyo, dans la province de Mendoza.

Mendoza, principale aire de production d'Argentine : au pied des Andes, sont produits des vins rouges de malbec très élégants.

Le Chili viticole en chiffres

Superficie : 116 000 ha
Production : 3,8 millions d'hl
Consommation annuelle de vin par habitant : 15,8 l

Les dix cépages les plus plantés

1. País	rouge	28 %
2. Cabernet-sauvignon	rouge	23 %
3. Sauvignon	blanc	11 %
4. Moscatel	blanc	10 %
5. Chardonnay	blanc	8 %
6. Merlot	rouge	5 %
7. Sémillon	blanc	5 %
8. Torontel	blanc	2 %
9. Carignan	rouge	1 %
10. Malbec	rouge	1 %

La réglementation viti-vinicole

Le Chili ne s'est doté d'une réglementation viticole qu'en 1985. Celle-ci définit les régions d'origine et les cépages utilisés pour la production de vins de qualité, vingt-trois en tout (le país, qui est le plus fréquent, n'entre pas dans la liste). L'étiquette mentionne presque toujours le nom d'un cépage, qui doit entrer au moins à 75 % dans la composition du vin. La région d'origine et le millésime sont également indiqués. Un maximum de 25 % du vin peut provenir d'un autre millésime ou d'une autre zone géographique. La chaptalisation n'est pas autorisée, mais l'acidification est permise. Aucune limitation de rendements n'est appliquée. La moyenne pour les vins de qualité est de 90 quintaux par hectare.

De précieux secrets

La dégustation d'un vin est, d'un point de vue strictement technique, un exercice méthodique. Il s'agit d'étudier la couleur, l'arôme et le goût du vin afin de porter un jugement d'ensemble. Mais la dégustation revêt aussi une dimension hédonistique : l'amateur ne souhaite pas tant analyser que se laisser séduire par le vin, s'initier à ses arcanes. Le plaisir commence par l'observation de la robe et des larmes sur le bord du verre ; il perdure bien longtemps après que le vin a été avalé. Et Salvador Dalí d'affirmer : « Qui sait déguster ne boit plus jamais de vin, mais goûte des secrets ». Bien sûr, la connaissance de l'origine du vin, des particularités d'un millésime, la capacité de comparer de mémoire des sensations gustatives complexes concourent à une dégustation agréable et intelligente. « À travers le vin, c'est une petite partie de l'âme du pays dont il provient qui se transmet à celui qui le boit », aimait à dire le producteur de vin italien Giacomo Bologna, aujourd'hui disparu.

Les arômes : un message des sens

Le vin fascine par la complexité de son goût. Il peut dévoiler des arômes de pêche ou de cassis, de clou de girofle, de beurre ou de figue sèche, et parfois même des notes inimaginables qui font toute son originalité.

L'arôme du vin est perçu à la fois par les sens de l'odorat et du goût, c'est-à-dire au nez et en bouche, les deux grandes étapes de la dégustation. Le sens de la vue est également sollicité pour juger de la robe du vin, de sa couleur et de son intensité. Enfin, l'ouïe n'est pas absente de cet exercice, si l'on prend en compte le chuchotement des bulles qui animent les vins effervescents.

Les arômes primaires

On appelle arômes primaires les arômes issus du raisin. Il s'agit pour l'essentiel de notes de fleurs ou de fruits. Les arômes primaires dominent dans les vins jeunes et évoluent au fil du temps vers des accents plus complexes d'épices. Chaque cépage possède ses propres arômes primaires. Les vins de sauvignon blanc offrent souvent un nez de groseille à maquereau, tandis que ceux de pinot noir fleurent bon la cerise ou la prune. Toutefois, selon les terroirs, les arômes primaires d'un même cépage peuvent présenter des variantes plus ou moins sensibles : un cabernet-sauvignon de la Napa Valley, cultivé sur des sols acides, est plus fruité qu'un cabernet du Bordelais planté sur terrain alcalin.

Les arômes secondaires

D'autres composés odorifères se forment au cours de la fermentation alcoolique ou malolactique. Ces arômes fermentaires, dits aussi secondaires, sont responsables de la saveur vineuse et transforment le profil aromatique du jus de raisin d'origine. Ils trouvent leurs supports dans les alcools, les acides, les aldéhydes et les esters. Ils dépendent non seulement des souches de levures qui ont transformé le sucre en alcool, mais aussi de la maturité du raisin, autrement dit de la quantité de sucre contenu dans les baies et de leur composition. Les arômes fermentaires caractéristiques sont les notes de pain et de brioche, auxquelles s'ajoutent des odeurs lactées de beurre tirant vers la noisette fraîche, de yaourt. Les accents amyliques (banane, bonbon anglais et vernis à ongles) entrent également dans cette catégorie. Une grande partie des arômes secondaires sont volatils et disparaissent généralement pendant la période d'élevage, puis de conservation en bouteille.

Les arômes tertiaires

Lors du vieillissement en fût ou en bouteille, la palette aromatique du vin se modifie. Les arômes primaires passent à l'arrière-plan, tandis que se développent de nouvelles compositions. Des notes épicées, balsamiques, boisées, empyreumatiques et même animales (gibier, venaison, cuir dans les vins rouges) apparaissent. Ce sont les premiers indices de l'évolution. Dès lors, le dégustateur ne parle plus seulement d'arômes, mais aussi de bouquet. Au cours de l'élevage et de la conservation en milieu réducteur (la bouteille), la palette s'enrichit et devient plus complexe.

La roue des arômes

Les œnologues ont pu isoler environ cinq cents arômes différents. Si les méthodes de mesure (chromatographie en phase gazeuse et analyse spectrale) étaient plus fines, ils en découvriraient sans doute un nombre beaucoup plus important. Une grande partie de ces arômes n'a pas encore de définition chimique. Les expressions choisies pour les nommer font donc appel à l'analogie avec des odeurs rencontrées dans la nature. Au début des années quatre-vingt, des savants de l'université de Davis, en Californie, ont tenté d'établir une classification systématique des arômes. Celle-ci s'est matérialisée par une roue des arômes. Néanmoins, il n'existe pas encore de terminologie internationale du vin.

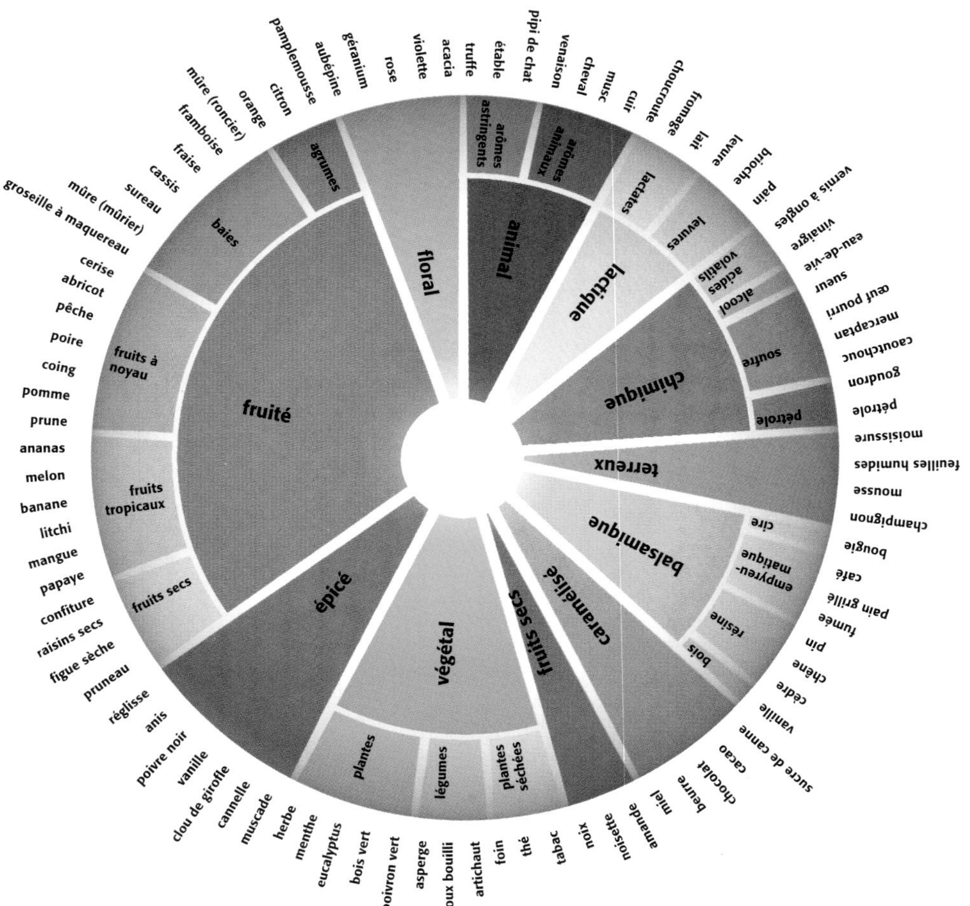

Chardonnay de Californie : arômes d'ananas et de noix.

Bordeaux rouge : arômes de cassis et de cigare.

Pouilly-fumé et sancerre : arômes de groseille à maquereau et de silex.

Chianti Classico : arômes de violette, de pensée et de mûre.

Riesling rhénan : arômes de pomme et de pêche.

Bourgogne rouge : arômes de prune et de bois de chêne.

Les techniques de la dégustation

Dégustation amicale chez Olivier Leflaive, à Puligny-Montrachet.
Exemple de fiche de dégustation (à droite).

Fiche de dégustation

Commission	Dégustateur	Vin	Couleur
			Type

		5	4	3	2	1	0	Coeffi-cient	Somme
Viscosité								1	
Œil	Limpidité							1	
	Couleur							1	
Nez	Franchise							2	
	Qualité							2	
Bouche	Franchise							2	
	Qualité							2	
Impression générale	Finesse							3	
	Complexité							3	
	Persistance							3	
								Total	

Boire du vin est une chose, le déguster en est une autre. Dégustation et consommation ne procurent pas le même plaisir. Le dégustateur professionnel n'avale pas le vin, mais le recrache. Son objectif est de parvenir à une analyse aussi complète que possible et de formuler un jugement presque objectif. Un exercice bien difficile !

La perception des sensations gustatives et leur description ne sont qu'une étape de la dégustation. Il y a deux siècles, le fameux magistrat et gastronome Anthelme Brillat-Savarin (1755-1826) établissait déjà une distinction importante. À ses yeux, le plaisir du vin commence par une « sensation directe », le goût. Le vin touche les lèvres, s'écoule lentement sur la langue, puis revient sur les lèvres. Mais la « sensation globale » est plus complexe : elle prend en compte la couleur du vin, qui fait monter l'eau à la bouche, les larmes qui coulent sur le verre après rotation et, bien entendu, les arômes. Les sens sont excités avant même que le vin ait été mis en bouche.

La dégustation en amateur

La « sensation globale » est certes la condition première de l'analyse d'un vin, mais seule la classification des impressions sensorielles permet de formuler un jugement. Le corps, la rondeur, la persistance aromatique sont autant d'éléments constitutifs de l'harmonie du vin. De fait, l'impression générale est le résultat de la synthèse, effectuée par le dégustateur, d'une mosaïque de sensations. Il est clair que Brillat-Savarin cherchait d'abord le plaisir gustatif avant de lui donner un sens. Plutôt qu'un traité scientifique, sa *Physiologie du goût ou Méditations de gastronomie transcendante* est une théorie spirituelle des plaisirs les plus raffinés, dont ceux du vin.

La dégustation professionnelle

Œnologues, sommeliers, cavistes et journalistes abordent la dégustation avec beaucoup plus de rigueur. Leurs préférences ou préjugés personnels ne doivent pas influer sur leur jugement. Aussi les vins sont-ils dégustés à l'aveugle, étiquette cachée. Les dégustateurs professionnels notent leurs impressions (couleur, arômes, goût, sensations d'ensemble) sur des fiches de dégustation normalisées. Celles-ci admettent certes des variantes, mais leur schéma de base est toujours le même. Dans les concours, une moyenne des notes est établie, et ce sont souvent des dixièmes de point qui décident de l'attribution d'un prix à un vin plutôt qu'à un autre.

Les systèmes de notation

La notation en points sert toujours de critère pour l'attribution de récompenses dans les concours. Toutefois, avec l'inflation de médailles d'or, d'argent et de bronze partout dans le monde, les concours ont perdu de leur crédibilité. La notation relève désormais de la responsabilité de dégustateurs professionnels, de commissions de dégustation et de journalistes spécialisés. Elle sert surtout à l'établissement de classements. Souvent publiés, ceux-ci constituent un important argument de vente, et aucune revue œnologique ne peut les ignorer.

La notation en points a souvent supplanté les descriptions fleuries et pittoresques. Tandis qu'en Europe on note traditionnellement sur 20, on utilise aux États-Unis une échelle de 100 points. La crédibilité du résultat ne dépend toutefois pas de l'échelle de notation, mais du sérieux des dégustateurs et des conditions dans lesquelles ils travaillent. Déguster quatre-vingts vins dans la journée n'est pas chose facile ; lorsqu'on atteint les cent cinquante – ce qui n'est pas rare – la probabilité d'erreur augmente d'autant.

Dégustations horizontales et verticales

Certains amateurs organisent des dégustations privées autour d'un thème. Il peut s'agir de dégustations horizontales ou verticales. Dans le premier cas, les dégustateurs comparent par exemple le cabernet français et le cabernet californien, ou encore les dix meilleurs vins de chardonnay californien. Dans le second cas, ils analysent un seul et même vin dans plusieurs millésimes. À l'instar des dégustations professionnelles, ces exercices se pratiquent à l'aveugle. Les bouteilles sont enveloppées de papier ou glissées dans des chaussettes afin de masquer leur origine. C'est à l'organisateur de décider si les jugements seront exprimés en points ou de manière plus littéraire. Le caractère hédonistique de la dégustation est néanmoins préservé lors de ces séances et les participants avalent parfois le vin.

Le nez, deuxième étape de la dégustation. Les arômes montent dans le verre après rotation.

Une séance de dégustation bien organisée permet de goûter sérieusement entre quarante et cinquante vins par jour.

La robe : boire avec les yeux

Le vin est un plaisir pour les yeux. Qu'elle soit d'un rouge pourpre brillant ou d'un jaune ambré soutenu, sa robe est un message sensoriel, indice de l'âge, du cépage et, parfois, de la qualité du millésime.

La robe d'un vin, blanc ou rouge, est analysée selon deux critères : la couleur et son intensité. La teinte évolue au fil du temps. Les vins blancs perdent leurs légers reflets verts au profit d'une nuance dorée plus ou moins prononcée. Lorsqu'ils sont particulièrement riches en extrait après un bref contact avec les pellicules (cryomacération), ils prennent d'emblée une forte coloration jaune citron. Les vins rouges, d'abord violacés, intègrent une composante marron après quelques années de garde. Ils se parent d'une frange orangée, acajou, voire brique quand ils sont très vieux, puis s'éclaircissent. Les vins du Bordelais et surtout de Bourgogne acquièrent au bout de vingt ans une teinte rouge-brun profond.

Jaune clair : pinot grigio

Jaune paille : sauvignon blanc

Jaune citron : jeune chardonnay

Rouge violacé : jeune Ribera del Duero

Rouge rubis : jeune médoc

Rouge cerise : Chianti Classico

Couleur et qualité
On dit des vins jeunes du Bordelais que leur couleur sombre est un gage de qualité. En effet, la quantité de pigments contenus dans les baies augmente avec le degré de maturité et traduit donc le bon niveau du millésime. Toutefois, on ne saurait appliquer cette remarque à tous les vins. Rappelons qu'un vin ne peut être jugé que par rapport à son type. Or, la plupart des cépages rouges sont par nature moins colorés que le cabernet-sauvignon, dont sont issus en majorité les vins du Bordelais. Les bourgognes (pinot noir) et les Barolo (nebbiolo) en sont les meilleures illustrations : jamais ils n'atteignent la profondeur de coloration d'un bordeaux ou d'un Ribera del Duero, mais ils ont un réel potentiel qualitatif. Les vins sombres sont plus fréquents dans les régions viticoles chaudes que dans les régions plus froides ; pourtant, les vins de l'Espagne ou de l'Italie du Sud, et de l'Algérie ne sont pas réputés pour leur finesse et étaient autrefois utilisés dans les coupages pour renforcer la teinte des produits ordinaires. Plus que la couleur, c'est la limpidité de la robe qui renseigne sur le bon état du vin.

Jaune or : vieux chardonnay

Vieil or : vieux sauternes

Jaune ambré : xérès amontillado

Rouge pourpre : saint-émilion de dix ans d'âge

Rouge tuilé : Barolo de quinze ans d'âge

Rouge grenat : vin de Bourgogne de trente ans d'âge

Verres : Spiegelau

La physiologie de l'odorat

La perception des saveurs est intimement liée au sens de l'odorat. Il suffit, pour s'en convaincre, de se boucher le nez tout en mettant en bouche un aliment. Le goût disparaît. Le nez est bel et bien l'un des organes sensoriels les plus développés chez l'homme.

Le nez du vin est composé de substances volatiles. Sur le plan chimique, celles-ci sont liées aux alcools, aldéhydes, esters, acides et autres composés de gaz carbonique. Plus ces composés contiennent de gaz carbonique, plus l'arôme est intense. Les notes olfactives issues des esters sont particulièrement évidentes. Les esters sont en effet les plus volatils de tous les composés, devant les aldéhydes, les alcools, puis les acides.

L'homme peut distinguer jusqu'à quatre mille odeurs.

L'organe de l'odorat

La zone sensorielle de l'odorat se situe dans une petite cavité latérale des fosses nasales supérieures. Pendant l'inspiration, l'air ne touche pas directement cette zone, mais un courant est entraîné vers la cavité latérale, où il déclenche les sensations olfactives. Les récepteurs olfactifs se trouvent sur une surface qui ne mesure pas plus de 1,5 cm^2 : l'épithélium olfactif. Celui-ci est recouvert d'une pellicule humide : à son contact, les molécules volatiles se décomposent. Les odeurs ne nous sont perceptibles qu'à l'état liquide. En revanche, ni les narines ni la paroi nasale, humide elle aussi, n'assurent de fonction olfactive. Elles servent simplement à filtrer, à réchauffer et à humidifier l'air que nous respirons. La cavité latérale débouchant sur le pharynx, les récepteurs olfactifs sont plus fortement stimulés par l'air expiré que par l'air inspiré. C'est la raison pour laquelle les arômes d'un vin persistent si longtemps après ingestion.

Les neurones olfactifs

L'épithélium olfactif humain contient les terminaisons d'environ cinquante millions de neurones qui se présentent sous la forme de cils sur la muqueuse. Les neurones sont des conduits nerveux directement reliés au cerveau. Par l'intermédiaire des cils, ils transmettent les stimuli reçus au bulbe olfactif, qui se trouve immédiatement au-dessus des fosses nasales. Le bulbe olfactif décode les stimuli et les organise en une sensation olfactive homogène, ce qui est nécessaire dans la mesure où des milliers de cils olfactifs sont excités simultanément dès lors qu'une molécule aromatique entre en contact avec eux. Des études scientifiques ont montré que le bulbe olfactif humain pouvait distinguer jusqu'à quatre mille odeurs. La mémoire des sensations olfactives – facteur important pour la dégustation de vin – est en revanche une fonction de l'intellect soumise à la volonté.

Les seuils olfactifs

Nul n'a un don inné de la dégustation. Certes, la surface de l'épithélium olfactif diffère d'un individu à l'autre, mais sa dimension importe moins que la sensibilité des récepteurs : chez certaines personnes, cents molécules suffisent à déclencher une réaction ; chez d'autres, dix mille molécules sont nécessaires. On suppose toutefois que la perception est largement liée à l'encéphale, c'est-à-dire que la capacité d'identifier des odeurs dépend beaucoup de la connaissance des composants aromatiques et de la volonté de les distinguer. Par conséquent, l'acuité de l'odorat peut être développée. Mais il y a des limites. Les individus exposés en permanence à des stimuli olfactifs (fumée de tabac, gaz d'échappement) n'en sont presque plus conscients. Leur seuil olfactif s'élève, et ils deviennent insensibles à certaines odeurs. Il semble également que l'odorat faiblisse avec l'âge. On ne saurait dire si cela provient de l'usure des récepteurs ou d'une baisse de concentration intellectuelle. Une chose est sûre : l'acuité olfactive décline dans le courant de la journée, aussi bien chez les personnes jeunes que chez les plus âgées ; elle est particulièrement basse après le petit déjeuner, le déjeuner et le dîner. C'est à jeun qu'un individu a le plus d'odorat.

La physiologie du goût

La langue joue un rôle limité en dégustation : elle perçoit les quatre saveurs élémentaires.

Les papilles gustatives

On a longtemps cru que la langue pouvait distinguer un grand nombre de nuances gustatives. On sait aujourd'hui qu'elle est sensible à quatre saveurs : le sucré, le salé, l'acide et l'amer. On sait également que le goût du vin résulte de la combinaison de ces quatre composantes de base : le sucre dépend de la teneur en alcool et surtout du glycol ; l'acide est présent sous la forme d'acide tartrique, d'acide lactique, d'acide acétique, le cas échéant d'acide malique ; les sels font partie des acides (le goût salé étant dominé par d'autres composantes, il n'apparaît guère en tant que tel) ; l'amertume est apportée par certains polyphénols, en particulier les tanins. Les papilles susceptibles de percevoir simultanément ces quatre saveurs sont rares, la plupart n'en distinguent qu'une ou deux. Ainsi les sensations se répartissent-elles entre quatre zones principales de la langue.

Il existe quatre saveurs élémentaires perceptibles en bouche : le sucré, le salé, l'amer et l'acide. À l'exception du salé – très rare –, elles sont présentes dans le vin à des degrés divers et participent à l'harmonie générale.

Les agents de sapidité non volatils du vin sont le sucre, les acides et les phénols. Ils n'ont pas (ou guère) d'odeur et sont donc uniquement perceptibles en bouche. La langue porte les récepteurs du goût : les papilles gustatives. L'excitation tactile, la température, la contraction des muqueuses sous l'effet des tanins sont perçues par l'organe buccal sensible. Enfin, le réchauffement du vin dans la bouche réactive les arômes volatils qui stimulent encore une fois le bulbe olfactif par la voie rétronasale.

La langue

La langue est couverte de papilles, minuscules excroissances en forme de champignon servant essentiellement à la perception des saveurs élémentaires. Entre deux cents et quatre cents de ces papilles permettent à l'individu de détecter les substances chimiques. Réparties irrégulièrement à la surface de la langue, elles se densifient vers l'extrémité, sur les bordures latérales et au fond, tandis que le milieu de la langue en est pratiquement exempt. Chaque papille gustative renferme d'innombrables cellules sensorielles qui se terminent dans la partie supérieure par de petits filaments entourés de salive, les pores. Ce sont les véritables agents de stimulation : ils réagissent aux substances chimiques et transmettent les informations correspondantes au cerveau. D'un point de vue organique, le goût est plus développé chez l'enfant, car la densité des papilles gustatives est alors plus élevée ; celle-ci diminue régulièrement à partir de la vingtième année et, à soixante ans, elle s'est réduite de moitié.

Les zones gustatives de la langue

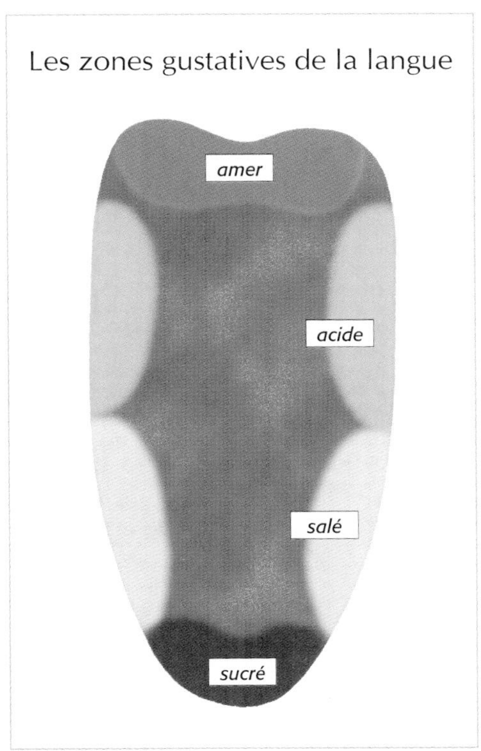

VINS BLANCS LÉGERS

France
Entre-deux-mers
Petit-chablis
Muscadet
Saumur
Vouvray
Champagne
Mâcon

Italie
Albana
Trebbiano di Romagna
Gavi
Soave
Prosecco
Pinot grigio
Galestro
Frascati
Trebbiano d'Abruzzo

Allemagne
Riesling QbA
Kabinett müller-thurgau
Gutedel QbA, Kabinett

Autriche
Grüner veltliner
Riesling

Portugal
Vinho verde

Californie
White Zinfandel
Mountain White

Afrique du Sud
Chenin blanc

VINS ROUGES LÉGERS

France
Beaujolais
Alsace-pinot noir
Anjou
Touraine
Chinon
Gigondas
Vacqueyras

Italie
Kalterer See
Bardolino
Valpolicella
Merlot del Piave
Cabernet del Piave
Lambrusco

Allemagne
Tröllinger
Spätburgunder
(Assmanshausen, Ahr)

Autriche
Blauer Zweigelt

Suisse
Dôle
Blauburgunder
(pinot noir du canton des Grisons)
Œil-de-perdrix

VINS BLANCS INTERMÉDIAIRES

France
Pouilly-fumé
Chablis grand cru
Bourgogne
Bourgogne-aligoté
Meursault
Montagny
Pouilly-fuissé
Côtes-du-jura
Vin-de-savoie
Bergerac
Bordeaux sec
Graves

Italie
Weissburgunder
(pinot blanc) du Haut-Adige
Chardonnay
Sauvignon
Franciacorta
Arneis
Pinot bianco
Pinot grigio
Verdicchio
Vernaccia di San Gimignano
Orvieto
Vermentino di Sardegna
Alcamo
Corvo

Espagne
Albariño
Rueda

Allemagne
Riesling
Auslese Trocken
(Moselle, Rheingau, Palatinat)
Grauburgunder
Spätlese Trocken
(pays de Bade, Palatinat)

Autriche
Welschriesling
Neuburger

Suisse
Aigle, Épesses, Dézaley

Californie
Chardonnay
(Carneros, Monterey, Napa, Sonoma)

Australie
Chardonnay (Victoria, Perth, Tasmanie)
Sauvignon blanc (Perth, Tasmanie)

Nouvelle-Zélande
Sauvignon blanc (Marlborough)

VINS ROUGES INTERMÉDIAIRES

France
Saint-estèphe, pauillac, saint-julien
Margaux, graves
Haut-médoc
Madiran
Corbières
Fitou
Côtes-du-roussillon
Coteaux-du-languedoc
Minervois
Côtes-de-provence
Côtes-du-ventoux
Côtes-du-rhône
Lirac
Mâcon
Mercurey
Givry, rully
Morgon
Moulin-à-vent
Bourgogne
Vin-de-corse

Italie
Cabernet du Haut-Adige
Merlot du Haut-Adige
Pinot nero du Haut-Adige
Lagrein
Franciacorta Rosso
Valtellina Rosso
Roero
Barbera d'Alba (Piémont)
Sangiovese di Romagna
Chianti Classico
Chianti Rufina
Vino Nobile di Montepulciano
Torgiano
Montefalco

Espagne
Rioja
Somontano
Aragon
Valdepeñas
Castilla-La-Mancha
Navarra

Allemagne
Spätburgunder Spätlese, Auslese,
Lemberger Spätlese, Auslese

Autriche
Blaufränkisch

Suisse
Merlot del Ticino (Viti)

Californie, Oregon
Zinfandel
Pinot noir

Australie
Cabernet-sauvignon (Coonawarra)
Shiraz (Victoria)

Afrique du Sud
Bordeaux Blend (Paarl)
Pinotage (Stellenbosch)

Chili
Cabernet-sauvignon

VINS BLANCS CHARPENTÉS

France
Corton-charlemagne
Puligny-montrachet
Montrachet
Musigny
Alsace-gewurztraminer
Alsace-pinot gris
Hermitage
Château-chalon
et autres vins jaunes du Jura
Château-grillet
Sauternes

Italie
Sauvignon Collio

Autriche
Riesling Smaragd
Grüner veltliner Smaragd
Sauvignon, morillon (Styrie)

Californie
Chardonnay
Sauvignon, Fumé blanc

Australie
Sémillon (Hunter Valley)
Chardonnay (Barossa)

VINS ROUGES CHARPENTÉS

France
Saint-émilion, pomerol
Châteauneuf-du-pape
Bandol
Côte-rôtie
Hermitage
Grands crus de la Côte de Nuits
Cahors

Italie
Amarone
Barbera d'Asti
Barolo, Barbaresco
Brunello di Montalcino
Sagrantino
Taurasi
Aglianico del Vulture
Cannonau di Sardegna
Regaleali Rosso
Duca Enrico

Espagne
Ribera del Duero
Priorato

Portugal
Dão

Californie
Cabernet-sauvignon
Merlot

Australie
Shiraz (Hunter Valley)
Cabernet-sauvignon (Barossa)

CHATEAU
SAINT-EMILION

Un produit délicat

Le soin que l'on doit apporter au vin va bien au-delà du travail du maître de chai et de la mise en bouteilles. Il s'agit pour l'amateur de préserver sa qualité jusque dans le verre. Or, entre la mise en bouteilles et la dégustation, il s'écoule généralement plusieurs mois, parfois même des années, pendant lesquels le vin se modifie constamment sous l'influence de la chaleur ou du froid, du contact avec l'oxygène, de réactions chimiques entre ses propres composants. Le vin est souvent considéré comme un produit vivant tant son évolution au cours du temps est évidente et sa délicatesse extrême. Aussi convient-il de l'entreposer et de le servir avec art, comme un hommage aux efforts du vigneron et du maître de chai. Apprécier la qualité des vins fins est intimement lié au savoir-boire.

Le choix des verres

Vins effervescents

Le champagne et autres vins effervescents se dégustent dans des verres étroits et allongés, propices à la formation de la mousse. Le cordon de bulles s'y développe longuement. Le verre est mince, de sorte que les lèvres, particulièrement sensibles à la température, perçoivent la fraîcheur du vin.

Vins blancs légers

Un verre de petit volume et de faible diamètre est idéal pour la dégustation des vins blancs légers ou intermédiaires, qui libèrent d'emblée leurs arômes primaires. Il met en valeur les vins de riesling et de grüner veltliner, le sancerre, le Soave, le pinot grigio italien, etc.

Vins blancs charpentés

Un verre de volume plus important convient mieux aux vins blancs structurés, qui ont besoin de respirer et présentent par nature une légère acidité ou ont subi une fermentation malolactique. C'est le verre idéal pour le chardonnay et le sauvignon élevés en barrique, l'alsace-riesling vendanges tardives, le chasselas suisse, etc.

Vins rouges peu tanniques

Un verre assez ouvert permet, lors de la mise en bouche, d'imprégner directement l'ensemble de la cavité buccale et d'atteindre toutes les zones sensibles (et non plus uniquement le bout de la langue qui perçoit surtout les saveurs sucrées). Ce type de verre est à conseiller pour la dégustation des vins de Bourgogne, du blaufränkisch, du barbera, du gamay, du pinotage, etc.

Vins rouges fortement tanniques
Ce verre au calice haut conduit le bouquet encore concentré jusqu'au nez. L'ouverture n'étant pas trop étroite, les saveurs sont perçues d'emblée sur le bout de la langue, sensible aux notes fruitées et sucrées. L'amertume des tanins est ainsi moins évidente. Grâce à la finesse de la paroi, la température du vin est immédiatement détectable par les lèvres. La sensation thermique participe au plaisir de la dégustation. Ce type de verre convient aux vins jeunes du Bordelais, au Rioja, au Chianti, etc.

Vins rouges charpentés
Le diamètre important du verre permet au vin de s'aérer. L'alcool, qui est aussi porteur des agents de sapidité, prend toute son ampleur ; la rondeur et le complexité s'expriment mieux. La hauteur du pied évite toute influence thermique de la main sur le vin (un verre de vin se tient par le pied). Un verre idéal pour les vins vieux de Bourgogne, le Barolo, le Brunello di Montalcino, les vins de syrah, etc.

Vins liquoreux
Le calice de taille relativement réduite est bien adapté aux vins liquoreux qui se boivent à petites gorgées. Le vin coule sur le bout de la langue puis sur les zones latérales, ce qui permet d'en percevoir l'extraordinaire richesse, et non pas le seul sucre résiduel. À conseiller pour la dégustation des sauternes et autres vins liquoreux de France et d'Allemagne.

Vins doux naturels et vins de liqueur
Banyuls, porto, xérès, madère, marsala, entre autres, sont des vins corpulents, dont le titre alcoométrique dépasse 18 % vol. Parce que l'alcool ne doit pas dominer lors de la dégustation, l'usage de petits verres étroits est recommandé. Leur ouverture est si limitée qu'il est presque impossible d'y plonger le nez. Le fort degré d'alcool est donc moins perceptible et les arômes complexes sont préservés.

Verres: Spiegelau

Les tire-bouchons

Le tire-bouchon fait partie de l'équipement de base de l'amateur de vin. Il en existe de multiples modèles : kitsch, compliqués, incommodes, encombrants, sophistiqués. Seuls quelques-uns sont simples et fonctionnels. À l'amateur de choisir celui qui lui convient le mieux.

1. La pince tire-bouchon
Cet instrument est spécialement destiné à l'ouverture des champagnes et autres vins effervescents. Il permet de ne pas tirer le bouchon de la bouteille, mais de l'extraire du goulot en le faisant tourner sans bruit. Ce procédé évite que le vin jaillisse violemment. Il faut bien entendu avoir préalablement ôté le papier d'aluminium et le muselet qui retient le bouchon de champagne.

2. Le tire-bouchon de garçon de café
Cette sympathique désignation s'applique à l'instrument sans doute le plus pratique que l'on puisse trouver actuellement : on enlève la capsule au couteau, on enfonce la vis dans le bouchon, on place le pied du tire-bouchon sur le rebord de la bouteille et l'on extrait le bouchon par un mouvement de levier. Un exercice qui demande toutefois un minimum d'habileté et de force dans le poignet.

3. Le coupe-capsule
Au lieu de décapsuler la bouteille au couteau, on place l'instrument au bord du goulot et l'on découpe la capsule tout autour ; qu'elle soit en plomb, en aluminium ou en matière plastique, la capsule est détachée proprement, assez loin du bord du goulot pour que le vin ne goutte pas sur le rebord lorsqu'on le sert.

4. Le modèle en T
C'est le tire-bouchon le plus couramment utilisé dans le monde : simple, sûr, bon marché, mais d'un maniement malaisé : il faut de la force pour déboucher une bouteille avec un tel instrument.

5. Le Screwpull
Un tire-bouchon aussi élégant qu'astucieux, qui nous vient des États-Unis : la vis à large pas extrait pratiquement à coup sûr tous les bouchons, même les plus résistants. Nul effort à fournir : il suffit de tourner toujours dans le même sens, et le bouchon est tiré vers le haut.

6. Le Zigzag
Un modèle assez peu pratique qui se rencontre parfois en Angleterre, aux États-Unis et en France : la courte vis s'enfonce dans le bouchon. En dépliant le ressort, on fait sortir sans grand effort le bouchon de la bouteille.

7. Le tire-bouchon à lames
Modèle raffiné que l'on rencontre surtout aux États-Unis. Les deux lames sont insérées entre les parois du goulot et le bouchon. Comme elles sont de longueur différente, lorsque l'on tire l'effort porte sur plusieurs points du bouchon, qui, enserré, glisse en douceur hors du goulot. L'emploi d'un tire-bouchon à lames est parfois le seul moyen d'ouvrir les vieilles bouteilles au bouchon fragile.

8. La pince à liège
Cet ustensile a été inventé pour ôter de la bouteille les restes de bouchon effrité, afin qu'ils ne tombent pas dans le verre au moment du service. Au moyen d'une bague mobile placée au-dessous de la poignée, on écarte ou on resserre les quatre armatures de fer pour saisir les fragments de bouchon qui flottent à la surface du vin. C'est une méthode efficace mais un peu compliquée.

9. La pince Screwpull
L'instrument le plus rapide et le plus élégant, mais aussi le plus onéreux, pour déboucher une bouteille. D'une main, on fixe la pince sur le goulot de la bouteille ; de l'autre, on actionne le levier d'arrière en avant de telle sorte que la fine vis s'enfonce dans le bouchon, puis on tire le levier vers l'arrière. Ce mécanisme high-tech ne demande ni force ni adresse.

Du thermomètre à la carafe

Si le service du vin doit être rigoureux, il n'est nul besoin de le transformer en un cérémoniel compliqué. Un verre et un tire-bouchon sont les accessoires indispensables. Selon le type et l'âge du vin dégusté, ils peuvent être complétés par une carafe à décanter ou un seau à glace.

Les accessoires du vin sont innombrables, depuis l'alcoomètre de poche, pour mesurer le titre alcoométrique, jusqu'à la pince à porto. De fait, la majorité d'entre eux – l'appareil à décanter, les étiquettes argentées à suspendre au goulot des carafes, le sabre avec lequel on décapite les bouteilles de champagne – est purement ludique. Émile Peynaud, éminent professeur d'œnologie à l'université de Bordeaux et auteur de plusieurs ouvrages sur le vin, a décrit en termes concis l'art de déguster : « On prend [la bouteille de vin] sur l'étagère, on la porte à la bonne température, on la débouche et on la sert immédiatement. » Il n'admet de traitement spécial que pour les très anciennes bouteilles.

Brique

Dans un récipient cylindrique en terre, un vin bien frais conserve pendant un certain temps la bonne température. Avant son utilisation, la brique est passée sous le robinet d'eau froide pour qu'elle s'imprègne d'eau. La fraîcheur du vin est maintenue par l'évaporation de l'eau à la chaleur ambiante.

Panier verseur

Les bouteilles de vieux vin rouge sont souvent couchées dans un petit panier, afin que le dépôt se rassemble au fond du flacon et qu'il ne tombe pas dans le verre au moment du service. Si cette présentation a quelque chose de désuet, elle n'en est pas moins efficace.

Entonnoir

Cet ustensile a été inventé pour faciliter le transvasement des vins qui présentent un dépôt, de la bouteille dans une carafe. On place l'entonnoir dans le col de la carafe et on y verse le vin lentement. Il n'est pas nécessaire de veiller à ce que le dépôt reste dans la bouteille, un filtre incorporé à l'entonnoir le retient.

Seau à glace

Pour maintenir les vins blancs et les vins effervescents à la bonne température, il suffit de placer la bouteille dans un seau rempli de glaçons et d'eau : l'eau absorbe la chaleur de la bouteille.

Carafe « capitaine »

À l'ouverture de la bouteille, nombre de vins rouges jeunes présentent un bouquet réduit, peu agréable. Aussi doivent-ils être décantés. La largeur du corps de la carafe permet un contact optimal avec l'air.

Thermomètre à vin

Instrument indispensable à l'amateur soucieux de servir le vin à la bonne température. Toutefois, mieux vaut éviter d'apporter son thermomètre à table ou au restaurant !

Carafe « canard »

Carafe destinée au service des vins vieux. Le dépôt est resté dans la bouteille lors du transvasement. La surface restreinte réduit le risque de réactions au contact de l'air.

Bouchon à champagne

Ce bouchon sert à fermer hermétiquement une bouteille de vin effervescent entamée. Le gaz carbonique est préservé. Servi le lendemain, le vin conserve toute son effervescence et les qualités de sa mousse.

L'art et la manière

Un vin de qualité mérite un service de qualité, et l'amateur digne de ce nom doit se poser un certain nombre de questions préalables. À quel moment ouvrir la bouteille ? À quelle température la servir ? Quelle quantité de vin verser dans le verre ? Quand et comment faut-il décanter ? Il n'existe aucune règle stricte, mais un certain savoir-faire ne nuit pas au plaisir de la dégustation.

Les clés d'un service réussi

• On ouvre généralement la bouteille à table. Il faut alors couper la capsule assez bas pour que le vin ne goutte pas lors du service et qu'il ne tombe pas de morceaux de métal dans le verre.

• Lorsque les bouteilles ont séjourné dans une cave humide, de la moisissure s'est souvent formée sous la capsule, mais elle n'altère ni la qualité du bouchon ni celle du vin.

• Après son extraction de la bouteille, le bouchon doit être soumis à un rapide examen olfactif. Les bouchons malsains se reconnaissent à une forte odeur de liège. Les bouchons sains ont une odeur neutre ou ont pris celle du vin.

• Lorsqu'un bouchon se casse, il convient de replacer délicatement le tire-bouchon. Si des miettes de liège tombent dans le vin, elles seront entraînées avec les premières gouttes, que l'on versera à part.

• Le maître de maison commence par se servir lui-même une petite quantité de vin, qu'il goûte pour s'assurer de l'absence de goût de bouchon. Puis il sert ses hôtes et finit de remplir son propre verre.

• On ne prend jamais une bouteille par le col, mais par le ventre à hauteur de l'étiquette.

• On ne remplit jamais un verre de plus d'un tiers, un quart pour les verres les plus volumineux. C'est ainsi que le bouquet s'exhale le mieux. Seules les flûtes à champagne sont remplies à demi ou aux deux tiers.

Un bref examen olfactif permet de détecter un éventuel goût de bouchon.

La couleur des vins blancs s'assombrit avec l'âge.

• Un verre ne doit présenter ni traces d'eau, ni odeurs. Les produits détergents sont à bannir. Il doit être séché avec un linge fin.

• Le maître de maison doit assurer le service du vin et veiller à ce que les verres de ses hôtes ne restent jamais vides.

• Un verre à vin doit être tenu par le pied et non par le calice. On évite ainsi que la chaleur de la main ne réchauffe le vin.

• Le vin ne se boit pas, il se déguste : on en prend une ou deux gorgées, on le savoure et on lui laisse le temps de persister après l'avoir avalé. On mettra une bouteille ou une carafe d'eau sur la table pour apaiser la soif des convives.

• Un changement de vin au cours du repas est toujours un enrichissement. On passe en règle générale du vin blanc au vin rouge, du vin le plus léger au plus charpenté, du plus jeune au plus vieux. Il est d'usage de servir préalablement un apéritif et, à la fin du repas, un vin de dessert. Un repas n'est toutefois pas une séance de dégustation.

• Mieux vaut changer de verre pour passer du vin blanc au vin rouge, de même pour le vin de dessert. En revanche, pour deux vins blancs ou deux vins rouges semblables, il est possible de conserver le même verre.

• Les vins vieux, à décanter, doivent être sortis de cave au moins deux jours à l'avance et mis à la verticale, afin que le dépôt se rassemble au fond de la bouteille. Les bouteilles de vieux vin rouge peuvent aussi être placées dans un panier verseur et servies dans ce panier. Le maître de maison doit veiller à ce qu'il ne tombe pas de dépôt dans le verre.

• En règle générale, les vins vieux sont décantés immédiatement avant d'être servis. Dans l'idéal, les vins jeunes devraient être transvasés en carafe de deux à quatre heures avant le repas pour qu'ils respirent.

• Si l'on souhaite se dispenser de la décantation, on ouvrira la bouteille une ou deux heures à l'avance.

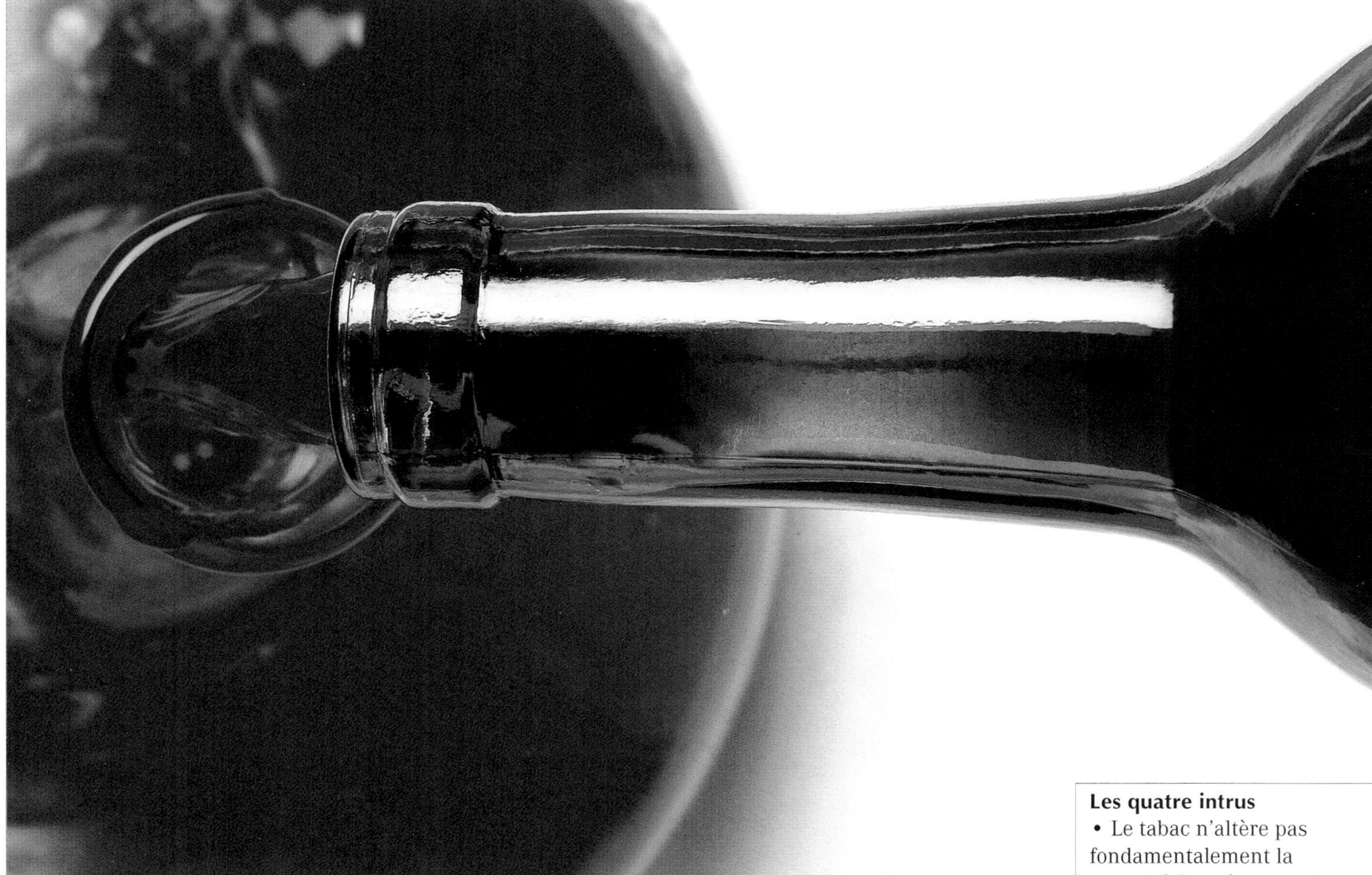

Décantation d'un vin rouge vieux : le dépôt commence à s'écouler en un mince filet ; il est temps d'interrompre l'opération.

Pourquoi décanter ?

La décantation consiste à transvaser, avec précaution, un vin dans une carafe. Cette pratique n'a de sens que pour les vins rouges vieux qui ont formé un dépôt et pour les vins rouges lourds, encore jeunes, qui ont besoin d'être aérés avant d'être servis. La décantation des vins vieux a pour objectif de laisser le dépôt dans la bouteille afin qu'il ne tombe pas dans le verre au moment de servir. Le dépôt est le plus souvent constitué de matières tannoïdes qui ont précipité au fond de la bouteille. Il n'influe pas sur le goût du vin, mais lui-même a un goût amer. Seule exception : les vieux vins de Bourgogne. Leur dépôt n'a pas mauvais goût et peut être bu ; ils n'ont donc pas besoin de décantation.

Comment décanter ?

Le moyen le plus simple est d'utiliser un entonnoir muni d'un filtre fin intégré qui retient le dépôt. Toutefois, il est possible de décanter sans cet ustensile. Les amateurs expérimentés opèrent à la lumière d'une bougie qui éclaire le goulot de la bouteille et permet de suivre le glissement du dépôt. La bouteille est relevée avant que celui-ci ne tombe dans la carafe.

La décantation des vins jeunes

Les vins jeunes et tanniques ont besoin d'aération pour déployer leurs arômes et pour se débarrasser rapidement des éventuelles notes désagréables. Les carafes idéales sont celles dont le corps offre une grande surface d'aération et qui ont un long col (carafes « capitaine »). Le vin s'aère ainsi en cours de transvasement. La décantation a également des effets positifs pour les vins blancs lourds. Il faut en user avec beaucoup de précaution, car le brusque contact avec l'air peut entraîner une oxydation trop rapide et nuisible.

Les quatre intrus

- Le tabac n'altère pas fondamentalement la capacité de goûter un vin, mais il gêne les autres dégustateurs. En outre, les cellules nerveuses de l'appareil gustatif mettent au moins dix minutes à se régénérer après une cigarette.
- Mieux vaut éviter de se parfumer ou d'utiliser une eau de toilette après-rasage lorsque l'on se rend à une dégustation.
- Le café altère le goût plus encore que le tabac. Il convient de s'abstenir d'en boire, aussi bien avant qu'après une dégustation.
- Les fleurs décorent agréablement une table, mais perturbent la dégustation du vin, surtout lorsqu'elles sont très odorantes.

Les défauts du vin

La conservation du vin

• Toutes les bouteilles doivent être entreposées à l'horizontale, de sorte que le bouchon ne se dessèche pas.

• Les bouteilles peuvent rester dans leur caisse, lorsqu'on ne dispose pas d'un local obscur pour les entreposer.

• Dans les caves trop sèches, il est souhaitable d'installer un humidificateur ou de placer simplement un seau rempli d'eau pour améliorer l'hygrométrie.

• Les tuyaux de chauffage qui passent dans les caves doivent être complètement isolés.

• Dans les caves trop humides, les bouteilles peuvent être enveloppées de papier Cellophane afin que les étiquettes ne se décollent pas.

• Les réfrigérateurs ne conviennent pas à une longue conservation des bouteilles. Ils vibrent et leur température varie constamment d'un degré.

• Dans de nombreuses villes, les transporteurs et les marchands de vin proposent un service de garde-vins : leurs clients louent de petits compartiments de cave, climatisés et bien protégés.

• Les armoires climatisées offrent des conditions idéales pour entreposer longuement des bouteilles de vin. Elles ne vibrent pas et sont maintenues à température constante. Seul inconvénient : elles coûtent cher et leur capacité est limitée par rapport à ce que devrait contenir une cave bien assortie.

La contenance des bouteilles
Le vin vieillit mieux dans des bouteilles de grande capacité : l'oxygène qui s'y infiltre se répartit sur un volume de liquide double ou triple de la contenance d'une bouteille normale. Certains processus d'évolution – qui sont indépendants de la contenance des bouteilles – se produisent toutefois sans intervention de l'oxygène, par exemple du fait de la formation d'esters. S'il en était autrement, un vin en bouteille scellée resterait éternellement jeune.

Pour rafraîchir le vin, glacette, brique ou seau à glace feront l'affaire.

Grâce aux progrès de l'œnologie, le vin a gagné en netteté. Certes, le fameux goût de bouchon peut encore se révéler à l'ouverture de certaines bouteilles, mais la plupart des anomalies sont bénignes et disparaissent après aération.

Les défauts du vin peuvent être durables ou passagers. Les principaux sont l'odeur sulfitée, les notes fermentées et le goût de levure qui donne au vin un arrière-goût désagréable, fade après qu'on l'a avalé. Ils proviennent tous d'impuretés passagères qui se manifestent surtout dans les vins jeunes, élevés de façon trop sommaire et parfois insuffisamment aérés avant la mise en bouteilles. En règle générale, ils s'évanouissent lorsque le vin reste assez longtemps au contact de l'air. Il convient donc en pareil cas :
• de laisser reposer le vin de cinq à dix minutes dans le verre ; l'arôme désagréable se volatilise le plus souvent de lui-même ;
• de laisser le vin vingt-quatre heures dans la bouteille ouverte et de le goûter à nouveau ;
• de laisser au besoin le vin vieillir en cave encore six mois ou un an.

La température de conservation
• Mettre un vin blanc au réfrigérateur assez longtemps à l'avance, ou dans un seau à glace, permet de le porter à la bonne température. Toutefois, sur les grands vins âgés, le bain de glace exerce un choc peu conseillé.
• Le vin rouge, sorti de la cave, doit être chambré : il séjournera dans la salle à manger jusqu'à atteindre la température désirée. Le placer sur un radiateur, voire au four à micro-ondes, est une pratique barbare.
• Le seau à glace doit être rempli de glace pilée, qui fond plus vite que les glaçons entiers et ne refroidit pas autant le vin. Les « glacettes » en terre cuite ont une action moins brutale que les glaçons.
• En été, les vins blancs peuvent être dégustés à un ou deux degrés au-dessous de la température normale. En revanche, on ne boit pas un vin rouge plus chaud sous prétexte qu'il fait froid à l'extérieur !

Les défauts graves

L'odeur sulfitée est un défaut grave dû à une trop forte adjonction de soufre. Elle se manifeste par une sensation de picotement à l'arrière du nez. L'anhydride sulfureux libre se fixe difficilement ; il se fait particulièrement sentir dans les vins qui ont une forte acidité. On relève en outre diverses anomalies olfactives qui s'estompent peu ou pas du tout avec le temps. C'est le cas des odeurs de croupi provenant de l'élevage dans des barriques trop vieilles, des notes de géranium pouvant apparaître sous l'action de bactéries, en cours de fermentation ou après. Il est souhaitable que le maître de chai les identifie à temps et les élimine avant la mise en bouteilles.

L'acidité volatile

Défaut aromatique fréquent dans les vins forts en alcool, provenant essentiellement d'une proportion trop élevée d'acide acétique, ou acétate d'éthyle. On perçoit alors dans le bouquet une odeur caractéristique de vernis à ongles (le vin contient toujours de l'acide acétique, mais sa proportion ne doit pas dépasser 1,5 g/l). L'acide acétique est produit par les acétobacter, bactéries du vinaigre, qui provoquent une réaction entre l'oxygène et l'alcool. Les vins rouges et les vins de chardonnay des régions viticoles chaudes présentent un nez plus marqué par les acides volatils ; les vins liquoreux en contiennent également un taux élevé. De fait, l'acide volatil n'est pas perçu de la même façon selon les styles de vins. L'Único de Vega Sicilia est à ce titre exemplaire : pendant des années, son acidité volatile a été considérée comme une qualité intrinsèque.

Le goût de bouchon

L'odeur ou le goût de bouchon sont indiscutablement un défaut parce qu'ils sont durables et ont même tendance à se renforcer avec le temps. Le vin devient imbuvable. En règle générale, l'odeur de bouchon se manifeste déjà, de façon plus ou moins pénétrante, au nez, puis s'affirme en bouche. Ce défaut est dû, dans la plupart des cas, au trichloranisole (voir p. 231). Extérieurement, le bouchon ne présente aucun signe visible de contamination.
Que peut faire le consommateur lorsqu'une bouteille est bouchonnée ?

- Au restaurant, il peut tout simplement refuser le vin (avant d'avoir bu la moitié de la bouteille bien sûr !).
- Le marchand de vin (ou vigneron) ne remplace pas une bouteille de vin bouchonné. Toutefois, lorsque trois bouteilles de la même caisse sont altérées, il peut se montrer plus complaisant. Si la caisse entière est en cause, il devrait normalement la remplacer.
- Pour les vins de qualité ordinaire, le consommateur a plutôt intérêt à choisir les bouteilles fermées par un bouchon à vis, dont le matériau offre la protection la plus sûre contre le goût de bouchon.

Autres défauts

- Le trouble d'un vin blanc ou d'un vin rouge (indépendamment du dépôt).
- Le dépôt dans un vin blanc (ce n'est pas nécessairement un défaut, mais ce phénomène inhabituel peut être révélateur d'une anomalie).
- Dans les vins blancs et rouges vieux, la présence d'un faible taux de gaz carbonique (reprise de la fermentation).

Les défauts qui n'en sont pas

- Le tartre (cristaux blancs au fond de la bouteille).
- Un léger taux de gaz carbonique dans les vins blancs frais.
- Le dépôt dans les vins rouges.
- Le goût boisé de la barrique.
- La couleur brun orangé des vins rouges vieux.

La température de service

Il faut faire une distinction entre température de service et température de dégustation. Le vin est idéalement servi à une température inférieure d'un à deux degrés à celle à laquelle il doit être bu, car il se réchauffe vite, aussi bien dans la bouteille que dans le verre.

8 °C
Vins blancs légers (Galestro, Vinho Verde, chenin blanc d'Afrique du Sud), vins blancs liquoreux, vins doux naturels et de liqueur blancs.

10 °C
Vins blancs légers (chasselas suisse, albariño, riesling jeune, grüner veltliner, pinot grigio, white zinfandel) et champagnes non millésimés.

12 °C
Vins blancs complexes et charnus (chardonnay, meursault, sauvignon de Styrie, vieux champagnes, vins liquoreux) ainsi que les vins rosés et les vins rouges légers (tavel, zinfandel rosé).

14 °C
Vins rouges à boire jeunes (Valpolicella, beaujolais, alsace-pinot noir), vins doux naturels et de liqueur rouges.

16 °C
Vins rouges jeunes et charpentés (cabernet-sauvignon, Chianti, Classico, vins de Bourgogne, du Bordelais et de la vallée du Rhône).

18 °C
Vins rouges vieux et charpentés (Barolo, hermitage).

Les bouteilles de champagne (de gauche à droite) : Magnum (1,5 l) ; réhoboam (4,5 l) ; demi-bouteille (0,375 l) ; salmanazar (9 l) ; piccolo (0,2 l) ; bouteille classique (0,75 l) ; mathusalem (6 l, appelée en Bordelais impériale) ; double magnum (3 l). Autres contenances : balthazar (12 l) ; nabuchodonosor (15 l).

Niveau des vieilles bouteilles

Niveau de remplissage

Niveau maximal
Au-dessus de l'épaule
À hauteur d'épaule
À mi-épaule
Sous l'épaule

Lorsque le niveau de liquide dans la bouteille s'abaisse au-dessous du goulot, il est temps de boire le vin.

Du liège au bouchon

Le liège est un matériau quasi idéal pour conserver le vin. Il ferme bien la bouteille, ne laisse passer qu'une quantité minime d'oxygène et n'a pas de goût. En revanche, son prix est élevé. Selon sa qualité et sa longueur, un bouchon de liège coûte de un à trois francs pièce.

Outre la résine et la poix, les Romains utilisaient déjà le liège pour boucher leurs récipients vinaires. Celui-ci ne s'est toutefois imposé qu'au XVIIe siècle, avec l'invention de la bouteille. Mais tous les bouchons ne tiennent pas leurs promesses. Il arrive fréquemment que des bouteilles fuient ou, pis encore, que le vin prenne un désagréable goût de bouchon. On a pu dénombrer cinquante substances volatiles susceptibles de réagir avec le vin. Des solutions de rechange sont actuellement à l'étude, mettant en œuvre des matériaux de synthèse.

Nul ne peut dire à la simple observation si un bouchon est altéré par le trichloranisole et s'il contaminera le vin. Le liège naturel comporte au total cinquante substances volatiles susceptibles de donner un goût désagréable au vin.

Le chêne-liège

Le liège est l'écorce du chêne-liège (*Quercus suber*) qui pousse essentiellement dans les pays chauds du pourtour méditerranéen, sur un sol sablonneux et acide. Le plus grand fournisseur mondial de liège est le Portugal (670 000 ha de bois) et plus particulièrement la région méridionale de l'Alentejo, autour d'Évora ; mais il existe également de vastes subéraies dans le sud-ouest de l'Espagne, en Sardaigne et en Corse. Ces régions possèdent leur propre industrie du liège. Une grande partie de leurs forêts sont en fait des plantations. En revanche, les chênes-lièges du sud de la France et d'Afrique du Nord sont relativement peu exploités.

L'écorce de l'arbre est prélevée pour la première fois au bout de vingt-cinq à trente ans : c'est le démasclage. Il lui faudra environ dix ans pour se reconstituer. L'arbre ayant une longévité moyenne de cent cinquante ans, il sera démasclé au moins onze fois au cours de sa vie.

La composition du liège

Le liège se compose des cellules mortes des fibres du bois : 1 cm^3 de liège en renferme entre 30 000 et 40 000. Ces cellules sont gorgées d'azote et parfaitement imperméables à l'air comme à l'eau. L'oxygène ne s'infiltre pas à travers le liège, mais uniquement entre le bouchon et le goulot de la bouteille ; l'échange est d'autant plus réduit que la qualité du bouchon est élevée. Afin que l'obturation de la bouteille soit parfaite, il faut que la subérine, substance élastique constituant la paroi des cellules, adhère étroitement à la surface du verre, et que le bouchon présente très peu de lenticelles (rainures sombres lignifiées à l'intérieur du liège). Les bouchons sont découpés dans l'écorce perpendiculairement aux lenticelles afin d'éviter la formation de canaux par lesquels pourraient pénétrer des quantités importantes d'oxygène. C'est au niveau des lenticelles que le bouchon est le plus fragile.

Les bouchons sont découpés à l'emporte-pièce perpendiculairement aux lenticelles. Ainsi l'air ne pénètre-t-il pas ; il ne peut que s'infiltrer le long du bouchon.

Le traitement du liège

Une fois démasclé, le liège sèche au moins six mois à l'air libre, puis il est ébouillanté et désinfecté. Alors commence la phase la plus délicate : la sélection des plaques de liège qui se prêteront à la fabrication de bouchons. La moitié seulement trouve grâce auprès des spécialistes ; le reste est transformé en matériau de revêtement mural et autres objets décoratifs. Les plaques adéquates sont découpées perpendiculairement dans le sens des fibres du bois, en bandes de largeur égale à la hauteur du futur bouchon. Ces bandes sont lessivées (le plus souvent dans une solution de dioxyde d'hydrogène, c'est-à-dire d'eau oxygénée) puis découpées à l'emporte-pièce. Pour qu'il s'enfonce plus facilement dans le goulot de la bouteille, le bouchon est recouvert d'une pellicule de paraffine ou de cire au silicone.

Récolte du liège au Portugal : on découpe l'écorce...

...et on détache la plaque de liège à la main.

D'où vient le goût de bouchon ?

Le goût de bouchon est généralement dû à une substance appelée trichloranisole (TCA). Celle-ci se forme lorsque les solutions chlorées dans lesquelles est lessivé le liège réagissent avec les phénols contenus dans le liège naturel, et que le produit de cette réaction est attaqué par des moisissures invisibles qui se développent sur le bouchon. Cette moisissure n'a aucun rapport avec celle qui se forme parfois à la surface du bouchon des vieilles bouteilles (extérieurement, un bouchon altéré par le TCA est impeccable). Pour remédier à ce problème, depuis le milieu des années quatre-vingt, le liège est lessivé dans une solution non chlorée. Pour autant, le goût de bouchon n'a pas disparu, tout simplement parce que le chlore est partout dans notre environnement (eau du robinet, produits de protection du bois, etc.) ; même en très petites quantités, il contamine le liège. Par ailleurs, les bouchons non lessivés peuvent eux aussi être atteints par des moisissures (*aspergillus, penicillium*), que l'on trouve aussi bien dans les entrepôts des fabricants de bouchons que dans les caves de vinification. Ce n'est plus alors le TCA mais une autre substance qui provoque le goût de bouchon.

Un substitut : le silicone

Du fait de la multiplication des embouteilleurs, le liège – surtout celui de surchoix – se fait rare. Pour les vins de table et les vins de pays, et parfois même pour des vins de qualité vendus en bouteilles de 1 litre qui ne sont pas destinés au vieillissement, on utilise des bouchons à vis.

Le bouchon en silicone gagne lui aussi la faveur des producteurs. D'une forme similaire à celle du bouchon de liège, il est constitué de polymères expansés avec un grand nombre de cellules élastiques imperméables à l'air. Sous l'effet d'une pression, il ne s'étire ni vers le haut ni vers le bas dans le goulot de la bouteille – c'est en tout cas vrai pour les bouchons en silicone de qualité. De plus, l'adhérence au verre est presque identique à celle du matériau naturel. Normalement, la bouteille ne coule pas, mais il peut y avoir circulation d'air.

Bouchon en liège de 60 mm de longueur, faiblement poreux, idéal pour les vins rouges qui doivent vieillir longuement et à l'abri de l'air.

Bouchon de champagne dont la partie supérieure est faite de copeaux de liège agglomérés. La partie inférieure est d'une seule pièce.

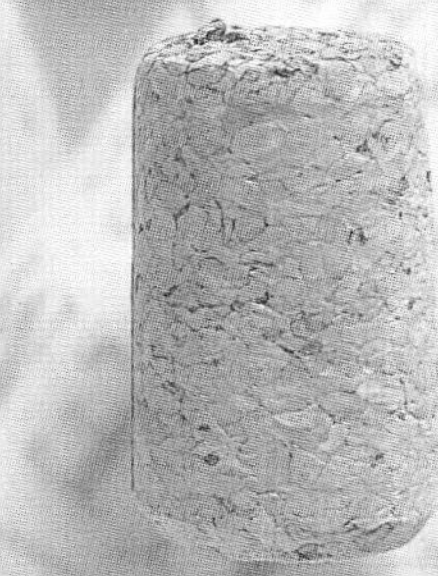

Bouchon en aggloméré, d'une élasticité inférieure à celle d'un bouchon de liège. Son prix est modique.

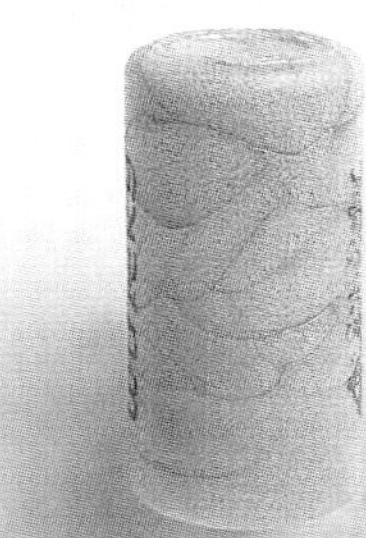

Bouchon en silicone d'acétate d'éthylvinyle, imperméable à l'eau et à l'air, qui n'altère pas le goût du vin. Ce type de bouchon est utilisé pour les vins de consommation courante.

Une vieillesse heureuse

La cave de Jens Priewe : des vins à prix modiques, des vins de qualité, quelques vins exceptionnels.

1. Grüner veltliner, sauvignon de Styrie
2. Alsace-riesling, alsace-pinot blanc, alsace-gewurztraminer, vendanges tardives
3. Chablis, bourgogne blanc
4. Saumur, savennières, pouilly-fumé, tursan
5. Vins effervescents allemands (sekt) et italiens (spumante)
6. Muscadet, fendant
7. Chardonnays de Californie, jeunes et vieux
8. Vins blancs de Sicile et de Calabre
9. Vieux rieslings allemands
10. Vins de sélection de grains nobles allemands, vin de glace
11. Vieux graves blancs, vins secs de sémillon australiens
12. Vieux rieslings de vendanges tardives allemands
13. Chassagne-montrachet, bienvenues-bâtard-montrachet, corton-charlemagne, meursault
14. Rieslings Smaragd de la Wachau
15. Rieslings secs et liquoreux allemands
16. Coteaux-d'aix-en-provence, côtes-de-roussillon, cahors
17. Cornas, côte-rôtie, hermitage
18. Chambertin, corton, chambolle-musigny, romanée-saint-vivant, etc.
19. Vins d'Afrique du Sud et de Nouvelle-Zélande : pinotage, chardonnay, sauvignon, etc.
20. Trouvailles : marsala 1932, vin de glace canadien, Heitz Fay Vineyard 1974, etc.
21. Vieux Barolo, Barbaresco
22. Vins jeunes du Bordelais
23. Sauternes, pour une part en demi-bouteilles
24. Divers vins de dessert : Vino Santo, banyuls, tokay, Acininobili, Noble Rot No, etc.
25. Trouvailles : malbec argentin, pinot noir de Nouvelle-Zélande, gewurztraminer hongrois
26. Porto vintage, porto blanc, xérès oloroso
27. Rioja, Ribera del Duero, Priorato
28. Cabernet-sauvignon de Californie, pinot noir de l'Oregon
29. Thermomètre, hygromètre
30. Vins du Bordelais à maturité
31. Barolo, Barbaresco jeunes
32. Chianti Classico, Riserva
33. Brunello di Montalcino
34. Gevrey-chambertin, vosne-romanée, mercurey
35. Cabernet, sauvignon, shiraz australiens
36. Vieux supertoscans en magnum
37. Vins de Bourgogne et Barolo en magnum
38. Jeunes supertoscans en magnum
39. Champagne, spumante, divers vins blancs en magnum
40. Vins du Bordelais en double magnum

« Je suis comme beaucoup de gens aujourd'hui. En vingt ans, j'ai acheté de petites quantités de vins différents, presque jamais de gros volumes. Selon la préférence du moment, je dispose ainsi d'un large choix. Ma cave est en outre très simple : des rayonnages de bois sur des socles maçonnés. Au mur, un hygromètre et un thermomètre. Je ne tiens pas de livre de cave. Même sans notes, je sais généralement ce que j'ai sur mes étagères. Et c'est toujours un réel bonheur que de découvrir ses richesses ignorées ! »

Pour que le vin vieillisse dans les meilleures conditions, il faudrait construire une cave à cent pieds sous terre. Peu d'amateurs peuvent

se le permettre. Du reste, est-ce vraiment indispensable ? Il existe d'autres solutions, tout aussi efficaces, pour assurer une bonne évolution du vin en bouteille. De nos jours, environ 80 % des vins sont bus dans leurs deux premières années. Les caves sophistiquées ne sont donc nécessaires que pour la petite proportion de crus qui méritent une longue garde.

La température

Selon les spécialistes, le thermomètre devrait idéalement afficher 12 °C dans une cave. Les vins blancs atteignent alors la température à laquelle ils doivent être consommés. En fait, la température d'une cave peut aussi bien être de 8 °C ou de 18 °C sans que le vin en souffre. L'important est que les variations thermiques entre l'été et l'hiver ne soient pas trop grandes. Elles ne doivent pas dépasser 6 °C, car le vin se dilate à la chaleur et se contracte sous l'effet du froid. Ces variations de volume sont néfastes pour un vin conservé en cave pendant dix ans et plus.

L'humidité

L'humidité de l'air préserve la qualité du bouchon. Dans les caves sèches (par exemple celles où se trouve également la chaufferie), le bouchon se dessèche, perd de son élasticité, n'est plus imperméable et s'effrite. Non seulement le vin risque de fuir, mais l'oxygène entre en plus grande quantité dans la bouteille. Le vin s'évapore rapidement et, au bout de quelques années à peine, le niveau de liquide a sensiblement baissé dans la bouteille. Le taux d'hygrométrie d'une cave à vin ne devrait donc pas être inférieur à 60 %. Toutes les valeurs supérieures conviennent ; certaines des meilleures caves de vignerons présentent même 100 % d'humidité. Les étiquettes se décollent parfois, il se forme une moisissure noire à la surface du bouchon, mais le vin ne subit aucun dommage.

La lumière

Le verre teinté des bouteilles, vert ou brun, ne suffit pas à protéger le vin de l'action de la lumière. Pour cette raison, les locaux où sont entreposées des bouteilles à découvert doivent être obscurs. La lumière favorise la prolifération de toutes les matières organiques, y compris dans le vin ; elle accélère donc le vieillissement et la détérioration progressive, visibles au changement de couleur du vin : le vin blanc tend plus vite au jaune doré, le vin rouge pâlit.

Les vibrations

Les vins de garde doivent être entreposés dans un endroit parfaitement calme. Les vibrations provoquées par la circulation automobile, le métro ou le chemin de fer détachent les unes des autres les fines particules du dépôt. Les appareils à déclenchement périodique comme les pompes de chauffage ou les pompes à eau font aussi vibrer imperceptiblement le vin.

Les odeurs étrangères

Les échanges d'air à travers le bouchon d'une bouteille sont certes réduits, mais lorsque le vieillissement se poursuit pendant des années, les odeurs extérieures peuvent exercer sur le vin une influence néfaste. Une cuisine ou un garage ne conviennent donc pas à la conservation du vin.

La pyramide des vins

Les vins de qualité sont théoriquement au sommet de la pyramide, beaucoup portent l'appellation sans tout à fait la mériter.

La réglementation viti-vinicole offre au consommateur une garantie quant à l'origine et à la qualité du vin. En Europe, deux catégories de vins ont été définies : les vins de table et les vins de qualité produits dans une région déterminée.

Dans tous les pays, les vins de qualité occupent le sommet de la hiérarchie. Ils sont produits dans des régions – ou aires – souvent strictement délimitées en fonction d'un terroir, et répondent à des règles strictes d'élaboration (rendements, cépages, etc.), aux « usages locaux, loyaux et constants » selon l'expression consacrée en France. Les vins de table se situent au bas de l'échelle. Les exigences sont moindres à leur égard. Une partie d'entre eux est commercialisée en vrac, c'est-à-dire en fûts, en bonbonnes ou en cubitainers.

Les vins de qualité dans l'Union européenne
Ils sont toujours liés à une région viticole. Les raisins dont ils sont issus doivent provenir d'un terroir bien délimité. Leur étiquette porte soit la mention VQPRD (vin de qualité produit dans une région déterminée), soit une mention nationale telle que AOC, VDQS, DOC, DOCG, ou encore les deux. L'Europe viticole a été divisée en sept zones climatiques : une zone A comprenant la majeure partie de l'Allemagne (à l'exclusion du pays de Bade), ainsi que la Belgique, les Pays-Bas, le Luxembourg et le Royaume-Uni ; une zone B englobant la région de Bade, l'Alsace, la Champagne, la Lorraine, le Jura, la Savoie et le Val de Loire ; la zone C découpée en cinq sous-régions concernant les vignobles du sud de l'Europe.

- Pour chacune d'entre elles, un titre alcoométrique minimal est fixé.
- La chaptalisation est autorisée uniquement dans le nord (en Allemagne, au Luxembourg, en France à l'exception de la région méditerranéenne).
- Il est permis d'augmenter ou de réduire le taux d'acidité, mais jamais de chaptaliser et d'acidifier un moût en même temps.
- Certaines substances (par exemple, le soufre et la bentonite) peuvent être ajoutées pour le traitement du vin, et des teneurs maximales sont souvent imposées.
- L'acidité volatile d'un vin ne doit pas dépasser 0,88 g/l pour les vins blancs et 0,98 g/l pour les vins rouges.
- Les vins de qualité ne doivent pas être coupés avec des vins issus d'autres aires de production.

Par ailleurs, chaque aire d'appellation édicte ses propres normes, qui ne sont valables que pour ses vins. Ces dernières fixent par exemple :

- les cépages admis,
- le rendement maximal à l'hectare,
- le titre alcoométrique,
- la durée minimale d'élevage sur lies,
- la date de commercialisation autorisée.

Les systèmes d'appellation

L'Allemagne et l'Autriche ont subdivisé leurs vins de qualité en *Qualitätswein* (vin de qualité) et *Qüalitatswein mit Prädikat* (« vin de qualité avec prédicat »). La distinction repose exclusivement sur la densité du moût (voir p. 42). Le titre alcoométrique des *Qüalitatsweine mit Prädikat* ne doit pas être augmenté par chaptalisation. En France, les VQPRD recouvrent les appellations d'origine contrôlées (AOC) et les vins délimités de qualité supérieure (VDQS). En Italie, ils regroupent les dénominations d'origine contrôlée (DOC) et les dénominations d'origine contrôlée garantie (DOCG).

Les vins de table

Ils se situent au bas de l'échelle hiérarchique des vins de l'Union européenne. Les normes de qualité qui leur sont imposées sont les plus limitées. Les vins de table proviennent généralement des régions viticoles de production de masse, de France, d'Italie ou d'Espagne, mais aussi de régions d'Allemagne ou d'Autriche moins adaptées à la culture de la vigne ou encore d'aires qui ne font pas partie des régions productrices de vin de qualité. Les prescriptions en vigueur pour les vins de table sont les suivantes :

- ils peuvent provenir de toutes les régions viticoles de l'Union européenne ;
- le rendement n'est pas limité ; cependant les distillations obligatoires imposent de fait certaines limites de rendements ;
- les assemblages entre vins des pays de l'Union européenne sont permis ;
- on ne peut faire figurer ni le cépage ni le millésime sur l'étiquette.

Les vins de pays

Environ 65 % de la production de vins européens est constituée de vin de table. Certains pays membres de l'Union ont instauré une distinction plus fine. Ainsi, la France a-t-elle créé en 1973 une catégorie intermédiaire : les vins de pays. Ceux-ci proviennent de grandes régions (pays ou départements) et de cépages bien déterminés. Vinifiés en sec, ils sont gouleyants, savoureux et bon marché. La France produit presque 20 % de vins de pays ; dans les autres pays de l'UE, cette catégorie ne s'est pas imposée. Toutefois, en 1996, l'Italie a mis en place les IGT (*Indicazione geografica tipica*), qui suivent l'exemple français.

Le Nouveau Monde

En dehors de l'Europe, la production de vin est moins réglementée. Les États-Unis ont défini depuis 1983 plus de cents appellations d'origine (*American Viticultural Areas, AVA*), sans fixer pour autant de normes à la production : ainsi le rendement n'est-il pas limité. Par ailleurs, il existe neuf classes de vins, parmi lesquelles les *table wines* (tous les vins jusqu'à 14 % vol.), *dessert wines* (entre 14 et 20 % vol.) et *sparkling wines* (effervescents). En revanche, l'étiquetage est réglementé : le vin doit être tiré à 85 % du cépage qui figure sur l'étiquette ; cette proportion vaut également pour l'Australie, alors qu'elle n'est que de 75 % en Afrique du Sud et au Chili.

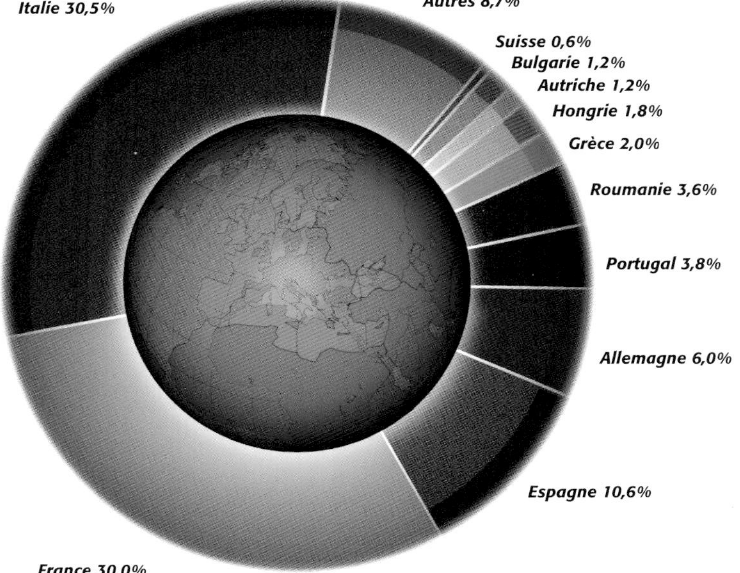

Répartition de la production de vin européenne

La lecture de l'étiquette

L'étiquette est la carte de visite du vin. Elle doit renseigner le consommateur sur l'origine du vin, sa catégorie dans la hiérarchie réglementaire (vin de table, vin de pays, vin délimité de qualité supérieure, appellation d'origine contrôlée), son millésime, son titre alcoométrique (exprimé en % vol.). En outre, elle identifie les responsables de la qualité du vin : le producteur et l'embouteilleur.

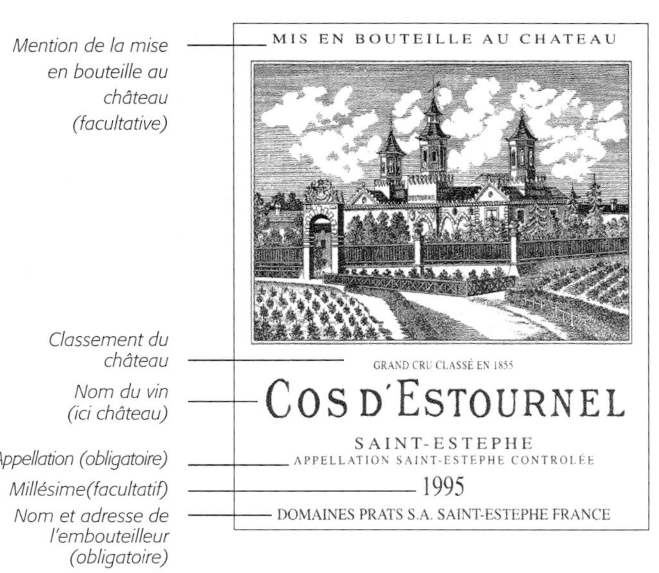

DES ALLIANCES RÉUSSIES

Dans les anciens pays viticoles comme la France, l'Espagne et l'Italie, le vin a toujours eu une place privilégiée à table. Alexandre Dumas, auteur d'un *Dictionnaire de cuisine*, le considérait même comme « la partie intellectuelle du repas ». Nombreux sont les traités de gastronomie qui consacrent un chapitre entier aux accords gourmands. La plupart des auteurs tiennent pour une évidence que les artichauts, les asperges, les tomates et le chocolat ne s'accordent guère avec le vin. Ils considèrent d'emblée que le vin rouge se marie bien avec la viande rouge, le vin blanc avec la viande blanche et le poisson. Pourtant, ce ne sont pas tant les ingrédients qui décident du choix du vin que leur préparation : par exemple, une sauce blanche onctueuse s'harmonisera à un vin blanc aux notes de beurre frais. Il y a certes une part de vérité dans les règles d'alliances entre les mets et les vins, mais l'amateur est libre de se livrer aux essais les plus inventifs. Les dogmes dans ce domaine sont tombés, laissant place à une certaine créativité.

Viandes et volailles

« L'harmonie n'est harmonie que si elle fait apparaître le contraste », écrivait Confucius. Les gourmets devraient toujours garder en mémoire cette maxime lorsqu'ils recherchent l'accord parfait entre les mets et les vins.

Boire du vin à table est un usage ancien dans les pays méditerranéens. Autrefois simple boisson désaltérante et revigorante, le vin est devenu un produit plaisir que l'on savoure. Ainsi, une grande attention est désormais portée à son mariage avec les mets. Créer des accords gourmands raffinés est une entreprise délicate mais gratifiante. Bien choisi, le vin magnifiera le plat le plus simple : un romanée-conti dégusté sur un simple rôti de bœuf est une merveille. Inadapté, il détruira les saveurs des plus grandes recettes gastronomiques. Le vin doit mettre les mets en valeur sans jamais les écraser.

Un vin rouge très charpenté ne saurait accompagner un filet de truite, pas plus qu'un champagne des spaghettis à la bolognaise. Vins et mets se complètent, mêlent leurs saveurs et arômes harmonieusement. En outre, le vin doit apporter un élément supplémentaire, un accent particulier. Le plat n'est pas seul à profiter de l'alliance : un vin jeune encore fermé peut s'ouvrir à table. Le choix du vin ne dépend pas tant de la viande cuisinée que du mode de préparation et de la sauce servie en accompagnement. Aussi les innombrables combinaisons entre les mets et les vins n'obéissent-elles qu'à un très petit nombre de règles.

Viande grillée
Un vin jeune tannique soulignera admirablement le moelleux d'une viande rouge (steak, faux-filet ou rosbif) : haut médoc, crozes-hermitage ou Chianti Classico Riserva, par exemple, constitueront de bons choix. Sur une viande grillée au barbecue, on préférera un vin vinifié en barrique du type Rioja Crianza ou cabernet-sauvignon de la Napa Valley.

Viande braisée
Sur une viande braisée ou en sauce (agneau, jarret de veau ou bœuf mode), on servira un vin rouge corsé, légèrement vieilli : Ribera del Duero Reserva, Brunello di Montalcino, saint-julien ou pauillac. Lorsque les herbes aromatiques dominent, un vin épicé sera le bienvenu : côtes-de-roussillon, coteaux-du-languedoc ou Rioja.

Viande de porc
Assez fade, cette viande se fait souvent rôtie et servie accompagnée de son jus ou d'une sauce. Dans ce dernier cas, le vin doit s'harmoniser avec la sauce. On choisira de préférence un vin rouge jeune, fruité, faiblement tannique, tel un barbera du Piémont, un coteaux-du-languedoc-Pic-Saint-Loup ou, plus robuste, un zinfandel californien.

Volailles
La poularde, la dinde et autres volailles se marient aussi bien avec des vins blancs que rouges. L'accord dépendra de la sauce d'accompagnement. Les sauces des volailles rôties, concentrées, demandent un vin finement épicé, fruité, comme le blaufränkisch autrichien. Les sauces salées-sucrées s'allieront à un vin de merlot californien, souple et rond en bouche, ou à un élégant merlot du Tessin. On pourra également servir un alsace-riesling ou – particulièrement raffiné – un alsace-gewurztraminer.

Gibier
Canard sauvage ou palombe ont un goût puissant, légèrement amer. Afin d'apaiser cette saveur, on optera pour une alliance en contrepoint, par exemple un vin rouge charnu, un peu mûr et fruité. L'idéal est un vin de Bourgogne. Le civet de lièvre ou la gigue de chevreuil trouveront un faire-valoir dans les vins de cabernet ou de syrah.

Poissons et crustacés

Les poissons offrent des possibilités insoupçonnées de mariage avec les vins. Si les vins blancs secs sont souvent privilégiés, des vins rouges légers, un peu acides, peuvent également faire merveille. De fait, beaucoup de combinaisons prétendument idéales relèvent de traditions et d'usages purement régionaux.

Le poisson est traditionnellement accompagné d'un vin blanc sec, sa saveur salée s'accordant mal avec les tanins d'un vin rouge charpenté. Sur un filet de poisson du lac de Zurich, les Suisses dégustent de préférence un de leurs vins de chasselas : un fendant ou un yvorne. Sur une sole de Dieppe, les Belges servent un pouilly-fumé de Loire. Pour accompagner un vivaneau, les gourmets de Miami sortent de leur armoire à vin un de leurs savoureux chardonnays.

Cependant, les grands cuisiniers ont prouvé que le vin rouge pouvait également se marier avec les produits de la mer, notamment avec les poissons gras. Sur une carpe, on appréciera non seulement un alsace-pinot gris, mais aussi un jeune vin rouge de Bourgogne ou un chinon. Dans les trattorias de Ravenne et de Modène, il est d'usage de servir un Lambrusco sec pour accompagner l'anguille du lac Comacchio ; aux États-Unis, on déguste l'anguille fumée avec un pinot noir de l'Oregon, et dans les grands restaurants parisiens, le sommelier propose volontiers sur un aileron de raie une bouteille de saint-émilion. Les recettes de poisson au vin rouge ne manquent d'ailleurs pas dans la gastronomie française : matelote, lamproie à la bordelaise, etc. Adepte des traditions ou innovateur, l'amateur devra dans tous les cas considérer l'origine du poisson (rivière, lac, mer) et la sauce d'accompagnement avant de faire son choix.

Poisson blanc
Sur des poissons blancs à la sauce hollandaise ou au beurre blanc, on choisira des vins blancs denses et structurés, par exemple un chardonnay du Haut-Adige ou un sauvignon de Californie. Le goût de beurre et de crème s'accorde bien au fondant d'un vin riche en alcool. Un meursault de dix ans d'âge est un compagnon idéal.

Huîtres
Les huîtres font partie des fruits de mer les plus raffinés. On offre souvent un verre de champagne pour les accompagner. Pourtant, les saveurs ne s'accordent guère : l'eau salée de l'huître fait perdre au champagne toute sa finesse. Les fines de claires seront davantage mises en valeur par un muscadet-de-sèvre-et-maine ; sur des impériales hollandaises, un chablis ou un sauvignon blanc de Nouvelle-Zélande serait préférable.

Poisson au court-bouillon
Sur un poisson de mer au court-bouillon, il est conseillé de déguster un vin blanc sec et léger, car le goût salé du poisson fait ressortir l'arôme fruité du vin. Un alsace-riesling, un entre-deux-mers ou un grüner veltliner Federspiel de la Wachau devraient se distinguer.

Terrines et quiches
Les terrines et les quiches appellent des vins jeunes au goût relevé – blancs, rosés ou rouges. L'idéal est de servir un rosé de Provence ou un authentique Schilcher de Styrie, un müller-thurgau sec de Franconie ou un sauvignon de Californie. Si l'on préfère le vin rouge, on choisira un vin léger : un bourgogne ou un blauer zweigelt autrichien.

Crustacés
Homards et langoustes sont parmi les produits de la mer les plus raffinés et les plus chers. Quel que soit leur mode de préparation, au court-bouillon, en sauce ou grillé, un vin blanc de Bourgogne ou un chardonnay de Californie seront toujours les bienvenus ; la souplesse de la bouche et la note vanillée de la barrique se marient harmonieusement avec la chair tendre et légèrement sucrée des crustacés.

Entrées et fromages

Réaliser un accord entre une entrée et un vin relève souvent du casse-tête. Sans parler de la vinaigrette qui « tue » les vins les plus délicats, les jambons salés et les pâtés gras demandent un compagnon qui sache leur tenir tête. L'amphitryon rencontre des difficultés analogues lorsqu'il présente à ses convives le plateau de fromages.

Certains vins et spécialités culinaires semblent faits l'un pour l'autre. Il en est ainsi du sauternes et du foie gras, du porto et du stilton. Néanmoins, le sauternes a trouvé d'autres terrains d'entente, notamment avec le roquefort et les gnocchis autrichiens ! De même, un madère, un xérès oloroso ou un banyuls accompagnent le stilton aussi bien qu'un porto.

Faut-il boire un vin rouge ou un vin blanc avec le fromage ? La question reste entière et divise les gourmets. Le choix dépend essentiellement de la nature du fromage. Le fromage de chèvre et le sancerre forment, par exemple, une combinaison idéale : l'arôme épicé de groseille à maquereau adoucit la saveur un peu rude du fromage. Les vins de sauvignon produits dans les autres régions viticoles du monde seront tout autant à leur aise. Les vins blancs secs, peu acides et corsés, s'harmonisent avec les fromages au lait cru et à pâte pressée cuite, tels le reblochon et le beaufort. Les vins rouges, particulièrement lourds et tanniques, se marient avec des fromages au goût puissant : maroilles, époisses ou brie. Quant au camembert, malgré la tradition, il trouve un meilleur compagnon dans les cidres du Pays d'Auge ou le calvados. De nombreux plats servis en entrée ne sont tout simplement pas adaptés à la saveur des vins, quel que soit leur style, et en altéreraient même les qualités. Il est plus sage, dans ces conditions, de servir une carafe ou une bouteille d'eau. Sauces vinaigrées relevées d'une pointe de moutarde, tomates à l'acidité marquée, artichauts amers et anchois trop salés représentent un réel défi.

En matière de mets et de vins, les accords ont souvent été établis pour les recettes des grands chefs. La cuisine familiale n'aurait-elle pas droit au chapitre ? Bien au contraire. Nul n'oserait remettre en cause l'alliance de la rosette et du beaujolais. En Australie, les brochettes à la sauce barbecue méritent bien un vin de cabernet et de shiraz... Et les Américains n'hésitent pas à dévorer leur hamburger avec un verre de zinfandel !

Jambon
Fumé ou au torchon, le jambon a une saveur fortement salée qui fait ressortir l'amertume des tanins. Seul un vin faiblement tannique, tels un beaujolais primeur, un Kalterersee, voire un vin blanc, peut accepter un tel combat. Les Italiens ne jurent que par l'alliance du jambon et du prosecco ; les Espagnols préfèrent le cava. Un gutedel, un chasselas ou un rosé de Provence frais sont également conseillés.

Foie gras
Le foie gras d'oie ou de canard fait partie des trésors les plus rares de la gastronomie. Le sauternes, dont le goût sucré et la forte teneur en alcool résistent à la graisse du foie et assurent une meilleure digestion, est le compagnon idéal. On peut aussi opter pour des vins de sélection de grains nobles d'Alsace, d'Allemagne, d'Autriche et de Hongrie, ou bien des vins liquoreux d'Australie.

Cuisine asiatique

Il n'est pas facile de trouver des vins qui se marient bien avec la cuisine asiatique. Ceux qui résistent le mieux aux épices exotiques, comme la cardamome ou le chili, sont le saumur et les vins allemands de riesling demi-secs ; leur note épicée et aromatique s'harmonise avec la saveur aigre-douce des plats. Les vins blancs doivent être dégustés plus frais qu'à l'ordinaire. Sur un curry, on servira un xérès doux.

Fromages à pâte persillée

Les fromages à pâte persillée comme le roquefort, le gorgonzola ou le bleu d'Auvergne s'accompagnent traditionnellement de vins liquoreux, en particulier des sélections de grains nobles alsaciens, allemands ou autrichiens et du célèbre tokay de Hongrie. La pointe d'amertume de ces vins répond à celle des fromages. Les vins doux naturels à base de muscat (muscat-de-beaumes-de-venise ou muscat-de-frontignan), ainsi que les banyuls réservent aussi de belles surprises.

Fromages à pâte dure et à pâte molle

Les fromages à pâte dure, assez gras, soulignent l'arôme de presque tous les vins rouges corsés, qu'ils soient originaires de la vallée du Rhône (côte-rôtie), d'Italie (Barolo et Brunello di Montalcino) ou d'Espagne (Ribera del Duero). En revanche, le comté et l'emmental demandent des vins rouges plus légers et parfois même des vins blancs (roussette-de-savoie). Les fromages à pâte molle, impétueux comme l'époisses et le livarot, méritent d'être alliés aux vins rouges délicats de Bourgogne.

Avec plaisir et modération

Le vin : aliment traditionnel.

Un problème de quantité
La quantité de vin qui peut être consommée quotidiennement, sans dommage pour la santé, varie d'un individu à l'autre en fonction de la constitution physique, du poids, du sexe – le foie de l'homme peut traiter en moyenne 30 % d'alcool de plus que le foie d'une femme – des habitudes de consommation, de l'âge et de l'état de santé. Les organisations médicales américaines avancent, timidement, qu'un sujet de poids moyen pourrait, en tout état de cause, supporter l'absorption d'un à deux verres (de 10 cl) de vin par jour.

Un à deux verres par jour ?
La Ligue des médecins britanniques formule, elle aussi, des recommandations très circonspectes. Elle fixe des taux hebdomadaires de 21 unités pour les hommes et de 14 pour les femmes, une unité représentant 8 g d'alcool (une bouteille de 0,75 cl de vin titrant 12 % vol. contient 70 g d'alcool). Cela veut dire qu'une consommation par semaine de deux bouteilles et demie pour les hommes et d'une bouteille et demie pour les femmes ne peut pas nuire à la santé et favorise au contraire la bonne forme. La ration quotidienne serait donc d'un verre et demi (de 0,1 l) pour les femmes et de deux verres et demi pour les hommes. Tous les médecins déconseillent la consommation d'alcool aux femmes enceintes.

Le vin est constitué de 85 % d'eau et de 12 % d'alcool. Il s'agit avant tout d'une boisson alcoolique. Pourtant, la grande majorité des médecins admettent que la consommation modérée de vin a des effets bénéfiques dus, pour une bonne part, aux autres composants (3 %) du vin.

Pendant des siècles, le vin fut un élément de base de l'alimentation, et il le reste encore aujourd'hui dans certaines régions du monde. Sa valeur nutritive et sa contribution au maintien de la santé de l'homme ne doivent cependant pas faire oublier les risques que comporte la consommation d'alcool. En outre, si le vin est une boisson calorique, il contient des vitamines et des matières minérales en si petites quantités qu'il n'assure guère les besoins quotidiens d'un individu. En revanche, la glycérine et les acides – les substances quantitativement les plus importantes après l'alcool – favorisent le fonctionnement du métabolisme et renforcent le système immunitaire. D'autres effets positifs sur la santé ont été attribués au vin, par exemple la prévention des rhumatismes et de l'ostéoporose. Toutefois, ils restent purement hypothétiques. Ces dernières années, les spécialistes ont découvert un lien entre la consommation régulière de vin au cours des repas et la réduction des risques d'infarctus. Ce que les Américains ont appelé le *French paradox* a fait les gros titres des journaux.

Le « paradoxe français »

Le 17 novembre 1991, la chaîne de télévision américaine CBS consacrait son émission d'information, « 60 Minutes », à un sujet inattendu : le vin rouge. L'animateur Morley Safer, verre en main, expliquait les raisons probables du plus faible taux d'infarctus en France qu'aux États-Unis ou dans les autres pays occidentaux. Et de souligner un paradoxe flagrant : les Français consomment pourtant beaucoup de beurre, de fromages, de foie gras et de sauces à la crème. La clé de l'énigme résiderait dans ce verre de vin que les Français boivent tous les jours. L'émission ébranla profondément les Américains, qui considéraient jusqu'alors l'alcool comme le pire fléau de la nation. Journaux, revues et programmateurs de télévision s'emparèrent du sujet. En 1992, la consommation de vin rouge des Américains augmenta en moyenne de 32 %, alors qu'elle enregistrait auparavant une baisse annuelle de près de 5 %.

Le vin rouge contre le cholestérol

Entre-temps, des études effectuées au Royaume Uni, aux États-Unis, en France et au Danemark ont montré qu'il existait effectivement un lien entre la consommation de vin rouge et la réduction des risques de maladies cardio-vasculaires. Cet effet bénéfique du vin rouge serait essentiellement dû aux polyphénols – composés d'une centaine de substances, dont les tanins. Un peu comme dans le vin, ces phénols exercent dans le sang un effet anti-oxydant ; ils empêchent l'oxydation de la redoutable lipoprotéine LDL, également appelée cholestérol. Un taux trop élevé de cholestérol entraîne un lent rétrécissement des artères corona-riennes, ou artériosclérose, qui provoque l'infarctus. Les essais en laboratoire ont également prouvé que le vin rouge (plus encore que l'alcool) rendait le sang plus liquide et évitait ainsi la formation de caillots.

Les effets négatifs de l'alcool

Les effets positifs ou négatifs de la consommation de vin dépendent beaucoup de la quantité ingérée.

Les vins rouges contiennent davantage de phénols que les vins blancs ou rosés.

Boire beaucoup de vin en peu de temps est indiscutablement nuisible pour l'organisme. Une consommation même modérée mais régulière rend nécessaire un contrôle périodique du bon fonctionnement du foie, du système nerveux, de l'appareil digestif et des autres organes. Car il ne faut jamais oublier que l'alcool est dangereux pour la santé.

• Somnolence

Une bouteille de vin de 12 % vol. renferme 70 g d'alcool pur (alcool éthylique). Le foie humain, qui assure à 90 % l'assimilation de l'alcool, peut traiter au maximum 10 g d'alcool par heure. Le surplus circule dans le sang sous la forme d'acétaldéhyde (produit intermédiaire de la décomposition de l'alcool) jusqu'à ce que le foie puisse le traiter, ce qui a pour effet une baisse des capacités réactives et une atteinte du système nerveux.

• Hypertrophie du foie
Lorsque l'alcool ne peut pas être assimilé par le foie ni par d'autres tissus (par exemple les muscles), les produits intermédiaires, acétaldéhyde et acétate, sont transformés en graisse. Ce phénomène peut aboutir à une cirrhose, grave affection des cellules du foie. L'hypertrophie correspondante perturbe considérablement le fonctionnement de l'organe lui-même et l'ensemble du métabolisme.

s'il s'agit de vin rouge. C'est la conséquence d'une réaction des cellules nerveuses avec les phénols contenus en plus forte proportion dans le vin rouge.

• Allergies
Le vin provoque chez certains sujets des démangeaisons et des troubles respiratoires ; ces symptômes peuvent être dus à une intolérance au soufre contenu en faible proportion dans tous les vins comme agent de conservation. L'histamine – composant de l'albumine présent dans certains vins rouges, en très faible concentration – peut aussi causer des allergies. Le consommateur qui ne tolère pas l'histamine doit tout simplement changer de vin.

L'Hexagone enregistre un taux relativement faible d'infarctus. La consommation quotidienne et raisonnable de vin rouge en serait-elle l'explication ?

• Maux de tête
Ils sont la conséquence classique d'une consommation exagérée d'alcool. C'est moins l'alcool pur que l'alcool méthylique (fusels), présent dans tous les vins, qui provoque les maux de tête et les troubles circulatoires (« gueule de bois »). Le taux d'alcool méthylique contenu dans le vin est inférieur à 1 % ; il est plus important dans les vins rouges lourds que dans les vins blancs légers.

• Migraines
Des maux de tête accompagnés de vomissements peuvent se manifester chez certains sujets, même après une consommation d'alcool modérée, surtout

• Maux d'estomac
Chez les personnes qui ont l'estomac fragile, le vin peut provoquer une inflammation de la muqueuse stomacale. Ces troubles sont essentiellement liés aux vins blancs, plus acides que les rouges. Un taux d'acidité trop élevé dans l'estomac entraîne une impression de lourdeur, un manque d'appétit et des aigreurs.

• Excès de calories
L'alcool d'une bouteille de vin de 12 % vol. apporte à lui seul près de 500 calories. À chaque gramme de sucre résiduel présent dans le vin s'ajoutent 12 calories. Le vin a donc une forte valeur calorique.

Phénols et lipoprotéines

La quantité de graisse contenue dans le sang dépend beaucoup de la constitution génétique de l'individu. Mais le taux de cholestérol est aussi directement lié au régime alimentaire : plus l'alimentation est grasse, plus il augmente, du fait, surtout, de la production accrue de LDL (*Low Density Lipoprotein*). Cette substance s'accumule à long terme sur les parois des artères, elle les rétrécit et rend plus difficile la circulation du sang. Pis encore, elle fixe de l'oxygène et le retire à la circulation de sorte que le muscle cardiaque risque d'en manquer. C'est ainsi qu'elle augmente considérablement le risque d'infarctus. Jusqu'à présent, on connaissait surtout pour la protection coronarienne la vitamine E et le bétacarotène. Mais les trois phénols contenus dans le vin rouge, en quantités d'autant plus importantes que le vin est tannique, sont encore plus efficaces. Ces trois phénols sont :

– la quercétine (contenue aussi dans les pommes et les oignons),

– la catéchine (contenue en forte proportion dans tous les raisins),

– le resvératrol (qui se forme dans les grappes atteintes de pourriture).

Ces phénols non seulement empêchent l'oxydation de la LDL, mais augmentent au maximum la production de HDL (*High Density Lipoprotein*) dans le sang. Un taux élevé de HDL offre la protection la plus sûre contre la montée du taux de cholestérol. C'est en tout cas la conclusion d'une étude effectuée en France en 1990. Celle-ci prend pour point de départ une expérience réalisée sur plusieurs groupes ayant bu respectivement de l'alcool pur, de l'alcool dilué, du vin blanc et du vin rouge. Le groupe qui avait bu du vin rouge présentait le taux le plus élevé de HDL avec, corrélativement, la baisse la plus nette du taux de LDL.

L'apogée des vins

Dans toutes les régions viticoles du monde, on observe une tendance très nette à consommer les vins plus tôt qu'autrefois. Pourtant, il serait dommage de ne pas attendre l'apogée d'une grande bouteille de château d'Yquem ou de la Romanée-Conti.

Grâce à l'œnologie moderne, de nombreux vins acquièrent dès leurs premières années la souplesse nécessaire pour être dégustés jeunes. Cette évolution s'applique également aux vins du Bordelais qui passent pour des symboles de longévité. Grâce à l'augmentation de la proportion de merlot dans les assemblages, mais aussi aux nouvelles méthodes de vinification, ces vins n'ont plus dans leur jeunesse la dureté d'antan ; ils ne sont plus fermés, mais fruités et opulents.

Les vins d'aujourd'hui peuvent-ils vieillir ?
Ce nouveau style de vin ne fait cependant pas l'unanimité. Les détracteurs de la méthode moderne prétendent que ces bouteilles n'arriveront jamais au niveau des anciens bor-deaux. Ses partisans affirment, au contraire, qu'un vin fin est grand dès sa jeunesse. La courbe de vieillissement des vins est simple à leurs yeux : l'apogée se manifeste plus tôt et dure néanmoins plus longtemps. Fondamentalement, on peut dire que les vins très tanniques se bonifient plus lentement que les autres. Pour cette raison, les vins blancs doivent généralement être dégustés plus tôt que les rouges, les vins rouges légers plus tôt que les rouges plus charpentés. Les vins au fort titre alcoométrique ou à l'acidité marquée, les moelleux et les liquoreux (qui contiennent une quantité non négligeable de sucres résiduels) évoluent plus lentement et mettent parfois des années pour parvenir au stade idéal. De même, les vins de grands millésimes présentent une courbe plus ample que ceux des petits millésimes.

Une notion subjective
Le vieillissement idéal ne se calcule pas mathématiquement. Il varie d'un vin à l'autre. Les prévisions ne peuvent se fonder que sur l'expérience personnelle. De plus, la part de subjectivité est importante dans cette évaluation. En Bourgogne, un vin rouge d'appellation communale est généralement prêt à boire dès qu'il arrive sur le marché, mais il ne livre toutes ses qualités qu'au bout de dix ans. Il en va de même du Barolo. Or, les Italiens le boivent au bout de trois ans, dès qu'il est commercialisé. Aux yeux de certains, c'est un « infanticide » : huit à dix ans de vieillissement leur paraissent indispensables.

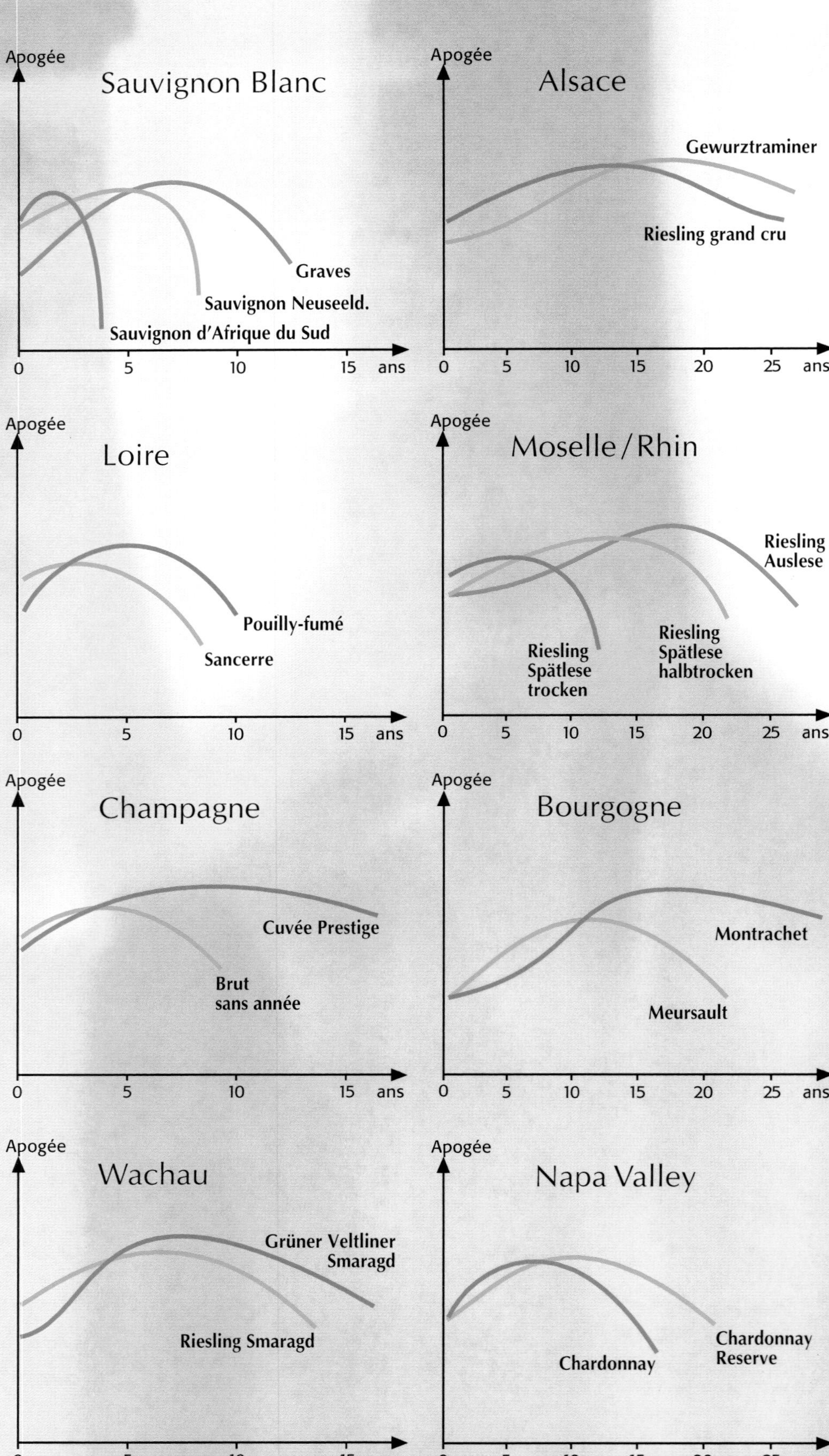

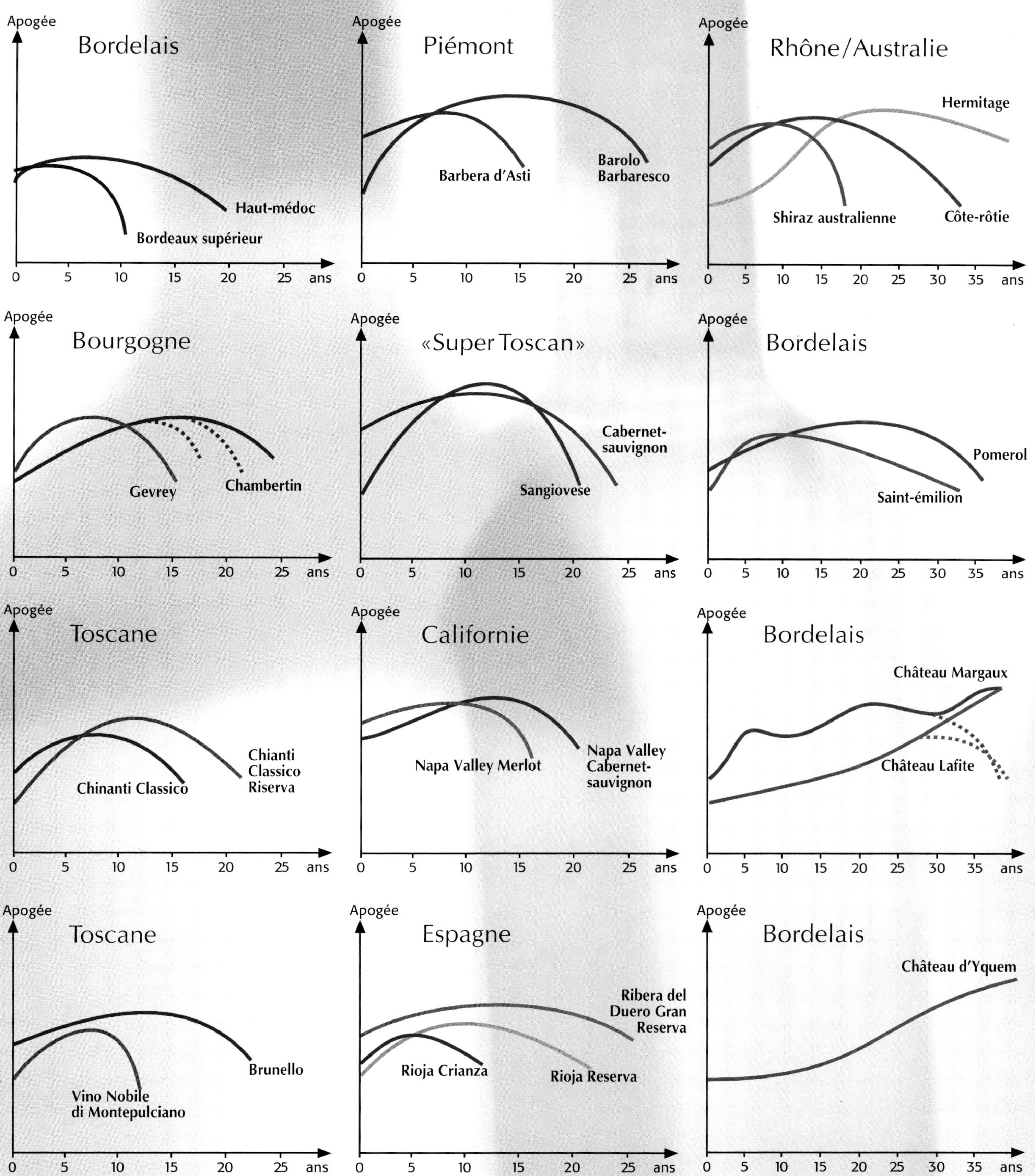

Apogée
Bordelais
Haut-médoc
Bordeaux supérieur
0 5 10 15 20 25 ans
Apogée
Piémont
Barbera d'Asti
Barolo
Barbaresco
0 5 10 15 20 25 ans
Apogée
Rhône/Australie
Hermitage
Shiraz australienne
Côte-rôtie
0 5 10 15 20 25 30 35 ans
Apogée
Bourgogne
Gevrey
Chambertin
0 5 10 15 20 25 ans
Apogée
«Super Toscan»
Cabernet-sauvignon
Sangiovese
0 5 10 15 20 25 ans
Apogée
Bordelais
Pomerol
Saint-émilion
0 5 10 15 20 25 30 35 ans
Apogée
Toscane
Chianti Classico Riserva
Chinanti Classico
0 5 10 15 20 25 ans
Apogée
Californie
Napa Valley Merlot
Napa Valley Cabernet-sauvignon
0 5 10 15 20 25 ans
Apogée
Bordelais
Château Margaux
Château Lafite
0 5 10 15 20 25 30 35 ans
Apogée
Toscane
Brunello
Vino Nobile di Montepulciano
0 5 10 15 20 25 ans
Apogée
Espagne
Ribera del Duero Gran Reserva
Rioja Crianza
Rioja Reserva
0 5 10 15 20 25 ans
Apogée
Bordelais
Château d'Yquem
0 5 10 15 20 25 30 35 ans

Petits et grands millésimes

L'aptitude d'un vin à la garde varie d'un millésime à l'autre, c'est-à-dire en fonction des conditions climatiques qui ont présidé au cycle végétatif de la vigne. Selon le dicton populaire, le climat du mois de juin détermine le volume de la récolte, et celui du mois d'août sa qualité.

On ne parle de millésime que depuis le XVIIe siècle, plus exactement depuis que le vin est mis en bouteilles et non plus tiré, au fil des années, d'énormes fûts. Pourtant, on s'était rendu compte depuis longtemps que les vins reflétaient les conditions climatiques de leur année : on se plaignait d'obtenir un vin trop acide lorsque l'été avait été pluvieux, et l'on se réjouissait lorsqu'il était riche, chaleureux et velouté après une saison de maturation chaude et ensoleillée.

De grands écarts dans les zones froides

Les différences entre millésimes existent dans toutes les régions viticoles du monde. Cependant, dans les zones froides des climats tempérés, où les variations climatiques sont assez grandes, elles sont particulièrement sensibles. C'est notamment le cas du Piémont et de la Toscane, de la Wachau et de la Styrie, du Rhin et de la Moselle, de l'Alsace et de la Loire, de la Bourgogne et du Bordelais. Ces régions sont fréquemment atteintes par le gel printanier qui affecte la floraison. Au moment des vendanges, une mauvaise météorologie entraîne l'apparition de pourriture grise et une dilution dommageable. Les petits millésimes présentent donc une moindre complexité et un potentiel de vieillissement réduit. Néanmoins, ils peuvent être fort agréables.

Le rôle du vigneron

La qualité des millésimes varie d'une région viticole à l'autre et parfois même d'une aire à l'autre. Toutefois, le vigneron ne se trouve pas sans ressources. Son savoir-faire peut indéniablement faire la différence. Ainsi, une sélection rigoureuse des raisins lors des vendanges permet de ne conserver que les baies saines pour produire de beaux vins même les petites années. Bien sûr, certaines méthodes s'avèrent coûteuses et ne peuvent être appliquées dans tous les domaines. Les spécialistes ont l'habitude d'évaluer la qualité des millésimes dans des tableaux de cotation. Il s'agit de simples moyennes qui ne tiennent pas compte des microclimats et des techniques mises en œuvre par les producteurs.

	Moselle-Sarre-Ruwer	Rheingau	Palatinat	Pays de Bade	Wachau
1996	★★★	★★★	★★★	★★★	★★★
1995	★★★★	★★★	★★★★	★★★	★★★
1994	★★★	★★★	★★★	★★★	★★★★
1993	★★★★	★★★	★★★★	★★★	★★★
1992	★★★★	★★★★	★★★	★★★	★★★
1991	★★	★★★	★★★	★★	★★★
1990	★★★★★	★★★★★	★★★★★	★★★★★	★★★★
1989	★★★★★	★★★★★	★★★★	★★	★★★★
1988	★★★★	★★★★	★★★	★★★★	★★★
1987	★★	★★★	★★★	★★	★★
1986	★★★	★★	★★★	★★★	★★★
1985	★★★	★★★★	★★★	★★★	★★★★
1984	★	★	★	★	★★
1983	★★★★★	★★★★★	★★★★	★★★★★	★★★
1982	★★★	★★★	★★★	★★★	★
1981	★★★	★★	★★	★★	★★★
1980	★	★★	★★	★	★★

	Chianti Classico	Vino Nobile di Monte-pulciano	Brunello di Montalcino	Barolo, Barbaresco	Haut-Adi (rouge)
1996	★★★★	★★★★	★★★★	★★★★	★★★★
1995	★★★★	★★★★	★★★★★	★★★★	★★★★
1994	★★★	★★★	★★★	★★★	★★★
1993	★★★	★★★	★★★	★★★	★★★
1992	★	★	★	★★	★★
1991	★★	★★★	★★	★★	★★★
1990	★★★★★	★★★★★	★★★★★	★★★★★	★★★★
1989	★★	★★	★★★	★★★★★	★★★
1988	★★★★	★★★★	★★★★	★★★★	★★★
1987	★★	★★	★★★	★★★	★★
1986	★★★	★★★	★★★	★★★	★★
1985	★★★★	★★★★	★★★★	★★★★	★★★
1984	★	★	★★	★	★
1983	★★★★	★★★★	★★★★	★★★	★★
1982	★★★★	★★★	★★★	★★★★★	★★★★
1981	★★★	★★★	★★★	★★★	★★★
1980	★★★	★★★	★★	★★★	★★

Bourgogne (rouge)	Médoc	Saint-Émilion et Pomerol	Graves	Sauternes	Côte d'Or (rouge)	Côte d'Or (blanc)	Champagne	Rhône	Porto
★★	★★★★	★★★	★★★★★	★★★★	★★★★★	★★★★	★★★	★★★	★★★★
★★	★★★	★★★★	★★	★★★	★★★★	★★★★★	★★★	★★★★	★★★★
★★★	★★	★★★	★★★★	★	★★	★★★	★★	★★★★	★★★★
★★★	★★	★★	★★	★	★★★	★★★	★★	★★	★★
★★★	★	★★	★★★	★	★	★★★★	★★★	★	★★★★
★★★	★★	★★	★★	★	★★★	★★	★★	★★	★★★★
★★★	★★★★★	★★★★★	★★★★★	★★★★★	★★★★★	★★★★★	★★★	★★★★★	★★★
★★★	★★★★	★★★★	★★★★	★★★★★	★★★★	★★★★	★★★★	★★★★★	★★
★★	★★★★	★★★★	★★★★★	★★★★★	★★★★	★★	★	★★★	★★
★★	★★	★★★★	★★	★★	★★	★★	★	★★	★★★★
★★★	★★★★★	★★★★	★★★★	★★★★	★★	★★★★	★★	★★★	★
★★★	★★★★	★	★★★	★★★	★★★★	★★★★	★★★	★★★	★★★★
★★	★★	★★★	★★	★	★	★★	★	★	★
★★★	★★★	★★★	★★★	★★★★★	★★★	★★★★	★★★	★★★	★★★★
★	★★★★★	★★★★★	★★★	★★	★★★	★★★	★★★★★	★★★	★★★
★★	★★★	★★★	★★★	★★★	★★	★★	★★★	★★★★	★★
★★	★★	★★	★★	★★★	★★	★★	★	★★	★★★

Rioja	Navarre	Ribera del Duero	Priorato	Californie (blanc)	Napa Valley (rouge)	Australie (rouge)	Chili (rouge)	Afrique du sud (rouge)	Nouvelle-Zélande (blanc)
★★★	★★★	★★★★	★★★★★	★★★★	★★★★	★★★★	★★★	★★★	★★★
★★★★	★★★★★	★★★★★	★★★★	★★★★★	★★★★★	★★★★	★★★★	★★★★	★★
★★★★	★★★★	★★★★★	★★★★	★★★★	★★★★	★★★★	★★★★	★★★	★★★★
★★	★★	★★	★★★★	★★★	★★★	★★★★	★★★	★★★	★★★
★★	★★	★★	★★★★	★★★★★	★★★★	★★★★	★★★	★★★	★★★
★★★	★★★	★★★★	★★★	★★★★	★★★★	★★★★★	★★	★★★★★	★★★★★
★★★	★★★	★★★	★★★	★★★★	★★★★★	★★★★	★★★★	★★★	★★★★
★★★	★★★★	★★★★	★★★	★★	★★★	★★★★	★★★	★★★★	★★★★★
★★★	★★★	★★★	★★★	★★★★	★★	★★★	★★★	★★	★★★★
★★★	★★	★★★	★★★	★★	★★★★	★★★★	★★★	★★★	★★★
★★★	★★★	★★★★	★★★	★★★★★	★★★★★	★★★			
★★	★★	★★★	★★★★	★★★★	★★★★★	★★★			
★	★★★	★★	★★★	★★★★	★★★★	★★★			
★★★	★★	★★★	★★★	★★	★★	★★★★★			
★★★★	★★★★★	★★★★	★★★★	★★★	★	★★★			
★★★	★★★	★★★★	★★★★	★★★★	★★	★★★			
★★	★★★	★★★	★★★★	★★★★	★★	★★★			

Symboles:

★	mauvais millésime
★★	petit millésime
★★★	bon millésime
★★★★	très bon millésime
★★★★★	grand millésime

Acescence : maladie provoquée par des micro-organismes et donnant un vin piqué.
Acidité totale : teneur en acides fixes et volatils d'un vin. Présente sans excès, l'acidité contribue à l'équilibre du vin, en lui apportant fraîcheur et nervosité. Mais lorsqu'elle est très forte, elle devient un défaut, en lui donnant un caractère mordant et vert. En revanche, si elle est insuffisante, le vin est mou. En France, l'acidité totale est exprimée en grammes d'acide sulfurique par litre, tandis que dans les autres pays, elle est exprimée en grammes d'acide tartrique par litre.
Aigreur : caractère acide élevé, assorti d'une odeur particulière rappelant celle du vinaigre.
Alcool : composant le plus important du vin après l'eau. L'alcool éthylique apporte au vin son caractère chaleureux, mais s'il domine trop, le vin devient brûlant.
Amertume : saveur âcre qui provoque une constriction des muqueuses de la bouche. Normale pour certains vins rouges jeunes et riches en tanins, l'amertume est dans les autres cas un défaut dû à une maladie bactérienne.
Ampélographie : étude, description et identification des cépages.
Analyse sensorielle : désignation technique de la dégustation.
AOC (appellation d'origine contrôlée) : système réglementaire garantissant l'authenticité d'un vin issu d'un terroir spécifique.
Aoûtement : lignification des rameaux conduisant à leur transformation en sarments.
AOVDQS : sigle de vin délimité de qualité supérieure.
Arôme : sensation odorante perçue au nez et en bouche (par rétro-olfaction). On distingue les arômes primaires (du raisin), secondaires (nés de la fermentation) et tertiaires (issus de l'évolution du vin en fût ou en bouteille).
Assemblage : mélange de plusieurs vins d'origine et de qualité identiques pour obtenir un lot unique. Faisant appel à des vins de même origine, l'assemblage est très différent du coupage.
Astringence : caractère âpre et rude en bouche, souvent perceptible dans les vins rouges jeunes, riches en tanins et ayant besoin de temps pour s'arrondir.
Ban des vendanges : document officiel fixant la date des vendanges, offrant souvent l'occasion d'une fête.
Barrique : fût bordelais de 225 l en usage dans le Bordelais et dans d'autres régions viticoles du monde, telle l'Espagne et l'Italie.
Bâtonnage : remuage (au bâton) d'un vin dans le but de remettre en suspension ses lies et d'éviter la formation de mauvaises odeurs.
Bodega : dans les pays hispanophones, cave vinicole.
Botrytis cinerea : champignon responsable de la formation de la pourriture des raisins. Généralement très néfaste (pourriture grise), il peut dans certaines conditions climatiques (matins brumeux suivis d'après-midi ensoleillées) produire une concentration des raisins (pourriture noble) et permettre l'élaboration des vins liquoreux.
Bouche : troisième étape de la dégustation consistant à étudier la matière et la structure du vin. Par métonymie, ensemble des caractères aromatiques, tactiles et thermiques perçus par le palais et la voie rétronasale.
Bouquet : ensemble des arômes qui se sont développés au cours du vieillissement d'un vin en bouteille. On parle aussi d'arômes tertiaires.
Brut : qualifie un vin effervescent comportant très peu de sucre. L'expression brut zéro correspond à l'absence totale de sucre.
Cantina : en Italie, cave vinicole.
Casse : accident (oxydation ou réduction) provoquant une perte de limpidité du vin.
Caudalie : unité de mesure (seconde) de la durée de persistance en bouche des arômes après ingestion ou rejet du vin dégusté.
Cépage : plant de vigne du genre *Vitis*.
Chai : bâtiment situé au-dessus du sol et destiné à l'élevage des vins dans les régions où l'on ne creuse pas de caves.
Chaptalisation : pratique légale dans certaines régions viticoles de climat septentrional, consistant à ajouter du sucre à la vendange afin d'obtenir un meilleur équilibre du vin par une augmentation de la richesse en alcool.
Château : en Bordelais, exploitation vinicole. L'usage de ce terme n'implique pas l'existence d'un véritable château.
Clairet : vin rouge léger et fruité, ou vin rosé produit en Bordelais.
Claret : nom donné par les Anglais au vin rouge de Bordeaux.
Clavelin : bouteille aux épaules marquées, d'une contenance de 60 cl, réservée aux vins du Jura.
Climat : nom de lieu-dit cadastral dans le vignoble bourguignon.
Clone : ensemble des pieds de vigne issu d'un cep unique par multiplication (bouturage ou greffage).
Clos : vignoble ceint de murs. Ce terme a pris un sens beaucoup plus large, désignant aussi bien une appellation d'origine (clos-vougeot par exemple) que des exploitations.
Collage : clarification d'un vin à l'aide d'un produit gélatineux (blanc d'œuf, colle de poisson) se coagulant dans le vin et entraînant dans sa chute les particules restées en suspension.
Cordon : mode de conduite en taille courte des vignes palissées.
Coulure : non-transformation de la fleur de vigne en fruit due à une mauvaise fécondation, pouvant s'expliquer par des raisons diverses (climatiques, physiologiques).
Coupage : mélange de vins d'origines et de qualités distinctes, pratiqué pour la production de vins de table. (À ne pas confondre avec l'assemblage.)
Crémant : vin effervescent d'appellation d'origine contrôlée élaboré selon la méthode traditionnelle, produit en Alsace, dans le Bordelais, en Bourgogne, à Die, à Limoux, dans la Loire et dans le Jura.
Cru : terme polysémique désignant un vignoble précis, un terroir ou une région de production, le vin ou l'eau-de-vie qui en sont issus.
Cuvaison : période pendant laquelle, après la vendange en rouge, les matières solides restent en contact avec le jus en fermentation dans la cuve. Sa longueur détermine la coloration et la force tannique du vin.
Cuvier : lieu réunissant les cuves de fermentation et les pressoirs.
Débourbage : clarification du jus de raisin non fermenté, séparé des matières solides (bourbes).
Débourrement : ouverture des bourgeons et apparition des premières feuilles de la vigne.
Décantation : transvasement d'un vin de sa bouteille dans une carafe pour lui permettre de se rééquilibrer par aération et de se débarrasser de son dépôt.
Décuvage : séparation du vin de goutte et du marc après fermentation. (Synonyme d'écoulage.)
Dégorgement : dans la méthode traditionnelle, élimination du dépôt de levures formé lors de la seconde fermentation en bouteille.
Dégustation à l'aveugle : dégustation de vins sans connaissance préalable de leurs origines.
Dépôt : particules solides contenues dans le vin, notamment dans les vins vieux.
Dosage : apport de sucre sous forme de liqueur d'expédition à un vin effervescent, après le dégorgement.
Doux : qualifie un vin contenant plus de 50 g/l de sucres résiduels.
Échelle des crus : système de classement des communes de Champagne en fonction de la valeur des raisins qui y sont produits.
Écoulage : synonyme de décuvage.
Effervescent : qualifie un vin qui, en bouteille, présente une surpression de plus de 3 kg et libère un dégagement de gaz carbonique au débouchage.
Égrappage : séparation des grains de raisin de la rafle.
Élevage : ensemble des soins apportés au vin jusqu'à sa mise en bouteille, afin de le préparer au vieillissement.

Extrait sec : ensemble des matières solides contenues dans le vin (sucre, gommes, sels, tanins, glycérol, etc.), analysées après évaporation des composants volatils.
Fermentation : transformation du sucre du jus de raisin en alcool sous l'action de levures.
Fermentation malolactique : transformation de l'acide malique en acide lactique et gaz carbonique, sous l'effet de bactéries lactiques, permettant un assouplissement du vin.
Filtration : clarification du vin à l'aide de filtres.
Foudre : tonneau de grande capacité (200 à 300 hl).
Foulage : opération consistant à faire éclater la peau des grains de raisin.
Frizzante : en italien, qualifie un vin perlant.
Gobelet : mode de conduite en taille courte des vignes non palissées, en usage dans les régions méditerranéennes.
Impériale : bouteille bordelaise correspondant à huit bouteilles ordinaires, soit 6 l. (Synonyme : mathusalem en Champagne.)
Levures : champignons microscopiques unicellulaires responsables de la fermentation alcoolique.
Liqueur d'expédition ou de dosage : mélange de sucre et de vieux vin de champagne servant au dosage des vins effervescents de méthode traditionnelle.
Liqueur de tirage : mélange de sucre, de vin de champagne et de levain, ajouté à un vin tranquille pour sa prise de mousse en bouteille.
Liquoreux : qualifie un vin blanc contenant plus de 40 g/l de sucres résiduels, issu de raisins atteints de pourriture noble ou passerillés (vin de paille).
Macération : contact du moût avec les parties solides du raisin pendant la cuvaison.
Macération carbonique : mode de vinification utilisé essentiellement pour la production de vins primeurs (beaujolais, par exemple).
Madérisé : qualifie un vin blanc qui, en vieillissant, a pris une couleur ambrée et un goût rappelant celui du madère, sous l'action de l'oxygène.
Magnum : bouteille correspondant à deux bouteilles ordinaires, soit 1,5 l.
Marc : matières solides restant après le pressurage des raisins.
Mathusalem : bouteille champenoise correspondant à huit bouteilles ordinaires, soit 6 l. (Synonyme : impériale en Bordelais.)
Maturation : étape du développement du raisin, correspondant à un enrichissement en sucre et à une perte en acides.
Méthode traditionnelle : technique d'élaboration des vins effervescents de qualité (dont le champagne) comprenant une prise de mousse en bouteille.
Millésime : année de récolte d'un vin.
Moelleux : qualifie des vins blancs contenant entre 12 et 48 g/l de sucres résiduels. À la dégustation, qualifie un vin à la fois gras et un peu acide.
Mousseux : synonyme d'effervescent.
Moût : jus obtenu après pressurage des raisins.
Moût concentré : moût dont on a éliminé une partie de l'eau qui le compose, servant à l'enrichissement des vins.
Mutage : arrêt de la fermentation alcoolique du moût par ajout d'alcool vinique.
Nabuchodonosor : bouteille géante correspondant à vingt bouteilles ordinaires, soit 15 l.
Nez : deuxième étape de la dégustation consistant à étudier les arômes du vin. Par métonymie, ensemble des arômes d'un vin.
Nouaison : formation des baies de raisin.
[1]Œil : bourgeon fructifère laissé lors de la taille sur un rameau de vigne.
[2]Œil : première étape de la dégustation consistant à étudier la couleur et l'aspect extérieur du vin (la robe).
Œnologie : étude scientifique des composants du vin.
Ouillage : ajout régulier de vin dans chaque fût pour maintenir le niveau de remplissage et éviter l'oxydation.
Oxydation : action de l'oxygène sur le vin se traduisant par une modification de la couleur (tuilée pour les vins rouges) et du bouquet.
Passerillage : dessèchement du raisin sur souche ou sur claie, s'accompagnant d'un enrichissement en sucres.
Perlant : qualifie un vin dégageant de petites bulles de gaz carbonique (1 kg de surpression en bouteille).
Pièce : nom du tonneau en Bourgogne, d'une capacité de 228 l.
Pigeage : opération consistant à enfoncer le chapeau de pellicule dans le moût en fermentation pour favoriser l'extraction des composants.
Pourriture noble : forme bénéfique du champignon *Botrytis cinerea,* permettant une concentration en sucres du raisin et l'élaboration de vins liquoreux.
Pressurage : extraction du jus de raisin par pression sur le marc ou les baies entières.
Prise de mousse : seconde fermentation en bouteille ou en cuve close, permettant la transformation d'un vin tranquille en vin effervescent.
Rameau : jeune tige herbacée de la vigne.
Remontage : opération consistant à prélever du moût en bas de la cuve et à le faire remonter pour asperger le chapeau de pellicules, favorisant ainsi l'extraction des composants.
Remuage : dans la méthode traditionnelle, opération visant à amener les dépôts contre le bouchon par le mouvement imprimé aux bouteilles placées sur des pupitres.
Robe : couleur et aspect extérieur d'un vin.
Rosé de saignée : vin rosé issu d'une cuve de raisin rouge écoulée après une courte macération.
Rôti : caractère spécifique donné par la pourriture noble aux vins liquoreux, qui se traduit par un goût et des arômes de confit.
Salmanazar : bouteille géante contenant douze bouteilles ordinaires, soit 9 l.
Sarment : rameau de vigne lignifié.
Saveur : sensation (sucrée, salée, acide ou amère) perçue par les papilles gustatives.
Sec : qualifie un vin tranquille contenant moins de 10 g/l de sucres résiduels, ou un vin effervescent faiblement dosé (17-35 g/l de sucres résiduels).
Soutirage : transvasement d'un vin d'un fût dans un autre pour en séparer la lie.
Stabilisation : ensemble des traitements destinés à la bonne conservation des vins.
Sulfitage : introduction de solution sulfureuse dans un moût ou dans un vin pour le protéger d'accidents ou de maladies.
Taille : coupe des sarments pour régulariser et équilibrer la croissance de la vigne.
Tanin : composé phénolique présent dans le raisin (pellicule, rafle, pépins) et dans le vin, auquel il confère de la mâche et une certaine aptitude à la garde.
Terroir : aire géographique qui s'individualise par ses caractéristiques géo-pédologiques et climatiques.
Thermorégulation : contrôle de la température des cuves pendant la fermentation.
Titre alcoométrique : richesse du vin en alcool exprimée en pourcentage volume (% vol.).
Tranquille : qualifie un vin ne contenant pas ou peu de gaz carbonique (pression en bouteille inférieure à 0,5 kg).
VDL : sigle de vin de liqueur. Vin issu d'un moût muté à l'alcool vinique.
VDN : sigle de vin doux naturel. Vin muté issu du muscat, grenache et malvoisie, produit en France selon des conditions strictes.
Véraison : coloration des baies de raisins au mois d'août.
Vin de goutte : dans la vinification en rouge, vin issu directement de la cuve au décuvage.
Vin de presse : dans la vinification en rouge, vin issu des marcs par pressurage après le décuvage.
Vin de primeur : vin élaboré pour être consommé dès sa mise en marché.
Vinification : méthode et ensemble des techniques d'élaboration du vin.
VQPRD : sigle de vin de qualité produit dans une région déterminée. Se distingue des vins de table dans le langage réglementaire de l'Union européenne et regroupe en France les AOC et les AOVDQS.
Winery : dans les pays anglophones, établissement viti-vinicole.

CRÉDITS PHOTOGRAPHIQUES

ARTOTHEK 16, Joachim Blauel ; **Jan Bendermacher** 76 ; © **Günter Beer/Der Feinschmecker** 85 haut ; © **Bildarchiv Preussischer Kulturbesitz, Berlin, 1997**, 17 arrière-plan, Alfredo Dagli Orti, 1993 ; 17 Amphora, Antikensammlung Berlin ; 149 ; **Bildarchiv BILDER PUR/K. Wanecek** 91 arrière-plan/**W. Geiersperger** 182, 183 haut ; **Beate Brömse** 232/233 ; **CHAMBRAIR/Hamburg** 229 haut ; **Comité interprofessionnel du vin de Champagne, Épernay**, 108 droite, 109 droite bas, 109 droite haut, 110 droite, 229 bas gauche ; **Deutsches Fernerkundungsdatenzentrum der DLR**, **Oberpfaffenhofen** 118, 148, 164, 174 gauche, 180 haut, 184 haut, 186 haut ; **Dieth & Schröder Fotografie, Robert Dieth** 35 haut droite, 35 bas droite, 38 haut gauche, 40 bas, 43 bas (photo), 45 milieu, 46 gauche, 46 droite, 47 bas droite, 51 haut droite, 51 bas, 58, 60 arrière-plan, 61/1. droite, 61/2. droite, 62, 63/2. gauche, 63/1. droite, 65/2. gauche, 65/1. droite, 68 grande photo, 86, 97 gauche, 104/105 arrière-plan ; **Foodphotography Eising** 7/2. haut, 7/3. haut, 22, 23 gauche, 23 droite, 206/207, 218/219, 220/221, 222/223, 224/225, 227, 230 colonne de gauche, 231 colonne de droite, 238 à 243, toutes les bouteilles ; **Armin Faber** 4/3. haut, 52/53 ; **INTERFOTO** 71 droite ; **Enno Kleinert** 21, 26 gauche bas, 26 droite bas, 27 gauche bas, 27 droite bas, 32/33, 72, 80/81/82, 84, 85 bas (gauche, milieu, droite), 87 ; **Herbert Lehmann** 63/1. gauche ; **Martin Ley** 214 (photo), 215 haut (photo) ; **Herb Lingl photography/San Francisco** 190/191 haut, 192/193 haut ; **Luftbildverlag Bertram/Gorkenant**, photos : 120/121, 121 bas, 126/127 bas, 130/131 haut, 131 bas, 140/141, 140 haut, 142/143, 144/145, 150/151, 154 haut, 155 bas, 155 haut, 156 haut, 156 bas, 157 haut, 158 haut, 159 bas, 176/177, 178/179 bas, 181 bas ; **Manfred Mahn** 230 droite ; **Siri Mills** 214, 215 haut ; **Moët Hennessy Deutschland** 110 gauche ; © **Enrico Necade** 57/1. droite, 57/2. droite ; **Root Stock/Patrick Eagar** 199 ; **Root Stock/Hendrik Holler** Vorsatz, Nachsatz, 5/2. haut, 24 (photo), 27 haut droite, 43 haut, 49 bas, 55/1. gauche, 55/2. gauche, 55/2. droite, 56 arrière-plan, 57/1. gauche, 57/2. gauche, 58 arrière-plan, 59/1. droite, 59/2. droite, 61/1. gauche, 61/2. gauche, 63/2. droite, 65/2. droite, 66/77, 69 bas, 74 haut, 75 bas, 75 haut, 79 droite milieu, 88, 94, 95 bas, 98, 102/103 arrière-plan, 197,198, 203 haut, 203 bas, 205 bas ; **Klaus Rummel** 120/121, 121 bas, 126/127 bas, 131 bas, 130/131 haut, 140/141, 140 haut, 142/143, 144/145, 150/151, 154 haut, 155 bas, 155 haut, 156 haut, 156 bas, 157 haut, 158 haut, 159 bas, 176/177, 178/179 bas, 181 bas,190/191 haut, 192/193 haut ; **Satellite Imagemap © 1997 Planetary Visions Limited** 18/19, 188, 196, 200 haut, 202 haut, 204 haut ; **Schloss Johannisberger Weingüterverwaltung** 47 haut droite ; **Christian Schulz** 7/1. haut, 106/107, 209, 212/213, 228 ; **Scope/Jean-Luc Barde** 4/2. haut, 5/3. haut, 6/2. haut, 8/9, 12/13, 38 milieu, 40 milieu, 68 petite photo, 73 bas milieu, 77 haut, 79 haut gauche, 79 haut droite, 103 gauche, 105 milieu, 129 arrière-plan, 129,132, 136, 137 gauche, 137 droite, 138, 146/147, 157 bas droite, 158 bas droite, 166 haut, 167 arrière-plan, 167 haut, 168, 169 haut, 226 haut, 244 droite ; **Scope/Pierre Borasci** 133 droite ; **Scope/Bernard Galeron** 152 haut, 152 bas, 153 arrière-plan ; **Scope/Michel Gotin** 157 bas gauche, 159 haut, 181 haut ; **Scope/Philip Gould** 31 haut gauche ; **Scope/Jacques Guillard** 4/4. haut, 6/3. haut, 14/15, 20, 34 milieu, 34 gauche bas, 41 haut, 49 milieu gauche, 54 arrière-plan, 69 haut, 99, 104 bas, 104 milieu, 104 haut, 105 haut, 112 gauche, 112 droite, 113 milieu, 115 haut, 122 bas, 122 haut, 123 haut, 123 arrière-plan, 125 bas, 126 haut, 128 haut, 128 bas, 133 gauche, 162/163, 165 ; **Scope/Michel Guillard** 4/1. haut, 6/1. haut, 10/11, 26 haut gauche, 35 haut gauche, 35 bas gauche, 37 haut gauche, 38 haut droite, 38 bas gauche, 39 milieu, 39 haut gauche, 39 haut droite, 39 bas droite, 40/41 arrière-plan, 41 milieu, 45 bas, 48, 49 milieu droite, 50 haut, 70, 73 bas gauche, 78/83, 79 bas droite, 79 milieu gauche, 100 gauche, 105 bas, 116/117, 119, 135 haut, 141 haut, 142 haut, 142 bas, 145 bas, 226 bas, 230/231, 231 gauche, 231 milieu, 235 bas droite (photo) ; **Scope/Frederic Hadengue** 31 bas gauche, 41 bas ; **Scope/Francis Jalain** 123 bas ; **Scope/Sara Matthews** 49 haut milieu, 124, 153 droite bas, 160 arrière-plan ; **Scope/Michel Plassart** 125 haut ; **Scope/Éric Quentin** 211 haut ; **Scope/Nick Servian** 95 haut ; **Institut du xérès** 114 haut ; **Spectre** 18/19, 19 bas, 24, 25, 26/27, 37 bas, 38 droite, 39 gauche bas, 43, 45 haut, 45 bas, 47 haut gauche, 71 gauche (bas, milieu, haut), 73 haut, 91 petite photo, 97 droite, 109 gauche, 114 gauche bas, 208, 210 bas, 215 bas, 229 bas droite, 235 gauche, **StockFood/CEPHAS/Auberson** 185 bas gauche ; **StockFood/CEPHAS/Nigel Blythe** 38 droite/39 gauche bas (photo), 174 droite ; **StockFood/CEPHAS/Andy Christodolo** 6/7 arrière-plan,74 milieu, 200 bas, 201 haut ; **StockFood/CEPHAS/Kevin Judd** 201 bas ; **StockFood/Ulrike Köb** 246/247 ; **StockFood/J.J. Magis** 245 ; **StockFood/CEPHAS/Steve Morris** 205 haut ; **StockFood/Okolicsanyi** 180 droite bas ; **StockFood/CEPHAS/Alain Proust** 5/4. haut, 92/93 ; **StockFood/CEPHAS/Mick Rock** 4/5 arrière-plan, 5/1. haut, 6/4. haut, 26 haut droite, 27 haut gauche, 28/29, 30 droite, 32/33 arrière-plan, 36 haut, 36 bas, 44, 47 haut gauche (photo), 47 bas droite, 49 haut gauche, 49 milieu, 51 haut gauche, 62 arrière-plan, 64, 64 arrière-plan, 65/1. gauche, 73 haut (photo), 73 bas droite, 74 bas, 75 milieu, 77 droite, 79 bas gauche, 90, 101 gauche, 101 droite, 102 gauche, 109 droite milieu, 111 haut, 114 bas droite, 134 arrière-plan, 134, 135 bas, 139 haut, 139 bas, 151 bas, 158 gauche bas, 160 petite photo, 161 gauche, 161 droite, 170, 171 gauche, 172/173, 175 haut, 175 bas, 178 haut, 185 arrière-plan, 186 bas, 187 haut, 187 bas, 190 bas, 194 droite, 195 arrière-plan, 195 gauche, 195 droite, 198 arrière-plan, 210, 244 gauche ; **StockFood/Bodo A. Schieren** 216/217, 234 ; **StockFood/Martin Skultety** 154 bas ; **StockFood/CEPHAS/Roy Stedall** 115 bas ; **StockFood/CEPHAS/Ted Stefanski** 40 haut, 189, 191 bas, 193 bas, 194 gauche ; **StockFood/CEPHAS/Wine Magazine** 113 gauche ; **Olaf Tamm** 19 bas (photo), 54, 56, 59/1. gauche, 60 ; **Gerhard Theato** 17 bas gauche, 55/1. droite, 59/2. gauche ; **Altan Üze** 54-65 Illustrations : **Verband Schweizer Weinexporteure/SWEA/Berlin** 184 bas ; **Veuve-Clicquot Import GmbH** 108 gauche ; **Visum/Günter Beer** 89, 102 droite, 103 droite, /**Christoph Engel** 96 ; **Arnold Zabert** 7/4. haut, 236/237 ; **Zero** 30 gauche, 31 haut gauche, 31 bas gauche ; **ZS Verlag** 34 haut, 37 bas (photo), 42, 45 haut (photo), 49 haut droite, 111 bas, 232.

Couverture : **StockFood/CEPHAS/Alain** Proust (chai du château de La Gardine, Châteauneuf-du-Pape) et **Armin Faber** (vignoble de la Ahr, Allemagne). **Alexander Kupka** jaquette/revers droit. **Quatrième de couverture** (de gauche à droite et de haut en bas) : **Scope/Éric Quentin** ; **Scope/Michel Guillard** ; **StockFood/CEPHAS/Mick Rock** ; **Root Stock/Hendrik Holler** ; **Luftbilverlag Bertram/Gorkenant** et **Klaus Rummel** ; **StockFood/Cephas/Mick Rock** ; **Enno Kleinert** et **StockFood/CEPHAS/Mick Rock**, **Scope/Michel Guillard**, **Root Stock/Hendrik Holler**.

Imprimé à Gütersloh, Allemagne, par Mohndruck
Dépôt légal : 0480.09.98
ISBN : 201236370-9
N° d'édition : 47057
23-51-6370-3/01